엑셀2016

EXCEL2016

유현배

YD Edition 연두에디션

저자 약력

현재, 나사렛대학교 교수

엑셀 2016

발행일 2020년 4월 30일 초판 1쇄
2021년 2월 15일 2쇄
지은이 유현배
펴낸이 심규남
기 획 심규남 · 이정선
표 지 이경은 | **본 문** 이경은
펴낸곳 연두에디션
주 소 경기도 고양시 일산동구 동국로 32 동국대학교 산학협력관 608호
등 록 2015년 12월 15일 (제2015-000242호)
전 화 031-932-9896
팩 스 070-8220-5528
ISBN 979-11-88831-36-4
정 가 15,000원

이 책에 대한 의견이나 잘못된 내용에 대한 수정 정보는 연두에디션 홈페이지나 이메일로 알려주십시오.
독자님의 의견을 충분히 반영하도록 늘 노력하겠습니다.
홈페이지 www.yundu.co.kr

※ 잘못된 도서는 구입처에서 바꾸어 드립니다.

"본 저서는 2020년도 나사렛대학교 교내 연구비 지원으로 이루어졌음"

PREFACE

사무실에서 가장 많이 사용하는 프로그램을 꼽을 때, 엑셀은 늘 가장 높은 순위에 위치할 것입니다. 따라서 관련된 많은 자격증과 수험서, 대학교 과목 등 전방위적으로 교육이 이루어지고 있습니다. 그만큼 사용자 입장에서도 실무 문서를 작성하고 어려운 서식을 숙지하는데 적지 않은 시간과 노력을 투자해야 되는 것이 사실입니다. 여기에서 엑셀의 위력과 어려움을 동시에 알 수 있습니다.

엑셀은 문서를 작성하는데 필요한 프로그램이 아니라 강력한 계산 기능을 탑재한 최고의 스프레드시트 프로그램으로 복잡한 서식을 간단명료하게 정리해서 쉽게 결과물을 도출하고, 방대한 데이터를 비교 및 분석하는데 탁월한 프로그램입니다. 또한 데이터의 입력을 도와주는 기능으로부터 표를 간단히 만드는 기능, 더욱이 데이터를 분석, 예측하는 차트와 데이터베이스까지 엑셀의 기능은 끝이 없을 정도입니다. 엑셀 2016에서는 이전의 버전 기능을 계승하고 기능 강화를 꾀하는 등 새로운 기능이 추가되어 있습니다.

이 책은 엑셀 2016의 최신 기능을 한정된 지면에 가능한 많이 수록하고, 다양한 TIP을 통해서 부수적인 기능들을 익힐 수 있도록 하였습니다. 또한, 각 장이 끝날 때마다 학습한 내용을 숙달할 수 있도록 난이도별 실습 문제도 함께 제시하였습니다. 특히 쉽고 효율적인 예제를 중심으로 해설하여 사용자가 엑셀의 활용 방법을 자연스럽게 익힐 수 있게 구성하였습니다. 아마도 이 책을 보는 대부분의 사람들이 엑셀을 처음 접하는 분들이라고 생각합니다. 그렇다면, 엑셀이 단순한 워드프로세서가 아님을 숙지하시고, 수록된 다양한 서식과 응용 예제를 풀어보면서 엑셀의 활용법을 알아가는 과정이 되기를 희망합니다.

2020년
저자

CONTENTS

C H A P T E R

1

엑셀 기초

1.1 엑셀에서 가능한 것

1.2 엑셀 2016 기능

1.3 데이터 입력과 수정

1.4 자동 채우기

1.1 엑셀에서 가능한 것

요약

엑셀은 대표적인 표 계산 소프트웨어이다. 엑셀에서는 숫자, 문자 그리고 계산식 등을 입력해서 표를 작성할 수 있으며, 그 표를 이용해서 데이터를 계산 혹은 분석하거나 차트 작성이 가능하다.

■ 표 작성

사업장 별 판매현황

사업장	제품	상반기 제품단가	상반기 판매수량	하반기 판매수량	하반기 제품단가	상하반기 총판매수량	상반기 판매액	하반기 판매액	상하반기 판매차액	상하반기 판매증가율
A	마우스	₩ 2,800	370	400	₩ 3,000					
A	키보드	₩ 17,000	37	81	₩ 18,000					
B	마우스	₩ 2,800	710	730	₩ 3,000					
C	마우스	₩ 2,800	730	450	₩ 3,000					
D	모니터	₩ 4,500	57	80	₩ 4,500					
C	키보드	₩ 17,000	60	70	₩ 18,000					
D	모니터	₩ 4,500	59	86	₩ 4,500					
B	모니터	₩ 4,500	88	110	₩ 4,500					
D	키보드	₩ 17,000	90	100	₩ 18,000					

■ 데이터 계산

사업장 별 판매현황

사업장	제품	상반기 제품단가	상반기 판매수량	하반기 판매수량	하반기 제품단가	상하반기 총판매수량	상반기 판매액	하반기 판매액	상하반기 판매차액	상하반기 판매증가율
A	마우스	₩ 2,800	370	400	₩ 3,000	770	₩1,036,000	₩1,200,000	₩ 164,000	116%
A	키보드	₩ 17,000	37	81	₩ 18,000	118	₩ 629,000	₩1,458,000	₩ 829,000	232%
B	마우스	₩ 2,800	710	730	₩ 3,000	1440	₩1,988,000	₩2,190,000	₩ 202,000	110%
C	마우스	₩ 2,800	730	450	₩ 3,000	1180	₩2,044,000	₩1,350,000	-₩ 694,000	66%
D	모니터	₩ 4,500	57	80	₩ 4,500	137	₩ 256,500	₩ 360,000	₩ 103,500	140%
C	키보드	₩ 17,000	60	70	₩ 18,000	130	₩1,020,000	₩1,260,000	₩ 240,000	124%
D	모니터	₩ 4,500	59	86	₩ 4,500	145	₩ 265,500	₩ 387,000	₩ 121,500	146%
B	모니터	₩ 4,500	88	110	₩ 4,500	198	₩ 396,000	₩ 495,000	₩ 99,000	125%
D	키보드	₩ 17,000	90	100	₩ 18,000	190	₩1,530,000	₩1,800,000	₩ 270,000	118%

수식과 함수로부터 데이터를 계산한다.

■ 데이터베이스 이용

사업장 별 판매현황

사업장	제품	상하반기 총판매수량	상반기 총판매수량	하반기 판매액	상하반기 판매차액	상하반기 판매증가율
A	마우스	770	₩1,036,000	₩1,200,000	₩ 164,000	116%
A	키보드	118	₩ 629,000	₩1,458,000	₩ 829,000	232%
B	마우스	1440	₩1,988,000	₩2,190,000	₩ 202,000	110%
C	마우스	1180	₩2,044,000	₩1,350,000	-₩ 694,000	66%
D	모니터	137	₩ 256,500	₩ 360,000	₩ 103,500	140%
C	키보드	130	₩1,020,000	₩1,260,000	₩ 240,000	124%
D	모니터	145	₩ 265,500	₩ 387,000	₩ 121,500	146%
B	모니터	198	₩ 396,000	₩ 495,000	₩ 99,000	125%
D	키보드	190	₩1,530,000	₩1,800,000	₩ 270,000	118%

텍스트 오름차순 정렬(S)
텍스트 내림차순 정렬(O)
색 기준 정렬(T)
"제품"에서 필터 해제(C)
색 기준 필터(I)
텍스트 필터(F)
검색
(모두 선택)
마우스
모니터
키보드
(필드 값 없음)

데이터 정렬과 추출 등의 데이터베이스 기능을 이용한다.

■ 차트 작성

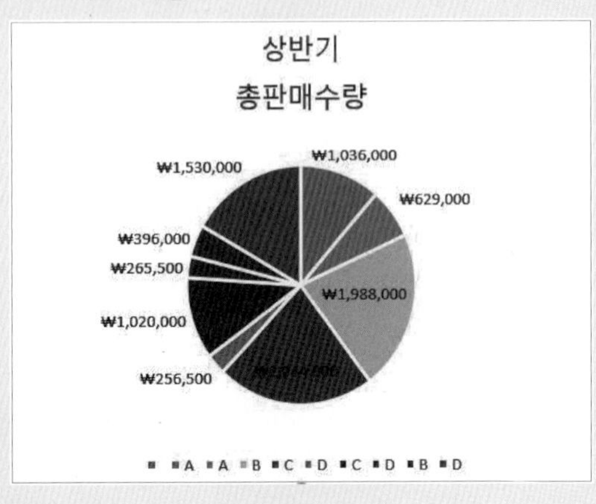

데이터를 차트화해서 수량과 분포 등을 확인할 수 있다.

1.1.1 워크시트에서 표 작성

엑셀에는 표를 작성하기 위한 워크시트가 준비되어 있다. 이 워크시트는 셀로 구성되어 있고 하나하나의 셀에 문자와 숫자를 입력해서 표를 작성한다. 또한 워크시트는 1장만 있는 것이 아니며 여러 장을 이용할 수 있다. 관련된 복수의 워크시트를 묶어 두면 워크시트 간에 데이터를 참조하거나 계산할 수가 있다.

경시대회 시험결과

성명	필기	이론	창의력	합계	평균	순위
이재용	82	78	77			
김갑수	78					
합계						

* 하나하나의 셀에 문자와 숫자를 입력해서 표 작성을 한다.
* 워크시트 간에 데이터 참조가 가능하다.

1.1.2 계산식과 함수로 데이터 계산

워크시트의 셀에는 문자와 숫자 이외에 계산식도 입력 할 수 있다. 사칙연산의 계산식은 물론이고 복잡한 계산과 처리를 하는 "함수"의 입력도 가능하다. "함수"를 이용하면 합계와 평균, 개수, 순위 등을 간단한 식으로 구할 수 있다.

경시대회 시험결과

성명	필기	이론	창의력	합계	평균	순위
이재용	82	78	77	237	79.00	2
김갑수	78	68	69	215	71.67	7
최도희	54	92	98	244	81.33	1
방미자	74	86	65	225	75.00	4
이유식	99	58	78	235	78.33	3
오도환	46	79	98	223	74.33	6
김현승	58	54	58	170	56.67	8
마닷	77	59	89	225	75.00	4
합계	568	574	632			

계산식과 함수식을 입력해서 데이터를 계산한다.

1.1.3 데이터베이스 기능으로 데이터 분석

엑셀의 워크시트에 입력한 데이터는 데이터베이스로서 다룰 수 있다. 데이터베이스는 어떤 목적을 위해 모아진 데이터이며, 필요에 따라서 데이터를 검색 혹은 추출하거나 정렬해서 이용한다. 엑셀에는 이와 같이 데이터베이스 처리를 하는 기능이 있다.

경시대회 시험결과

성명	필기	이론	창의력	합계	평균	순위
이재용	82	78	77	237	79.00	2
김갑수	78	68	69	215	71.67	7
최도희	54	92	98	244	81.33	1
방미자	74	86	65	225	75.00	4
이유식	99	58	78	235	78.33	3
오도환	46	79	98	223	74.33	6
김현승	58	54	58	170	56.67	8
마닷	77	59	89	225	75.00	4
합계	568	574	632			

* 지정한 기준에 따라서 데이터를 분류 및 계산한다.
* 대량의 데이터로 정렬과 추출을 간단하게 실행한다.

1.1.4 표의 데이터로 차트 작성

차트는 숫자 데이터의 경향과 변화를 명확하게 보여준다. 엑셀에는 워크시트에 작성한 표의 데이터를 차트로 만들 수 있다. 막대형 차트와 선형 차트, 원형 차트 등의 일반적으로 사용되어지는 차트 이외에도 주식형 차트와 방사형 차트 등 여러 가지 종류의 차트가 있다.

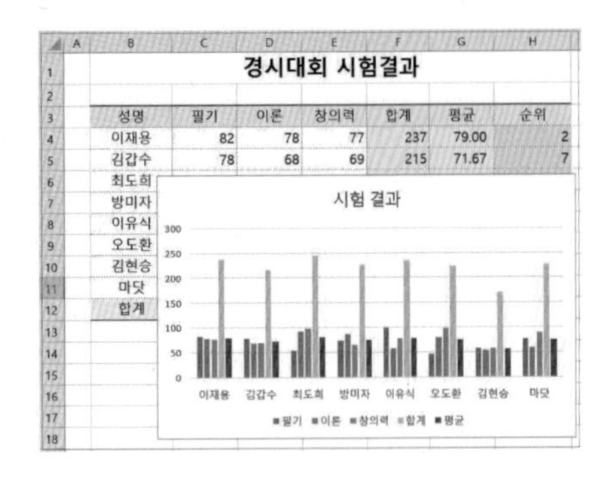

표의 데이터로부터 여러 가지 차트 작성이 가능하다.

1.2 엑셀 2016 기능

요약

엑셀에는 표를 작성하거나 데이터 분석 등의 여러 가지 기능이 있다. 여기서 다루는 것은 엑셀을 사용함에 있어서 꼭 알아두어야 할 기능이다. 그 중에는 엑셀의 이전 버전에는 없는 기능도 있다.

- 엑셀 기본 조작

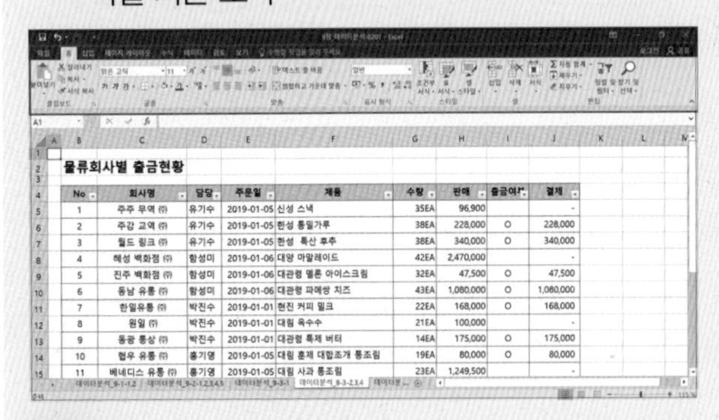

물류회사별 출금현황

No	회사명	담당	주문일	제품	수량	판매	출금여부	결제
1	주주 무역 ㈜	유기수	2019-01-05	신성 스낵	35EA	96,900		-
2	주강 교역 ㈜	유기수	2019-01-05	한성 통밀가루	38EA	228,000	O	228,000
3	월드 링크 ㈜	유기수	2019-01-05	한성 특산 후추	38EA	340,000	O	340,000
4	혜성 백화점 ㈜	함성미	2019-01-06	대양 마말레이드	42EA	2,470,000		-
5	진주 백화점 ㈜	함성미	2019-01-06	대관령 멜론 아이스크림	32EA	47,500	O	47,500
6	동남 유통 ㈜	함성미	2019-01-06	대관령 파메쌍 치즈	43EA	1,080,000	O	1,080,000
7	한일유통 ㈜	박진수	2019-01-01	현진 커피 밀크	22EA	168,000	O	168,000
8	원일 ㈜	박진수	2019-01-01	대림 옥수수	21EA	100,000		-
9	동광 통상 ㈜	박진수	2019-01-01	대관령 특제 버터	14EA	175,000	O	175,000
10	협우 유통 ㈜	홍기영	2019-01-05	대림 훈제 대합조개 통조림	19EA	80,000	O	80,000
11	베네디스 유통 ㈜	홍기영	2019-01-05	대림 사과 통조림	23EA	1,249,500		-

리본으로 기능을 이용한다.

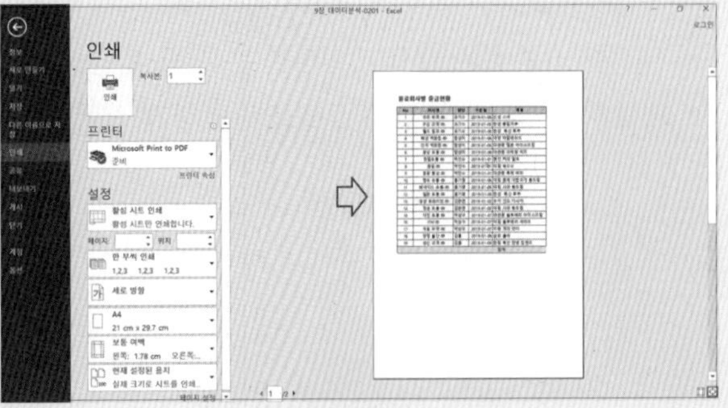

인쇄 화면

저장과 인쇄 등의 기본 조작은 [파일] 탭으로 바꿔서 이용한다.

1.2.1 리본 메뉴

엑셀 2016의 기능들은 화면 위쪽에 있는 "리본"으로부터 이용이 가능하다. 리본은 기능별로 분리되어 있다. 이용할 때는 리본 위쪽의 [홈]과 [삽입] 등의 "탭"을 클릭해서 사용자가 원하는 리본으로 변경하면 된다. 또한 작업 중에 리본이 자동적으로 바꾸어 질 수 있다. 이것은 가능한 짧은 순서로 목적하는 조작이 되도록 되어 있기 때문이다.

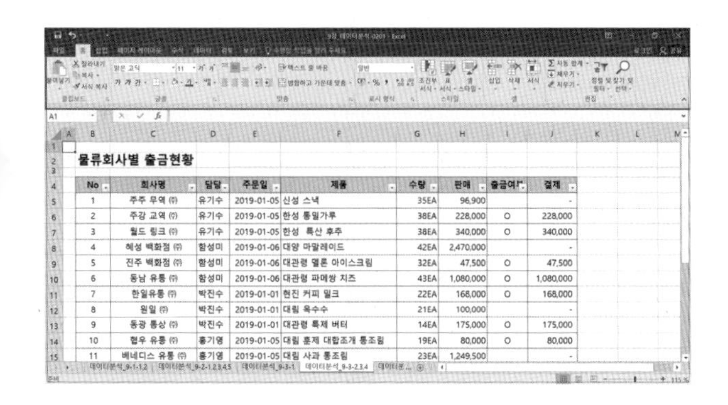

* 리본: 엑셀의 기능을 이용하는 단추가 준비되어 있다.
* 탭: 누르면 리본이 변경된다.

1.2.2 엑셀의 기본 기능이 정리된 [파일] 탭

엑셀을 사용함에 있어서 빠질 수 없는 저장 그리고 인쇄, 보안에 관한 기능은 [파일] 탭에 정리되어 있다. 필요에 따라서 화면 왼쪽에 나열되어 있는 항목을 선택해서 사용한다. 엑셀의 사용 방법을 설정하는 [Excel 옵션] 대화 상자도 여기서 표시할 수 있다.

* [파일] 탭을 누르면 왼쪽에 항목이 나열된 화면이 표시된다.

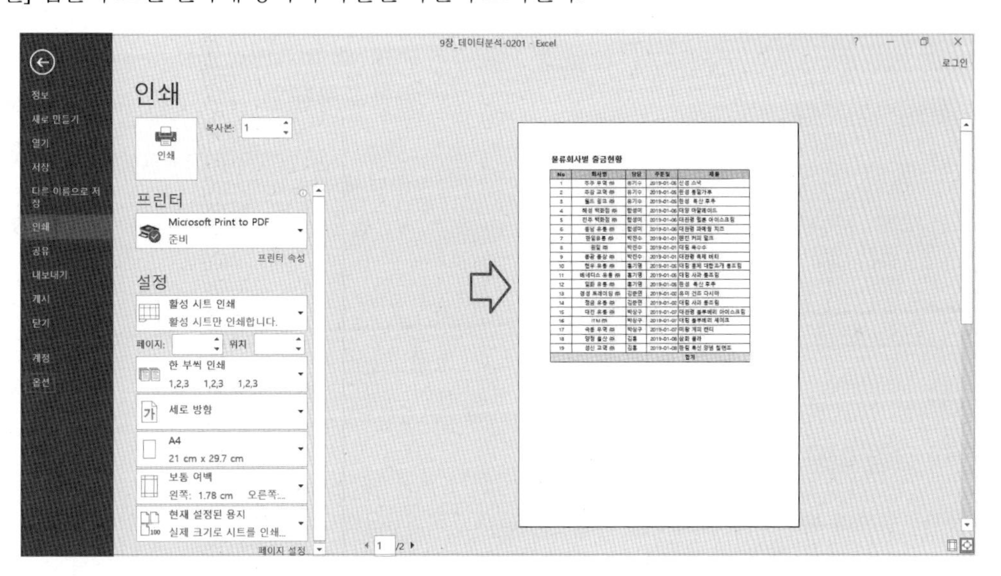

* "인쇄"를 누르면 인쇄 미리보기가 표시된다. 그 외도 항목을 누르면 표시된 내용이 변경된다.
* "옵션"을 누르면 [Excel 옵션] 대화 상자가 표시된다.

1.2.3 워크시트

숫자와 문자, 계산식을 입력하기 위한 워크시트는 종횡(행과 열)으로 나열된 셀로 구성되어 있다. 이 셀은 종(세로)으로는 16,384(2^14)열, 횡(가로)으로는 1,048,576(2^20)행이다. 1행에 1건의 데이터를 입력할 경우 100만 건 이상의 데이터 입력이 가능하다.

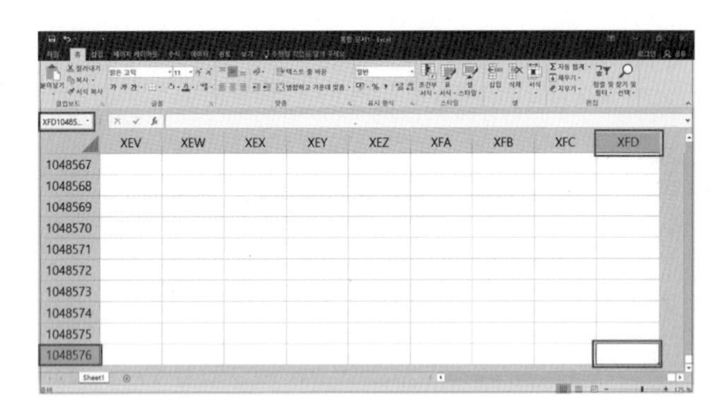

엑셀 2016에서는 16,384열(XFD열) × 1,048,576행의 셀을 이용할 수 있다.

1.2.4 빠른 분석

엑셀의 기본적인 작업은 먼저 대상이 되는 셀의 범위를 선택하고, 그 후에 원하는 기능을 리본으로부터 선택한다. 이러한 일련의 조작을 간단하게 하는 것이 "빠른 분석"이다. 워크시트에서 셀 범위를 선택하면 "빠른 분석" 단추가 나타나기 때문에 이것을 눌러서 다음에 해야 할 조작을 선택한다. 서식 설정과 합계의 계산, 차트 삽입 등 자주 이용하는 기능을 바로 선택할 수가 있다. 일부러 리본으로부터 기능을 선택할 필요 없이 조작의 수고를 덜 수가 있다.

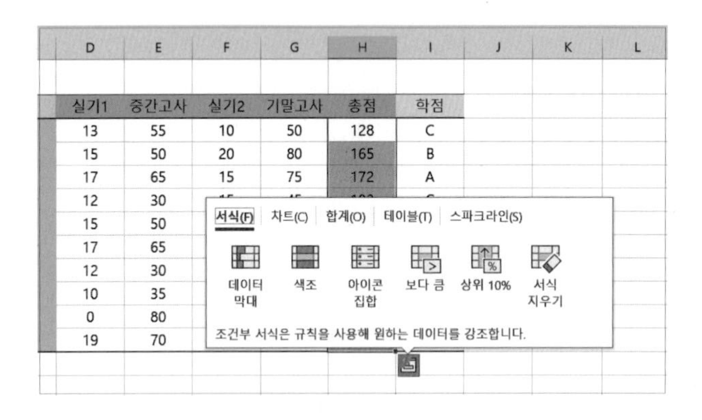

* "빠른 분석" 단추: 셀을 드래그해서 범위를 선택하면 표시된다.
* "빠른 분석" 단추를 누르면 자주 사용하는 기능이 표시된다.

1.2.5 사진과 그림 이용

워크시트에는 도형과 사진도 삽입되지만 엑셀 2016에서는 그것들의 외형을 변경할 수 있는 기능도 있다. 삽입된 사진을 부분적으로 잘라 내거나 색과 밝기를 수정할 수도 있다. 또한 간단한 그림 자료를 만들 수 있는 "SmartArt"도 이용할 수 있다.

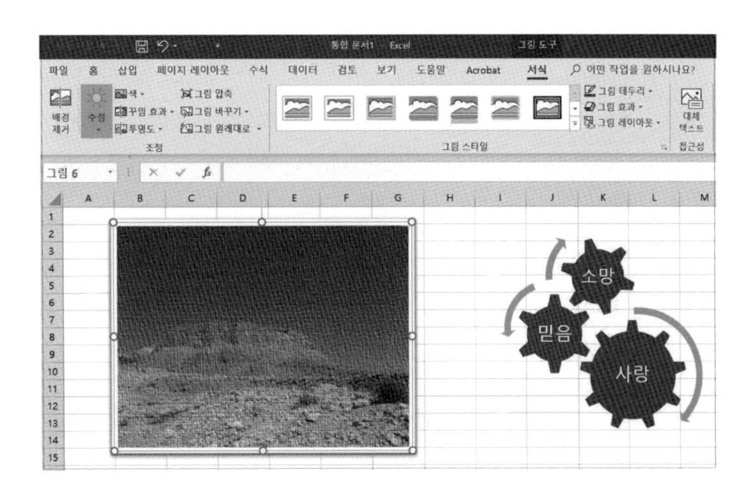

1.2.6 다양한 데이터 분석기능

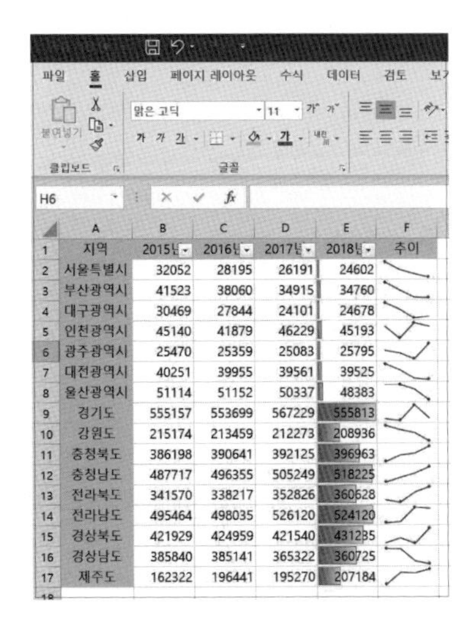

지역	2015년	2016년	2017년	2018년	추이
서울특별시	32052	28195	26191	24602	
부산광역시	41523	38060	34915	34760	
대구광역시	30469	27844	24101	24678	
인천광역시	45140	41879	46229	45193	
광주광역시	25470	25359	25083	25795	
대전광역시	40251	39955	39561	39525	
울산광역시	51114	51152	50337	48383	
경기도	555157	553699	567229	555813	
강원도	215174	213459	212273	208936	
충청북도	386198	390641	392125	396963	
충청남도	487717	496355	505249	518225	
전라북도	341570	338217	352826	360628	
전라남도	495464	498035	526120	524120	
경상북도	421929	424959	421540	431235	
경상남도	385840	385141	365322	360725	
제주도	162322	196441	195270	207184	

워크시트에 입력한 데이터는 다양한 방법으로 분석이 가능하다. 수치 데이터를 차트로 변환하는 것도 그 중에 하나이지만 그 외에도 통계 분석, 정렬 및 필터, 예측 등을 통해서 분석할 수 있다.

1.3 데이터 입력과 수정

요약

엑셀에서 다루는 데이터는 계산이 되지 않은 한글, 특수문자, 숫자 등과 계산이 되는 숫자, 수식, 날짜 등으로 나눌 수 있다. 이후, 이 서적에서는 설명의 편의를 위해서 한글, 특수문자 등을 "문자 혹은 텍스트"로 통칭하고 숫자는 문자로 포함시키지 않는다.

■ 데이터 입력

문자를 입력하면 셀 안에서 왼쪽 맞춤, 숫자를 입력하면 셀 안에서 오른쪽 맞춤으로 배치된다. 이것은 입력된 데이터가 계산 대상인지 아닌지를 자동으로 인식하기 때문이다.

문자 분류	데이터 입력 중	데이터 입력 후	맞춤
숫자			오른쪽
한글			왼쪽
알파벳			
특수문자			

■ 데이터 수정

셀에 입력한 데이터는 필요에 따라 수정을 할 수 있다. 셀 안의 모든 데이터를 수정할 경우와 셀 안의 일부분의 데이터를 수정할 경우로 나눠서 효과적으로 조작하면 된다.

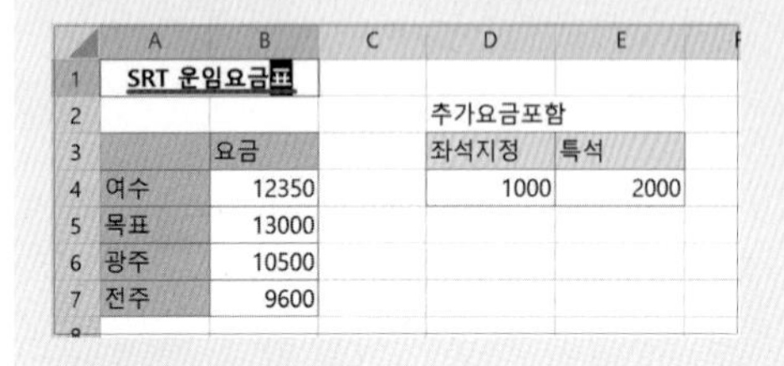

셀을 선택한 상태에서 데이터를 입력하고 Enter 키를 누르면 새로운 데이터로 변경된다.

■ 날짜 입력

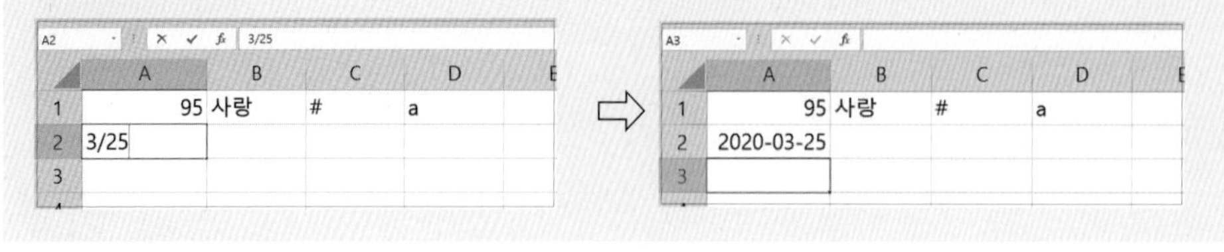

1.3.1 데이터 입력

데이터 입력에 있어서 "셀의 올바른 선택"과 "Enter 키를 눌러서 데이터 결정"은 기본 과정이다. 데이터 결정은 Tab 키로도 가능하다. Enter 키와 Tab 키의 차이는 결정 후의 액티브 셀의 위치이다. Enter 키로 결정한 경우는 액티브 셀이 아래로 이동하지만 Tab 키의 경우는 액티브 셀이 오른쪽으로 이동한다.

01 셀 E11을 누르면 셀 E11이 액티브 셀이 된다.

	A	B	C	D	E	F	G
1							
2	기독교와 사회						
3							2020-06-25
5	이름	실기1	중간고사	실기2	기말고사	총점	학점
6	이진혁	13	55	10	50	128	C
7	박민희	15	50	20	80	165	B
8	최재원	17	65	15	75	172	A
9	이희지	12	30	15	45	102	C
10	유지현	15	50	20	80	165	B
11	임지민	0	80	0		80	B
12	장동현	19	70	10		99	B
13	평균	13.0	57.1	12.9	66.0	130.1	

02 숫자 데이터 80을 입력하고 Enter 키를 누른다.

	A	B	C	D	E	F	G
1							
2	기독교와 사회						
3							2020-06-25
5	이름	실기1	중간고사	실기2	기말고사	총점	학점
6	이진혁	13	55	10	50	128	C
7	박민희	15	50	20	80	165	B
8	최재원	17	65	15	75	172	A
9	이희지	12	30	15	45	102	C
10	유지현	15	50	20	80	165	B
11	임지민	0	80	0	80	80	B
12	장동현	19	70	10		99	B
13	평균	13.0	57.1	12.9	66.0	130.1	

03 셀 E11의 데이터로 80이 결정된다.

	A	B	C	D	E	F	G
1							
2	기독교와 사회						
3							2020-06-25
5	이름	실기1	중간고사	실기2	기말고사	총점	학점
6	이진혁	13	55	10	50	128	C
7	박민희	15	50	20	80	165	B
8	최재원	17	65	15	75	172	A
9	이희지	12	30	15	45	102	C
10	유지현	15	50	20	80	165	B
11	임지민	0	80	0	80	160	B
12	장동현	19	70	10		99	B
13	평균	13.0	57.1	12.9	68.3	141.6	

TIP 데이터 삭제

셀에 입력된 수식이나 값을 삭제할 때는 삭제하고 싶은 셀이나 셀 범위를 선택하고 Delete 키를 누르면 된다. 특히 서식이나 데이터 등을 삭제할 때는 [홈] 탭의 [편집] 그룹에 있는 지우기 단추 지우기 을 눌러서 원하는 목록을 선택한다.

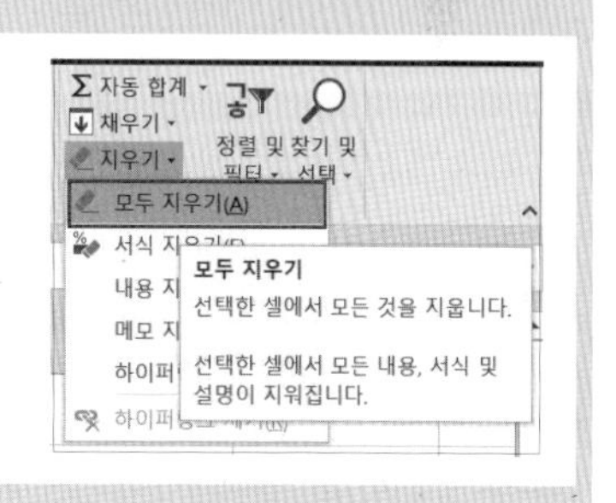

1.3.2 문자 입력

문자는 키보드를 눌러서 화면에 나타낼 수 있는 한글, 알파벳, 한자, 숫자, 구두점 따위를 통틀어 이르는 말이다. 엑셀의 데이터 입력에 있어서 가장 자주 입력되는 것이 숫자와 한글이라 할 수 있다.

엑셀에서는 한글과 숫자 등의 데이터가 입력이 되면 자동으로 셀 안의 위치가 결정된다. 액티브 셀에서 숫자를 입력하고 Enter 키를 누르면 숫자가 셀의 오른쪽 맞춤이 된다. 한편, 일반적으로 한글을 포함한 숫자 이외의 모든 문자가 셀에 입력이 되면 셀의 왼쪽 맞춤이 된다. 문자 중에서 숫자와 한글 혹은 알파벳 등과 결합은 숫자로 인식되지 않는다.

문자 분류	데이터 입력 중	데이터 입력 후	맞춤
숫자			오른쪽
한글			왼쪽
알파벳			
특수문자			

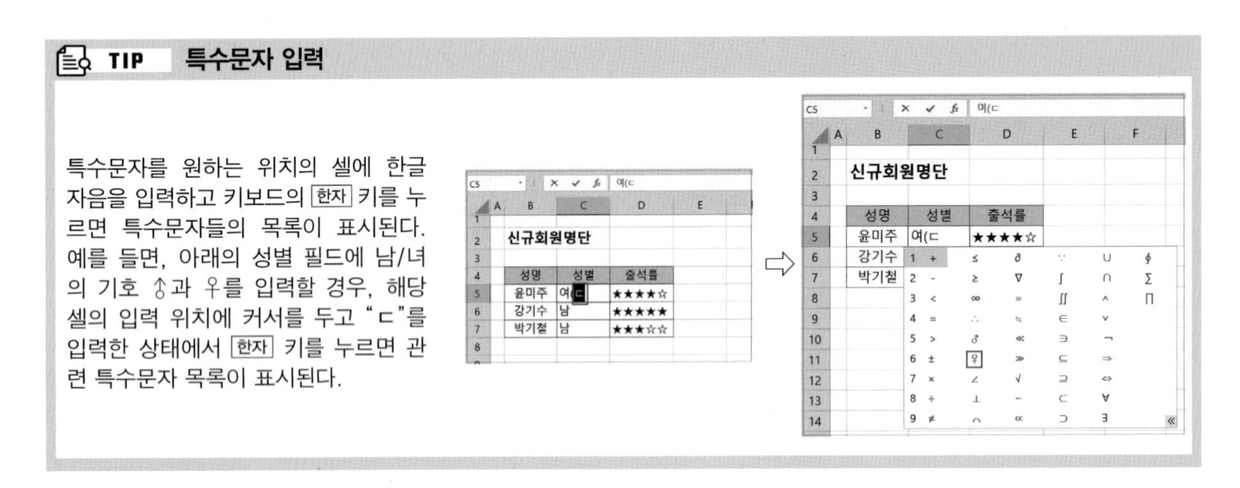

TIP 특수문자 입력

특수문자를 원하는 위치의 셀에 한글 자음을 입력하고 키보드의 [한자] 키를 누르면 특수문자들의 목록이 표시된다. 예를 들면, 아래의 성별 필드에 남/녀의 기호 ♂과 ♀를 입력할 경우, 해당 셀의 입력 위치에 커서를 두고 "ㄷ"를 입력한 상태에서 [한자] 키를 누르면 관련 특수문자 목록이 표시된다.

1.3.3 날짜 입력

날짜의 입력은 월과 일을 "/"(슬래시 ,slash)로 구분해서 입력한다. 엑셀의 일반적인 문자 맞춤의 형식에서는 날짜에 슬래시(/)가 포함되어 있어서 특수문자처럼 왼쪽 맞춤이 아닌 숫자와 같은 오른쪽 맞춤이 된다. 날짜를 입력하는 다양한 형식은 [홈] 탭의 [표시형식] 그룹에서 [셀 서식] 대화상자를 이용할 수 있다. 참고로 날짜의 형식은 "0000-00-00"으로 설정이 되어 있으나 사용자의 필요에 따라서 형식을 변경할 수 있다.

■ 예시

3/25 입력 중

입력이 결정되면, 3/25→2020-03-25으로 변경된다.

[셀 서식] 대화상자의 [표시 형식] 탭에 있는 날짜 범주를 선택해서 원하는 날짜 형식을 결정할 수 있다. 단축키 Ctrl +1 를 누르면 [셀 서식]이 표시된다.

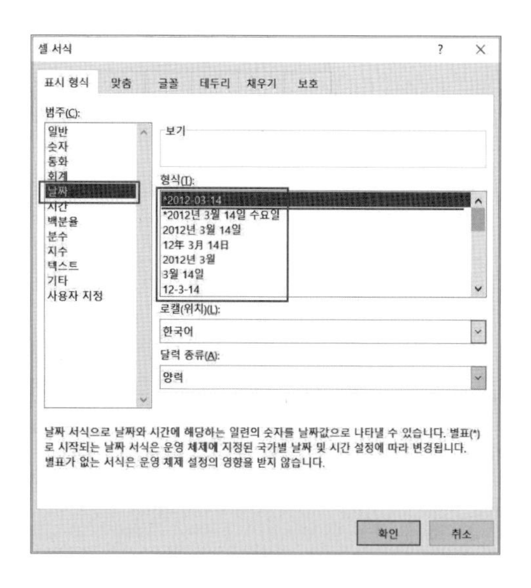

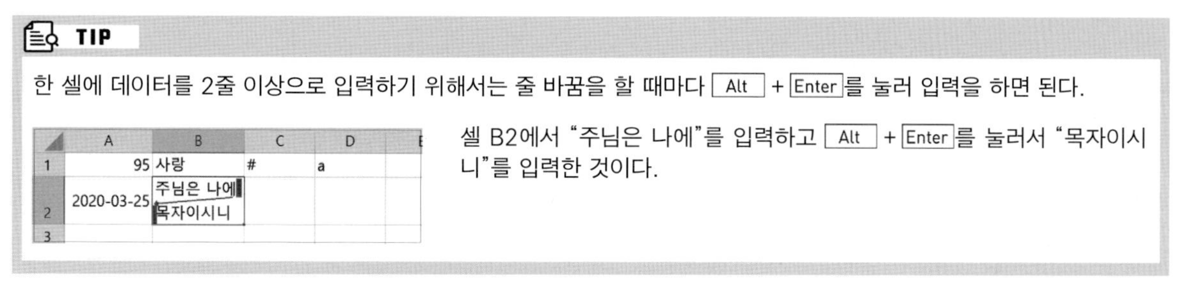

TIP

한 셀에 데이터를 2줄 이상으로 입력하기 위해서는 줄 바꿈을 할 때마다 Alt + Enter를 눌러 입력을 하면 된다.

	A	B	C	D
1	95	사랑	#	a
2	2020-03-25	주님은 나에 목자이시니		
3				

셀 B2에서 "주님은 나에"를 입력하고 Alt + Enter를 눌러서 "목자이시니"를 입력한 것이다.

1.3.4 데이터 덮쓰기

셀의 데이터를 다른 데이터로 다시 쓸 때, 원본 데이터를 삭제할 필요는 없다. 셀을 선택한 상태에서 데이터를 입력하고 Enter 키를 누르면 새로운 데이터로 변경된다.

01 수정할 셀 A1을 누른다.

	A	B	C	D	E
1	KTX 승객요금표				
2				추가요금포함	
3		요금		좌석지정	특석
4	여수	12350		1000	2000
5	목표	13000			
6	광주	10500			
7	전주	9600			

02 다시 쓸 데이터 "SRT 운임요금표"를 입력하고 Enter 키를 누른다.

	A	B	C	D	E
1	SRT 운임요금표				
2				추가요금포함	
3		요금		좌석지정	특석
4	여수	12350		1000	2000
5	목표	13000			
6	광주	10500			
7	전주	9600			

03 실행 결과, 데이터가 새로운 데이터 “SRT 운임요금표”가 표시된다.

	A	B	C	D	E
1	SRT 운임요금표				
2				추가요금포함	
3		요금		좌석지정	특석
4	여수	12350		1000	2000
5	목표	13000			
6	광주	10500			
7	전주	9600			

1.3.5 수식 입력줄에서 데이터 수정

수정할 셀을 선택해서 수식 입력줄을 누르면 수식 입력줄에 커서가 표시된다. 데이터의 수정은 수정할 곳을 선택해서 덧쓰기를 하거나 Backspace 키나 Delete 키를 눌러서 불필요한 데이터를 삭제한다.

01 수정할 셀 A1을 눌러서 선택한다.

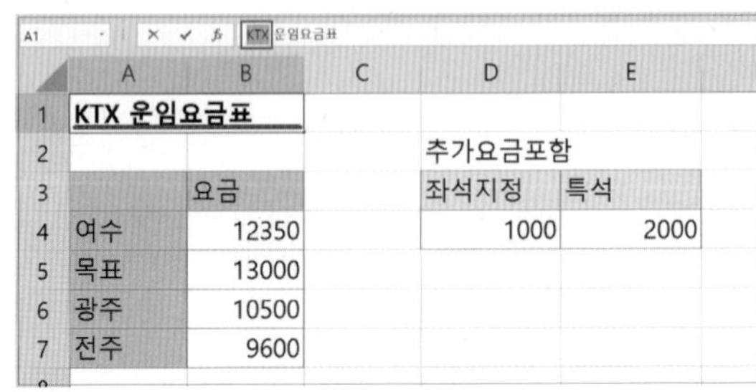

02 수식 입력줄에서 수정할 부분, “KTX”를 드래그해서 선택하고 “SRT”로 다시 쓰고 Enter 키를 누른다.

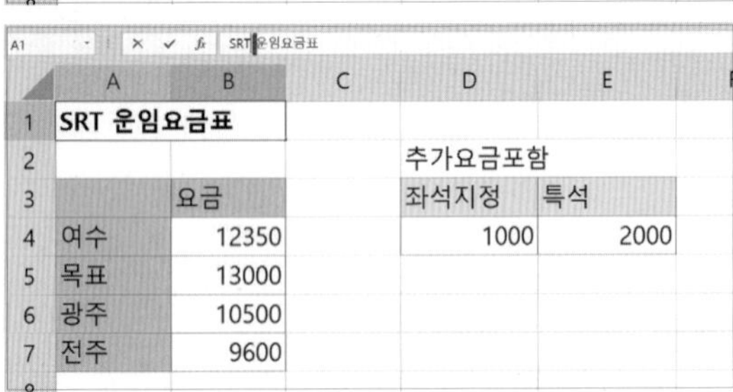

03 실행 결과, KTX→SRT로 변경되었다.

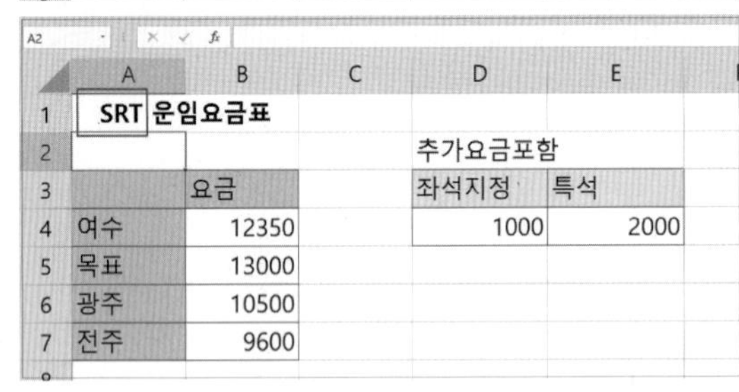

TIP 셀 안에서 수정

수정할 셀을 선택해서 F2 키를 누르면 셀 안의 말미에 커서가 표시된다. 방향키를 이용해서 수정할 위치로 이동한 후에 수정한다. 수정한다. 또는 해당 셀을 더블 클릭해서도 수정할 위치로의 이동이 가능하다.

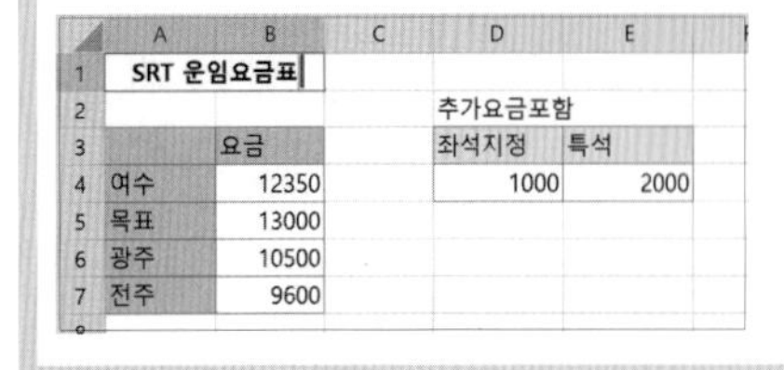

수정할 셀 A1을 선택하고 F2 키를 누르면 텍스트의 말미에서 커서가 깜빡이다. 이때가 수정이 가능한 상태이다.

1.4 자동 채우기

요약

데이터 자동 채우기는 원본 셀의 채우기 핸들 ✚을 드래그해서 인접한 셀에 규칙성이 있는 연속 데이터를 자동으로 입력하는 기능이다. 규칙성이 있는 숫자나 숫자를 포함한 문자, 날짜, 요일 등의 데이터 이외에 관련 규칙성이 있는 데이터를 미리 등록해 두면 자동 채우기로 데이터 입력이 가능하다.

■ 결합형 연속 데이터

숫자와 문자를 결합한 데이터를 자동 채우기로 복사하면 숫자 부분이 연속 데이터가 된다.

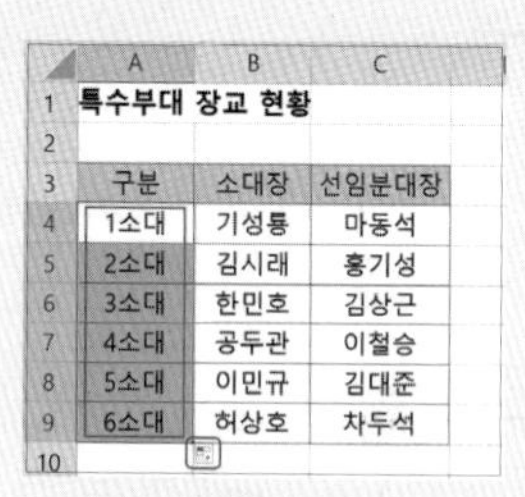

	A	B	C
1	특수부대 장교 현황		
2			
3	구분	소대장	선임분대장
4	1소대	기성룡	마동석
5	2소대	김시래	홍기성
6	3소대	한민호	김상근
7	4소대	공두관	이철승
8	5소대	이민규	김대준
9	6소대	허상호	차두석
10			

■ 숫자 연속 데이터

짝수, 5의 배수 등 규칙성이 있는 연속적인 숫자 데이터는 두 셀 간의 차이 값을 명확하게 알 수 있어서 올바른 자동 채우기가 가능하게 된다.

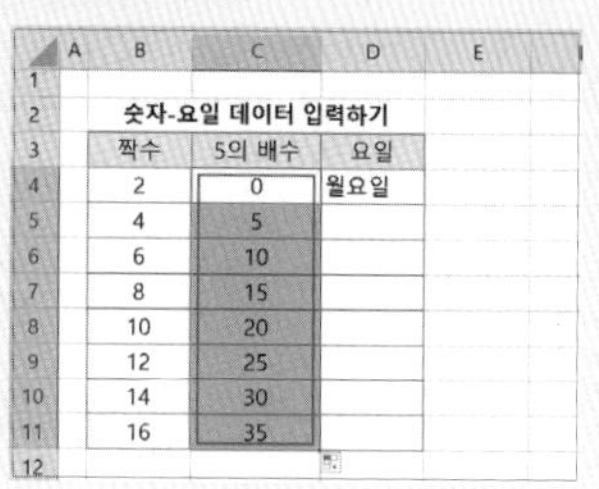

	B	C	D
2	숫자-요일 데이터 입력하기		
3	짝수	5의 배수	요일
4	2	0	월요일
5	4	5	
6	6	10	
7	8	15	
8	10	20	
9	12	25	
10	14	30	
11	16	35	

1.4.1 결합형 연속 데이터

숫자와 문자를 결합한 데이터를 자동 채우기로 복사하면 숫자 부분이 연속 데이터가 된다. 그리고 연속 데이터의 원본이 되는 셀에 서식이 설정되어 있을 경우는 서식도 함께 복사된다.

01 셀 A4에 "1소대"를 입력한다.

	A	B	C
1	특수부대 장교 현황		
2			
3	구분	소대장	선임분대장
4	1소대	기성룡	마동석
5		김시래	홍기성
6		한민호	김상근
7		공두관	이철승
8		이민규	김대준
9		허상호	차두석

02 마우스 포인터를 셀 A4의 오른쪽 아래 끝에 맞춰서 채우기 핸들 ✚이 표시되면, 그 핸들을 누른 상태에서 복사할 위치까지 드래그 한다.

	A	B	C
1	특수부대 장교 현황		
2			
3	구분	소대장	선임분대장
4	1소대	기성룡	마동석
5		김시래	홍기성
6		한민호	김상근
7		공두관	이철승
8		이민규	김대준
9		허상호	차두석

03 실행 결과, "1소대, 2소대,…, 6소대"가 연속 데이터로 셀 A4~A9에 입력되면 마지막 복사 위치인 셀 A9에 자동 채우기 옵션 이 표시된다.

	A	B	C
1	특수부대 장교 현황		
2			
3	구분	소대장	선임분대장
4	1소대	기성룡	마동석
5	2소대	김시래	홍기성
6	3소대	한민호	김상근
7	4소대	공두관	이철승
8	5소대	이민규	김대준
9	6소대	허상호	차두석
10			

1.4.2 숫자 연속 데이터

짝수, 5의 배수 등 규칙성이 있는 연속적인 숫자 데이터는 다양한 패턴을 고려할 수 있으며, 원본 데이터의 하나의 셀로는 자동 채우기를 올바르게 적용할 수 없다. 이와 같은 경우는 연속되는 두 개의 셀을 선택한다. 그러면 두 셀 간의 차이 값을 명확하게 알 수 있어서 올바른 자동 채우기가 가능하게 된다.

조건 자동 채우기를 이용해서 셀 C4~C11까지 5의 배수로 입력한다.

01 셀 C4와 C5에 각각 0과 5가 입력되어 있다. 셀 C4와 C5를 드래그해서 선택한다.

02 셀 C5에서 채우기 핸들을 눌러서 셀 C16까지 드래그 한다.

03 실행 결과, 5의 배수가 셀 C4~C11까지 입력된다.

	A	B	C	D	E
1					
2		숫자-요일 데이터 입력하기			
3		짝수	5의 배수	요일	
4		2	0	월요일	
5		4	5		
6		6	10		
7		8	15		
8		10	20		
9		12	25		
10		14	30		
11		16	35		
12					

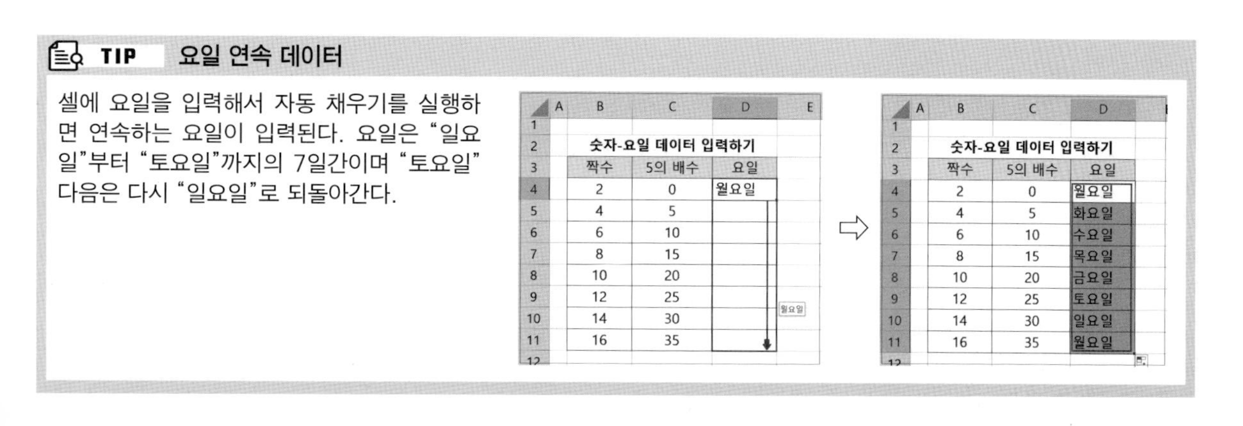

1.4.3 채우기 옵션

원본 셀 데이터가 숫자와 문자, 요일, 날짜 등에 따라 각각 자동 채우기 옵션의 목록이 다르게 표시 된다.

(1) 숫자와 문자의 자동 채우기 옵션

숫자에 문자가 포함된 데이터를 자동 채우기로 복사하면 자동으로 연속 데이터가 입력되기 때문에 "자동 채우기 옵션" 단추를 사용해서 "연속 데이터"로 변환할 필요는 없다. 그러나 "자동 채우기 옵션" 단추는 "연속 데이터" 이외에도 입력 내용을 변경할 수 있는 기능이 있기 때문에 필요에 따라서 데이터의 입력 내용을 변경할 수 있다.

숫자 데이터를 자동 채우기로 복사하면 원본이 되는 숫자가 복사된다. 자동 채우기의 조작 후에 표시되는 "자동 채우기 옵션" 단추를 누르면 목록으로부터 "연속 데이터"를 선택할 수 있다.

- 숫자 데이터 자동 채우기

데이터 자동채우기 옵션

번호	층수	요일	날짜
1	1층	월요일	2020년 2월 3일
2			2020년 2월 4일
3			2020년 2월 5일
4			2020년 2월 6일
5			2020년 2월 7일

셀 복사(C) / 연속 데이터 채우기(S) / 서식만 채우기(F) / 서식 없이 채우기(O) / 빠른 채우기(F)

- 숫자/문자 결합형 자동 채우기

데이터 자동채우기 옵션

번호	층수	요일	날짜
1	1층	월요일	2020년 2월 3일
2	2층		2020년 2월 4일
3	3층		2020년 2월 5일
4	4층		2020년 2월 6일
5	5층		2020년 2월 7일

셀 복사(C) / 연속 데이터 채우기(S) / 서식만 채우기(F) / 서식 없이 채우기(O) / 빠른 채우기(F)

목록	설명
셀 복사	원본 셀의 값을 서식도 포함해서 복사한다.
연속 데이터 채우기	원본 셀의 값을 서식도 포함해서 하나씩 증가시켜 복사한다.
서식만 채우기	원본 셀에 설정된 서식만을 복사한다.
서식 없이 채우기	원본 셀의 서식은 제외하고 값만을 하나씩 증가해서 복사한다.
빠른 채우기	입력이 끝난 데이터를 바탕으로 새로운 데이터를 입력하는 경우, 새로운 데이터의 규칙성을 인식해서 자동으로 데이터를 입력한다. 빠른 채우기를 적용한 데이터 외에 입력이 끝난 데이터가 1열 이상 필요하다.

(2) 요일 자동 채우기 옵션

요일 데이터를 자동 채우기로 복사하면 "일요일"부터 "토요일"까지의 7일간의 요일이 연속으로 복사된다. 자동 채우기의 조작 후에 표시되는 "자동 채우기 옵션" 단추를 사용하면 동일한 요일을 복사하거나 토요일을 뺀 요일을 복사하거나 해서 입력 내용을 변경할 수 있다.

목록	설명
셀 복사	원본 셀의 요일을 서식도 포함해서 복사한다.
연속 데이터 채우기	원본 셀의 요일을 서식도 포함해서 연속으로 변화시켜서 복사한다.
서식만 채우기	원본 셀에 설정된 서식만을 복사한다.
서식 없이 채우기	원본 셀의 서식은 제외하고 요일 데이터만을 연속해서 복사한다.
일 단위 채우기	1일 단위의 요일을 서식도 포함해서 연속해서 복사한다. 요일의 연속 데이터는 1일 단위이기 때문에 "연속 데이터"와 같은 결과가 된다.
평일 단위 채우기	토요일을 제외한 평일의 요일을 서식도 포함해서 연속해서 복사한다.

(3) 날짜 자동 채우기

날짜 데이터를 자동 채우기로 복사하면 날짜 데이터가 1일씩 증가되어 입력된다. 자동 채우기 조작 후에 표시된 "자동 채우기 옵션" 단추를 사용하면 입력한 날짜 데이터를 1일 단위 이외의 월 단위나 년 단위로 변경될 수 있다.

목록	설명
셀 복사	원본 셀의 날짜를 서식도 포함해서 복사한다.
연속 데이터 채우기	원본 셀의 날짜를 서식도 포함해서 1일 씩 더해서 복사한다.
서식만 채우기	원본 셀에 설정된 서식만을 복사한다.
서식 없이 채우기	원본 셀의 서식은 제외하고 날짜 데이터만을 1일 씩 더해서 복사한다.
일 단위 채우기	1일 단위의 날짜를 서식도 포함해서 연속해서 복사한다. "연속 데이터"와 같은 결과가 된다.
평일 단위 채우기	토요일을 제외한 평일의 날짜를 서식도 포함해서 연속해서 복사한다.
월 단위 채우기	1개월 단위의 날짜를 서식도 포함해서 연속해서 복사한다.
연 단위 채우기	년 단위의 날짜를 서식도 포함해서 연속해서 복사한다.

1.4.4 사용자 지정 목록

자동 채우기의 목록을 사전에 등록해 두면 날짜나 요일 등의 규칙적인 연속 데이터 이외에도 자동 채우기 기능을 사용해서 독립적으로 연속 데이터를 입력할 수 있다. 그러나 사용자 지정 목록은 엑셀에 등록되기 때문에 다른 컴퓨터의 엑셀에서는 이용할 수 없다. 다수의 컴퓨터에서 작업할 가능성이 있는 경우는 각각의 컴퓨터에서 사용자 지정 목록을 등록할 필요가 있다.

01 사용자 연속 데이터로 등록할 목록, 셀 D5~D14를 드래그해서 선택한다.

02 [파일] 탭의 "옵션"을 누르면 [Excel 옵션] 대화상자가 나타난다. "고급" 탭에서 "사용자 지정 목록 편집" 단추를 누르면 [사용자 지정 목록] 대화상자가 나타난다.

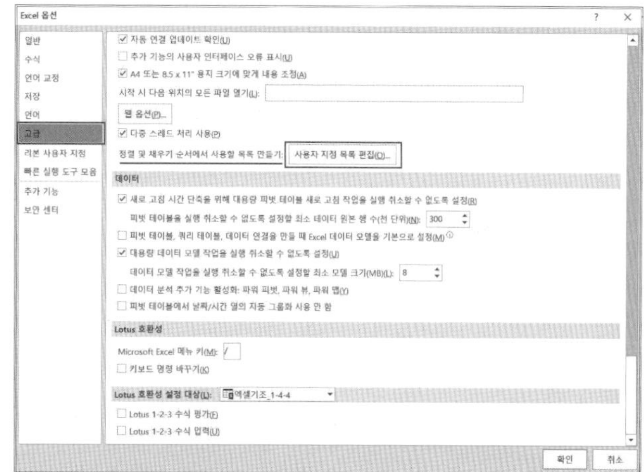

03 "가져오기" 단추를 누르면 "목록 항목"에 등록 목록, 셀 D5~D14의 데이터가 표시된다. "확인"을 누르면 사용자 지정 목록이 완료된다.

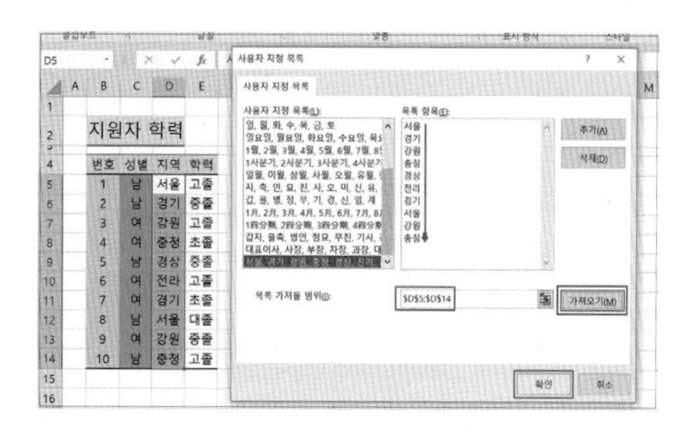

04 셀 G5에 "전라"를 입력하고 셀 G14까지 자동 채우기를 한다.

	A	B	C	D	E	F	G	H
1								
2		지원자 학력						
4		번호	성별	지역	학력		지역목록	
5		1	남	서울	고졸		전라	
6		2	남	경기	중졸			
7		3	여	강원	고졸			
8		4	여	충청	초졸			
9		5	남	경상	중졸			
10		6	여	전라	고졸			
11		7	여	경기	초졸			
12		8	남	서울	대졸			
13		9	여	강원	중졸			
14		10	남	충청	고졸			

⇨

05 등록된 연속 데이터가 입력된다.

	A	B	C	D	E	F	G
1							
2		지원자 학력					
4		번호	성별	지역	학력		지역목록
5		1	남	서울	고졸		전라
6		2	남	경기	중졸		경기
7		3	여	강원	고졸		서울
8		4	여	충청	초졸		강원
9		5	남	경상	중졸		충청
10		6	여	전라	고졸		서울
11		7	여	경기	초졸		경기
12		8	남	서울	대졸		강원
13		9	여	강원	중졸		충청
14		10	남	충청	고졸		경상
15							

연습문제

1. [삽입] 탭–[텍스트] 그룹에 있는 “텍스트 상자” 단추를 빠른 실행 도구 모음에 추가해 보자.

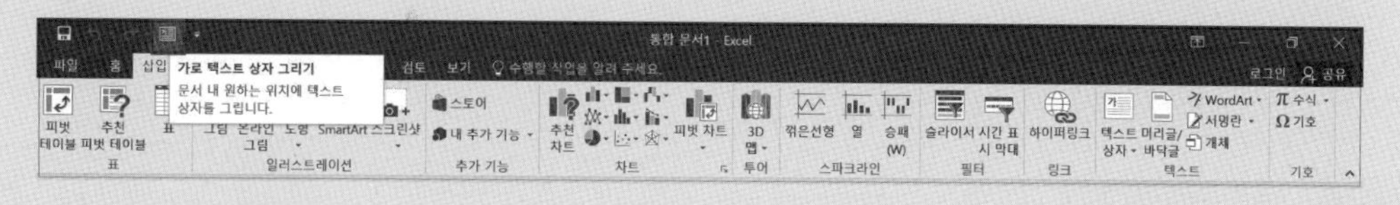

2. 빠른 실행 도구 모음에서 “저장, 실행 취소, 다시 실행” 단추를 모두 삭제해 보자.

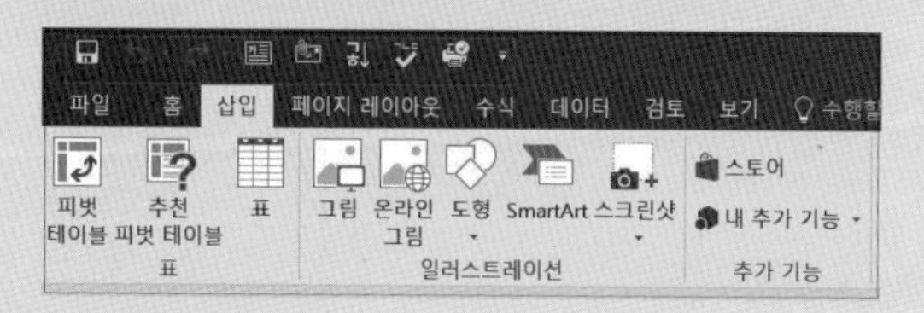

3. 사용자가 지정한 [개발 도구] 탭을 삭제해 보자.

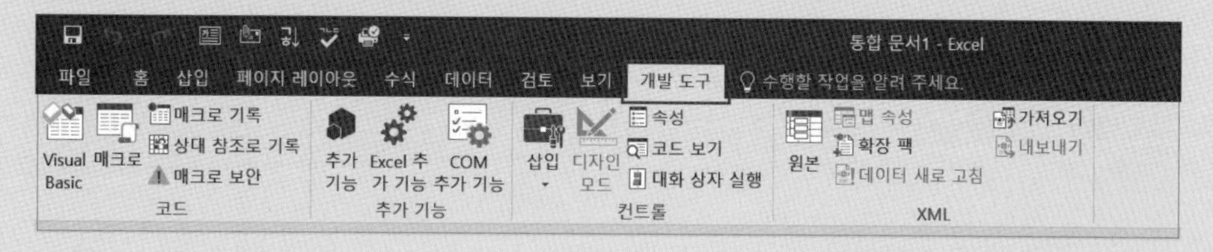

4. 다음과 같이 통합 문서에 “열기 암호: 123, 쓰기 암호: 12345”로 설정하고 파일을 저장한 후, 그 저장된 파일을 열어서 암호 설정을 확인해 보자.

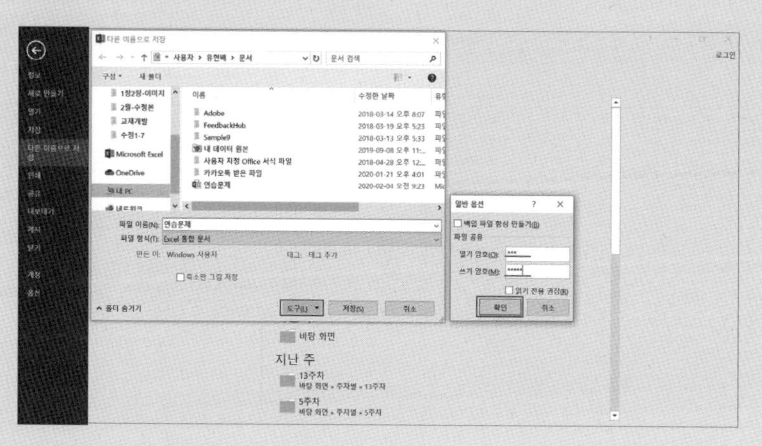

연습문제

5. 표시 형식을 이용해서 "예시"의 영역에 데이터를 동일하게 입력해 보자. 단, 워크시트의 각 셀의 서식은 변경하지 않아야 하면, "바로 가기 키"를 이용하는 경우는 사용자의 컴퓨터 시스템에 따라 그 결과는 다르게 입력이 된다.

문자/숫자 입력하기

데이터 종류	입력 방법	예제
문자 데이터	한 줄로 입력하기	(요 6:47)믿는 자는 영생을 가졌나니
	두 줄로 입력하기	(요 6:47)믿는 자는 영생을 가졌나니
	숫자를 문자로 변환하기	00123456
숫자 데이터	셀 너비에 맞게 입력	123456789
	셀 너비보다 길게 입력	1.23457E+23

날짜/시간 데이터 입력하기

데이터 종류	입력 방법	예제
날짜	직접 입력	2019-12-31
	바로 가기 키를 이용한 현재 날짜 입력	2020-02-04
시간	직접 입력	11:35
	바로 가기 키를 이용한 현재 시간 입력	9:59 AM

6. 특수기호와 한자 변환 기능을 이용해서 다음을 입력해 보자.

신규회원명단

성명	성별	국적	생년월일
이순신	남(♂)	韓國	1966-03-05
에미	여(♀)	日本	1988-11-23
홍금보	남(♂)	中國	2000-03-01

7. 자동 채우기를 이용해서 다음을 입력해 보자.

문자 데이터						
동일한 데이터 채우기				변화하는 데이터 채우기		
알파벳	월	요일	일련번호	월	요일	일련번호
A	1월	월요일	Code-001	1월	월요일	Code-001
A	1월	월요일	Code-001	2월	화요일	Code-002
A	1월	월요일	Code-001	3월	수요일	Code-003
A	1월	월요일	Code-001	4월	목요일	Code-004
A	1월	월요일	Code-001	5월	금요일	Code-005
A	1월	월요일	Code-001	6월	토요일	Code-006
A	1월	월요일	Code-001	7월	일요일	Code-007
A	1월	월요일	Code-001	8월	월요일	Code-008
A	1월	월요일	Code-001	9월	화요일	Code-009
A	1월	월요일	Code-001	10월	수요일	Code-010
A	1월	월요일	Code-001	11월	목요일	Code-011
A	1월	월요일	Code-001	12월	금요일	Code-012

숫자-날짜-시간 데이터 입력하기			
짝수	3배수	날짜	시간
2	0	2020-02-04	10:21
4	3	2021-02-04	11:21
6	6	2022-02-04	12:21
8	9	2023-02-04	13:21
10	12	2024-02-04	14:21
12	15	2025-02-04	15:21
14	18	2026-02-04	16:21
16	21	2027-02-04	17:21
18	24	2028-02-04	18:21
20	27	2029-02-04	19:21
22	30	2030-02-04	20:21
24	33	2031-02-04	21:21

사용자 지정 목록	
회장	차장
대표이사	과장
사장	대리
부장	사원
차장	회장
과장	대표이사
대리	사장
사원	부장

C H A P T E R

2

데이터 편집

2.1 데이터 복사

요약

데이터 복사는 “복사”와 “붙여넣기”의 2단계로 이루어진다. 예를 들어 “지원자 학력”이라는 문자를 복사하면 “오피스 클립보드”라고 하는 영역에 일시적으로 기억이 된다. 계속해서 “붙여넣기”를 실행하면 “오피스 클립보드”에 기억된 “지원자 학력”글자가 붙여진다. 이 때 “붙여넣기” 단추의 아래쪽을 누르면 값만 붙여넣기, 서식도 포함해서 붙여넣기 등 “붙여넣기 형식”을 선택할 수 있다. 보다 자세히 붙여넣기 방식을 설정할 때는 “선택하여 붙여넣기” 대화 상자를 이용한다.

■ 복사와 붙여넣기

복사를 한다.

지원자 학력

번호	성별	지역	학력
1	남	서울	고졸
2	남	경기	중졸
3	여	강원	고졸
4	여	충청	초졸
5	남	경상	중졸
6	여	전라	고졸
7	여	경기	초졸
8	남	서울	대졸
9	여	강원	중졸
10	남	충청	고졸

붙여넣기를 한다. “오피스 클립보드”에 기억된 데이터가 붙여진다.

지원자 학력

번호	성별	지역	학력
1	남	서울	고졸
2	남	경기	중졸
3	여	강원	고졸
4	여	충청	초졸
5	남	경상	중졸
6	여	전라	고졸
7	여	경기	초졸
8	남	서울	대졸
9	여	강원	중졸
10	남	충청	고졸

지원자 학력

■ 형식을 선택해서 붙여넣기

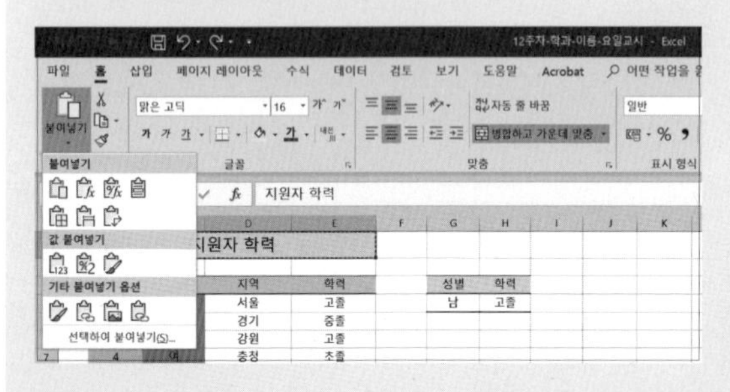

“붙여넣기” 단추와 “붙여넣기” 목록들로부터 붙여넣기 형식을 선택할 수 있다.

■ 대화 상자 이용

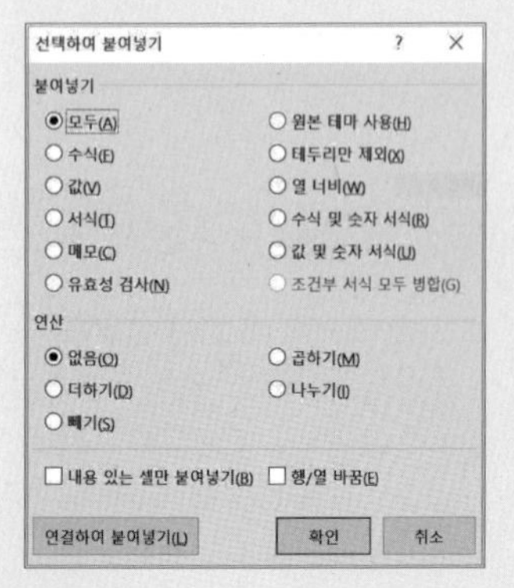

[선택하여 붙여넣기] 대화상자에서 붙여넣기 형식을 선택할 수 있다.

2.1.1 "복사" 단추와 "붙여넣기" 단추 이용

가장 간단한 데이터 복사는 셀을 선택해서 "복사" 단추를 누른 후, 붙여 넣을 장소를 선택해서 "붙여넣기" 단추를 누르는 방법이다. 다음의 순서로 실행을 하면 셀의 값과 서식 등을 모두 붙여 넣을 수 있다.

01 복사할 셀 B1을 누른다.

02 [홈] 탭 - [클립보드] 그룹 - "복사"를 누른다. 복사할 셀에 점선 모양의 테두리가 생긴다.

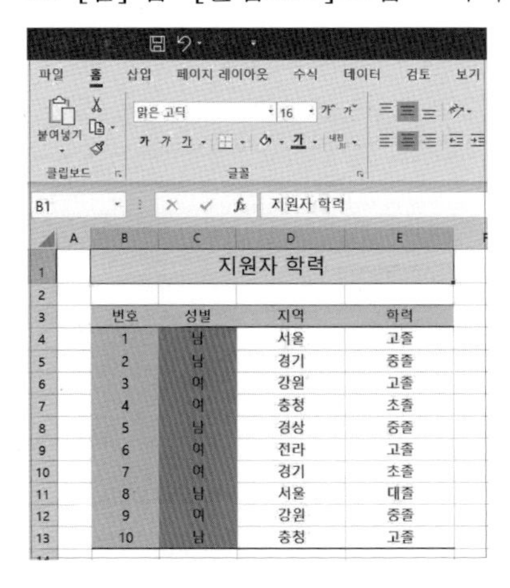

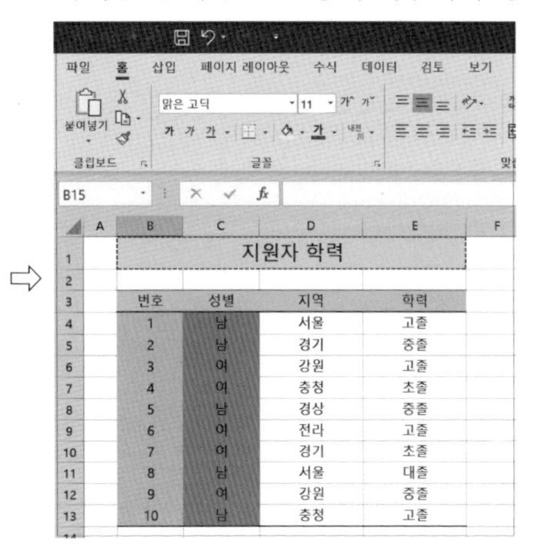

03 붙여 넣을 셀 B15를 누른다.

04 [홈] 탭 - [클립보드] 그룹 - "붙여넣기"를 누르면 복사한 데이터와 서식이 붙여 넣어진다. 이후 "붙여넣기 옵션"이 표시된다.

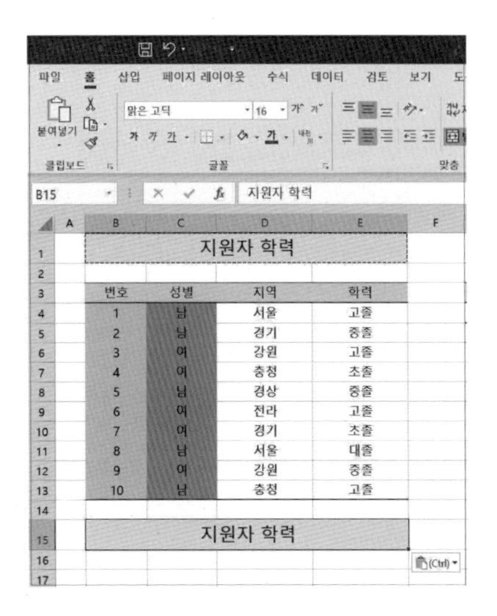

TIP

"복사" 단추 대신에 셀이나 셀 범위에서 마우스 오른쪽 단추를 누르면 단축키 메뉴의 "복사"를 실행할 수 있다. 또한 키보드의 Ctrl+C 키를 눌러도 복사를 실행할 수 있다. 복사 셀에 점선이 표시되면 강제로 표시를 해제하거나 Esc 키를 눌러도 점선이 해제 된다.

2.1.2 “붙여넣기” 단추 분류표

복사한 데이터를 붙여넣기 할 때 붙여 넣을 방법을 “붙여넣기” 단추 분류표에서 선택할 수 있다.

01 복사할 셀 I3을 누른다.

02 [홈] 탭 - [클립보드] 그룹 - “복사”를 누르면 복사할 셀의 가장자리가 점선 128 으로 바뀐다.

I3 =SUM(E3:H3)

2016학년도 성적 및 출결 관리

이름	학과	출결사항	실기1	중간고사	실기2	기말고사	총점	학점
이진혁	경영학과		13	55	10	50	128	C
박민희	사회학과		15	50	20	80	165	B
최재원	생물학과		17	65	15	75	172	A
이희지	컴퓨터공학과		12	30	15	45	102	C
유지현	사회학과		15	50	20	80	165	B
박재영	과학교육학과		17	65	15	75	172	A
이선애	전산학과		12	30	15	45	102	C
성은주	사회체육학과		10	35	10	30	85	D
임지민	화학공학과		0	80	0	80	160	B
장동현	사학과		19	70	10	40	139	B

이진혁 총점

03 셀 C15를 눌러서 선택한다.

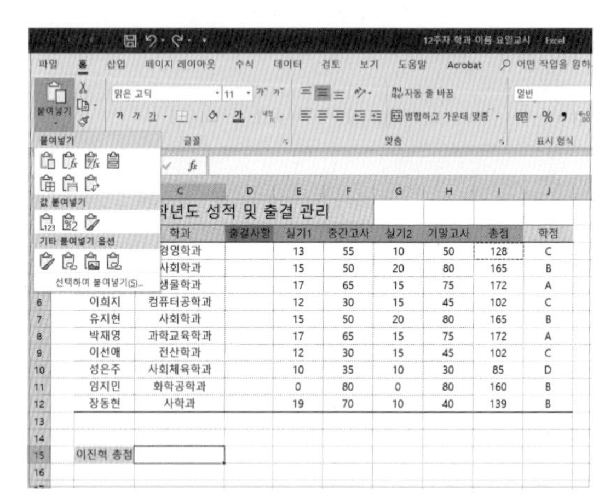

04 [홈] 탭 - [클립보드] 그룹 - “붙여넣기”를 누른다.

05 “기타 붙여넣기 옵션”의 “연결하여 붙여넣기”를 누르면 셀 데이터가 연결하여 붙여진다.

〈붙여넣기 단추 분류표〉

분류	기능	붙여넣기 방법
붙여넣기	붙여넣기	데이터와 서식의 모든 것을 붙여 넣는다. "붙여넣기" 단추와 동일
	수식	복사한 셀의 수식을 붙여 넣는다. 수식은 붙여 넣을 곳의 셀에 맞춰서 바뀐다.
	수식 및 숫자 서식	복사한 셀의 수식과 숫자의 서식을 남겨 두고 데이터를 붙여 넣는다.
	원본 서식 유지	복사한 셀의 서식을 유지하고 붙여 넣을 곳에 붙여 넣는다. 데이터와 서식의 모든 것이 붙여 넣어진다.
	테두리 없음	복사한 셀의 테두리를 빼고 데이터와 서식을 붙여 넣는다.
	원본 열 너비 유지	복사한 셀의 열 너비를 유지한 상태에서 데이터와 서식을 붙여 넣는다.
	바꾸기	복사한 셀 범위의 행과 열을 바꿔서 붙여 넣는다.
값 붙여넣기	값	복사한 셀 값만 붙여 넣는다. 수식의 경우는 그 결과를 붙여 넣는다.
	값 및 숫자 서식	복사한 셀의 데이터와 표시 형식을 붙여 넣는다. 수식의 경우는 계산결과의 숫자만 붙여 넣는다.
	값 및 원본 서식	복사한 셀의 데이터와 표시 형식을 붙여 넣는다. 수식의 경우는 그 결과를 붙여 넣는다.
기타 붙여넣기 옵션	서식	복사한 셀의 서식만 붙여 넣는다.
	연결하여 붙여넣기	복사 원본 셀의 내용이 변경되면 붙여 넣을 곳도 동일하게 변경된다.
	그림	복사한 셀을 이미지로 붙여 넣는다. 붙여 넣은 이미지는 엑셀에서는 편집할 수 없다.
	연결된 그림	복사한 셀을 이미지로 붙여 넣고 복사 원본이 변경되면 이미지의 내용이 변경된다.

2.1.3 대화상자 붙여넣기 형식

셀을 복사해서 붙여 넣을 때에 "선택해서 붙여넣기"를 사용하면 대화상자에서 붙여 넣을 내용을 선택할 수 있다. 수식, 값, 서식, 메모, 유효성 검사 등의 붙여넣기가 가능하다.

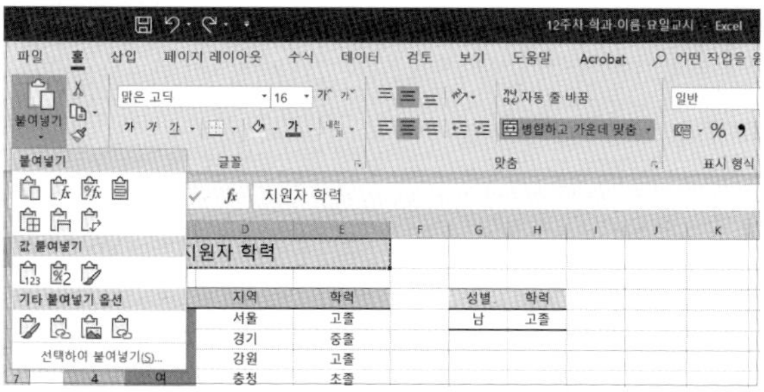

데이터를 선택한 후, 붙여넣기 리스트로부터 "선택하여 붙여넣기" 누른다.

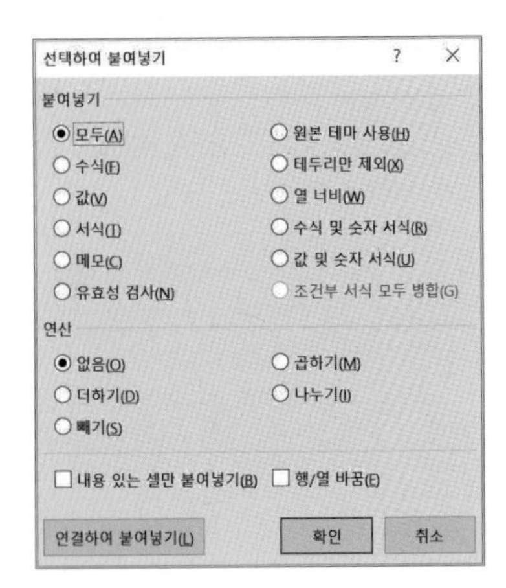

"붙여넣기" 형식을 선택하고 "확인"을 누른다.

〈붙여 넣기 형식〉

종류		설명
붙여넣기	모두	복사한 셀 데이터, 서식 등을 모두 붙여 넣는다.
	수식	복사한 셀의 수식을 붙여 넣을 곳의 셀 수식으로 붙여 넣는다.
	값	복사한 셀의 값을 붙여 넣는다. 복사한 셀에 수식이 입력되어 있을 경우, 수식의 결과 값을 붙여 넣는다.
	서식	복사한 셀의 수식을 붙여 넣는다.
	메모	복사한 셀에 설정되어 있는 메모를 붙여 넣는다.
	유효성 검사	복사한 셀에 설정되어 있는 유효성 검사를 붙여 넣는다.
	원본 테마 사용	복사한 셀의 데이터와 서식, 설정되어 있는 테마를 포함한 모두를 붙여 넣는다.
	테두리만 제외	복사한 셀의 테두리를 제외하고 붙여 넣는다.
	열 너비	복사한 셀에 설정된 셀 너비를 적용한다.
	수식 및 숫자 서식	복사한 셀의 수식 및 서식을 붙여 넣는다.
	값 및 숫자 서식	복사한 셀의 값 및 서식을 붙여 넣는다.
	조건부 서식 모두 병합	복사한 셀에 설정된 조건부 서식을 붙여 넣는다.
연산	없음	복사 원본의 숫자를 붙여 넣을 곳에 덧붙인다.
	더하기	복사 원본의 숫자를 붙여 넣을 곳의 숫자에 더한다.
	빼기	복사 원본의 숫자를 붙여 넣을 곳의 숫자에서 뺀다.
	곱하기	복사 원본의 숫자를 붙여 넣을 곳의 숫자를 곱한다.
	나누기	복사 원본의 숫자를 붙여 넣을 곳의 숫자를 나눈다.
내용 있는 셀만 붙여넣기		복사한 범위에 공백이 포함된 경우, 공백이 무시되어서 붙여 넣을 수 없다. 붙여 넣을 곳에 데이터가 있을 경우는 그 데이터가 남는다.
행/열 바꿈		복사한 셀 범위의 행과 열을 바꿔서 붙여 넣는다.

2.1.4 붙여넣기 연산

셀을 복사하여 붙여 넣을 때, 복사 원본의 셀의 값과 붙여 넣을 곳의 셀에서 계산이 가능하다. 예를 들면 다음의 예제와 같이 기본요금과 추가요금표가 있을 경우, 기본요금 셀을 복사해서 특정 셀에 붙여 넣는 것과 동시에 셀의 숫자를 더할 수 있다.

01 복사할 셀 B4를 누른다.

02 [홈] 탭 - [클립보드] 그룹 - "복사" 버튼 [복사]을 누른다.

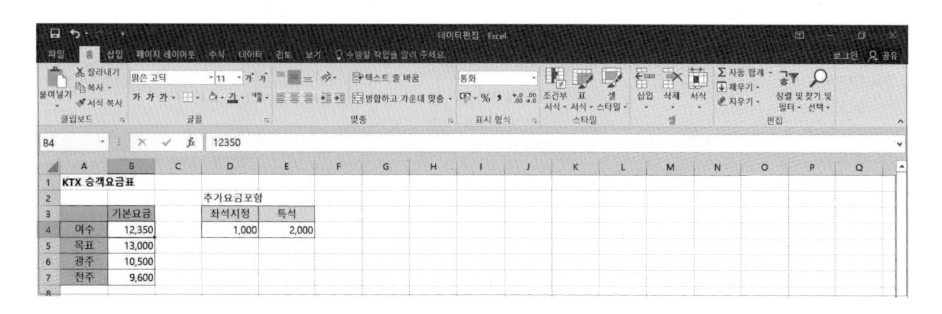

03 더하고 싶은 붙여 넣을 곳의 셀 E4을 누른다.

04 [홈] 탭 - [클립보드] 그룹 - "붙여넣기" - "선택하여 붙여넣기" 누르면 [선택하여 붙여넣기] 대화상자가 표시된다.

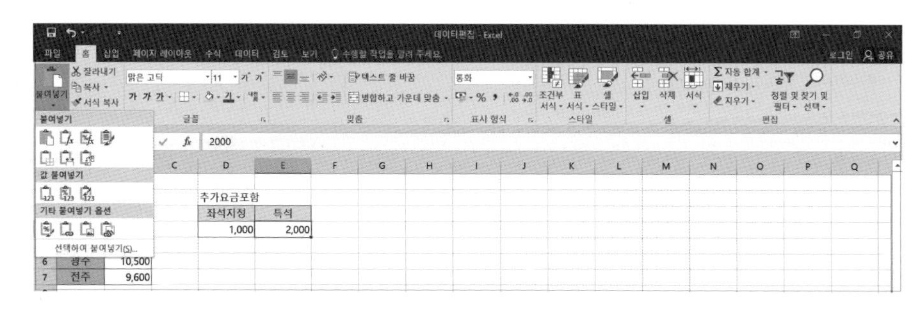

05 "더하기" 선택하고 "확인"을 누른다.

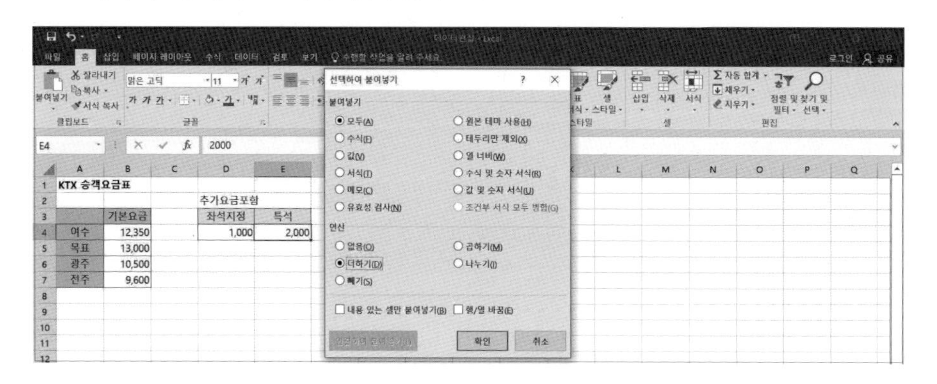

06 실행 결과, 셀 E4의 숫자가 2,000에서 14,350으로 변경되었다.

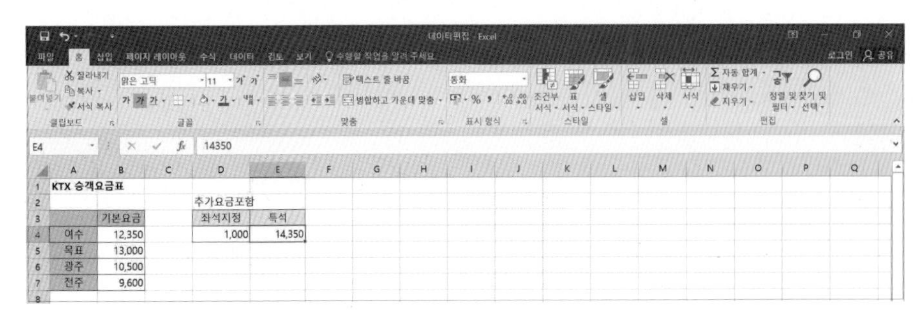

2.1.5 행과 열 교체 복사

용지의 방향 및 표의 내용에 따라서 행과 열을 바꾸고 싶은 경우가 있다. 엑셀에서는 복사와 붙여넣기의 실행으로 행과 열을 바꿀 수 있다.

01 복사 원본의 요금표 A3~B7를 드래그해서 선택한다.

02 [홈] 탭-[클립보드] 그룹-"복사" 버튼 복사 을 누른다.

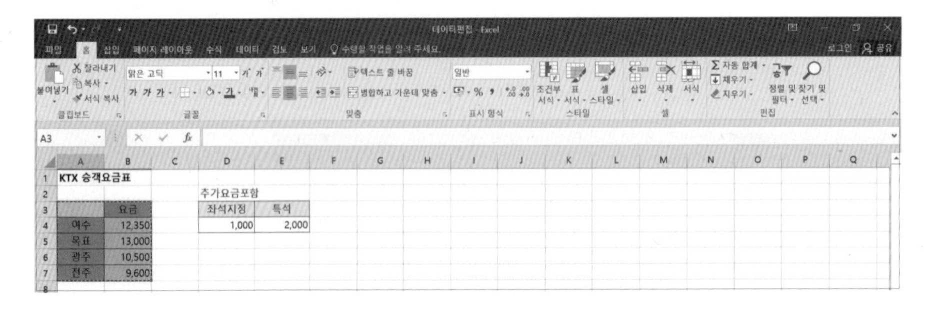

03 붙여 넣을 셀 A9를 누른다.

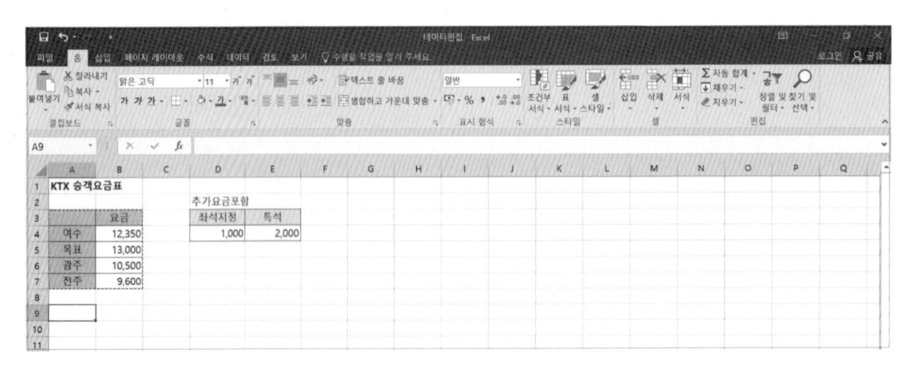

04 [홈] 탭 - [클립보드] 그룹 - "붙여넣기"를 누른다.

05 "바꾸기" 버튼 을 누르면 행과 열을 바꾸어서 붙여 넣을 수 있다.

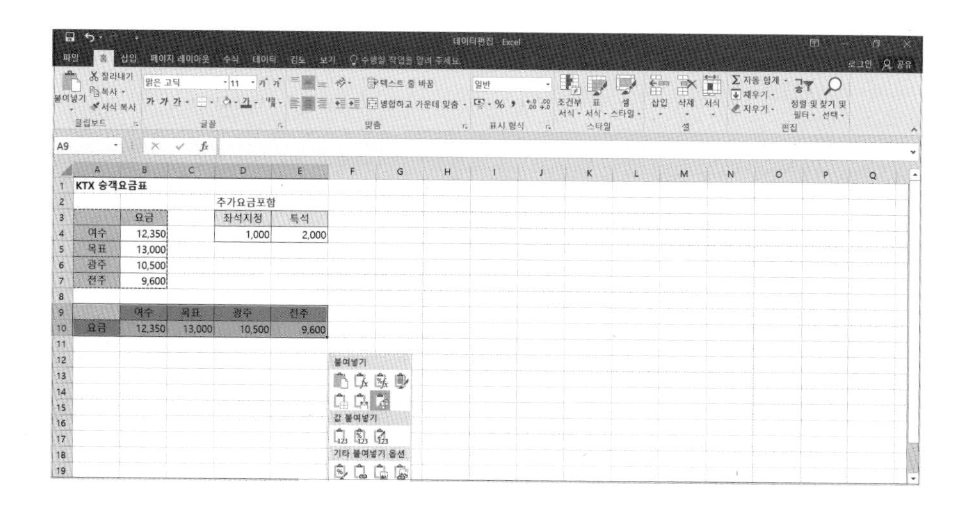

2.2 데이터 이동

요약

데이터 이동은 "잘라내기"와 "붙여넣기" 단추를 이용하는 방법과 마우스의 드래그를 이용하는 방법이 있다. "잘라내기"는 "복사"와 같이 데이터를 "Office 클립보드"에 저장한다. 단 "복사"는 복사한 위치에도 데이터가 남아 있지만 "잘라내기"는 원본 데이터가 남아 있지 않다.

■ 붙여넣기와 잘라내기

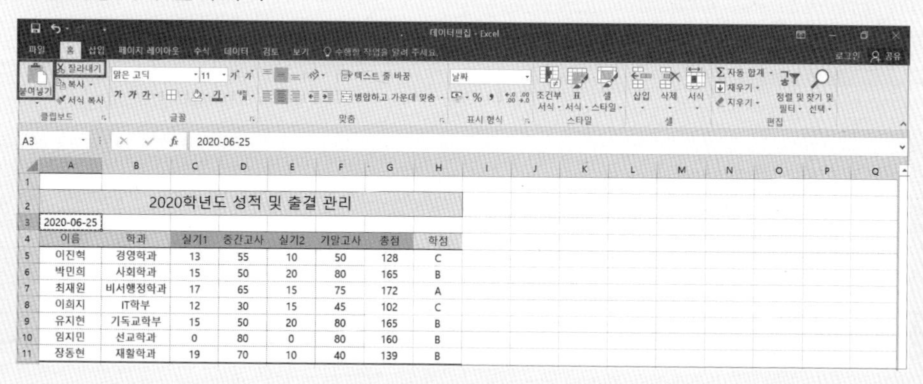

■ 셀 이동

셀 데이터를 이동할 수 있다.

2020학년도 성적 및 출결 관리

2020-06-25

이름	학과	실기1	중간고사	실기2	기말고사	총점	학점
이진혁	경영학과	13	55	10	50	128	C
박민희	사회학과	15	50	20	80	165	B
최재원	비서행정학과	17	65	15	75	172	A
이희지	IT학부	12	30	15	45	102	C
유지현	기독교학부	15	50	20	80	165	B
임지민	선교학과	0	80	0	80	160	B
장동현	재활학과	19	70	10	40	139	B

⇨

2020학년도 성적 및 출결 관리

							2020-06-25
이름	학과	실기1	중간고사	실기2	기말고사	총점	학점
이진혁	경영학과	13	55	10	50	128	C
박민희	사회학과	15	50	20	80	165	B
최재원	비서행정학과	17	65	15	75	172	A
이희지	IT학부	12	30	15	45	102	C
유지현	기독교학부	15	50	20	80	165	B
임지민	선교학과	0	80	0	80	160	B
장동현	재활학과	19	70	10	40	139	B

■ 행 및 열 이동

행 및 열의 데이터를 이동할 수 있다.

	A	B	C	D	E	F	G	H
1								
2	2020학년도 성적 및 출결 관리							
3								2020-06-25
4								
5	이름	학과	실기1	중간고사	실기2	기말고사	총점	학점
6	이진혁	경영학과	13	55	10	50	128	C
7	박민희	사회학과	15	50	20	80	165	B
8	최재원	비서행정학과	17	65	15	75	172	A
9	이희지	IT학부	12	30	15	45	102	C
10	유지현	기독교학부	15	50	20	80	165	B
11	임지민	선교학과	0	80	0	80	160	B
12	장동현	재활학과	19	70	10	40	139	B
13								
14		담당 교수 : 유 현배						

⇨

	A	B	C	D	E	F	G	H
1								
2	2020학년도 성적 및 출결 관리							
3								2020-06-25
4		담당 교수 : 유 현배						
5	이름	학과	실기1	중간고사	실기2	기말고사	총점	학점
6	이진혁	경영학과	13	55	10	50	128	C
7	박민희	사회학과	15	50	20	80	165	B
8	최재원	비서행정학과	17	65	15	75	172	A
9	이희지	IT학부	12	30	15	45	102	C
10	유지현	기독교학부	15	50	20	80	165	B
11	임지민	선교학과	0	80	0	80	160	B
12	장동현	재활학과	19	70	10	40	139	B
13								
14								

2.2.1 셀 이동

셀 데이터의 이동은 "잘라내기"와 "붙여넣기"의 2단계로 실행된다.

01 이동하는 셀 A3을 누른다.

02 [홈] 탭 - [클립보드] 그룹 - "잘라내기" 단추를 누른다.

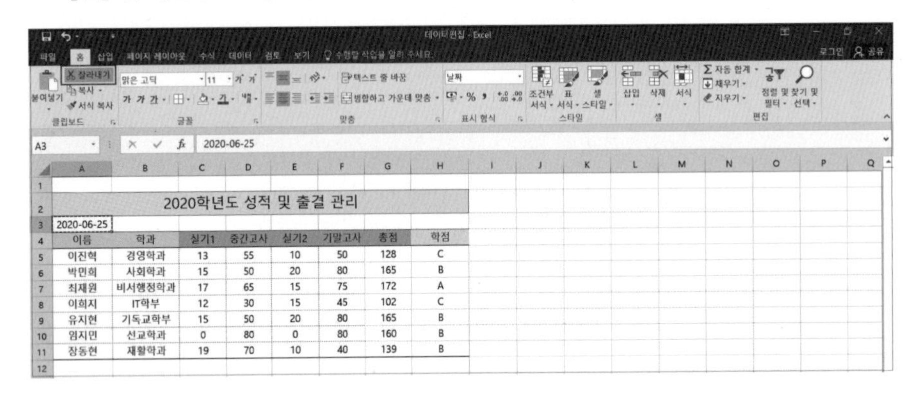

03 붙여 넣을 곳의 셀 H3을 누르면 잘라내기를 실행한 셀이 점선으로 테두리가 바뀐다.

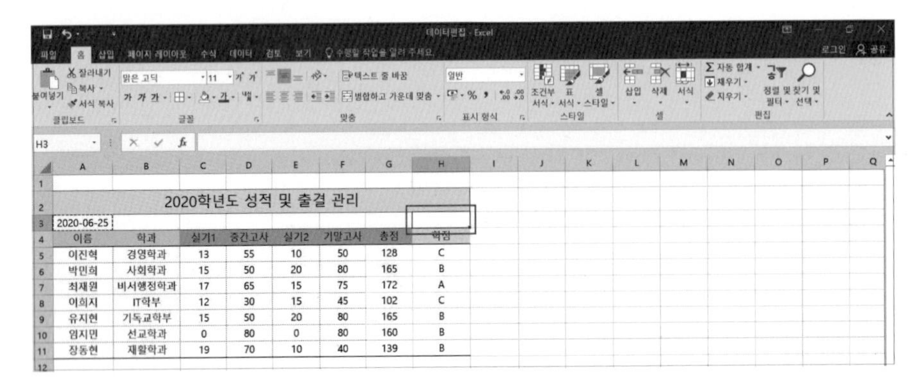

04 [홈] 탭 - [클립보드] 그룹 - "붙여넣기"를 누르면 데이터가 이동된다.

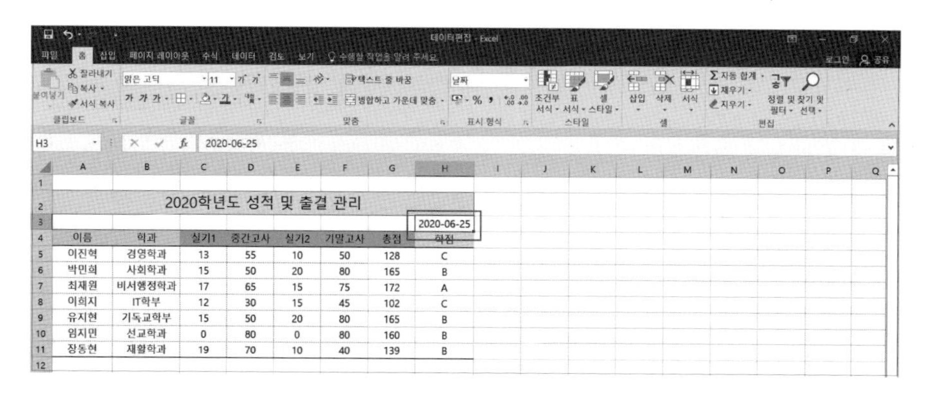

이름	학과	실기1	중간고사	실기2	기말고사	총점	학점
이진혁	경영학과	13	55	10	50	128	C
박민희	사회학과	15	50	20	80	165	B
최재원	비서행정학과	17	65	15	75	172	A
이희지	IT학부	12	30	15	45	102	C
유지현	기독교학부	15	50	20	80	165	B
임지민	선교학과	0	80	0	80	160	B
장동현	재활학과	19	70	10	40	139	B

TIP

드래그 조작으로 셀을 이동하기 위해서는 커서가 활성화되어 있는 액티브셀(active cell)에 마우스 포인터를 맞춘다. 마우스 포인터가 십자 화살표로 바뀌면 이동할 곳까지 드래그하면 된다.

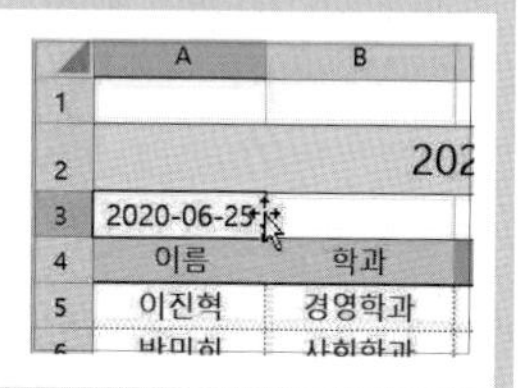

2.2.2 행과 열 이동

행과 열을 통째로 이동할 수가 있다. 행 또는 열 전체를 선택한 후 "잘라내기" 단추와 "붙여넣기" 단추를 누른다. 행 및 열 전체를 선택하기 위해서는 행 번호 및 열 번호를 누른다. "붙여넣기"를 실행하면 데이터는 붙여 넣을 곳에 덧 쓰여 진다. 만일 붙여 넣을 곳에 데이터가 있으면 그 데이터는 새 데이터로 대체된다.

01 이동하는 행의 행 번호 14를 누른다.

02 [홈] 탭 - [클립보드] 그룹 - "잘라내기"를 누른다.

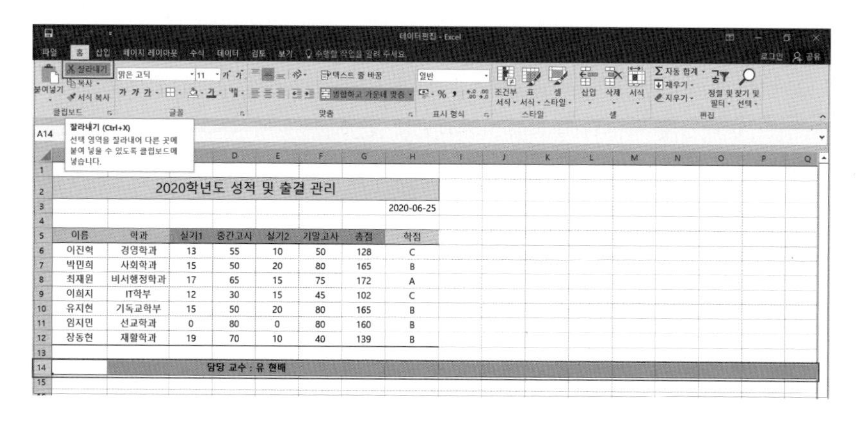

03 붙여 넣을 곳의 행 번호(혹은 행 머리글) 4를 누르면 잘라내기를 실행한 행에 점선 테두리가 생긴다.

04 [홈] 탭 - [클립보드] 그룹 - "붙여넣기" 누른다.

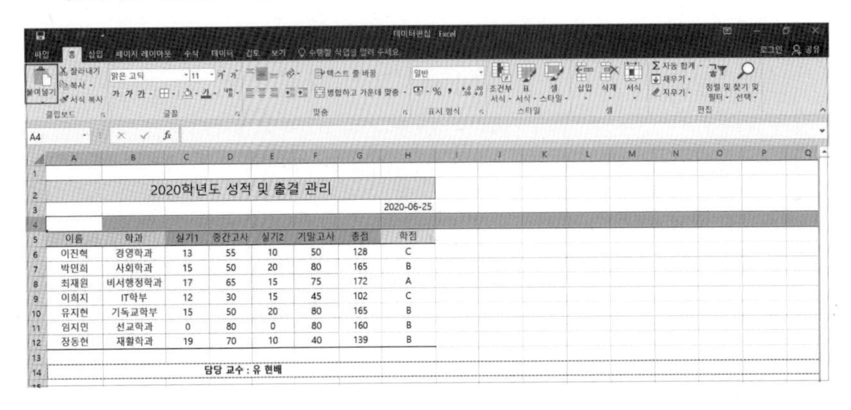

2020학년도 성적 및 출결 관리

2020-06-25

이름	학과	실기1	중간고사	실기2	기말고사	총점	학점
이진혁	경영학과	13	55	10	50	128	C
박민희	사회학과	15	50	20	80	165	B
최재원	비서행정학과	17	65	15	75	172	A
이희지	IT학부	12	30	15	45	102	C
유지현	기독교학부	15	50	20	80	165	B
임지민	선교학과	0	80	0	80	160	B
장동현	재활학과	19	70	10	40	139	B

담당 교수 : 유 현배

05 실행 결과, 14행의 내용이 4행에 덧붙여진다.

2020학년도 성적 및 출결 관리

2020-06-25

담당 교수 : 유 현배

이름	학과	실기1	중간고사	실기2	기말고사	총점	학점
이진혁	경영학과	13	55	10	50	128	C
박민희	사회학과	15	50	20	80	165	B
최재원	비서행정학과	17	65	15	75	172	A
이희지	IT학부	12	30	15	45	102	C
유지현	기독교학부	15	50	20	80	165	B
임지민	선교학과	0	80	0	80	160	B
장동현	재활학과	19	70	10	40	139	B

2.3 셀 및 행(열) 삽입과 삭제

요약

엑셀에서는 셀 및 행(열)을 삽입·삭제하는 방법이 몇 가지 있다. 셀의 경우, 삽입 및 삭제에 따라서 셀이 어긋나는 구조를 이해할 필요가 있다. 또한 행을 선택해서 삽입을 하면 선택한 행의 위쪽에 공백 행이 삽입된다. 열을 선택해서 삽입을 하면 선택한 열의 왼쪽에 공백 열이 삽입된다.

■ 셀 삽입

셀 삽입

2020학년도 성적 및 출결 관리

이름	학과	실기1	중간고사	실기2	기말고사	총점	학점
이진혁	경영학과	13	55	10	50	128	C
박민희	사회학과	15	50	20	80	165	B
최재원	비서행정학과	17	65	15	75	172	A
이희지	IT학부	12	30	15	45	102	C
유지현	기독교학부	15	50	20	80	165	B
임지민	선교학과	0	80	0	80	160	B
장동현	재활학과	19	70	10	40	139	B

⇨

셀을 삽입한 만큼 아래로 밀려 난다.

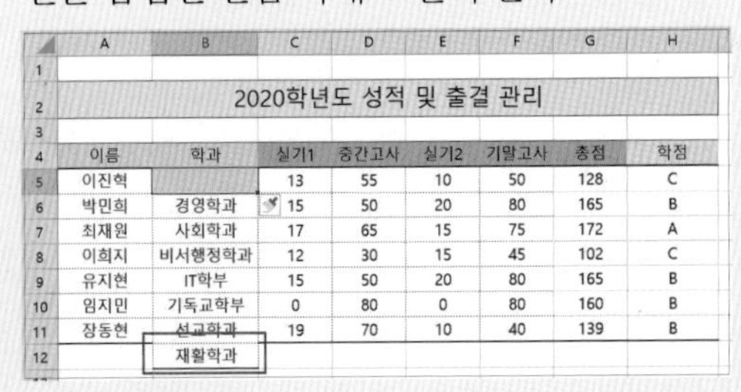

2020학년도 성적 및 출결 관리

이름	학과	실기1	중간고사	실기2	기말고사	총점	학점
이진혁		13	55	10	50	128	C
박민희	경영학과	15	50	20	80	165	B
최재원	사회학과	17	65	15	75	172	A
이희지	비서행정학과	12	30	15	45	102	C
유지현	IT학부	15	50	20	80	165	B
임지민	기독교학부	0	80	0	80	160	B
장동현	선교학과	19	70	10	40	139	B
	재활학과						

■ 셀 삭제

셀 삭제

2020학년도 성적 및 출결 관리

이름	학과	실기1	중간고사	실기2	기말고사	총점	학점
이진혁	경영학과	13	55	10	50	128	C
박민희	사회학과	15	50	20	80	165	B
최재원	비서행정학과	17	65	15	75	172	A
이희지	IT학부	12	30	15	45	102	C
유지현	기독교학부	15	50	20	80	165	B
임지민	선교학과	0	80	0	80	160	B
장동현	재활학과	19	70	10	40	139	B

셀을 삭제한 만큼 위로 밀려 난다.

2020학년도 성적 및 출결 관리

이름	학과	실기1	중간고사	실기2	기말고사	총점	학점
이진혁	경영학과	13	55	10	50	128	C
박민희	사회학과	15	50	20	80	165	B
최재원	비서행정학과	17	30	15	75	137	A
이희지	IT학부	12	50	15	45	122	C
유지현	기독교학부	15	80	20	80	195	B
임지민	선교학과	0	70	0	80	150	B
장동현	재활학과	19		10	40	69	B

■ 행 및 열 삽입

2020학년도 성적 및 출결 관리

이름	학과	실기1	중간고사	실기2	기말고사	총점	학점
이진혁	경영학과	13	55	10	50	128	C
박민희	사회학과	15	50	20	80	165	B
최재원	비서행정학과	17	65	15	75	172	A
이희지	IT학부	12	30	15	45	102	C
유지현	기독교학부	15	50	20	80	165	B
임지민	선교학과	0	80	0	80	160	B
장동현	재활학과	19	70	10	40	139	B

"최재원"이 있는 7행 위에 새로운 행이 추가된다.

2020학년도 성적 및 출결 관리

이름	학과	실기1	중간고사	실기2	기말고사	총점	학점
이진혁	경영학과	13	55	10	50	128	C
박민희	사회학과	15	50	20	80	165	B
최재원	비서행정학과	17	65	15	75	172	A
이희지	IT학부	12	30	15	45	102	C
유지현	기독교학부	15	50	20	80	165	B
임지민	선교학과	0	80	0	80	160	B
장동현	재활학과	19	70	10	40	139	B

■ 행 및 열 삭제

2020학년도 성적 및 출결 관리

이름	학과	실기1	중간고사	실기2	기말고사	총점	학점
이진혁	경영학과	13	55	10	50	128	C
박민희	사회학과	15	50	20	80	165	B
최재원	비서행정학과	17	65	15	75	172	A
이희지	IT학부	12	30	15	45	102	C
유지현	기독교학부	15	50	20	80	165	B
임지민	선교학과	0	80	0	80	160	B
장동현	재활학과	19	70	10	40	139	B

"최재원"이 있는 행이 삭제된다.

2020학년도 성적 및 출결 관리

이름	학과	실기1	중간고사	실기2	기말고사	총점	학점
이진혁	경영학과	13	55	10	50	128	C
박민희	사회학과	15	50	20	80	165	B
이희지	IT학부	12	30	15	45	102	C
유지현	기독교학부	15	50	20	80	165	B
임지민	선교학과	0	80	0	80	160	B
장동현	재활학과	19	70	10	40	139	B

2.3.1 셀 삽입

워크시트에 셀을 삽입하기 위해서는 삽입하고 싶은 셀 혹은 셀 범위를 선택한 후, [홈] 탭의 [셀] 그룹에 있는 삽입의 "드롭다운" 삽입 단추를 누른다. 이 때 원래 있던 셀의 데이터가 오른쪽 방향 혹은 아래쪽 방향 중에 어느 쪽으로 밀리는지를 지정할 수 있다. 또한 삽입한 셀의 서식은 "삽입" 옵션 단추로 추후에 변경할 수 있다. 단, [홈] 탭의 [셀] 그룹에 있는 "삽입" 단추를 직접 누르면 셀을 삽입 할 수 있으나 셀이 밀리는 방향은 아래 방향이 된다.

01 삽입하는 셀 B5을 누른다.

02 [홈] 탭 - [셀] 그룹 - "삽입" 드롭다운 삽입 단추를 누른다.

03 이어서 "셀 삽입"을 누르면 [삽입] 대화상자가 표시된다.

04 "셀을 아래로 밀기"를 선택한다. 이때, 밀리는 방향 선택이 가능하다. 끝으로 "확인"을 누른다.

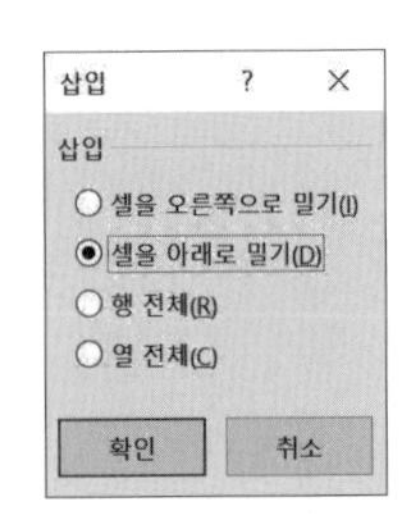

05 실행 결과, B5셀부터 모든 셀이 한 칸씩 아래로 밀려난다.

2.3.2 셀 삭제

셀을 삭제하기 위해서는 삭제하고자 하는 셀 혹은 셀 범위를 선택하고, [홈] 탭의 [셀] 그룹에 있는 삭제의 "드롭다운" 단추 삭제 을 누른다. 셀을 삭제하면 그 셀의 오른쪽 혹은 아래로 입력된 데이터가 삭제한 셀 만큼 밀리게 된다. 단, [홈] 탭의 [셀] 그룹에 있는 "삭제" 단추 을 직접 누르면 셀을 삭제 할 수 있으며 삭제한 셀의 아래에 있던 셀이 위로 당겨지게 된다.

01 삭제할 셀 D7을 누른다.

02 [홈] 탭 - [셀] 그룹 - "삭제" 드롭다운 삭제 단추를 누른다.

03 "셀 삭제" 누르면 [삭제] 대화상자가 표시된다.

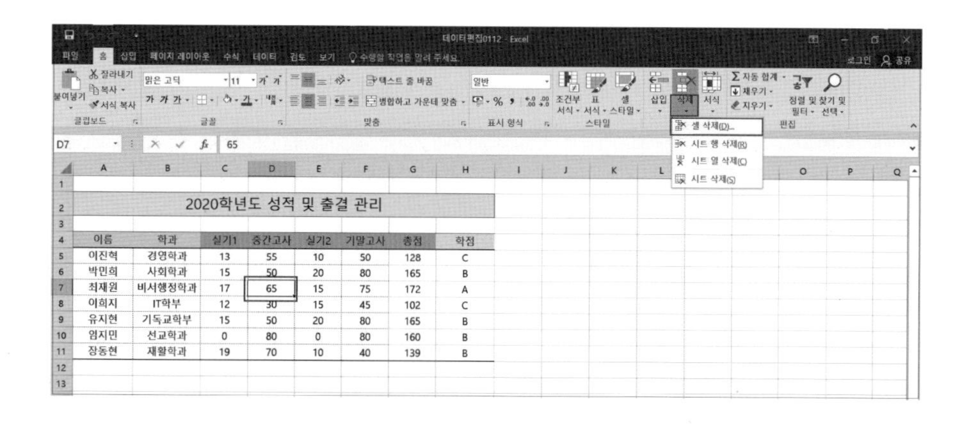

04 "셀을 위로 밀기" 선택(밀리는 방향 선택 가능), "확인"을 누른다.

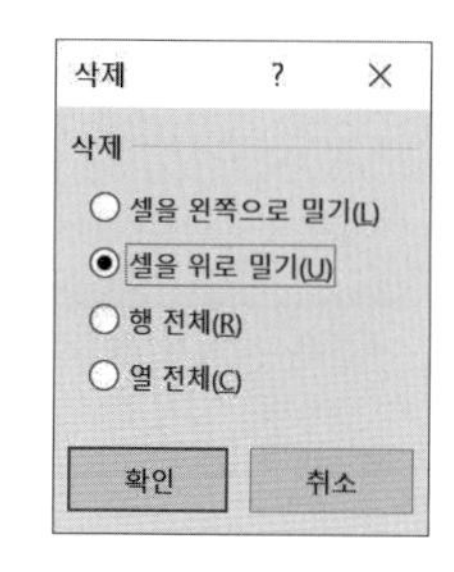

05 실행 결과, D7셀의 데이터가 삭제되고 바로 아래의 셀들이 위로 밀려 올라온다.

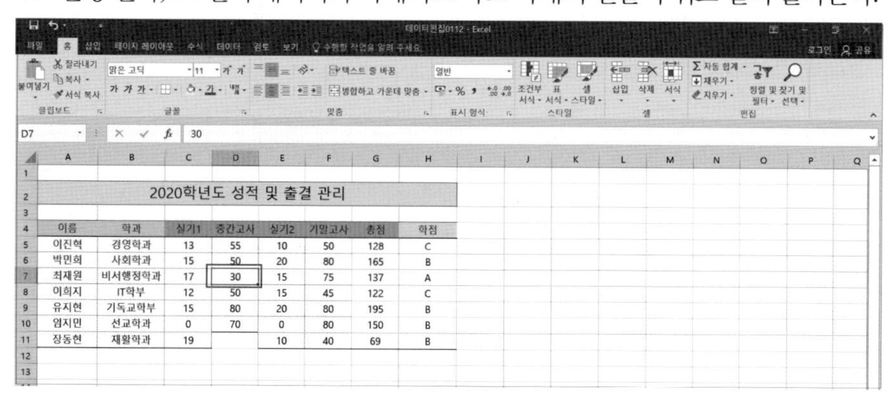

2.3.3 행(열) 삽입

행(열)을 삽입하기 위해서는 삽입하고 싶은 행(열)을 선택한 후, [홈] 탭의 [셀] 그룹에 있는 "삽입" 단추를 누른다. 복수의 행(열)을 삽입할 경우에는 사전에 복수의 행(열)을 선택해 둬야 한다. 복수의 행(열)의 선택 방법은 원하는 행(열) 번호들을 드래그하면 된다.

■ 행 삽입

행을 삽입할 때는 우선 행 번호를 눌러서 행 단위의 범위 선택을 실행, [홈] 탭의 [셀] 그룹에 있는 "삽입" 단추를 누른다.

01 삽입 위치의 행 번호 7을 누른다.

02 [홈] 탭 - [셀] 그룹 - “삽입” 을 누른다.

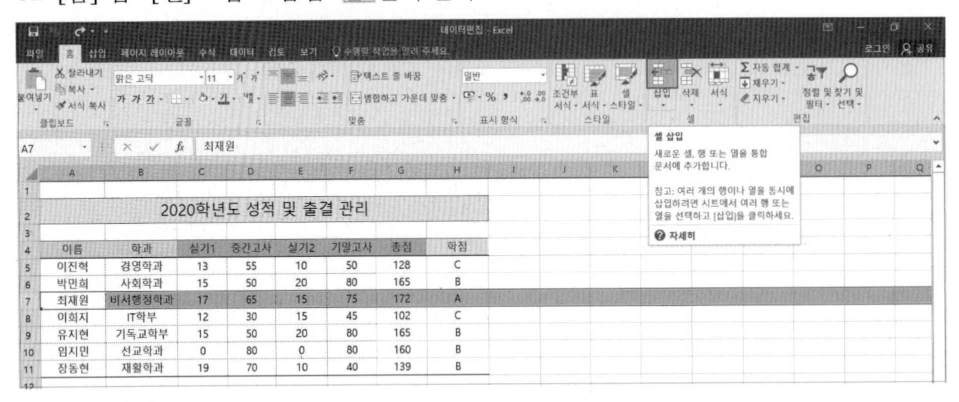

03 실행 결과, 선택한 행의 위로 공백 행이 삽입된다.

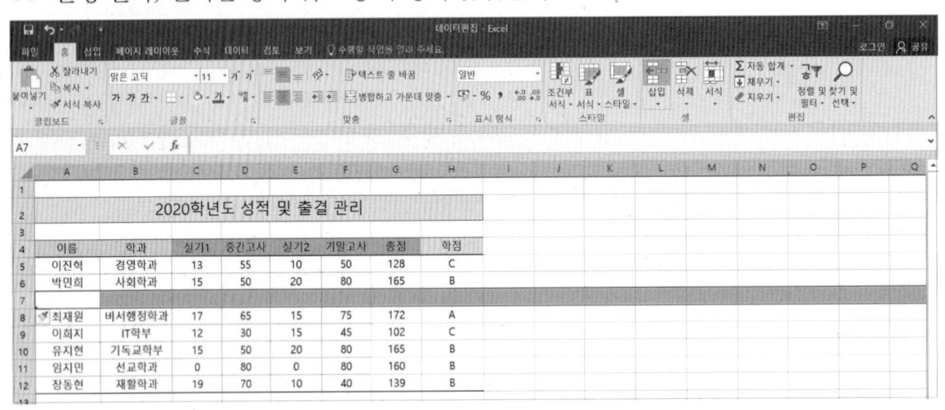

■ 열 삽입

열을 삽입할 때는 우선 열 번호를 눌러서 열 단위의 범위 선택을 실행, [홈] 탭의 [셀] 그룹에 있는 “삽입” 단추를 누른다.

01 삽입 위치의 열 번호 D를 누른다.

02 [홈] 탭 - [셀] 그룹 - “삽입” 을 누른다.

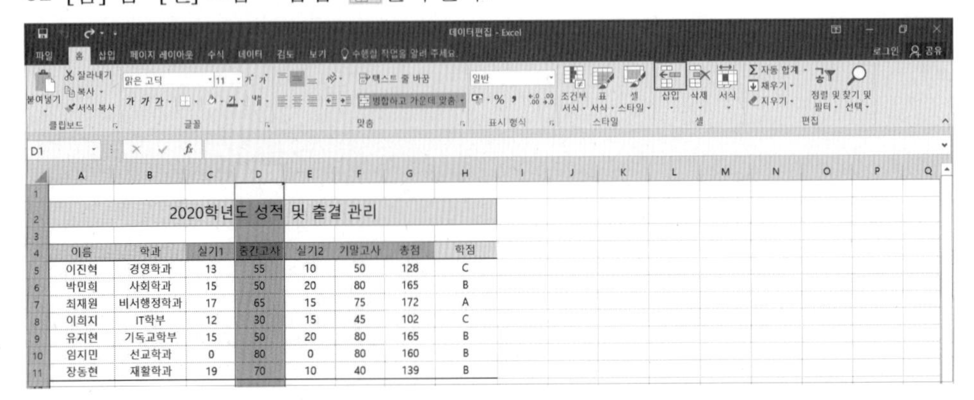

03 선택한 열의 왼쪽으로 공백 행이 삽입된다.

2020학년도 성적 및 출결 관리

이름	학과	실기1		중간고사	실기2	기말고사	총점	학점
이진혁	경영학과	13		55	10	50	128	C
박민희	사회학과	15		50	20	80	165	B
최재원	비서행정학과	17		65	15	75	172	A
이희지	IT학부	12		30	15	45	102	C
유지현	기독교학부	15		50	20	80	165	B
임지민	선교학과	0		80	0	80	160	B
장동현	재활학과	19		70	10	40	139	B

2.3.4 행(열) 삭제

행(열)을 삭제하기 위해서는 삭제하고 싶은 행(열)을 선택한 후, [홈] 탭의 [셀] 그룹에 있는 "삭제" 단추를 누른다. 복수의 행(열)을 삭제할 경우는 사전에 복수의 행(열)을 선택해 둬야 한다.

■ 행 삭제

삭제하고 싶은 행 번호를 눌러서 행 단위의 범위 선택을 실행, [홈] 탭의 [셀] 그룹에 있는 "삭제" 단추를 누른다.

01 삭제할 행 번호 7을 누른다.

02 [홈] 탭 - [셀] 그룹 - "삭제" 을 누른다.

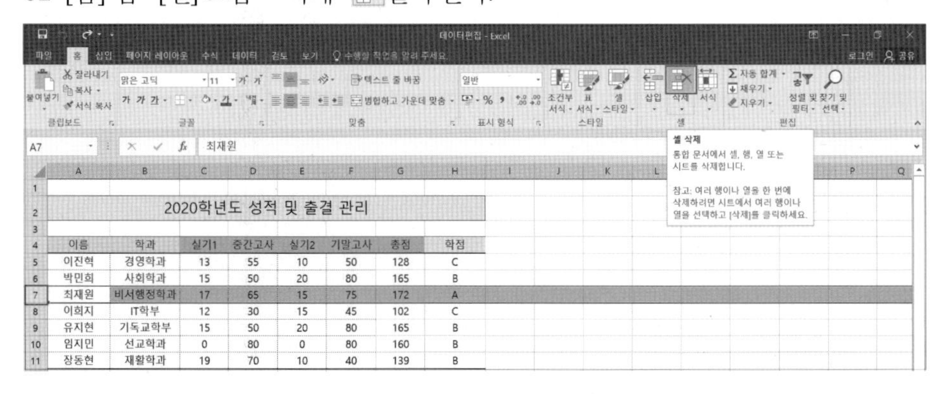

03 선택한 7행이 삭제된다.

2020학년도 성적 및 출결 관리

이름	학과	실기1	중간고사	실기2	기말고사	총점	학점
이진혁	경영학과	13	55	10	50	128	C
박민희	사회학과	15	50	20	80	165	B
이희지	IT학부	12	30	15	45	102	C
유지현	기독교학부	15	50	20	80	165	B
임지민	선교학과	0	80	0	80	160	B
장동현	재활학과	19	70	10	40	139	B

■ 열 삭제

열을 삭제할 때는 우선 열 번호를 눌러서 열 단위의 범위 선택을 실행, [홈] 탭의 [셀] 그룹에 있는 "삭제" 단추를 누른다.

01 삭제할 열 번호 D를 누른다.

02 [홈] 탭 - [셀] 그룹 - "삭제" 누른다.

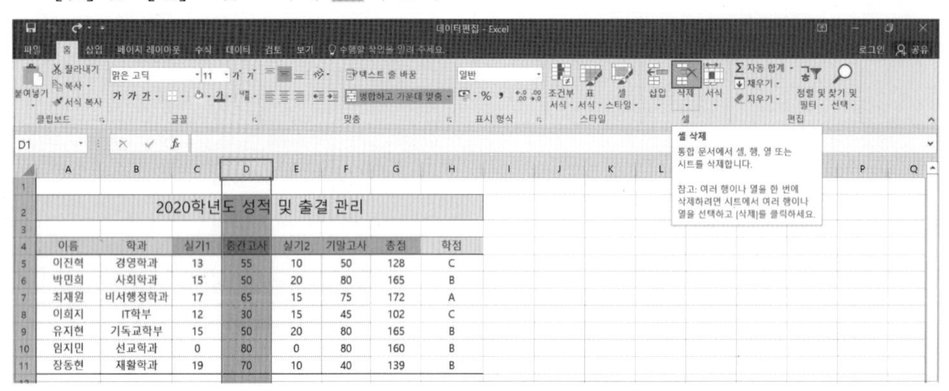

03 선택한 열이 삭제된다.

2020학년도 성적 및 출결 관리

이름	학과	실기1	실기2	기말고사	총점	학점
이진혁	경영학과	13	10	50	73	C
박민희	사회학과	15	20	80	115	B
최재원	비서행정학과	17	15	75	107	A
이희지	IT학부	12	15	45	72	C
유지현	기독교학부	15	20	80	115	B
임지민	선교학과	0	0	80	80	B
장동현	재활학과	19	10	40	69	B

2.3.5 셀 및 행(열)삽입 후 서식 변경

폰트 및 색, 테두리선 등의 서식이 설정된 곳에 셀 및 행(열)을 삽입하면 삽입한 후에 "삽입 옵션"이 표시된다. 이 단추로 새로 삽입한 셀 및 행(열)의 서식을 변경할 수 있다.

행을 삽입하면 "삽입 옵션"이 표시되고, 삽입된 후에는 자동으로 위의 행에 설정된 서식이 적용된다.

2020학년도 성적 및 출결 관리

이름	학과	실기1	중간고사	실기2	기말고사	총점	학점
이진혁	경영학과	13	55	10	50	128	C
박민희	사회학과	15	50	20	80	165	B
최재원	비서행정학과	17	65	15	75	172	A
이희지	IT학부	12	30	15	45	102	C
유지현	기독교학부	15	50	20	80	165	B
임지민	선교학과	0	80	0	80	160	B
장동현	재활학과	19	70	10	40	139	B

01 "삽입 옵션" 누른다.

02 "서식 지우기" 누르면 서식 지우기가 적용된다.

2020학년도 성적 및 출결 관리

이름	학과	실기1	중간고사	실기2	기말고사	총점	학점
이진혁	경영학과	13	55	10	50	128	C
박민희	사회학과	15	50	20	80	165	B
재원	비서행정학과	17	65	15	75	172	A
		12	30	15	45	102	C
	부	15	50	20	80	165	B
		0	80	0	80	160	B
장동현	재활학과	19	70	10	40	139	B

위와 같은 서식(A)
아래와 같은 서식(B)
서식 지우기(C)

〈서식 분류〉

분류	서식 설정 방법
위와 같은 서식	삽입된 공백 행에 위 행과 같은 서식을 그대로 계속 이어간다.
아래와 같은 서식	삽입된 공백 행에 아래 행과 같은 서식을 설정한다.
왼쪽과 같은 서식	삽입된 공백 열에 왼쪽 열과 같은 서식을 그대로 계속 이어간다.
오른쪽과 같은 서식	삽입된 공백 열에 오른쪽 열과 같은 서식을 설정한다.
서식 지우기	삽입된 공백 행(열)에 설정된 서식을 지운다.

2.4 데이터 찾기와 바꾸기

요약

찾기와 바꾸기는 엑셀의 대표적인 기능 중에 하나이다. 워크시트에 입력된 방대한 데이터로부터 원하는 데이터를 순식간에 찾아낼 수 있으며, 지정한 문자 및 서식을 다른 것으로 바꿀 수도 있다. "찾기와 바꾸기" 대화상자를 활용해서 데이터를 간단하게 편집하는 방법을 살펴보도록 한다. 또한 여기에서는 찾기의 옵션을 이용해서 전각문자(전자)와 반각문자(반자)를 구분해서 찾는 방법 및 특정 문자를 포함하는 데이터를 찾는 방법 등을 살펴본다.

■ 데이터 찾기

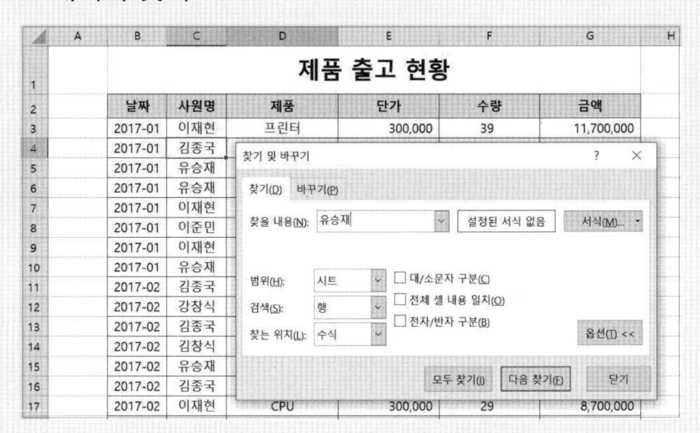

찾고 싶은 데이터를 검색할 수 있다.

■ 데이터 바꾸기

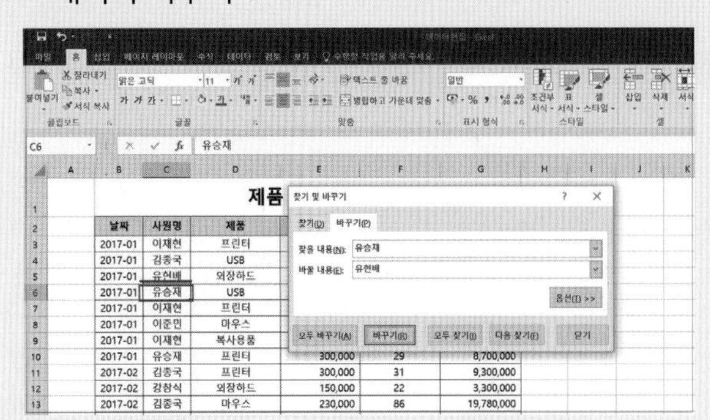

찾기 결과를 다른 문자로 바꿀 수 있다.

■ 찾기와 바꾸기

대화상자에서 찾기 및 바꾸기 설정을 한다.

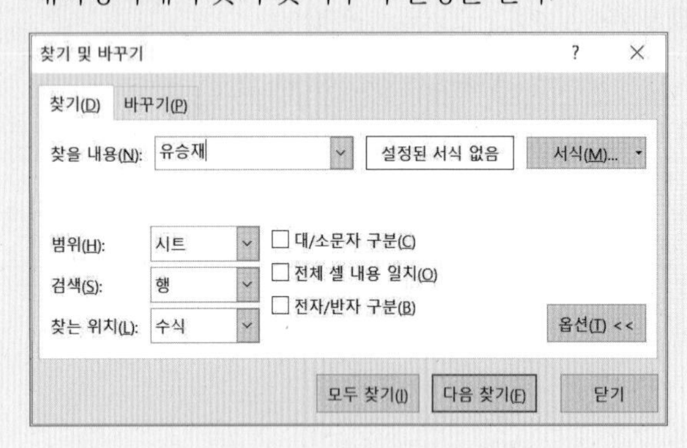

* 서식: 셀에 설정한 서식을 지정해서 검색한다.
* 범위: 검색 대상을 시트 혹은 통합문서로부터 선택 가능하며 대문자와 소문자를 구별한다.
* 검색: 현재 선택하고 있는 셀의 위치를 기준으로 행 혹은 열을 지정하고, 셀 내용이 완전히 동일한 것을 검색한다.
* 찾는 위치: 수식, 값, 메모 등을 등을 지정하고 전자와 반자를 구별한다.

2.4.1 데이터 하나씩 찾기

[찾기 및 바꾸기] 대화상자에 찾고 싶은 문자 혹은 서식 등을 지정해서 "모두 찾기" 단추를 누르면 해당되는 모든 셀들의 목록을 확인할 수 있다. "다음 찾기" 단추를 이용하면 찾기 조건에 맞는 문자 혹은 서식이 설정된 셀에 커서가 활성화되어 있는 액티브 셀(active cell)이 이동한다.

01 [홈] 탭 - [편집]그룹 - "찾기 및 선택" 찾기 및 선택 을 누른다.

02 "찾기"를 누른다.

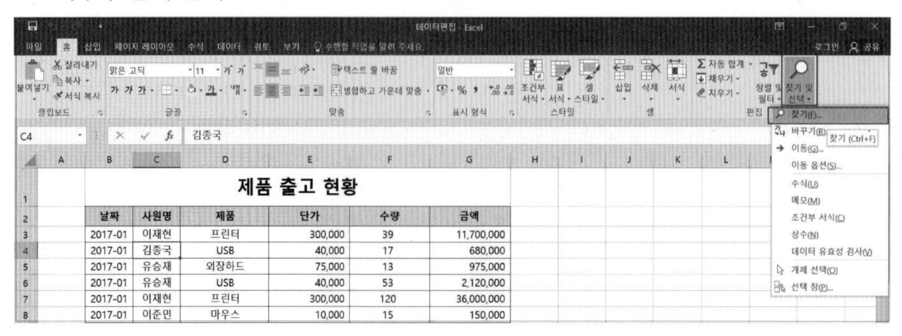

03 [찾기 및 바꾸기] 대화상자가 표시되면 "유승재"를 입력한다. 여기서는 "유승재"라는 문자를 검색하기 위해 "다음 찾기"를 누른다.

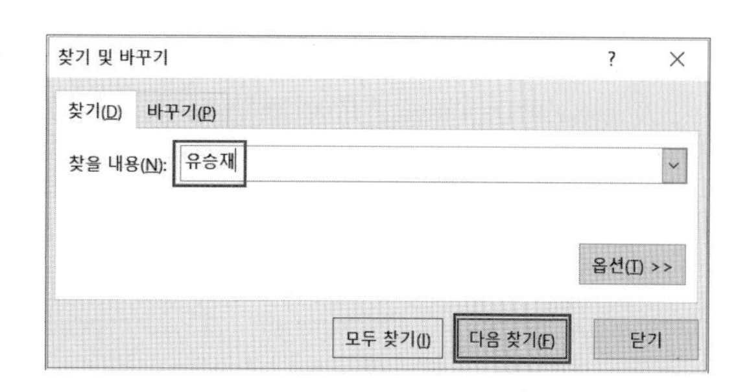

04 실행결과

* "유승재"를 포함한 셀이 검색되고 액티브 셀이 그곳으로 이동한다.
* "다음 찾기"를 누르면 계속해서 찾기가 가능하다.
* "닫기"를 누르면 대화상자가 닫힌다.

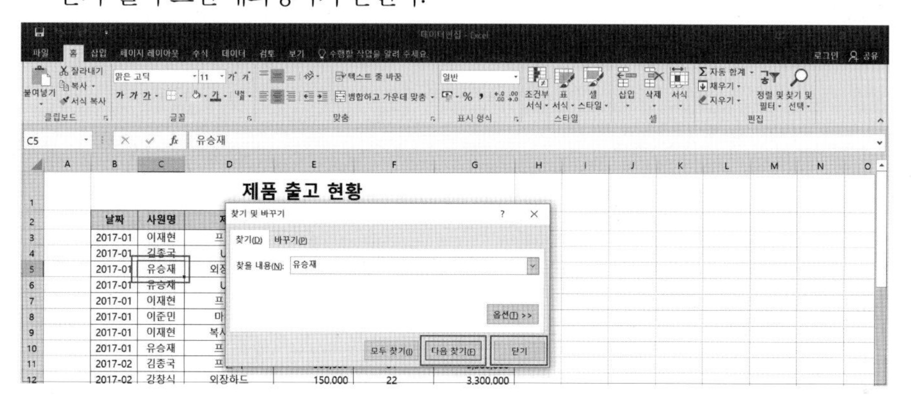

2.4.2 데이터 모두 찾기

[찾기 및 바꾸기] 대화상자에서 찾고 싶은 문자 혹은 서식 등을 지정한 후, "다음 찾기" 단추를 누른다. "다음 찾기" 단추를 이용하면 찾기 조건에 맞는 문자 혹은 서식이 설정된 셀로 커서가 활성화되어 있는 액티브 셀(active cell)이 이동한다.

01 [홈] 탭 - [편집] 그룹 - "찾기"를 누른다.
02 "유승재"를 입력한다.
03 "모두 찾기"를 누른다.

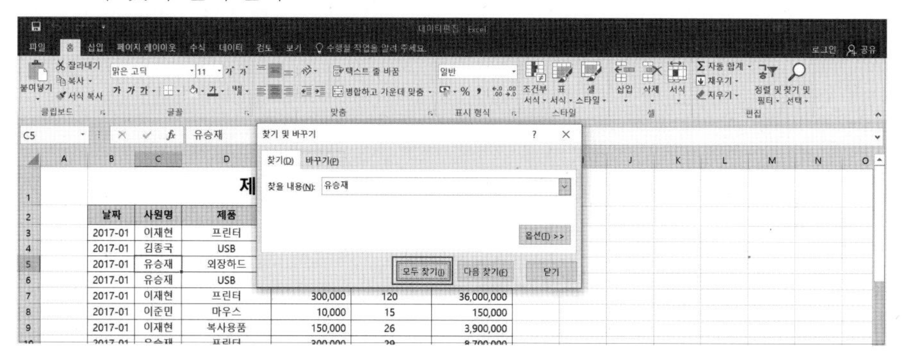

04 표시하고 싶은 셀 번호를 누른다. 이 단계에서 “찾기 및 바꾸기” 대화상자의 오른쪽 하단을 드래그하면 창(window)의 크기를 변경할 수 있다.

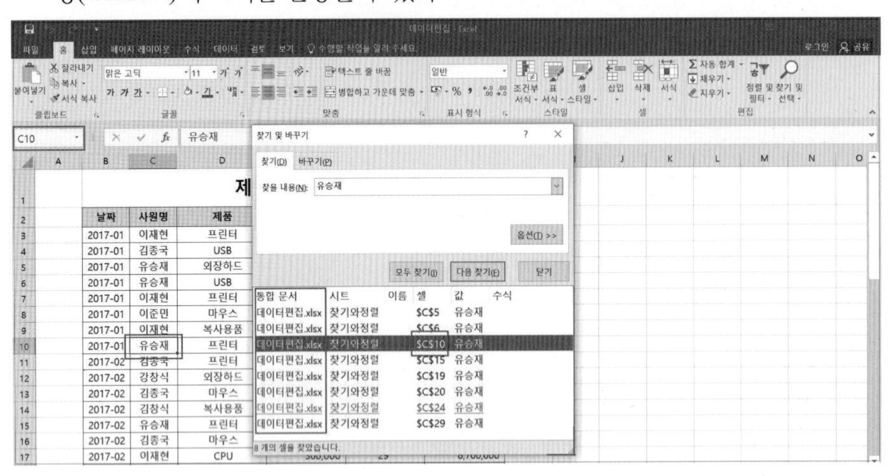

2.4.3 검색한 데이터 바꾸기

[찾기 및 바꾸기] 대화상자의 “바꾸기” 탭에서는 “찾을 내용”과 “바꿀 내용”을 설정하고 “다음 찾기” 단추를 누른다. 다음은 조건에 일치하는 셀로 액티브 셀이 이동한다. 이어서 “바꾸기” 단추를 누른다. 데이터를 바꾸고 싶지 않을 경우는 “다음 찾기” 단추를 눌러서 그 다음 일치하는 셀로 액티브 셀을 이동시킨다.

01 [홈] 탭 - “편집”그룹 - “찾기 및 선택” 찾기 및 선택 - “바꾸기”를 누르면 [찾기 및 바꾸기] 대화상자가 표시된다.

02 바꾸기 전의 데이터 “유승재”를 입력한다.

03 바꿀 데이터 “유현배” 입력를 입력한다.

04 “다음 찾기”를 누른다.

05 “바꾸기”를 누른다.

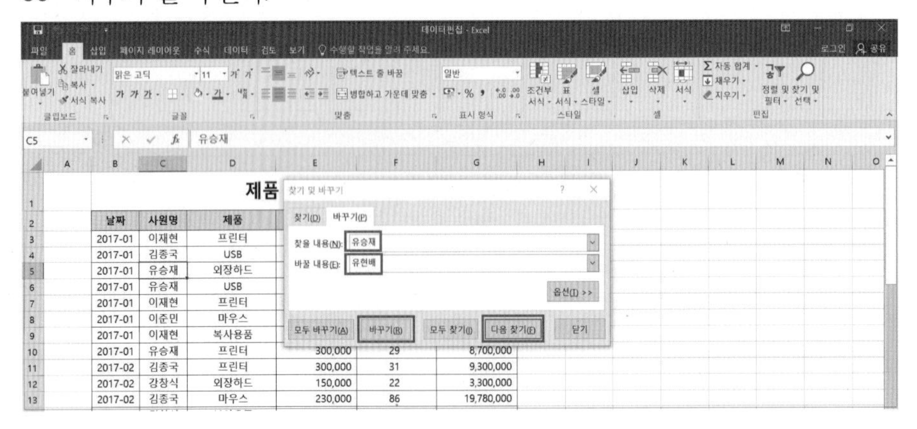

06 실행결과, "유승재"가 "유현배"로 바뀌어 지고, 다음 문자가 검색된다.

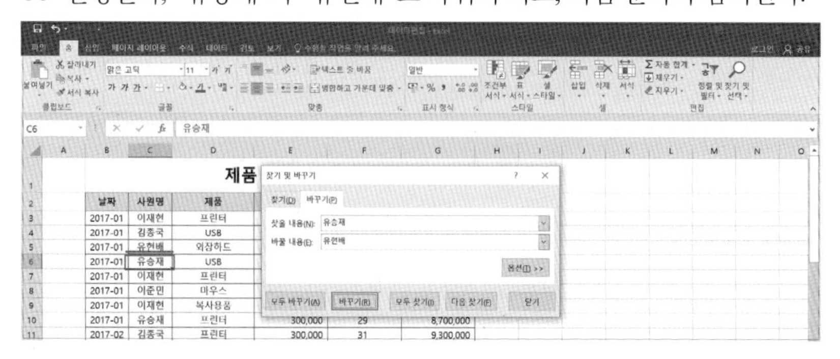

2.4.4 셀에 설정한 서식 검색하기

셀에 설정된 서식을 조건으로 찾기 및 바꾸기를 실행할 수 있다. 찾기의 경우는 "찾을 내용"의 아래에 있는 "옵션" 단추를 눌러서 나타나는 "서식", 바꾸기의 경우는 "바꿀 내용"의 아래에 있는 "옵션" 단추를 눌러서 나타나는 "서식" 단추를 눌러서 바꿀 내용의 서식을 설정한다. 단, 찾을 내용의 상자에는 데이터를 입력하지 않고 비어둔다.

01 "서식"을 누르면 [서식 찾기] 대화상자가 나타난다.

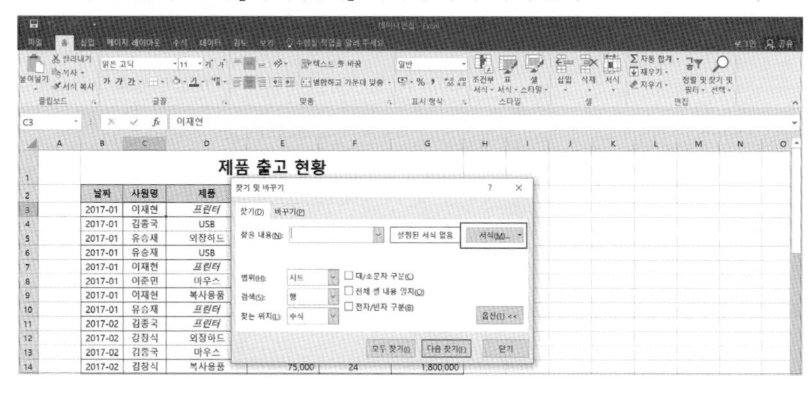

02 찾고 싶은 서식 설정을 "맑은 고딕[제목] 굵게(혹은 굵은 기울임), 11, 파란색"으로 설정한다. "찾은 내용"의 상자에는 데이터가 입력되지 않은 상태, 즉 빈 상태이다.

03 "확인"을 누른다.

04 "다음 찾기"를 누른다.

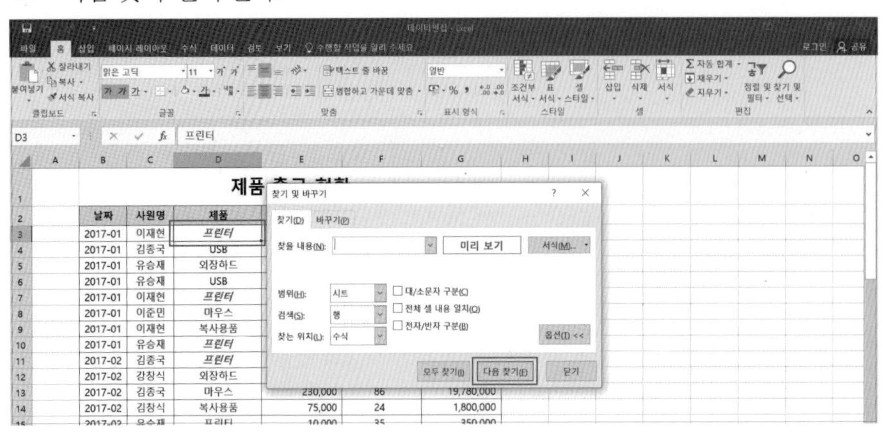

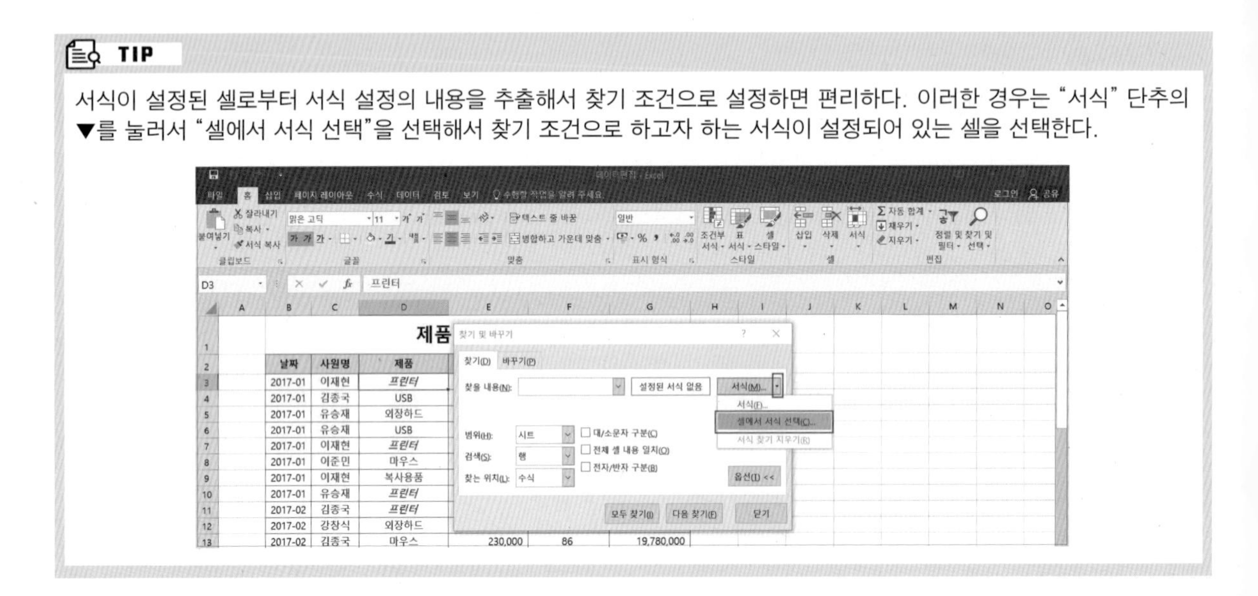

TIP

서식이 설정된 셀로부터 서식 설정의 내용을 추출해서 찾기 조건으로 설정하면 편리하다. 이러한 경우는 "서식" 단추의 ▼를 눌러서 "셀에서 서식 선택"을 선택해서 찾기 조건으로 하고자 하는 서식이 설정되어 있는 셀을 선택한다.

2.4.5 임의의 문자를 포함한 데이터 찾기

어떠한 문자도 관계없는 임의의 문자를 찾기 조건으로 지정하기 위해서는 와일드카드 "?"(물음표)를 이용한다. "?"는 임의의 1문자를 나타내는 기호이다. 예를 들면 사원명의 데이터로부터 2글자 이름과 이씨 성을 가진 성명을 검색할 때, "이??"로 지정한다. 단, "옵션(T)>>"의 "전체 셀 내용 일치"를 체크 표시로 변경해야 한다. 그 결과로 "이준민" 혹은 "이재현" 등의 데이터가 검색된다. "이미리내" 혹은 "이용" 등과 같이 이름이 2글자가 아닌 데이터는 검색이 되지 않는다.

01 “?”을 포함한 조건을 입력하고 찾을 내용에 “이??” 입력한다.

02 옵션(T)>>을 누르고 “전체 셀 내용 일치”를 체크 표시로 변경한다. 이 체크 표시를 하지 않을 경우, 첫 글자 “이”로 시작하는 모든 문자열을 찾을 수 있다.

■ 실행 결과

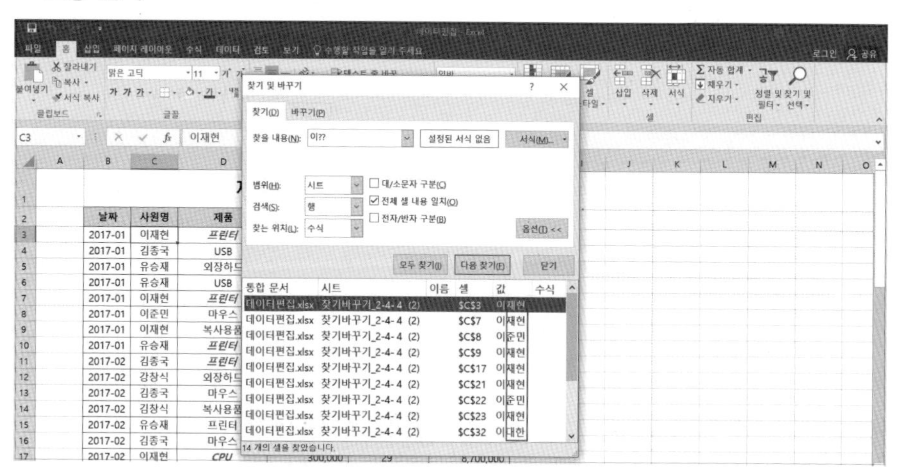

TIP 전자/반자

문자는 반자(1비트)와 전자(2비트)로 구분한다. 영문(자)은 반자이고, 한글은 전자이다. 한글은 조합글자이기 때문에 반자로 쓸 수가 없으며, 따라서 1비트의 글자를 조합해서 2비트 전자를 이용한다. 영문은 한 글자가 반자이고 그 자체가 의미가 있다. 영문자를 전자(2비트)로 사용하는 경우는 한글과 크기 맞추기, 다른 전자들과의 조화 등 필요한 경우에 사용한다.

2.4.6 다수의 문자를 포함한 데이터 찾기

찾을 문자 중에서 어떤 문자 또는 몇 글자도 상관없는 임의의 다수의 문자를 찾기 조건으로 지정하기 위해서는 와일드카드 “*”를 이용한다. “*”는 임의의 다수(0문자도 포함)의 글자를 나타내는 기호이다. 예를 들면 사원명 데이터로부터 “국”자로 끝나는 모든 성명을 검색하기 위해서는 “*국”으로 설정한다. 그 결과, “어떤 문자 또는 몇 글자라도 무관”이라는 조건이 되어 “국”자로 끝나는 모든 성명을 찾을 수가 있다.

01 “찾은 내용”에 “*”을 포함한 조건 “*국”을 입력한다.

02 옵션(T)>>을 누른다.

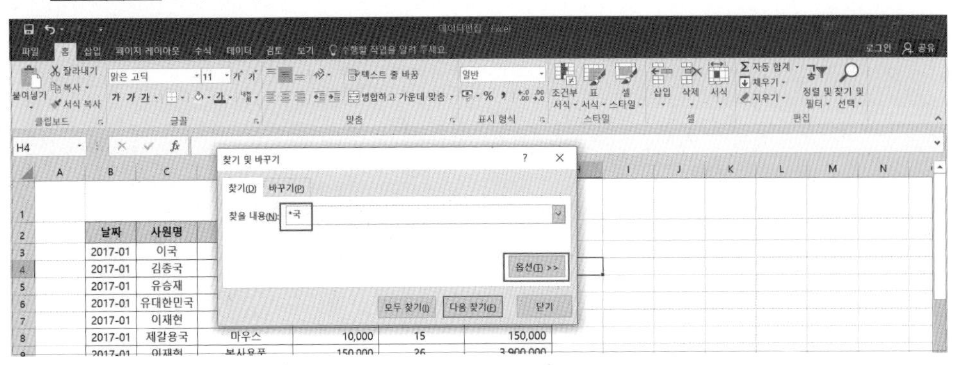

03 "전체 셀 내용 일치"를 눌러서 체크 표시로 변경한다.

■ 실행 결과

"*"를 사용하면 글자 수에 관계없이 검색할 수 있다.

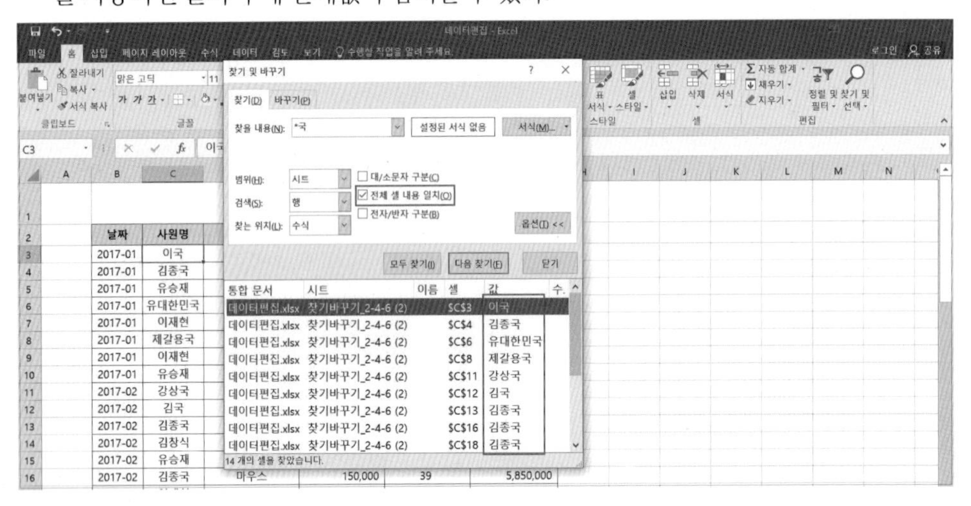

TIP

와일드카드 "?"과 "*"을 함께 사용할 수 있다. 예를 들면 주소 데이터를 찾기 위해서 "???도*"로 설정하면 "도명이 3 글자이며, '도'의 문자 뒤에 몇 글자 혹은 어떤 문자라도 무관"이라는 조건이 된다.
셀에 입력된 "?" 혹은 "*"의 문자를 찾을 경우, 찾을 문자열에 "~?", "~*"과 같이 물결 표시"~"(tilde)을 붙여서 입력한다.

연습문제

1. 아래의 그림과 같이 왼쪽에 있는 표를 복사해서 오른쪽으로 붙여 넣어 보자.

예금유형	2018년	2019년	2020년	평균
자율형	1,293,171	1,375,205	2,151,273	1,606,550
저축성예금	2,516,234	2,599,477	3,666,319	2,927,343
자녀주택마련	1,803,724	1,917,110	2,153,505	1,958,113
합계	5,613,129	5,891,792	7,971,097	

예금유형	2018년	2019년	2020년	평균
자율형	1,293,171	1,375,205	2,151,273	1,606,550
저축성예금	2,516,234	2,599,477	3,666,319	2,927,343
자녀주택마련	1,803,724	1,917,110	2,153,505	1,958,113
합계	5,613,129	5,891,792	7,971,097	

2. "결제란" 시트에 있는 결제란 양식을 아래의 위치에 "그림"으로 붙여넣기를 하고 크기 조절을 해본다.

유통업체별 매출현황

결제	상무	부장	과장	담당

회사명	담당	주문일	제품	수량	판매
주주 무역 ㈜	윤대현	2012-01-05	신성 스낵	25EA	96,900
주강 교역 ㈜	윤대현	2012-01-05	한성 통밀가루	40EA	228,000
월드 링크 ㈜	윤대현	2012-01-05	한성 특산 후추	20EA	340,000
혜성 백화점 ㈜	이미정	2012-01-06	대양 마말레이드	40EA	2,470,000
진주 백화점 ㈜	이미정	2012-01-06	대관령 멜론 아이스크림	25EA	47,500

3. 마우스 드래그 조작으로 셀을 이동하는 방법을 이용하여 셀 H3을 셀 A3으로 이동해 보자.

2020학년도 성적 및 출결 관리

2020-06-25

이름	학과	실기1	중간고사	실기2	기말고사	총점	학점
이진혁	경영학과	13	55	10	50	128	C
박민희	사회학과	15	50	20	80	165	B
최재원	비서행정학과	17	65	15	75	172	A
이희지	IT학부	12	30	15	45	102	C
유지현	기독교학부	15	50	20	80	165	B
임지민	선교학과	0	80	0	80	160	B
장동현	재활학과	19	70	10	40	139	B

4. 7행과 10행을 동시에 삭제해 보자.

출석부

번호	이름	성별	생년월일	전화번호	출석일수	과제 작성	보고서
1	송인태	남	1980-01-01	010-4422-1111	45	80	89
2	양승희	여	1989-02-03	010-2222-3333	49	90	80
3	이다현	여	1985-10-30	010-3322-2233	50	78	69
4	강예림	여	1982-07-08	010-3690-3399	52	90	89
5	김선종	남	1990-11-11	010-7890-1234	45	78	90
6	양승지	여	1992-03-01	010-1234-5678	50	88	95
7	이종현	남	1991-04-06	010-1233-5689	56	97	87
8	이새롬	여	1993-05-06	010-1122-5588	42	89	80
9	김하늘	여	1991-08-21	010-3344-7788	35	80	90
10	송누리	여	1993-06-19	010-5577-1234	56	69	78
11	김태양	남	1979-07-18	010-7142-1472	51	89	90
12	김누리	여	1993-12-24	010-4949-8989	53	90	78
13	이정찬	남	1983-05-23	010-8899-9900	33	95	88
14	이미나	여	1980-05-05	010-2580-2580	55	87	97

연습문제

5. E열 앞에 1개 열, 6행 위에 1개 행을 각각 삽입해 보자.

출석부

번호	이름	성별		생년월일	전화번호	출석일수	과제 작성	보고서
1	송인태	남		1980-01-01	010-4422-1111	45	80	89
2	양승희	여		1989-02-03	010-2222-3333	49	90	80
3	이다현	여		1985-10-30	010-3322-2233	50	78	69
4	강예림	여		1982-07-08	010-3690-3399	52	90	89
5	김선종	남		1990-11-11	010-7890-1234	45	78	90
6	양승지	여		1992-03-01	010-1234-5678	50	88	95
7	이종현	남		1991-04-06	010-1233-5689	56	97	87
8	이새롬	여		1993-05-06	010-1122-5588	42	89	80
9	김하늘	여		1991-08-21	010-3344-7788	35	80	90
10	송누리	여		1993-06-19	010-5577-1234	56	69	78
11	김태양	남		1979-07-18	010-7142-1472	51	89	90
12	김누리	여		1993-12-24	010-4949-8989	53	90	78
13	이정찬	남		1983-05-23	010-8899-9900	33	95	88
14	이미나	여		1980-05-05	010-2580-2580	55	87	97

6. [찾기 및 바꾸기] 대화상자를 이용해서 담당자 윤대현를 윤대윤으로 일괄 변경해 보자.

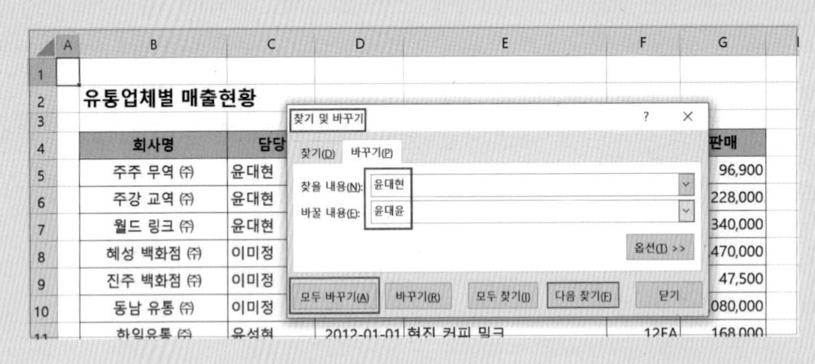

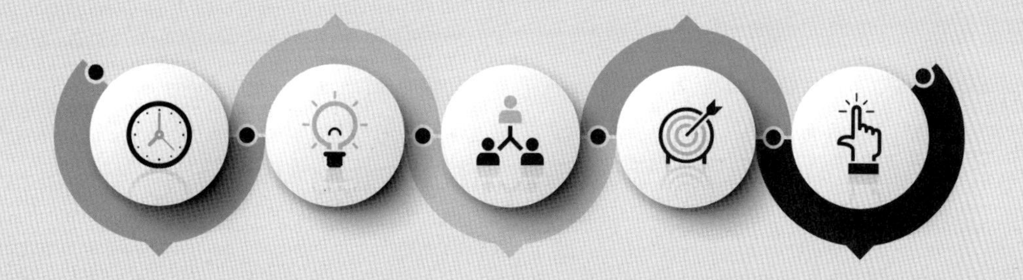

C H A P T E R

3

셀 서식

3.1 표시 형식

요약

셀에는 숫자 및 문자 등의 데이터를 입력한다. 이 데이터를 보기 쉽게 하는 것이 표시 형식이다. 예를 들면 "통화"라는 표시 형식은 숫자에 "₩"과 ","를 붙여서 보기 쉽게 할 수 있다. 엑셀에는 여러 가지 표시 형식이 있으나 자주 이용하는 표시 형식은 리본 메뉴에서 간단히 설정할 수 있도록 되어 있다.

구분	표시	설명
데이터	10000000	숫자만으로는 무슨 데이터인지 판단하기 어렵다.
표시 형식	₩(원) ","(쉼표)	표시 형식을 "통화"로 설정하면 데이터에 "₩"과 ","이 붙여진다.
셀에 표시	₩10,000,000	데이터가 "통화"의 표시 형식이 되어 금액인 것을 알 수 있다.

* 아래 표의 데이터에 표시 형식 ₩(원)와 ","(쉼표) 적용되어 가인성이 보다 높아 졌다.

	A	B	C	D	E	F	G	H	I	J
1					비용 정산					
2								일자 :	2019-01-25	
3		지점	항목	예산	10월	11월	12월	合計	잔액	집행율
4		서울	회 식 비	₩225,000	₩27,400	₩23,500	₩91,000	₩141,900	83100	63%
5			소 모 품 비	₩190,000	₩10,300	₩34,450	₩45,250	₩90,000	100000	47%
6			여비교통비	₩200,000	₩14,260	₩59,800	₩15,550	₩89,610	110390	45%
7			기타운영비	₩180,000	₩10,060	₩35,200	₩54,190	₩99,450	80550	55%
8			난 방 비	₩150,000	₩40,840	₩46,120	₩41,260	₩128,220	21780	85%
9			합 계	₩945,000	₩287,250	₩199,070	₩247,250	₩733,570	211430	78%
10		천안	회 식 비	₩125,000	₩32,000	₩41,000	₩68,500	₩141,500	-16500	113%
11			소 모 품 비	₩160,000	₩55,000	₩62,000	₩60,000	₩177,000	-17000	111%
12			여비교통비	₩160,000	₩33,840	₩79,800	₩18,450	₩132,090	27910	83%
13			기타운영비	₩150,000	₩31,410	₩66,450	₩54,450	₩152,310	-2310	102%
14			난 방 비	₩120,000	₩56,000	₩57,500	₩56,000	₩169,500	-49500	141%
15			합 계	₩715,000	₩208,250	₩306,750	₩257,400	₩772,400	-57400	549%
16			총 계	₩1,660,000	₩495,500	₩505,820	₩504,650	₩1,505,970	154030	627%

■ 리본 메뉴의 [표시 형식] 그룹 이용

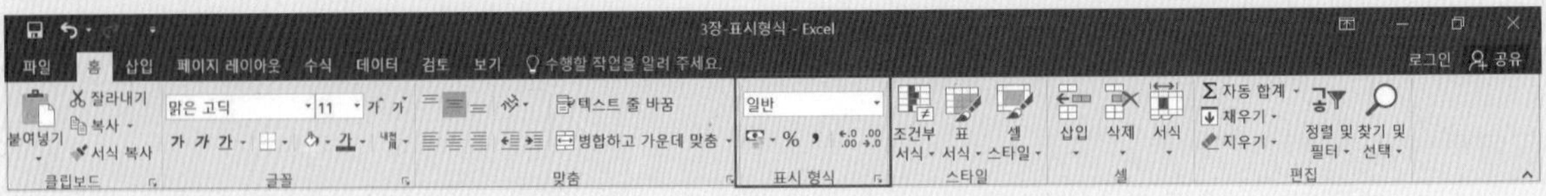

단추	설명	단추	설명
일반	숫자 서식	←.0 .00	자릿수 늘림
	회계 표시 형식	.00 →.0	자릿수 줄임
%	백분율 스타일	,	쉼표 스타일

■ 셀 서식 설정 : [셀 서식] 대화 상자 이용

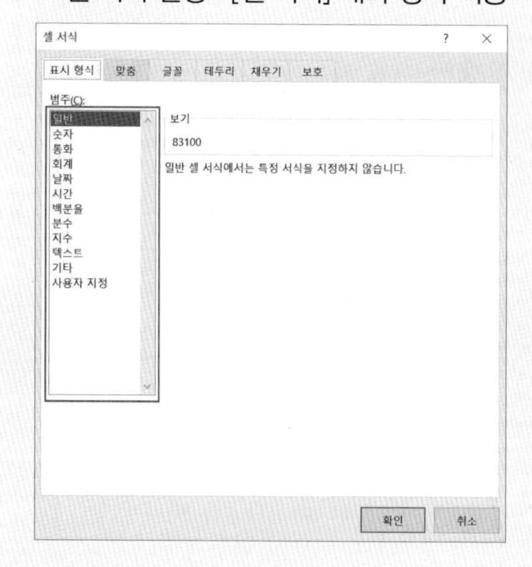

<표시 형식 범주>

* 일반
* 숫자
* 통화
* 회계
* 날짜
* 시간
* 백분율
* 분수
* 지수
* 텍스트
* 기타
* 사용자 지정

■ "사용자 지정" 표시 형식 설정

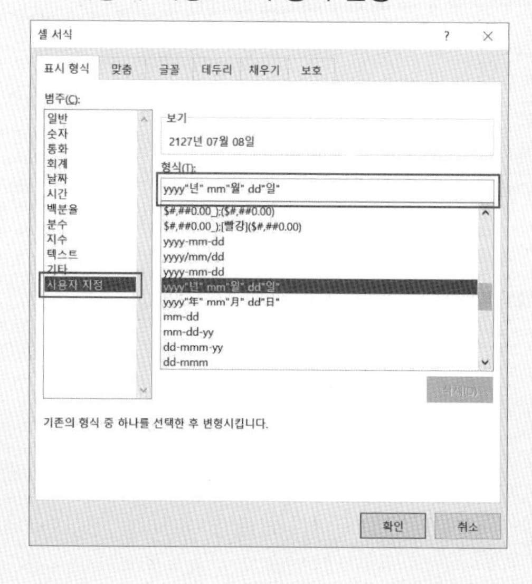

"사용자 지정"으로 원하는 표시 형식으로 작성이 가능하다.

예 2027/7/8 ⇨ 2027년 07월 08일

3.1.1 리본 메뉴를 이용한 표시형식

[홈] 탭의 [표시 형식] 그룹에는 "회계 표시 형식" 및 "백분율 스타일" 등 자주 이용하는 표시 형식의 단추가 있다. 엑셀에서는 문자 및 숫자 등이 입력되는 데이터에 의해 자동으로 표시 형식이 설정되는 경우가 있다. 표시 형식을 변경하기 위해서는 셀을 선택해서 [표시 형식] 그룹에 있는 단추를 누르면 된다.

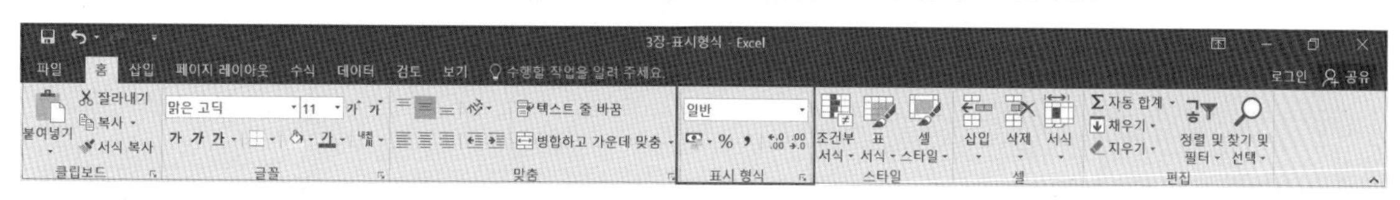

• [표시 형식] 그룹으로 이용할 수 있는 단추

단추	사용전	사용후	설명
(회계 표시 형식)	1234567	₩1,234,567	숫자에 "₩"와 ","을 붙인다.
%	0.99234	99%	숫자를 "%" 값으로 표시한다.
,	34567	34,567	숫자에 1000단위 구분 기호 "'"(쉼표)를 붙인다.
←.0 .00	0.7766	0.776600	2회 눌러서 소수점 이하의 자릿수가 2자리 증가한다.
.00 →.0	0.77660	0.776	2회 눌러서 소수점 이하의 자릿수가 2자리 줄어든다.

TIP

"회계 표시 형식" 단추를 누르면 숫자에 "₩"과 ","이 붙여진다. 이때 "회계 표시 형식" 단추의 "▼" 누르면 "₩"이외의 화폐 기호를 선택할 수 있다.

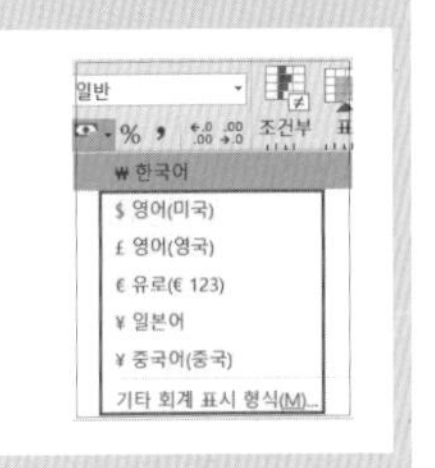

3.1.2 [셀 서식] 대화 상자를 이용한 표시 형식

[설 서식] 대화 상자에서는 모든 표시 형식을 설정할 수 있다. [설 서식] 대화 상자는 [홈] 탭의 [표시 형식] 그룹에 있는 대화 상자를 작동시키는 단추 을 눌러서 표시한다(**단축키** Ctrl+1). 또한 [맞춤] 및 [글꼴] 그룹의 대화 상자를 작동시키는 단추 을 눌러도 표시된다.

[표시 형식] 탭을 누르면 12개 범주의 표시 형식을 확인할 수 있으며, 각 범주의 형식에서 상세한 형식 설정이 가능하다.

표시 전		표시 후
225000	⇨	225,000
-225000		225,000[빨강색]

01 사전에 표시 형식을 변경할 셀 범위 D4~H16을 선택한 후, [홈] 탭-[표시 형식] 그룹의 우측 하단의 단추 을 누른다.

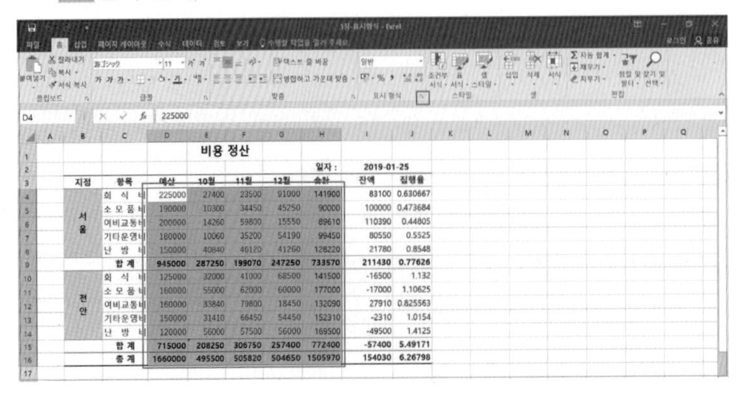

■ [셀 서식] 대화 상자

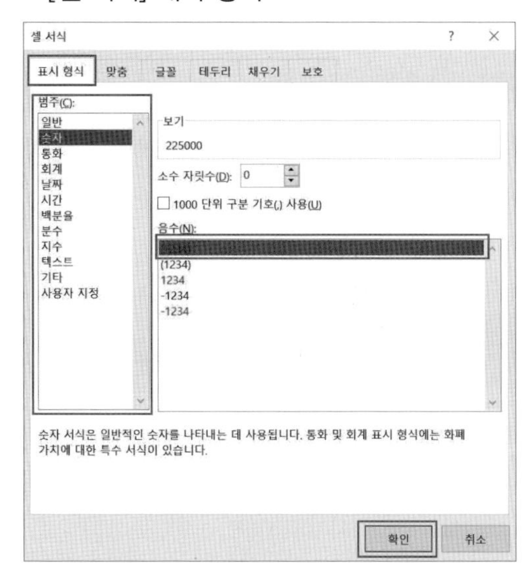

02 [표시 형식] 탭-"숫자" 범주를 선택한다.

03 다음과 같이 상세한 설정을 한다.

소수 자릿수: 0, 1000 단위 구분 기호(,) 사용: 선택,
음수: (1234)[빨강색]
설정은 왼쪽 이미의 조건(범주: 숫자, 소수 자릿수: 0,
음수: (1234))에 맞춰서

04 "확인"을 누른다.

TIP

[홈] 탭의 [표시 형식] 그룹에는 [표시 형식]이라는 박스가 있다. 이 박스의 ▼를 누르면 자주 이용하는 숫자 및 날짜, 시간의 표시 형식을 선택할 수 있다. 또한 셀을 선택하면 설정된 표시 형식이 "표시 형식"으로 표시된다.
"기타 표시 형식"을 누르면 [셀 서식] 대화 상자를 표시할 수 있다.

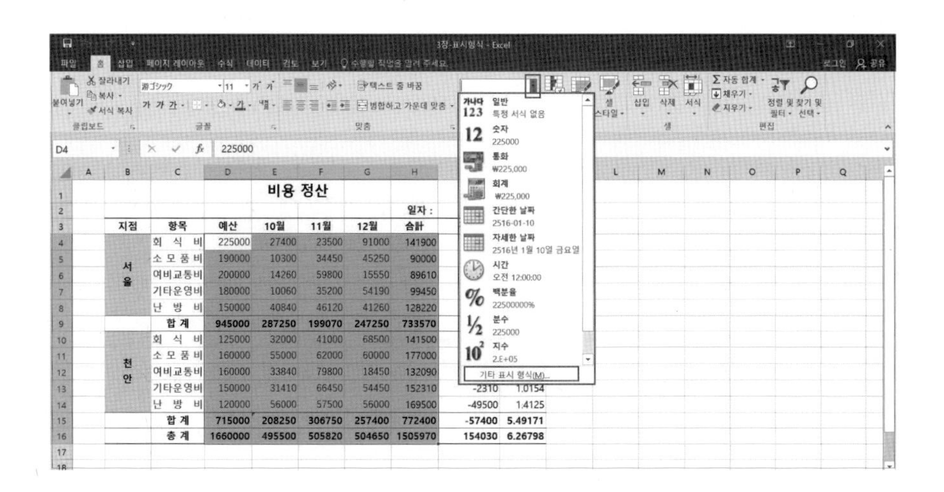

3.1.3 화폐 기호 좌단 표시

금액을 나타내는 표시 형식의 "회계"를 설정하면 셀의 왼쪽에 "₩"이 표시된다. 자릿수가 다른 금액을 표시해도 "₩"의 위치가 왼쪽에 위치하여 금액을 확인하기 쉬워진다. 소수점 이하의 자릿수도 조정할 수 있다.

표시 전		표시 후
3.141592	⇨	₩ 3.14
279.5		₩ 279.50

01 [표시 형식] 탭을 누르고 표시하고자 하는 셀을 선택한다. [셀 서식] 대화 상자를 표시해 둔다.

02 "회계"를 누르면 소수점 이하의 자릿수 2를 지정할 수 있다. 화폐의 기호는 드롭 다운 표시 ⌵를 누르고 ₩를 선택해서 사용한다.

03 "확인"을 누른다.

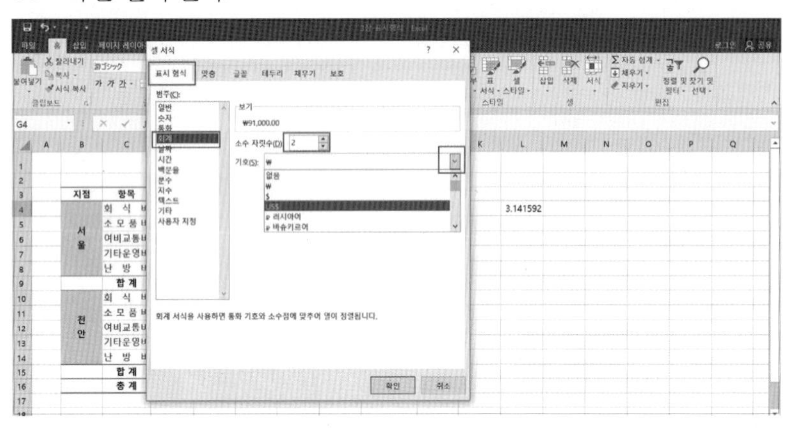

TIP

전화 번호 혹은 회원 번호 등을 입력할 때, 맨 앞에 "0"이 붙은 숫자를 표시해야 하는 경우가 있다. 그러나 "0"로 시작하는 숫자를 입력해도 "0"은 생략된다. 맨 앞에 "0"을 표시하기 위해서는 숫자를 입력하기 전에 셀에 텍스트의 표시 형식을 설정해 두면 된다. 다음은 데이터 "01097543200"에 "텍스트" 서식을 설정하기 전/후의 결과이다.

표시 전		표시 후
1097543200	⇨	01097543200

미리 "텍스트" 서식을 설정하지 않은 셀은 0부터 입력해도 맨 앞에 0은 생략된다. 셀을 선택할 때, "셀 서식" 대화 상자를 표시해 둔다.

01 [표시 형식] 탭을 누른다.

02 "텍스트"를 누른다.

03 "확인"을 누른다.

04 맨 앞에 0을 포함한 숫자를 입력한다.

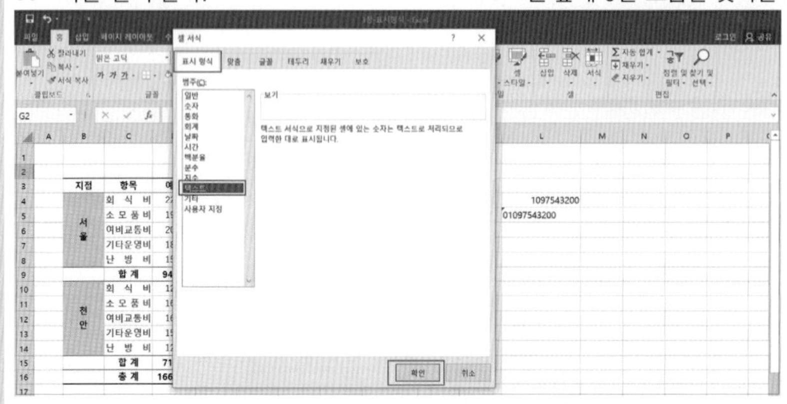

3.1.4 사용자 지정 표시

표시 형식을 새로 작성할 경우, [셀 서식] 대화 상자에서 "사용자 지정"을 선택하고 표시된 "G/표준"을 삭제해서 새로운 표시 형식을 입력한다. 표시 형식의 설정에 사용하는 기호의 입력을 틀리지 않도록 주의가 필요하다.

표시 전		표시 후
유승원	⇨	유승원 귀하

01 셀 L2를 선택하고 [셀 서식] 대화 상자를 표시해 둔 후, [표시 형식] 탭을 누른다.

02 "사용자 지정"을 누른다.

03 "@ 귀하"를 입력한다.

04 "확인"을 누른다.

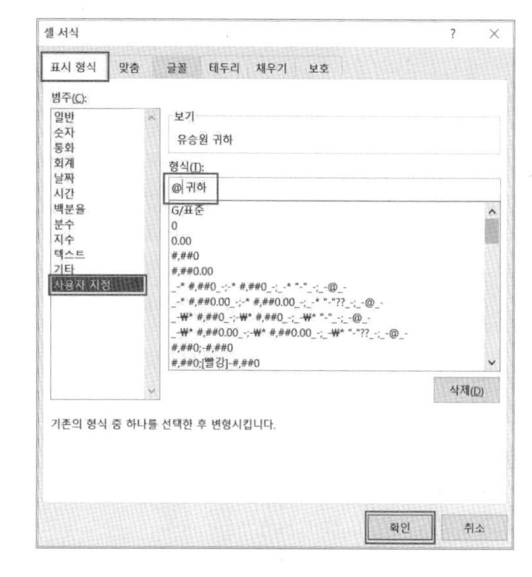

3.1.5 셀 표시 형식 삭제

입력된 값을 삭제해도 표시 형식의 설정은 셀에 남아 있다. 표시 형식을 삭제해서 표시 형식이 아무것도 설정되어 있지 않은 상태가 되려면 "일반"의 표시 형식을 설정하면 된다.

01 미리 표시 형식을 삭제할 셀 범위 D4~J16을 선택한 후, [홈] 탭-"표시 형식" 그룹-"표시 형식"의 ▼을 누른다.

02 "일반(특정 서식 없음)"을 누른다.

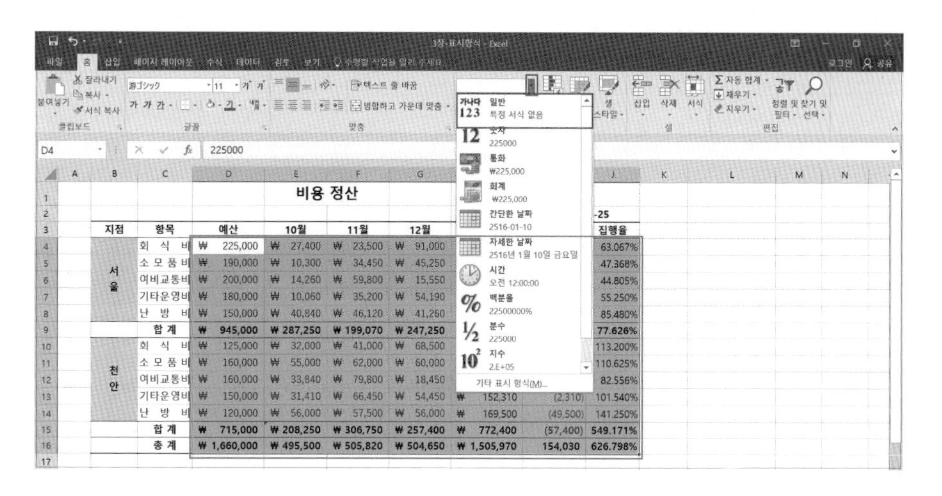

03 실행 결과

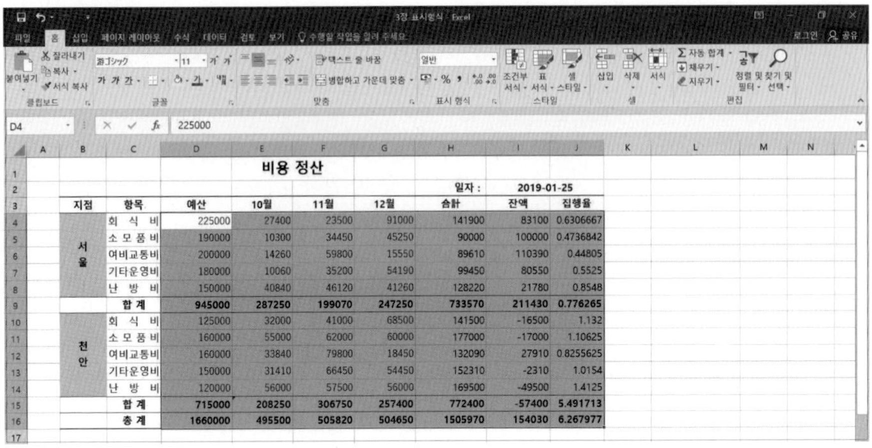

비용 정산

지점	항목	예산	10월	11월	12월	合計	잔액	집행율
						일자 :	2019-01-25	
서울	회 식 비	225000	27400	23500	91000	141900	83100	0.6306667
	소 모 품 비	190000	10300	34450	45250	90000	100000	0.4736842
	여비교통비	200000	14260	59800	15550	89610	110390	0.44805
	기타운영비	180000	10060	35200	54190	99450	80550	0.5525
	난 방 비	150000	40840	46120	41260	128220	21780	0.8548
	합 계	945000	287250	199070	247250	733570	211430	0.776265
천안	회 식 비	125000	32000	41000	68500	141500	-16500	1.132
	소 모 품 비	160000	55000	62000	60000	177000	-17000	1.10625
	여비교통비	160000	33840	79800	18450	132090	27910	0.8255625
	기타운영비	150000	31410	66450	54450	152310	-2310	1.0154
	난 방 비	120000	56000	57500	56000	169500	-49500	1.4125
	합 계	715000	208250	306750	257400	772400	-57400	5.491713
	총 계	1660000	495500	505820	504650	1505970	154030	6.267977

TIP 다양한 "사용자 지정" 표시 형식

표시 형식의 설정에 이용되는 기호는 각각 의미가 있고 사용 방법이 틀릴 경우는 표시 형식으로서 등록이 되지 않는다. 다음은 자주 이용되는 표시 형식이다.

〈날짜/시간 표시 형식〉

기호	설명	설정	표시	
			설정 전	설정 후
yyyy, yy, m, mm	날짜를 서기 "년/월"로 표시한다.	yyyy/m	2020/3/26	2020/3
		yyyy/mm		2020/05
aaa, (aaa), aaaa, ddd, dddd	날짜를 요일로 표시한다.	aaa		목
		aaaa		목요일
		ddd		Thu
		dddd		Thursday
[ ]	60분 이상의 시간 합계를 표시한다.	[mm]:ss	2:25:35	145:35

〈문자 표시 형식〉

기호	설명	설정	표시	
			설정 전	설정 후
"	「"」(큰따옴표)를 쌍「""」으로 문자 셀에 표시한다. 단 $, _, +, /, (,)는 직접 지정할 수 있다.	#,##0"원"	12345	12,345원
""@	문자 앞에 특정 문자를 표시한다.	"〒"@	31158	〒31158
@""	문자 뒤에 특정 문자를 표시한다.	@ "귀하"	유승원	유승원 귀하

〈숫자 표시 형식〉

기호	설명	설정	표시	
			설정 전	설정 후
0	자릿수를 나타내는 기호로 지정한 "0"의 수보다도 자릿수가 적을 경우, "0"을 채워서 표시한다.	0000	567	0567
#	자릿수를 나타내는 기호로 지정한 "#"의 수보다 자릿수가 적어도 나머지 "0"을 표시하지 않는다.	#,##0	0	0
			12345670	12,345,670
			530	530
?	자릿수를 나타내는 기호로 지정한 "?"의 수보다 소수점 이하의 자릿수가 적을 경우, 공백을 삽입해서 소수점의 위치를 맞춘다.	0.???	7.2	7.2□□
			7.23	7.23□
			7.234	7.234
_	"_"의 뒤에 지정한 문자와 동일한 문자 간격의 공백을 삽입한다. 숫자의 자릿수를 채워서 표시하고 싶은 경우에 사용한다.	#,##0_$;(#,##0)	1234567	1,234,567□
			-1234567	(1,234,567)
#,###,	천 단위까지 표시한다.	#,###,	567600	568
#,###,,	백만 단위까지 표시한다.	#,###,,	567600000	568
;	양수, 음수, 0, 문자로 각기 다른 표시 형식을 설정한다.	[빨강]#,##0;[파랑]-#,##0;-;@"급"	1234560	1,234,560[1)]
			-1234560	-1,234,560[2)]
			0	-
			A	A급
# ??/??	숫자를 대분수로 표시한다.	=#??/??	76/13	5 11/13
??/??	숫자를 가분수로 표시한다.	=??/??	76/13	76/13

1) 숫자 "1,234,560"은 빨강색
2) 숫자 "-1,234,560"은 파랑색

〈기타 표시 형식〉

기호	설명	설정	표시	
			설정 전	설정 후
[ ]	문자에 색상을 붙인다. [검정],[빨강],[파랑],[노랑],[녹색],[녹청],[자홍],[흰색]의 8색을 설정할 수 있다.	[빨강]G/표준	567	567[3)]
;	[]으로 지정한 조건과 그 조건을 만족할 때의 표시를 지정한다. 조건은 ";"으로 3개 단락까지 지정할 수 있다.	[>=90]"우수";[>=80]"보통";"부족"	91	우수
			85	보통
			79	부족

3) 숫자 "567" 은 빨강색으로 표시

3.2 텍스트 맞춤

요약

셀에 입력한 데이터의 맞춤을 지정하는 단추는 [홈] 탭의 [맞춤] 그룹에 있다. 텍스트의 수평 방향, 수직 방향의 위치를 결정하는 등 자주 사용하는 것들이 모아져 있다. 텍스트의 맞춤에 관련된 다른 설정은 [셀 서식] 대화상자의 [맞춤] 탭에서 실행된다.

■ [맞춤] 그룹 이용

[맞춤] 그룹의 우측 하단의 ◪ 을 누르면 [셀 서식] 대화 상자가 나타난다.

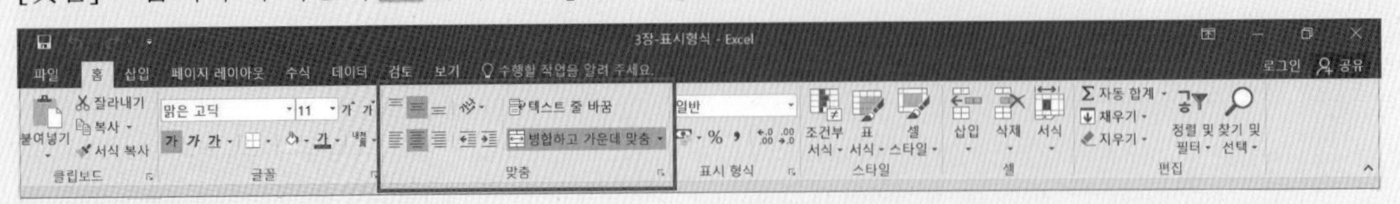

■ [셀 서식] 대화 상자의 이용

[맞춤] 탭으로 텍스트의 맞춤을 설정할 수 있다.

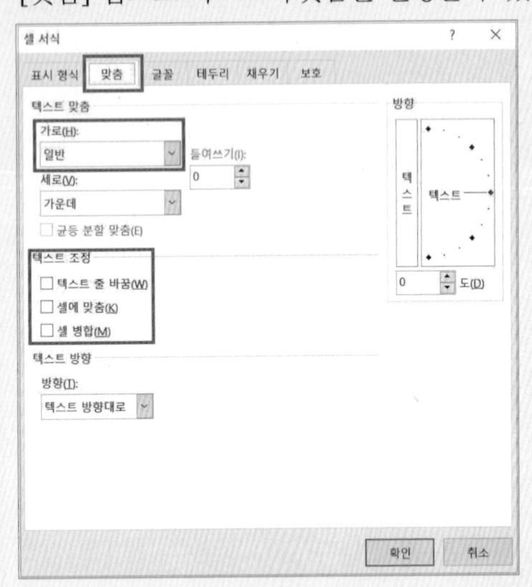

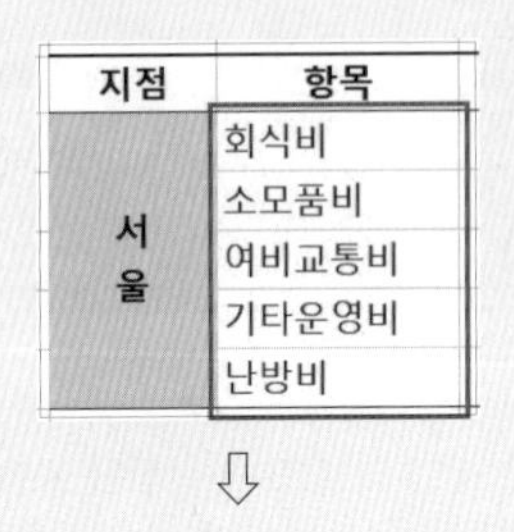

지점	항목
서울	회식비
	소모품비
	여비교통비
	기타운영비
	난방비

⇩

문자수가 다른 텍스트를 균등하게 맞춘다.

지점	항목
서울	회 식 비
	소 모 품 비
	여 비 교 통 비
	기 타 운 영 비
	난 방 비

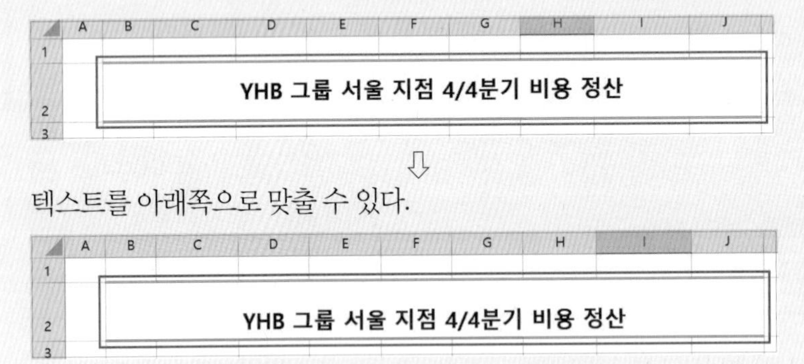

텍스트를 아래쪽으로 맞출 수 있다.

3.2.1 텍스트 방향 설정

(1) 텍스트 가로 맞춤

텍스트를 입력했을 때, 숫자 데이터이면 오른쪽 맞춤이 된다. 이 좌우 위치는 [홈] 탭의 [맞춤] 그룹에 있는 단추로 변경할 수 있다. 또한 다음의 예와 같이 셀에 "2019-01-25"으로 입력한 데이터는 날짜로 간주되기 때문에 일반적으로 오른쪽 맞춤이 된다. 이것은 엑셀이 날짜 및 시간을 고유의 값(시리얼 값, serial value)으로 취급하고 있기 때문이다.

단추	설정 전	설정 후	설명
왼쪽 맞춤	□ □ □ □ □2019-01-25	2019-01-25□ □ □ □ □	데이터를 셀 안의 왼쪽 끝에 맞춤
가운데 맞춤	□ □ □ □ □2019-01-25	□ □2019-01-25□ □	데이터를 셀 안의 가운데에 맞춤
오른쪽 맞춤	2019-01-25□ □ □ □ □	□ □ □ □ □2019-01-25	데이터를 셀 안의 오른쪽 끝에 맞춤

(2) **텍스트 세로 맞춤**

데이터를 입력했을 때, 텍스트의 세로 방향의 위치는 셀의 중앙이다. [홈] 탭의 [맞춤] 그룹에 있는 단추를 이용하면 셀 안에서 상하 위치를 변경할 수 있다.

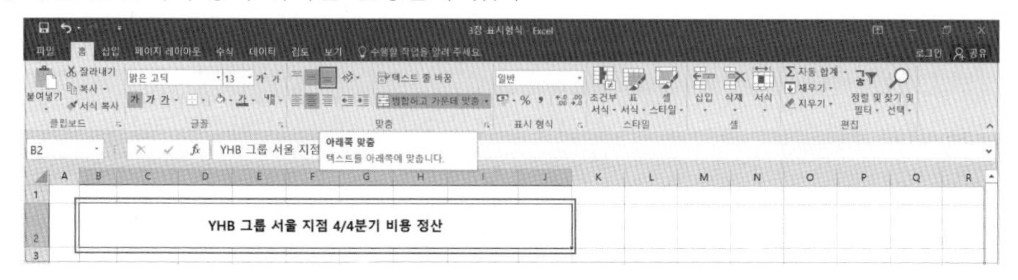

01 셀 B2를 누른다.

02 [홈] 탭 - [맞춤] 그룹 - "아래쪽 맞춤" 을 누른다.

■ 실행 결과

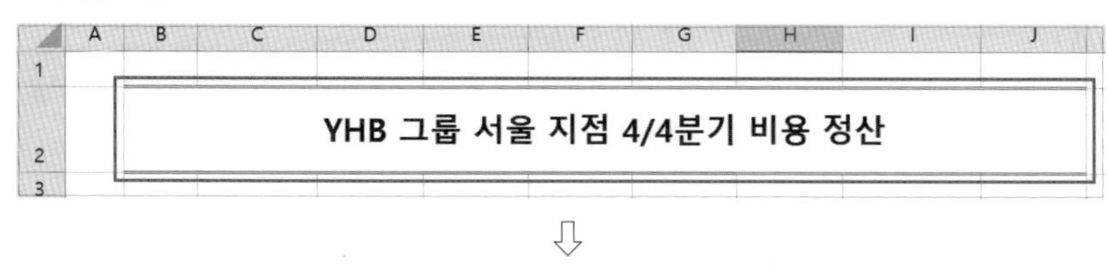

⇩

텍스트를 아래쪽으로 맞출 수 있다.

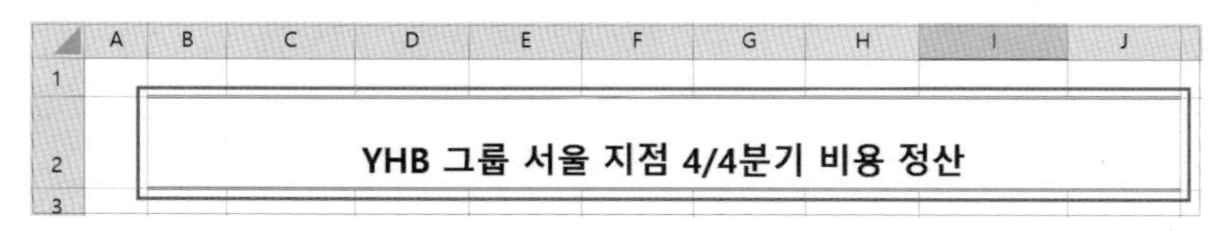

3.2.2 텍스트 병합하고 가운데 맞춤

"병합하고 가운데 맞춤" 단추는 다수의 셀을 병합하고 텍스트를 상하좌우의 가운데에 맞춘다. 그러나 셀의 병합만을 실행할 경우는 "병합하고 가운데 맞춤" 단추의 ▼을 누르고, "전체 병합" 또는 "셀 병합"을 선택한다. "전체 병합"은 같은 행에서 선택한 셀을 하나의 큰 셀로 병합한다. "셀 병합"은 선택한 셀을 하나의 셀로 병합한다.

01 셀 범위 B2:J2를 마우스로 드래그해서 선택한다.

02 [홈] 탭 - [맞춤] 그룹 - “병합하고 가운데 맞춤”의 오른쪽 옆에 있는 ▼을 누르면(여기서는 [홈] 탭 - [맞춤] 그룹 - “병합하고 가운데 맞춤” 단추를 누름), 셀 결합 방법을 선택할 수 있다.

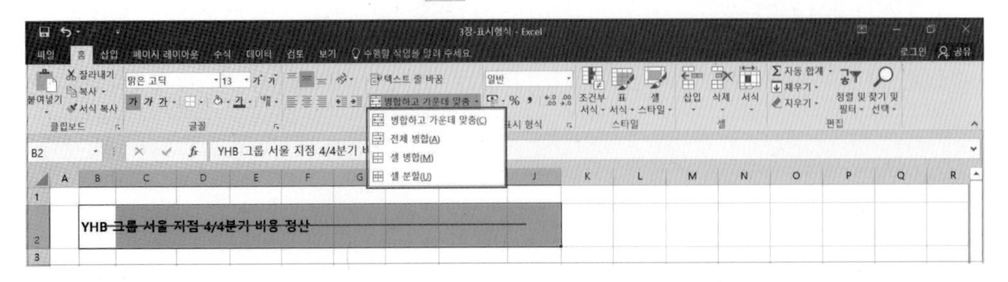

■ 실행 결과

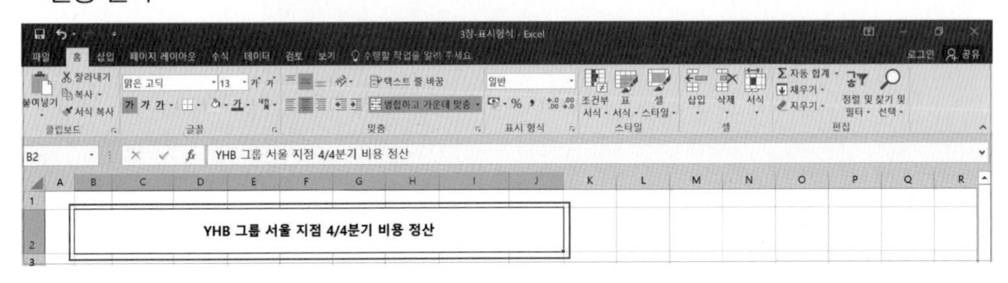

3.2.3 텍스트 균등 분할

“균등 분할(들여쓰기)”는 입력된 텍스트를 셀의 폭에 맞춰서 같은 간격으로 맞추는 기능이다. [셀 서식] 대화 상자로 지정한다.

셀을 선택할 때, [셀 서식] 대화 상자를 표시해 둔다.

01 셀 범위 C6~C10을 드래그하여 선택한다.

02 [맞춤] 탭을 누른다.

03 “균등 분할(들여쓰기)”를 선택하고 “확인”를 누른다.

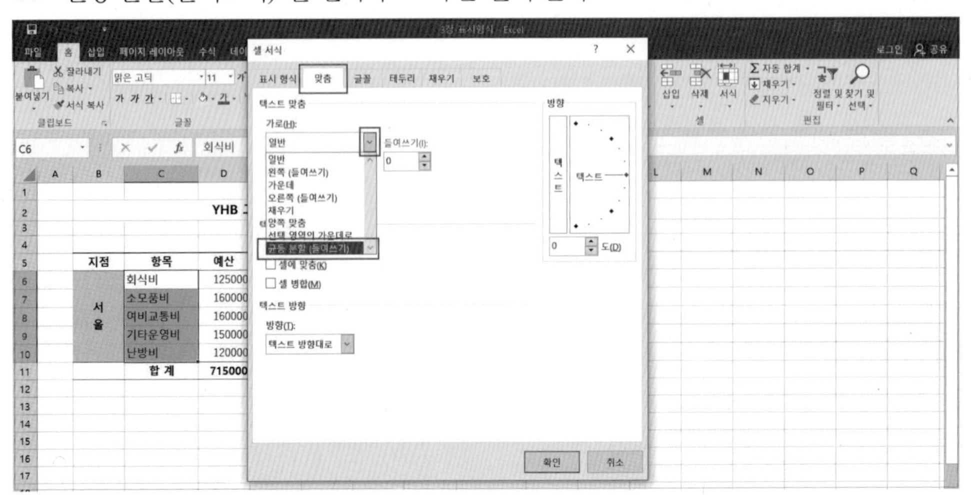

■ 실행 결과

텍스트를 균등하게 맞출 수 있다.

지점	항목
서울	회식비
	소모품비
	여비교통비
	기타운영비
	난방비

⇨

지점	항목
서울	회　　식　　비
	소　모　품　비
	여 비 교 통 비
	기 타 운 영 비
	난　　방　　비

3.2.4 텍스트 방향

"방향" 단추를 이용하면 작성된 표에 표시된 항목을 선택해서 텍스트의 방향을 변경할 수 있다. 즉 대각선 각도 또는 세로 방향으로 텍스트를 회전시킨다. 좁은 열에 레이블을 지정할 때 유용한다. 다음과 같은 순서로 텍스트의 방향을 조정하면 자동으로 셀의 높이가 넓어진다. 또한 "방향" 단추의 리스트에서는 45도 혹은 90도(세로) 방향을 설정할 수 있다. 기울기 각도를 45도 혹은 90도 이외로 설정하기 위해서는 [셀 서식] 탭의 대화상자를 이용하면 된다.

01 셀 범위 D5:G5를 드래그해서 선택한다.

02 [홈] 탭 - [맞춤] 그룹 - "방향" - "시계 반대 방향 각도"를 누르면 텍스트가 기울어져 표시된다.

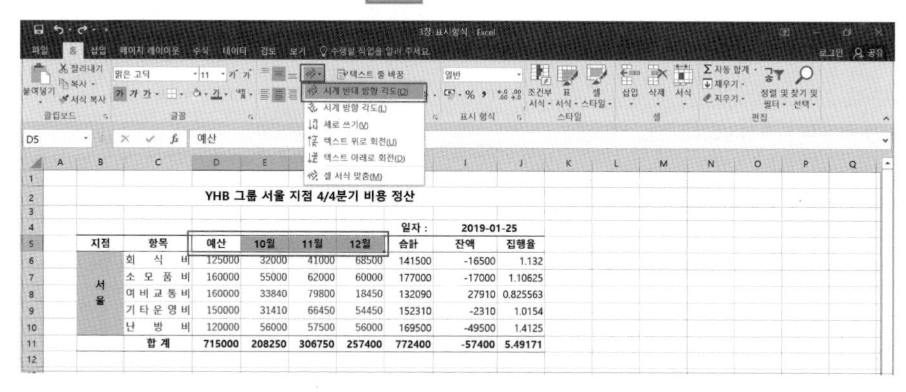

YHB 그룹 서울 지점 4/4분기 비용 정산

일자 : 2019-01-25

지점	항목	예산	10월	11월	12월	合計	잔액	집행율
서울	회 식 비	125000	32000	41000	68500	141500	-16500	1.132
	소 모 품 비	160000	55000	62000	60000	177000	-17000	1.10625
	여 비 교 통 비	160000	33840	79800	18450	132090	27910	0.825563
	기 타 운 영 비	150000	31410	66450	54450	152310	-2310	1.0154
	난 방 비	120000	56000	57500	56000	169500	-49500	1.4125
	합 계	715000	208250	306750	257400	772400	-57400	5.49171

03 실행 결과, 예산, 10월, 11월 그리고 12월이 시계 반대 방향 각도로 기울어져 표시된다.

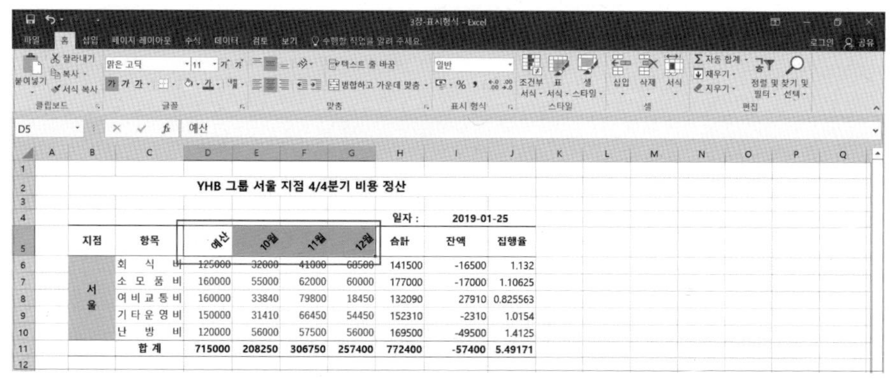

YHB 그룹 서울 지점 4/4분기 비용 정산

일자 : 2019-01-25

지점	항목	예산	10월	11월	12월	合計	잔액	집행율
서울	회 식 비	125000	32000	41000	68500	141500	-16500	1.132
	소 모 품 비	160000	55000	62000	60000	177000	-17000	1.10625
	여 비 교 통 비	160000	33840	79800	18450	132090	27910	0.825563
	기 타 운 영 비	150000	31410	66450	54450	152310	-2310	1.0154
	난 방 비	120000	56000	57500	56000	169500	-49500	1.4125
	합 계	715000	208250	306750	257400	772400	-57400	5.49171

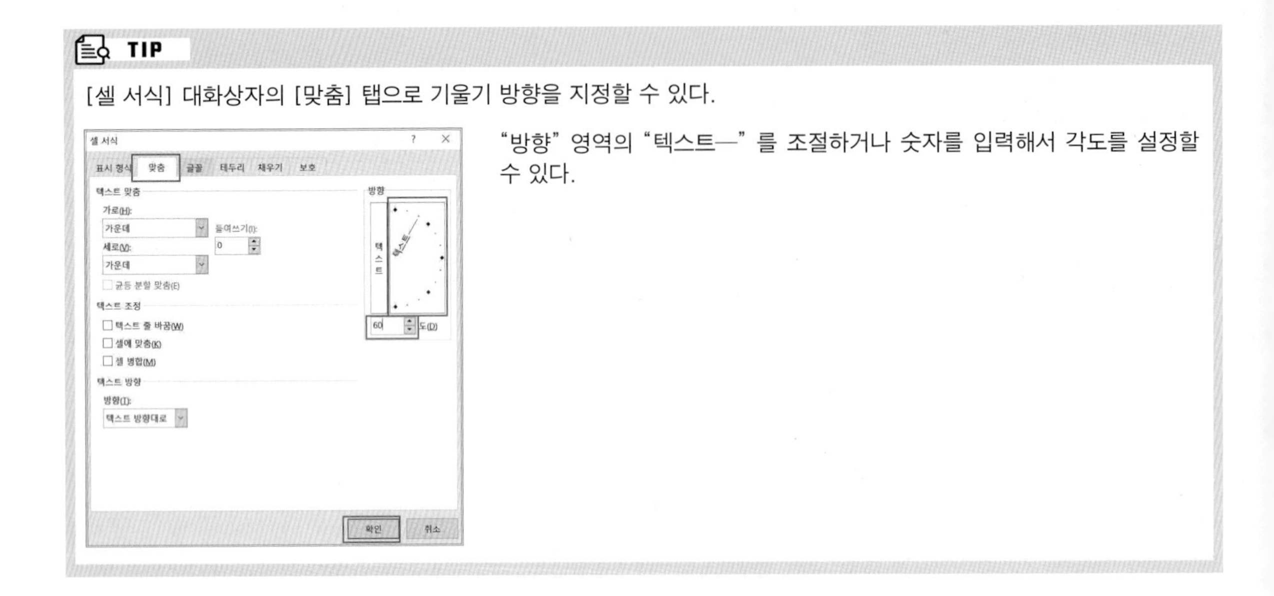

TIP

[셀 서식] 대화상자의 [맞춤] 탭으로 기울기 방향을 지정할 수 있다.

"방향" 영역의 "텍스트—" 를 조절하거나 숫자를 입력해서 각도를 설정할 수 있다.

3.2.5 텍스트 줄 바꾸기

해당 셀의 폭보다 텍스트 수가 클 경우, 오른쪽의 셀에 데이터가 없으면 해당 셀에 있는 텍스트가 표시된다. 즉 길이가 매우 긴 텍스트를 여러 줄로 줄 바꿈 처리하여 모든 내용이 표시되도록 한다. 그러나 오른쪽의 셀에 데이터를 입력하면 해당 셀의 텍스트는 보이지 않게 된다. 이 경우, 셀 안에서 텍스트의 줄을 바꿔서 여러 줄로 맞추는 방법이 있다.

줄 바꿈을 할 해당 셀 B13을 선택한 후, [홈] 탭 - [맞춤] 그룹 - "텍스트 줄 바꿈" 을 누른다.

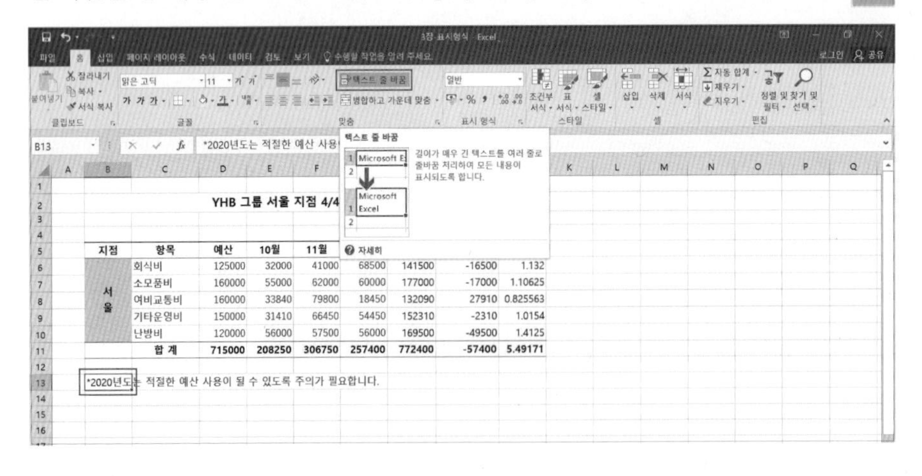

■ 실행 결과

셀 안에서 줄 바꿈으로 전체를 표시할 수 있다.

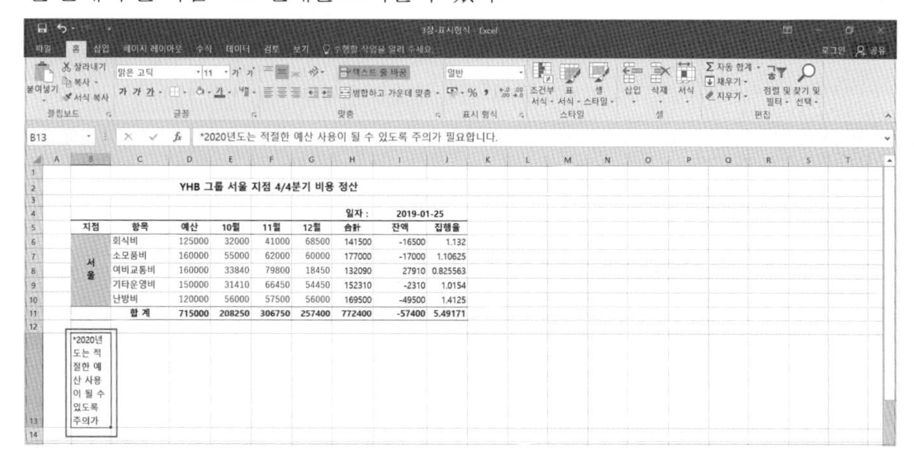

3.2.6 텍스트 셀 맞춤

셀의 폭보다 텍스트 수가 클 경우, 텍스트를 셀 안에서 축소해서 표시할 수 있다. 이때 텍스트는 강제적으로 크기가 작아진다.

01 해당 셀 B13을 선택해서 [셀 서식] 대화상자를 표시한다.

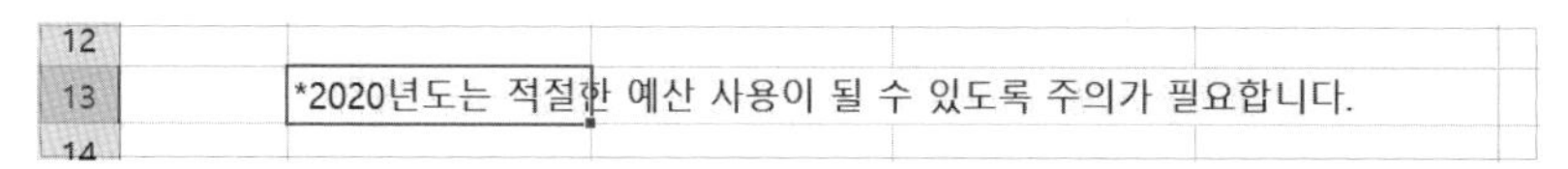

02 [맞춤] 탭을 누른다.

03 “셀에 맞춤”을 눌러서 체크를 표시한다.

04 “확인”을 누른다.

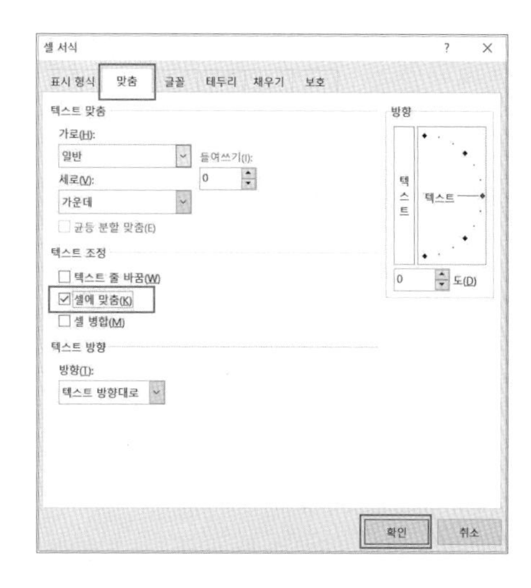

■ 실행 결과

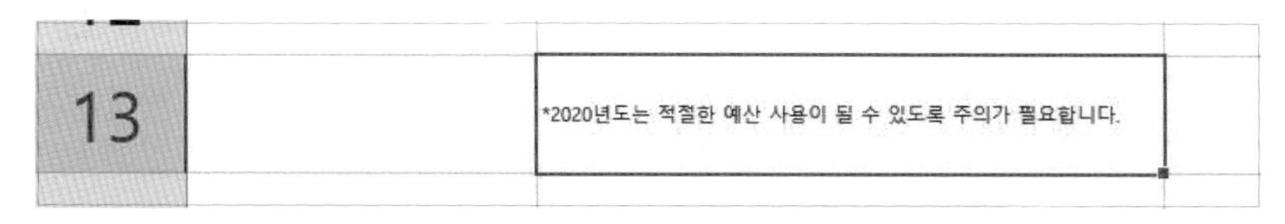

3.3 셀 배경색과 테두리

요약

(1) 셀 배경색

셀의 배경색에는 채우기 색 외에 그라데이션 효과도 설정할 수 있다. 한 가지 혹은 여러 색으로 농담(진하기) 혹은 명암(밝기)을 조금씩 변경시키는 그라데이션을 지정하기 위해서는 [셀 서식] 대화상자를 이용한다. 또한 배경색으로 사용하는 색을 "테마 색"으로부터 선택하면 테마에 맞춰서 배경색이 자동으로 변경된다.

■ 배경색 변경

	지점	항목	예산	10월	11월	12월	合計	잔액	집행율
4							일자 :	2019-01-25	
5	지점	항목	예산	10월	11월	12월	合計	잔액	집행율
6	서울	회식비	125000	32000	41000	68500	141500	-16500	1.132
7		소모품비	160000	55000	62000	60000	177000	-17000	1.10625
8		여비교통비	160000	33840	79800	18450	132090	27910	0.825563
9		기타운영비	150000	31410	66450	54450	152310	-2310	1.0154
10		난방비	120000	56000	57500	56000	169500	-49500	1.4125
11		합 계	715000	208250	306750	257400	772400	-57400	5.49171

⇩

선택한 셀 영역의 배경에 색을 붙인다.

	지점	항목	예산	10월	11월	12월	合計	잔액	집행율
4							일자 :	2019-01-25	
5	지점	항목	예산	10월	11월	12월	合計	잔액	집행율
6	서울	회식비	125000	32000	41000	68500	141500	-16500	1.132
7		소모품비	160000	55000	62000	60000	177000	-17000	1.10625
8		여비교통비	160000	33840	79800	18450	132090	27910	0.825563
9		기타운영비	150000	31410	66450	54450	152310	-2310	1.0154
10		난방비	120000	56000	57500	56000	169500	-49500	1.4125
11		합 계	715000	208250	306750	257400	772400	-57400	5.49171
12									

■ 그라데이션 설정

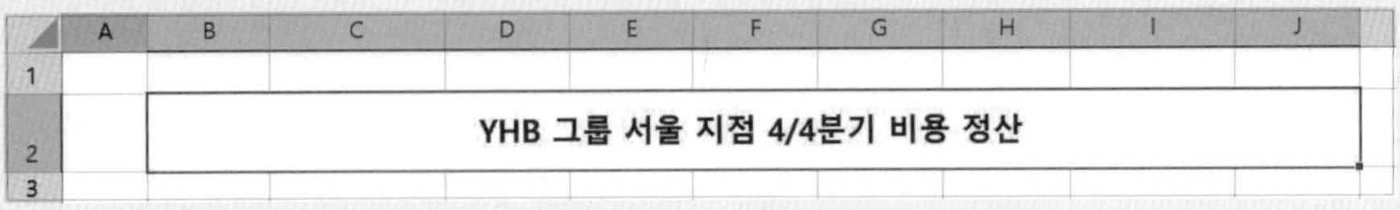

	A	B	C	D	E	F	G	H	I	J
1										
2		YHB 그룹 서울 지점 4/4분기 비용 정산								
3										

⇩

선택한 셀 영역의 배경에 그라데이션 색을 붙인다.

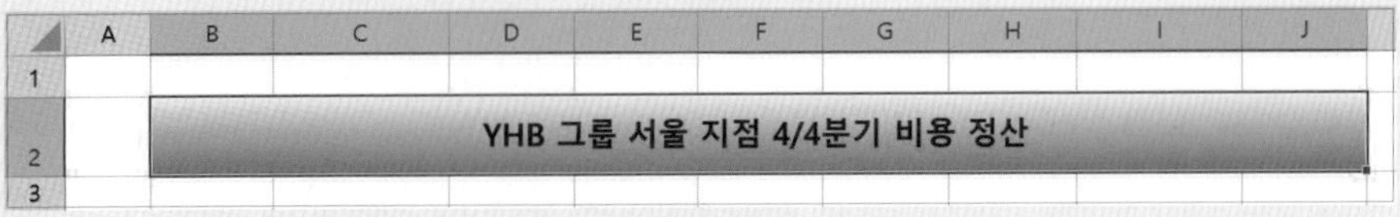

	A	B	C	D	E	F	G	H	I	J
1										
2		YHB 그룹 서울 지점 4/4분기 비용 정산								
3										

(2) 테두리

셀의 테두리에 윤곽선을 긋기 위해서는 다음의 3가지 방법이 있다.

- 미리 셀 혹은 셀 범위를 선택해서 "테두리" 단추의 리스트에 있는 "아래쪽 테두리", "위쪽 테두리" 혹은 "모든 테두리" 등을 선택한다.
- "테두리" 단추의 리스트에 있는 "테두리 그리기" 또는 "선 색"을 선택, 테두리를 긋고 싶은 곳을 드래그해서 선을 긋는다.
- [셀 서식] 대화상자로 윤곽선 또는 상하좌우의 선을 설정한다.

■ "테두리" 단추 이용

* 테두리; 선택한 항목의 테두리가 그어진다.
* 테두리 그리기; 마우스를 이용해 원하는 곳을 누르면 테두리가 그어진다.
* "다른 테두리"를 누르면 [셀 서식] 대화상자가 나타난다.

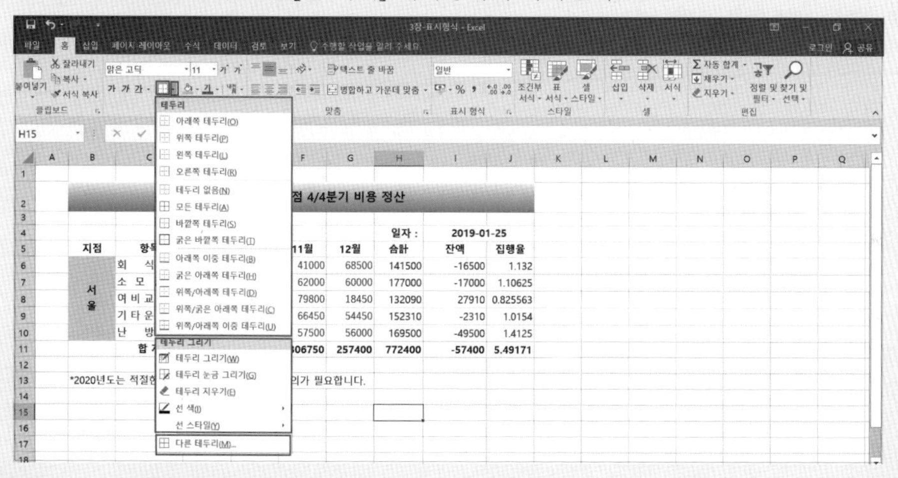

■ [셀 서식] 대화상자 이용

* 선; 테두리 스타일과 색의 설정이 가능하다.
* 테두리 ; "선"으로 설정한 테두리 선을 표의 어느 부분에 적용할 것인지를 결정해서 미리 보기를 할 수 있다.

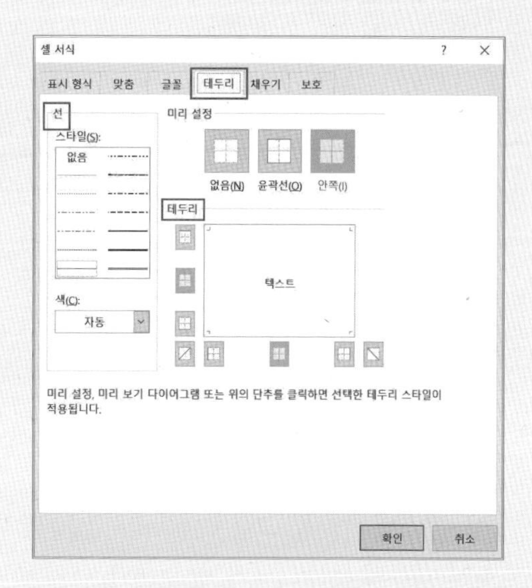

3.3.1 그라데이션 적용

셀의 배경색에 그라데이션 효과를 적용시키기 위해서는 [셀 서식] 대화상자의 [채우기] 탭을 표시한다. "채우기" 단추를 눌러서 그라데이션을 설정한다.

01 셀 B2를 선택한다.

02 [홈] 탭 - [글꼴] 그룹의 우측 하단의 단추를 누르면(아래 그림 참조) [셀 서식] 대화상자가 표시된다.

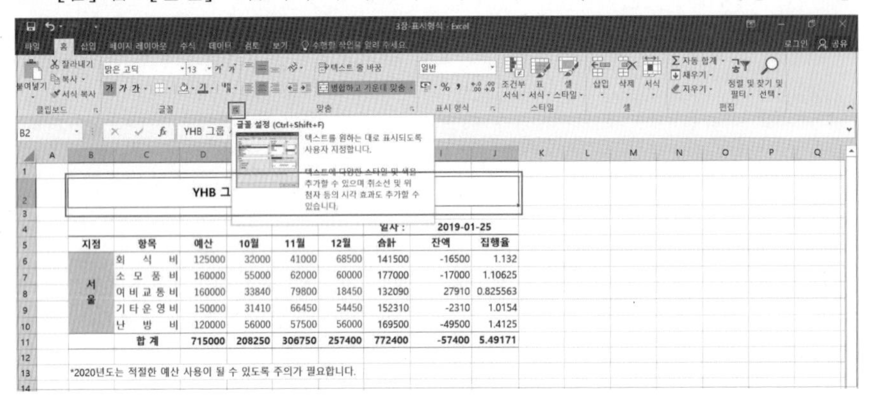

03 [채우기] 탭을 누른다.

04 "채우기 효과"를 누르면 [채우기 효과] 대화상자가 표시된다.

05 색 혹은 그라데이션의 스타일을 선택하면 "보기"에 표시된 내용이 설정된다. 여기서는 "색1:흰색, 색2:연한 파랑"으로 설정한다.

06 "확인"을 누른다.

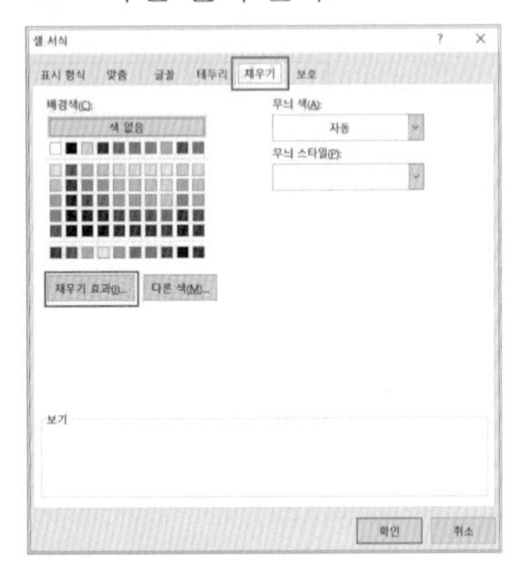

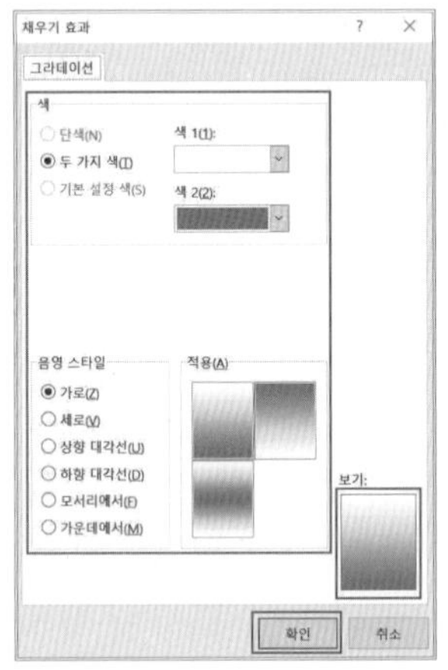

3.3.2 격자형 테두리 그리기

드래그한 범위의 셀에 격자형의 테두리를 그릴 수 있다. "테두리" 의 옆에 있는 드롭 다운 표시 ▼을 눌러서 "테두리 눈금 그리기"를 선택한다. 그리고 셀 범위를 선택할 때와 같이 대각선 모양으로 드래그 한다.

01 [홈] 탭 - [글꼴] 그룹 - "테두리" 옆의 드롭다운 표시를 누른다.

02 "테두리 눈금 그리기"를 누른다.

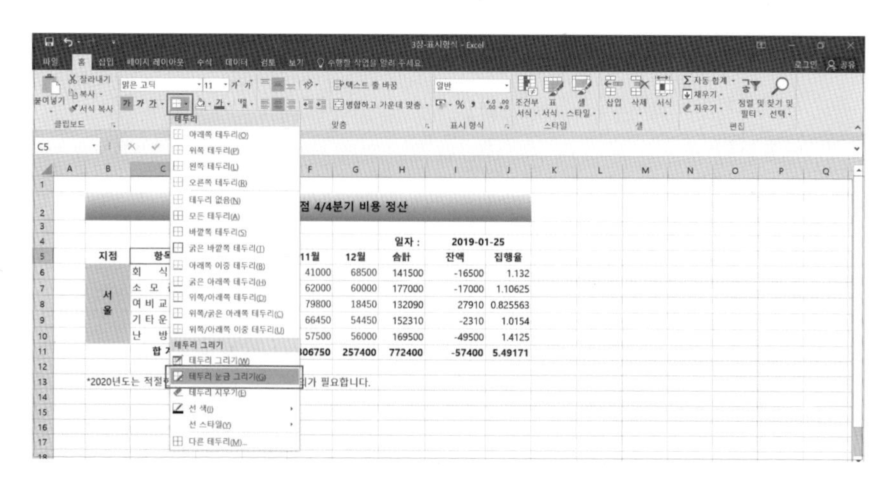

03 표의 왼쪽 상단에서부터 우측 하단까지 마우스 드래그 한다.

04 Esc 눌러서 마우스 포인터의 연필 모양을 원래대로 되돌린다.

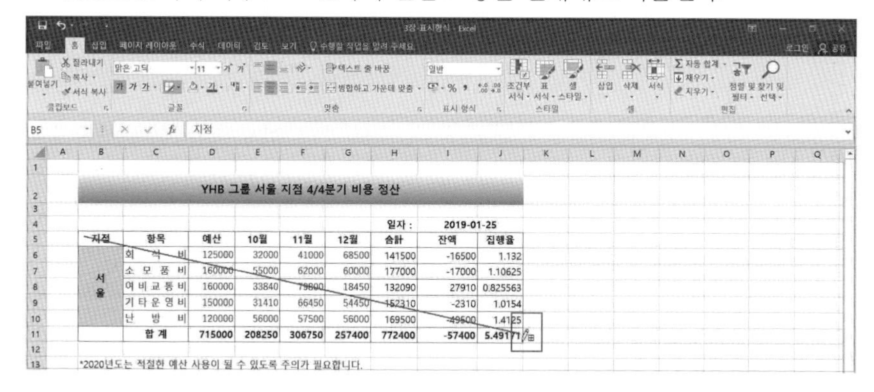

3.3.3 [셀 서식] 대화상자를 이용한 테두리 그리기

[셀 서식] 대화상자의 [테두리] 탭을 이용하면 "윤곽선" 혹은 "안쪽" 단추로 윤곽선 혹은 격자선을 그릴 수 있다. "확인" 단추를 누를 때까지 설정은 적용되지 않기 때문에 선의 스타일 혹은 색을 정해보고 설정하기 전까지 미리 확인하면 된다.

01 테두리를 그릴 셀 범위를 드래그 해서 선택한다.

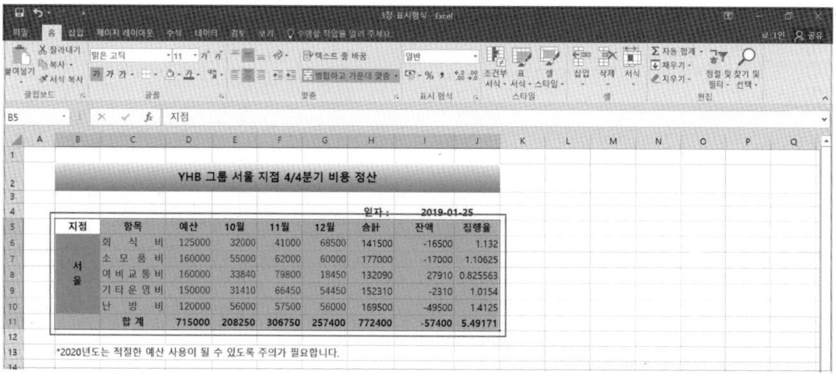

YHB 그룹 서울 지점 4/4분기 비용 정산

일자 : 2019-01-25

지점	항목	예산	10월	11월	12월	合計	잔액	집행율
서울	회 식 비	125000	32000	41000	68500	141500	-16500	1.132
	소 모 품 비	160000	55000	62000	60000	177000	-17000	1.10625
	여 비 교 통 비	160000	33840	79800	18450	132090	27910	0.825563
	기 타 운 영 비	150000	31410	66450	54450	152310	-2310	1.0154
	난 방 비	120000	56000	57500	56000	169500	-49500	1.4125
	합 계	715000	208250	306750	257400	772400	-57400	5.49171

*2020년도는 적절한 예산 사용이 될 수 있도록 주의가 필요합니다.

02 [셀 서식] 대화상자가 나타나도록 한다.
03 [테두리] 탭을 누른다.
04 선의 스타일, 굵은선 "—"을 선택한다.
05 "윤곽선"을 누른다.

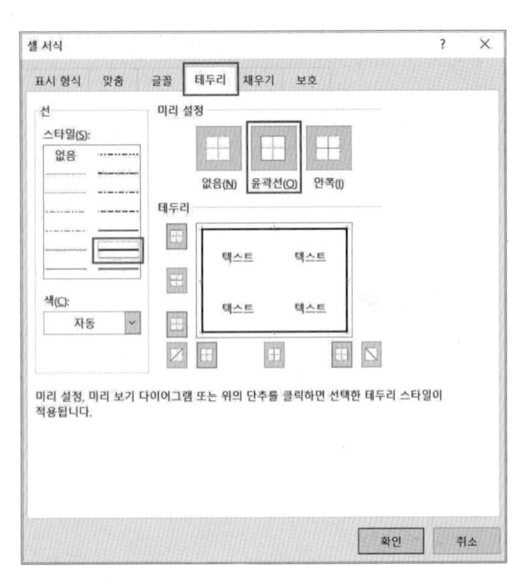

06 가는 실선 "—"을 선택한다.
07 "안쪽"을 누른다.
08 "확인"을 누른다.

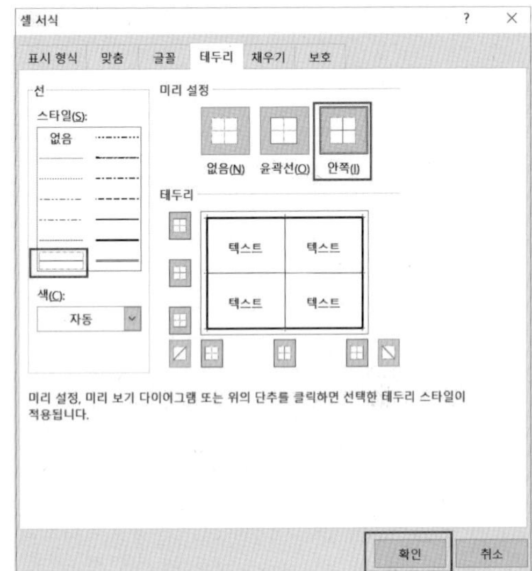

■ 실행 결과

실행 결과, 여러 가지 스타일의 테두리가 그어진다.

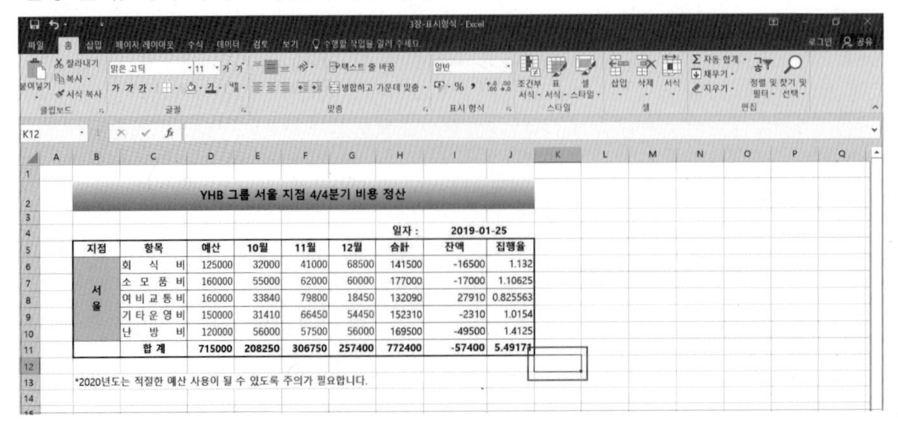

YHB 그룹 서울 지점 4/4분기 비용 정산

일자 : 2019-01-25

지점	항목	예산	10월	11월	12월	合計	잔액	집행율
서울	회 식 비	125000	32000	41000	68500	141500	-16500	1.132
	소 모 품 비	160000	55000	62000	60000	177000	-17000	1.10625
	여 비 교 통 비	160000	33840	79800	18450	132090	27910	0.825563
	기 타 운 영 비	150000	31410	66450	54450	152310	-2310	1.0154
	난 방 비	120000	56000	57500	56000	169500	-49500	1.4125
	합 계	715000	208250	306750	257400	772400	-57400	5.49171

*2020년도는 적절한 예산 사용이 될 수 있도록 주의가 필요합니다.

TIP

[셀 서식] 대화상자에는 설정 후의 상태를 미리 볼 수 있는 영역이 있다. 그 주변에 위치한 단추를 이용해서 가로 혹은 세로, 사선을 그을 수 있다. 단추를 누르면 파란색으로 단추가 표시되고, 미리 보기 영역에 선이 그어진 것을 확인 할 수 있다.

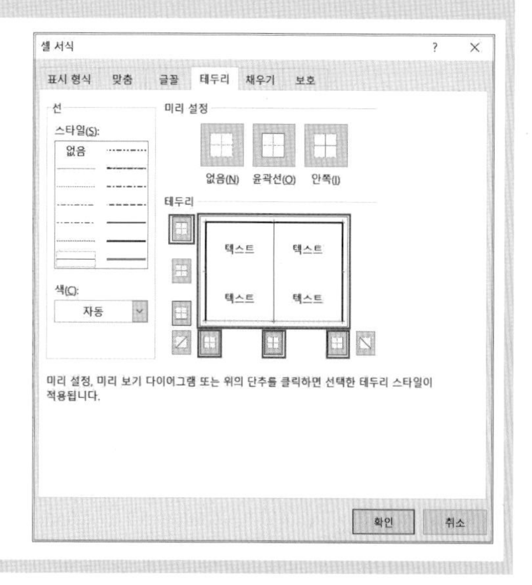

3.4 셀 크기 조정

요약

■ 행과 열의 숨기기

"데이터로서는 필요하지만 화면에서는 숨기고 싶다.", "일부의 행 혹은 열은 인쇄하고 싶지 않다." 이러한 경우에는 행 혹은 열은 숨기기 설정을 하면 된다. 여기서는 "비용 정산"이라는 표에서 "서울" 지점의 경비 및 합계의 행을 숨기는 방법을 설명한다. 따라서 언제든지 숨기기 취소가 가능하다. 또한 숨기기 취소로 설정하고 싶을 때는 원하는 행 및 열이 숨겨져 있는지 아닌지, 행 번호 및 열 번호의 순서를 잘 확인할 필요가 있다.

4행부터 9행까지를 숨기기가 실행되어, 원본 데이터의 "서울" 지점의 경비 및 합계의 행이 숨겨져서 보이지 않는다.

	A	B	C	D	E	F	G	H	I	J
1					비용 정산					
2								일자 :	2019-01-25	
3		지점	항목	예산	10월	11월	12월	합계	잔액	집행율
10		천안	회 식 비	125000	32000	41000	68500	141500	-16500	1.132
11			소 모 품 비	160000	55000	62000	60000	177000	-17000	1.10625
12			여비교통비	160000	33840	79800	18450	132090	27910	0.825563
13			기타운영비	150000	31410	66450	54450	152310	-2310	1.0154
14			난 방 비	120000	56000	57500	56000	169500	-49500	1.4125
15			합 계	715000	208250	306750	257400	772400	-57400	5.49171
16			총 계	1660000	495500	505820	504650	1505970	154030	6.26798
17										

■ 행 높이와 열 너비 설정

데이터의 내용을 적절하게 표시해서 표의 가독성을 높이기 위해서는 행의 높이와 열 너비의 조정이 필요하다. 예를 들면, 열 너비를 넘어가는 길이의 숫자 혹은 날짜를 입력하면, 데이터가 "#########" 등으로 표시되어 내용을 파악하기 어려워진다. 보기 쉬운 표를 만들기 위해서는 행 높이 혹은 열 너비를 변경하는 방법을 알고 있어야 한다.

높이: 56.00 (112 픽셀)

지점	항목	예산	10월	11월	12월	合計	잔액	집행율
			비용 정산					
						일자 :	2019-01-25	
서울	회 식 비	225000	27400	23500	91000	141900	83100	0.630667
	소 모 품 비	190000	10300	34450	45250	90000	100000	0.473684
	여비교통비	200000	14260	59800	15550	89610	110390	0.44805
	기타운영비	180000	10060	35200	54190	99450	80550	0.5525
	난 방 비	150000	40840	46120	41260	128220	21780	0.8548
	합 계	945000	287250	199070	247250	733570	211430	0.77626
천안	회 식 비	125000	32000	41000	68500	141500	-16500	1.132
	소 모 품 비	160000	55000	62000	60000	177000	-17000	1.10625
	여비교통비	160000	33840	79800	18450	132090	27910	0.825563
	기타운영비	150000	31410	66450	54450	152310	-2310	1.0154
	난 방 비	120000	56000	57500	56000	169500	-49500	1.4125
	합 계	715000	208250	306750	257400	772400	-57400	5.49171
	총 계	1660000	495500	505820	504650	1505970	154030	6.26798

3.4.1 행과 열 숨기기

숨기고 싶은 행 혹은 열을 선택해서 마우스 우측을 누르면 단축 메뉴가 표시된다. 행 혹은 열을 숨기고 싶다면 단축 메뉴로부터 "숨기기"를 선택하면 간단히 해결된다.

조건 4행부터 9행까지 숨기기를 설정한다.

01 숨길 4행~9행의 각 행 머리글을 드래그해서 선택한다.

02 행을 선택한 상태에서 마우스 우측을 누른다.

03 "숨기기"를 누른다.

비용 정산

항목	예산	10월	11월	12월	合計	잔액	집행율
					일자 :	2019-01-25	
		27400	23500	91000	141900	83100	0.630667
소 모 품 비	190000	10300	34450	45250	90000	100000	0.473684
	200000	14260	59800	15550	89610	110390	0.44805
	180000	10060	35200	54190	99450	80550	0.5525
	150000	40840	46120	41260	128220	21780	0.8548
	945000	287250	199070	247250	733570	211430	0.77626
	125000	32000	41000	68500	141500	-16500	1.132
	160000	55000	62000	60000	177000	-17000	1.10625
	160000	33840	79800	18450	132090	27910	0.825563
	150000	31410	66450	54450	152310	-2310	1.0154
	120000	56000	57500	56000	169500	-49500	1.4125
	715000	208250	306750	257400	772400	-57400	5.49171
	1660000	495500	505820	504650	1505970	154030	6.26798

맑은 고 11 가 가 % ,
가 가

- 잘라내기(T)
- 복사(C)
- 붙여넣기 옵션:
- 선택하여 붙여넣기(S)...
- 삽입(I)
- 삭제(D)
- 내용 지우기(N)
- 셀 서식(F)...
- 행 높이(R)...
- 숨기기(H)
- 숨기기 취소(U)

⇩

* 4행부터 9행까지 숨겨져 있다.

지점	항목	예산	10월	11월	12월	合計	잔액	집행율
			비용 정산					
						일자 :	2019-01-25	
천안	회 식 비	125000	32000	41000	68500	141500	-16500	1.132
	소 모 품 비	160000	55000	62000	60000	177000	-17000	1.10625
	여비교통비	160000	33840	79800	18450	132090	27910	0.825563
	기타운영비	150000	31410	66450	54450	152310	-2310	1.0154
	난 방 비	120000	56000	57500	56000	169500	-49500	1.4125
	합 계	715000	208250	306750	257400	772400	-57400	5.49171
	총 계	1660000	495500	505820	504650	1505970	154030	6.26798

TIP

떨어져 있는 곳에 있는 다수의 행 혹은 열을 한 번에 숨기기 위해서는 먼저 Ctrl 키를 누른 상태에서 행 혹은 열을 여러 개 선택한다. 다음에 선택한 행 혹은 열 위에 마우스 우측을 눌러서 단축 메뉴의 "숨기기"를 선택한다. 단, 행과 열을 동시에 숨기기 설정할 수는 없다.
[홈] 탭의 [셀] 그룹에 있는 "서식" 단추를 누르면, "숨기기 및 숨기기 취소"에 마우스 포인터를 맞추면 행 및 열을 숨기기, 숨기기 취소 등 메뉴가 표시된다. 여기서 선택해도 숨기기 및 숨기기 취소의 변환이 가능하다.

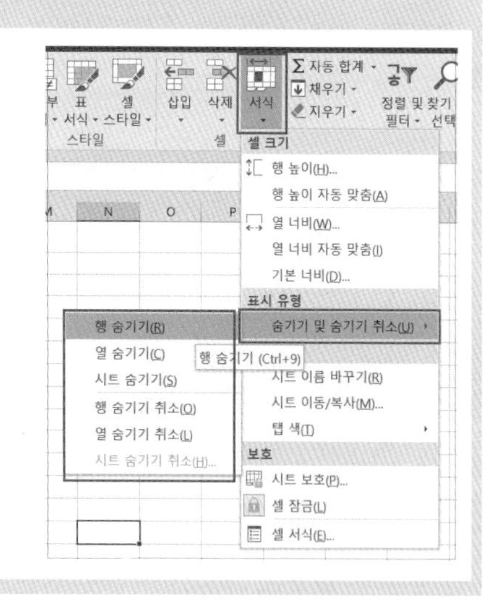

3.4.2 행 높이 조정

행 높이는 행 번호의 아래쪽 경계선을 드래그하면 변경이 가능하다. 경계선에 마우스 포인터를 맞춰서 마우스 포인터의 모양이 ‡로 바뀐 다음 드래그 한다. 드래그를 하는 동안은 높이를 표시하는 숫자가 나타난다.

01 1행(머리글)과 2행(머리글)의 경계선에 마우스 포인터를 맞춘다.

02 마우스 포인터 모양이 ‡로 바뀌면 "높이: 88.00(176 픽셀)"이 될 때까지 드래그 한다.

높이: 25.50 (51 픽셀)

	A	B	C	D	E	F	G	H	I	J
1					비용 정산					
2								일자 :	2019-01-25	
3		지점	항목	예산	10월	11월	12월	合計	잔액	집행율
4		서울	회 식 비	225000	27400	23500	91000	141900	83100	0.630667
5			소 모 품 비	190000	10300	34450	45250	90000	100000	0.473684
6			여비교통비	200000	14260	59800	15550	89610	110390	0.44805
7			기타운영비	180000	10060	35200	54190	99450	80550	0.5525
8			난 방 비	150000	40840	46120	41260	128220	21780	0.8548
9			합 계	945000	287250	199070	247250	733570	211430	0.77626
10		천안	회 식 비	125000	32000	41000	68500	141500	-16500	1.132
11			소 모 품 비	160000	55000	62000	60000	177000	-17000	1.10625
12			여비교통비	160000	33840	79800	18450	132090	27910	0.825563
13			기타운영비	150000	31410	66450	54450	152310	-2310	1.0154
14			난 방 비	120000	56000	57500	56000	169500	-49500	1.4125
15			합 계	715000	208250	306750	257400	772400	-57400	5.49171
16			총 계	1660000	495500	505820	504650	1505970	154030	6.26798
17										

⇩

행 높이가 25.50(51픽셀)에서 88.00(176 픽셀)로 변경되었다.

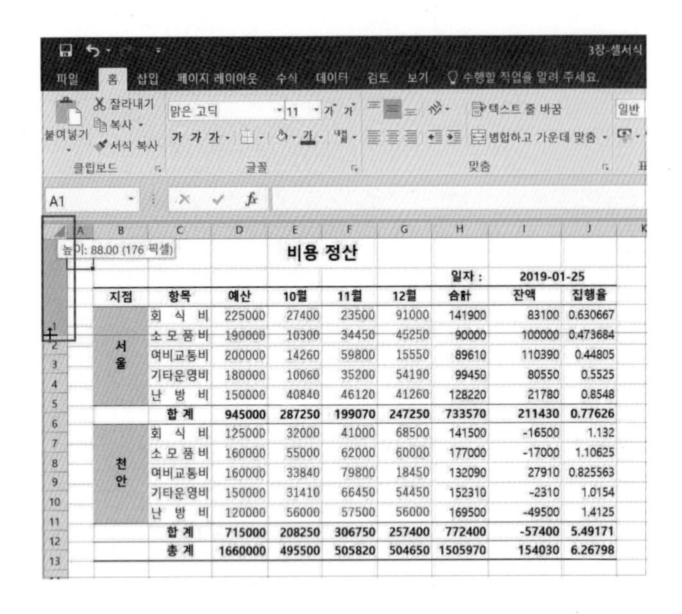

지점	항목	예산	10월	11월	12월	合計	잔액	집행율
			비용 정산					
						일자 :	2019-01-25	
서울	회 식 비	225000	27400	23500	91000	141900	83100	0.630667
	소 모 품 비	190000	10300	34450	45250	90000	100000	0.473684
	여비교통비	200000	14260	59800	15550	89610	110390	0.44805
	기타운영비	180000	10060	35200	54190	99450	80550	0.5525
	난 방 비	150000	40840	46120	41260	128220	21780	0.8548
	합 계	945000	287250	199070	247250	733570	211430	0.77626
천안	회 식 비	125000	32000	41000	68500	141500	-16500	1.132
	소 모 품 비	160000	55000	62000	60000	177000	-17000	1.10625
	여비교통비	160000	33840	79800	18450	132090	27910	0.825563
	기타운영비	150000	31410	66450	54450	152310	-2310	1.0154
	난 방 비	120000	56000	57500	56000	169500	-49500	1.4125
	합 계	715000	208250	306750	257400	772400	-57400	5.49171
	총 계	1660000	495500	505820	504650	1505970	154030	6.26798

> **TIP**
>
> 행 높이를 수동으로 조정하지 않아도 셀에 입력된 테스트의 크기를 크게 하면 그 텍스트가 표시 될 수 있도록 행 높이가 자동으로 조정된다.

3.4.3 열 자동 조정하기

열 너비를 넘어선 길이의 데이터가 입력될 경우, 숫자 및 날짜의 데이터가 "#"표시된다. 입력한 데이터가 모두 표시되도록 열 너비를 자동으로 조정하기 위해서는 열 번호의 우측 경계선을 "두 번 누르기"하면 된다. 높이도 동일한 순서로 자동 조정이 가능하다.

조건 G9의 셀의 열 너비가 좁기 때문에 G9 셀의 금액이 "######"로 표시되어 있다.

01 G열 번호와 H열 번호의 경계선에 마우스를 맞춘다.

02 마우스 포인터가 ↔로 바뀌면 "두 번 누르기"를 한다.

A1 | 너비: 11.08 (140 픽셀)

지점	항목	예산	10월	11월	12월	合計	잔액	집행율
			비용 정산					
						일자 :	2019-01-25	
서울	회 식 비	₩ 225,000	₩ 27,400	₩ 23,500	₩91,000	₩ 141,900	83,100	63.1%
	소 모 품 비	₩ 190,000	₩ 10,300	₩ 34,450	₩45,250	₩ 90,000	100,000	47.4%
	여비교통비	₩ 200,000	₩ 14,260	₩ 59,800	₩15,550	₩ 89,610	110,390	44.8%
	기타운영비	₩ 180,000	₩ 10,060	₩ 35,200	₩54,190	₩ 99,450	80,550	55.3%
	난 방 비	₩ 150,000	₩ 40,840	₩ 46,120	₩41,260	₩ 128,220	21,780	85.5%
	합 계	₩ 945,000	₩ 287,250	₩ 199,070	######	₩ 733,570	211,430	77.6%
천안	회 식 비	₩ 125,000	₩ 32,000	₩ 41,000	₩68,500	₩ 141,500	-16,500	113.2%
	소 모 품 비	₩ 160,000	₩ 55,000	₩ 62,000	₩60,000	₩ 177,000	-17,000	110.6%
	여비교통비	₩ 160,000	₩ 33,840	₩ 79,800	₩18,450	₩ 132,090	27,910	82.6%
	기타운영비	₩ 150,000	₩ 31,410	₩ 66,450	₩54,450	₩ 152,310	-2,310	101.5%
	난 방 비	₩ 120,000	₩ 56,000	₩ 57,500	₩56,000	₩ 169,500	-49,500	141.3%
	합 계	715000	208250	306750	257400	772400	-57,400	549.2%
	총 계	1660000	495500	505820	504650	1505970	154,030	626.8%

⇩

표에서 가장 텍스트가 많은 셀의 너비에 맞춰서 열 너비가 넓어진다. 데이터가 올바르게 표시되었다.

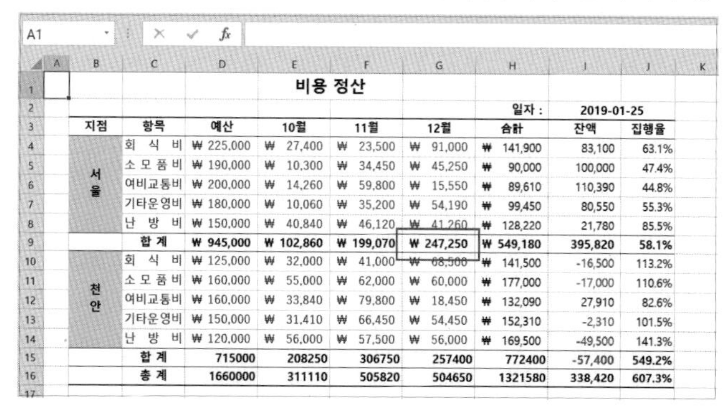

비용 정산

지점	항목	예산	10월	11월	12월	合計	잔액	집행율
						일자 :	2019-01-25	
서울	회 식 비	₩ 225,000	₩ 27,400	₩ 23,500	₩ 91,000	₩ 141,900	83,100	63.1%
	소 모 품 비	₩ 190,000	₩ 10,300	₩ 34,450	₩ 45,250	₩ 90,000	100,000	47.4%
	여비교통비	₩ 200,000	₩ 14,260	₩ 59,800	₩ 15,550	₩ 89,610	110,390	44.8%
	기타운영비	₩ 180,000	₩ 10,060	₩ 35,200	₩ 54,190	₩ 99,450	80,550	55.3%
	난 방 비	₩ 150,000	₩ 40,840	₩ 46,120	₩ 41,260	₩ 128,220	21,780	85.5%
	합 계	₩ 945,000	₩ 102,860	₩ 199,070	₩ 247,250	₩ 549,180	395,820	58.1%
천안	회 식 비	₩ 125,000	₩ 32,000	₩ 41,000	₩ 68,500	₩ 141,500	-16,500	113.2%
	소 모 품 비	₩ 160,000	₩ 55,000	₩ 62,000	₩ 60,000	₩ 177,000	-17,000	110.6%
	여비교통비	₩ 160,000	₩ 33,840	₩ 79,800	₩ 18,450	₩ 132,090	27,910	82.6%
	기타운영비	₩ 150,000	₩ 31,410	₩ 66,450	₩ 54,450	₩ 152,310	-2,310	101.5%
	난 방 비	₩ 120,000	₩ 56,000	₩ 57,500	₩ 56,000	₩ 169,500	-49,500	141.3%
	합 계	715000	208250	306750	257400	772400	-57,400	549.2%
	총 계	1660000	311110	505820	504650	1321580	338,420	607.3%

3.5 셀 스타일

요약

표시 형식, 맞춤, 글꼴, 테두리 그리고 채우기 등 셀에 설정하는 여러 가지 서식을 결합한 것을 셀 스타일이라 한다. 자주 이용하는 다수의 서식은 셀 [스타일]에 등록해 두고, 이후에는 간단하게 설정할 수 있도록 한다.

■ 셀 스타일 설정

"셀 스타일" 단추를 적용하면 셀의 배경색 및 글자색을 결합한 디자인을 간단하게 설정할 수 있다.

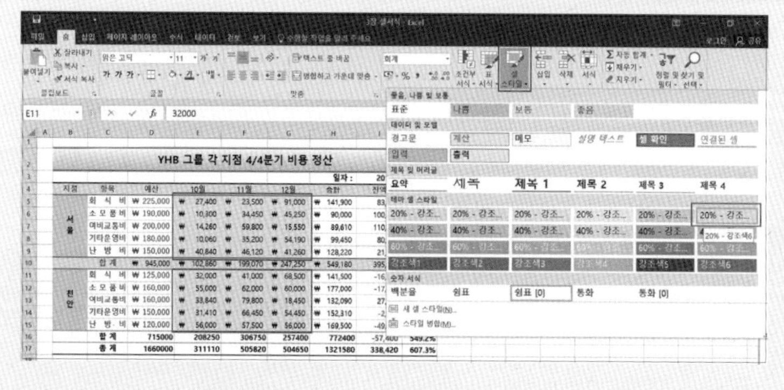

■ 테마 셀 스타일

"테마 셀 스타일"을 설정한 스타일도 테마에 맞춰서 자동으로 변경된다.

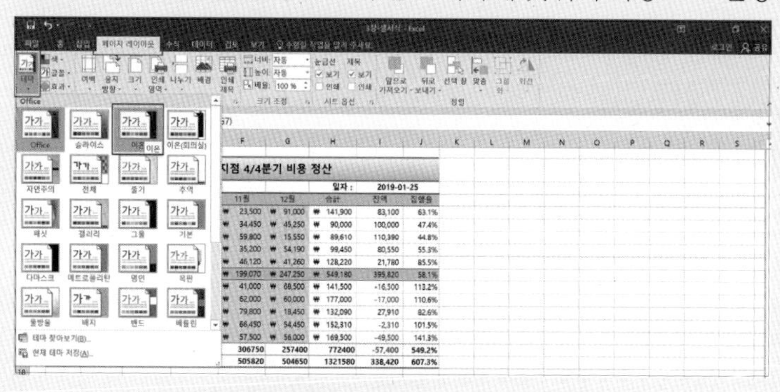

3.5.1 셀 스타일 설정

"셀 스타일" 단추를 적용하면 셀의 배경색 및 글자색을 결합한 디자인을 간단하게 설정할 수 있다. 또한 리스트에 표시된 서식은 "테마 셀 스타일"에 의해 내용이 변경된다. 색상형 스타일을 사용하면 중요한 데이터를 시트에서 효과적으로 강조할 수 있다.

01 셀 범위 E5:G9와 E11:G15를 드래그해서 선택한다.

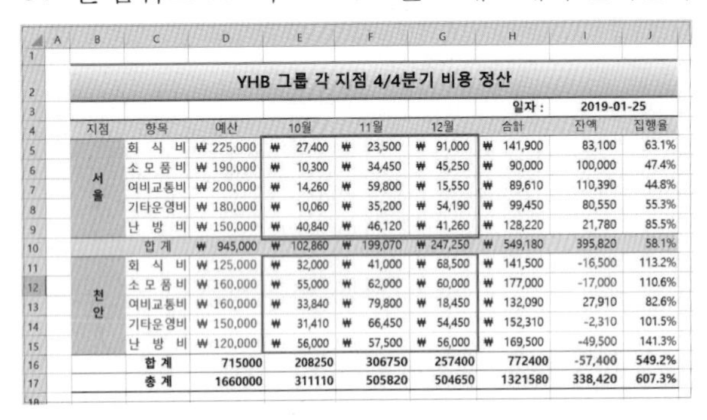

YHB 그룹 각 지점 4/4분기 비용 정산

일자 : 2019-01-25

지점	항목	예산	10월	11월	12월	合計	잔액	집행율
서울	회 식 비	₩ 225,000	₩ 27,400	₩ 23,500	₩ 91,000	₩ 141,900	83,100	63.1%
	소 모 품 비	₩ 190,000	₩ 10,300	₩ 34,450	₩ 45,250	₩ 90,000	100,000	47.4%
	여비교통비	₩ 200,000	₩ 14,260	₩ 59,800	₩ 15,550	₩ 89,610	110,390	44.8%
	기타운영비	₩ 180,000	₩ 10,060	₩ 35,200	₩ 54,190	₩ 99,450	80,550	55.3%
	난 방 비	₩ 150,000	₩ 40,840	₩ 46,120	₩ 41,260	₩ 128,220	21,780	85.5%
	합 계	₩ 945,000	₩ 102,860	₩ 199,070	₩ 247,250	₩ 549,180	395,820	58.1%
천안	회 식 비	₩ 125,000	₩ 32,000	₩ 41,000	₩ 68,500	₩ 141,500	-16,500	113.2%
	소 모 품 비	₩ 160,000	₩ 55,000	₩ 62,000	₩ 60,000	₩ 177,000	-17,000	110.6%
	여비교통비	₩ 160,000	₩ 33,840	₩ 79,800	₩ 18,450	₩ 132,090	27,910	82.6%
	기타운영비	₩ 150,000	₩ 31,410	₩ 66,450	₩ 54,450	₩ 152,310	-2,310	101.5%
	난 방 비	₩ 120,000	₩ 56,000	₩ 57,500	₩ 56,000	₩ 169,500	-49,500	141.3%
	합 계	715000	208250	306750	257400	772400	-57,400	549.2%
	총 계	1660000	311110	505820	504650	1321580	338,420	607.3%

02 [홈] 탭 - [스타일] 그룹 - "셀 스타일" 셀 스타일 을 누른다.

03 리스트에 있는 "테마 셀 스타일"에서 "20%-강조색 6"을 선택한다.

■ 실행 결과

선택한 셀 스타일이 적용된다.

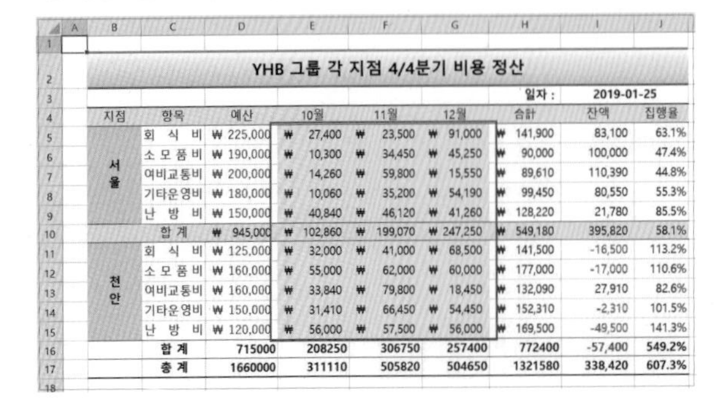

YHB 그룹 각 지점 4/4분기 비용 정산

일자 : 2019-01-25

지점	항목	예산	10월	11월	12월	合計	잔액	집행율
서울	회 식 비	₩ 225,000	₩ 27,400	₩ 23,500	₩ 91,000	₩ 141,900	83,100	63.1%
	소 모 품 비	₩ 190,000	₩ 10,300	₩ 34,450	₩ 45,250	₩ 90,000	100,000	47.4%
	여비교통비	₩ 200,000	₩ 14,260	₩ 59,800	₩ 15,550	₩ 89,610	110,390	44.8%
	기타운영비	₩ 180,000	₩ 10,060	₩ 35,200	₩ 54,190	₩ 99,450	80,550	55.3%
	난 방 비	₩ 150,000	₩ 40,840	₩ 46,120	₩ 41,260	₩ 128,220	21,780	85.5%
	합 계	₩ 945,000	₩ 102,860	₩ 199,070	₩ 247,250	₩ 549,180	395,820	58.1%
천안	회 식 비	₩ 125,000	₩ 32,000	₩ 41,000	₩ 68,500	₩ 141,500	-16,500	113.2%
	소 모 품 비	₩ 160,000	₩ 55,000	₩ 62,000	₩ 60,000	₩ 177,000	-17,000	110.6%
	여비교통비	₩ 160,000	₩ 33,840	₩ 79,800	₩ 18,450	₩ 132,090	27,910	82.6%
	기타운영비	₩ 150,000	₩ 31,410	₩ 66,450	₩ 54,450	₩ 152,310	-2,310	101.5%
	난 방 비	₩ 120,000	₩ 56,000	₩ 57,500	₩ 56,000	₩ 169,500	-49,500	141.3%
	합 계	715000	208250	306750	257400	772400	-57,400	549.2%
	총 계	1660000	311110	505820	504650	1321580	338,420	607.3%

3.5.2 셀 스타일 변경

(1) 테마 변경

[페이지 레이아웃] 탭의 [테마] 그룹에서 테마를 변경하면 "셀 스타일" 의 리스트에 표시되는 내용이 변경된다. 동일하게 "테마 셀 스타일"로 셀에 설정한 스타일도 테마에 맞춰서 자동으로 변경된다.

01 [페이지 레이아웃] 탭 - [테마] 그룹 - "테마" 를 누른 후, 원하는 테마 단추("이온")을 누르면 자동으로 표의 셀 스타일이 변경된다.

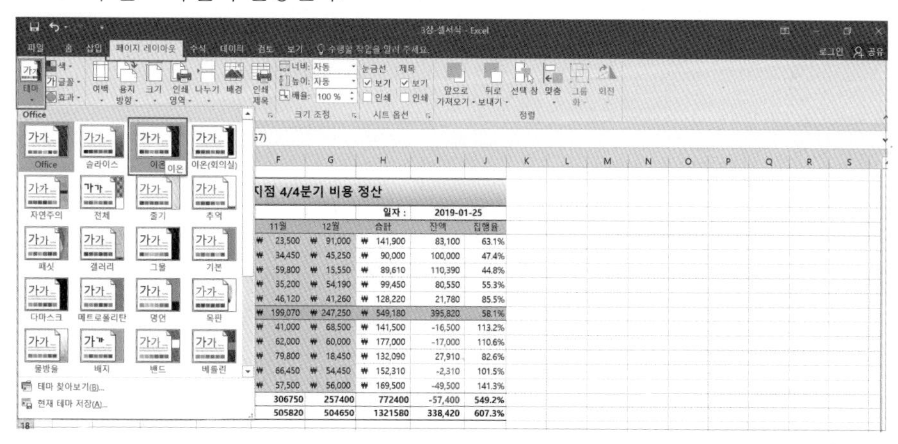

02 [홈] 탭 - [스타일] 그룹 - "셀 스타일" 을 누르면 변경된 셀 스타일을 이용할 수 있다.

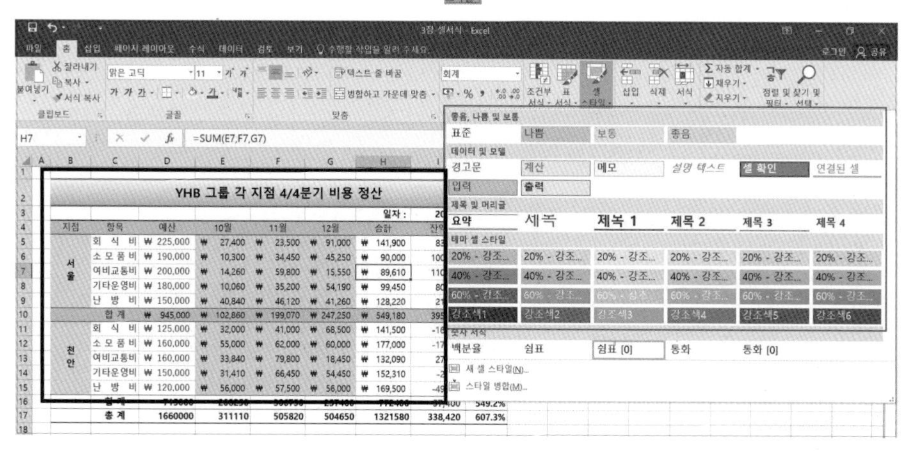

(2) 셀의 서식 변경

스타일의 설정 내용 및 배경색 등을 편집하면 이미 그 서식이 적용된 셀의 서식도 변경된다. 스타일을 적용해 두면 이후에 서식을 일괄 변경할 때도 편리하다.

01 스타일이 설정된 셀을 누른다(3.5.1의 셀 스타일 조건을 그대로 적용).

02 [홈] 탭 - [스타일] 그룹 - “셀 스타일” 을 누른다.

03 셀에 적용된 스타일 위에서 마우스 우측을 누른다.

04 “수정”을 누르면 [스타일] 대화상자가 표시된다.

05 “서식”을 누르면 [셀 서식] 대화상자가 표시된다.

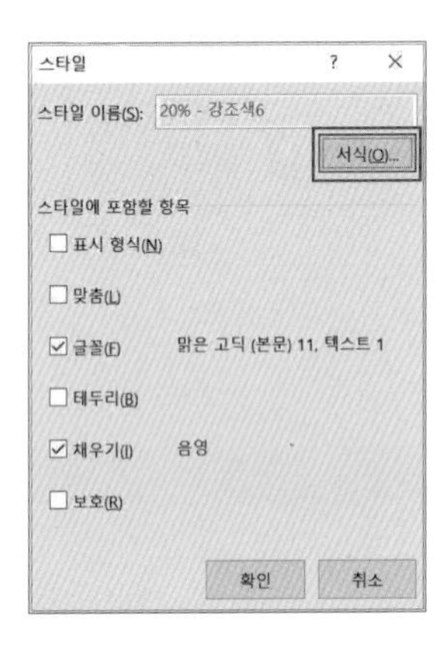

06 [채우기] 탭을 누른다.

07 “배경색”에서 “채우기 효과” 바로 위의 노랑색을 선택한다.

08 “확인”을 누른다.

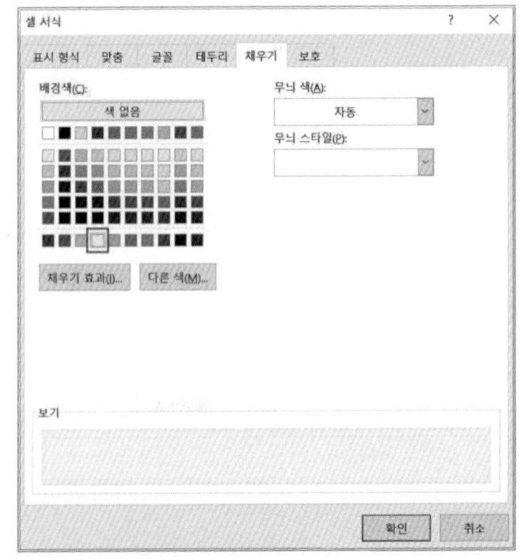

09 **05** 단계의 [스타일] 대화상자에 있는 "확인"을 누르면, 스타일을 변경해서 테마에 반영될 수 있다.

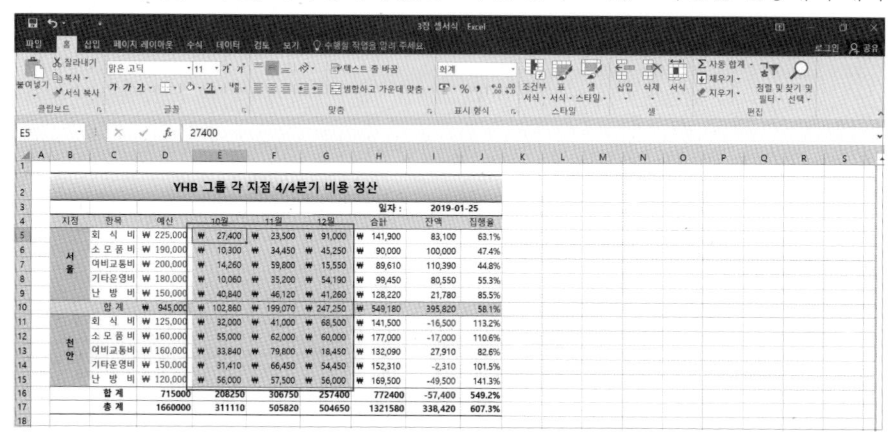

YHB 그룹 각 지점 4/4분기 비용 정산

지점	항목	예산	10월	11월	12월	合計	잔액	집행율
						일자 :	2019-01-25	
서울	회 식 비	₩ 225,000	₩ 27,400	₩ 23,500	₩ 91,000	₩ 141,900	83,100	63.1%
	소 모 품 비	₩ 190,000	₩ 10,300	₩ 34,450	₩ 45,250	₩ 90,000	100,000	47.4%
	여비교통비	₩ 200,000	₩ 14,260	₩ 59,800	₩ 15,550	₩ 89,610	110,390	44.8%
	기타운영비	₩ 180,000	₩ 10,060	₩ 35,200	₩ 54,190	₩ 99,450	80,550	55.3%
	난 방 비	₩ 150,000	₩ 40,840	₩ 46,120	₩ 41,260	₩ 128,220	21,780	85.5%
	합 계	₩ 945,000	₩ 102,860	₩ 199,070	₩ 247,250	₩ 549,180	395,820	58.1%
천안	회 식 비	₩ 125,000	₩ 32,000	₩ 41,000	₩ 68,500	₩ 141,500	-16,500	113.2%
	소 모 품 비	₩ 160,000	₩ 55,000	₩ 62,000	₩ 60,000	₩ 177,000	-17,000	110.6%
	여비교통비	₩ 160,000	₩ 33,840	₩ 79,800	₩ 18,450	₩ 132,090	27,910	82.6%
	기타운영비	₩ 150,000	₩ 31,410	₩ 66,450	₩ 54,450	₩ 152,310	-2,310	101.5%
	난 방 비	₩ 120,000	₩ 56,000	₩ 57,500	₩ 56,000	₩ 169,500	-49,500	141.3%
	합 계	715000	208250	306750	257400	772400	-57,400	549.2%
	총 계	1660000	311110	505820	504650	1321580	338,420	607.3%

연습문제

1. 다음의 그림과 같이 데이터 표시를 해보자.

(1) 예산에서 합계까지의 숫자 데이터; 1000단위마다 쉼표(,)

(2) 잔액의 데이터; 1000단위마다 쉼표(,), 음수일 때는 "빨강색 (숫자)"

(3) 집행 데이터; 백분율(%)

YHB 그룹 서울 지점 4/4분기 비용 정산

일자 : 2019-01-25

지점	항목	예산	10월	11월	12월	合計	잔액	집행율
서울	회식비	125,000	32,000	41,000	68,500	141,500	(16,500)	113%
	소모품비	160,000	55,000	62,000	60,000	177,000	(17,000)	111%
	여비교통비	160,000	33,840	79,800	18,450	132,090	27,910	83%
	기타운영비	150,000	31,410	66,450	54,450	152,310	(2,310)	102%
	난방비	120,000	56,000	57,500	56,000	169,500	(49,500)	141%
	합 계	715000	208250	306750	257400	772400	-57400	5.49171

2. 아래의 조건을 이용해서 완성된 그림과 같이 서식 편집을 해보자.

(1) 단원 강의 계획안; 병합하고 가운데 맞춤, 맑은 고딕, 18(크기), 굵게, 기울림 꼴, 가운데 맞춤

(2) 단원, 학습 주제, ..., 자료 활용 계획; 가로 균등 분할(들여쓰기, 1), 세로 가운데, 텍스트 줄 바꿈

(3) 다른 데이터들은 직관적으로 보고 문자 크기, 굵기 등을 조정해 보자.

단원 강의 계획안

단 원	활동마당-둥굣길을 설명해보자		관련 교과	실과(창체)	차시	02월 03일
학 습 주 제	둥굣길을 효과적으로 설명하기					
학 습 목 표	순차, 조건을 이용하여 학교로 가는 길의 알고리즘을 짤 수 있다.					
수 업 전 략	수업모형	CTE모형				
	학습형태	전체 ➡ 모둠 ➡ 전체 ➡ 개별 ➡ 전체				
자 료 활 용 계 획	학습자료	미로 지도, 학습지, 보드판, 보드마카				
	멀티자료	PPT				

3. 아래 조건을 이용해서 아래의 그림과 같이 표를 만들어 보자.

① B2셀 제목 '주식 일일 시세'에 셀 스타일 "제목1"을 적용한다.

② B3셀부터 G14셀까지 범위 지정 후, "표 스타일 보통7"을 적용한다.

③ 날짜 영역 B4셀부터 B14셀까지 범위 지정 후, 셀 서식 사용자 지정 표시 형식을 지정한다.

yyyy-mm-dd(aaa)

④ 거래량 F4셀부터 F14셀까지 범위 지정 후, 셀 서식 사용자 지정 표시 형식을 사용하여 천단위로 변경한다.

#,##0,

연습문제

⑤ 거래대금 G4셀부터 G14셀까지 범위 지정 후, 셀 서식 사용자 지정 표시 형식을 사용하여 백만 단위로 표시한다.

#,##0,,

주식 일일 시세

날짜	체결가	전일가	등락율	거래량	거래대금
2019-06-08(토)	1554.52	14.55	0.0101	1,688	28,225
2019-06-07(금)	1537.97	24.14	-0.0157	2,974	48,021
2019-06-04(화)	1564.13	2.29	0	2,798	49,715
2019-06-03(월)	1561.84	31.44	0.0193	3,044	50,952
2019-06-01(토)	1530.4	10.85	-0.0066	3,077	47,540
2019-05-31(금)	1541.25	18.47	0.0114	2,926	42,859
2019-05-28(화)	1522.78	15.28	0.0095	3,090	58,579
2019-05-27(월)	1607.5	25.38	0.016	3,513	60,772
2019-05-26(일)	1582.12	21.29	0.0156	3,510	64,393
2019-05-25(토)	1560.83	44.1	-0.0235	4,681	66,972
2019-05-24(금)	1604.93	4.75	0	2,662	47,080

4. E열과 I열을 동시에 숨겨보자.

출석부

번호	이름	성별	생년월일	전화번호	출석일수	과제 작성	보고서
1	송인태	남	1980-01-01	010-4422-1111	45	80	89
2	양승희	여	1989-02-03	010-2222-3333	49	90	80
3	이다현	여	1985-10-30	010-3322-2233	50	78	69
4	강예림	여	1982-07-08	010-3690-3399	52	90	89
5	김선종	남	1990-11-11	010-7890-1234	45	78	90
6	양승지	여	1992-03-01	010-1234-5678	50	88	95
7	이종현	남	1991-04-06	010-1233-5689	56	97	87
8	이새롬	여	1993-05-06	010-1122-5588	42	89	80
9	김하늘	여	1991-08-21	010-3344-7788	35	80	90
10	송누리	여	1993-06-19	010-5577-1234	56	69	78
11	김태양	남	1979-07-18	010-7142-1472	51	89	90
12	김누리	여	1993-12-24	010-4949-8989	53	90	78
13	이정찬	남	1983-05-23	010-8899-9900	33	95	88
14	이미나	여	1980-05-05	010-2580-2580	55	87	97

5. 다음의 그림과 같이 셀 B2~I2를 병합(가운데 맞춤)하여 보자.

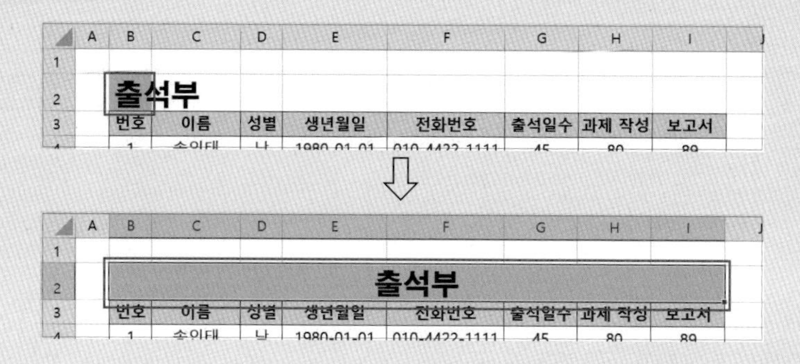

연습문제

6. 열 G~I까지의 각각의 너비를 10으로 설정하여 보자.

번호	이름	성별	생년월일	전화번호	출석일수	과제 작성	보고서
1	송인태	남	1980-01-01	010-4422-1111	45	80	89
2	양승희	여	1989-02-03	010-2222-3333	49	90	80
3	이다현	여	1985-10-30	010-3322-2233	50	78	69
4	강예림	여	1982-07-08	010-3690-3399	52	90	
5	김선종	남	1990-11-11	010-7890-1234	45	78	
6	양승지	여	1992-03-01	010-1234-5678	50	88	
7	이종현	남	1991-04-06	010-1233-5689	56	97	
8	이새롬	여	1993-05-06	010-1122-5588	42	89	
9	김하늘	여	1991-08-21	010-3344-7788	35	80	

열 너비 ? ×
열 너비(C): 10
확인 취소

7. 다음의 조건을 이용해서 표 제목 셀에 배경색을 아래의 결과 이미지와 같이 지정해 보자.

(1) 행 높이: 45

(2) 셀 서식의 "채우기 효과-그라데이션"에서 색1: 주황색, 색2: 흰색을 적용한다.

출석부							
번호	이름	성별	생년월일	전화번호	출석일수	과제 작성	보고서
1	송인태	남	1980-01-01	010-4422-1111	45	80	89

8. 다음의 그림과 같이 서식 편집을 한 후에, "사용자 지정"과 "[표시전] 실제 입력값"을 참고하여 "표시" 열에 데이터를 표시해 보자.

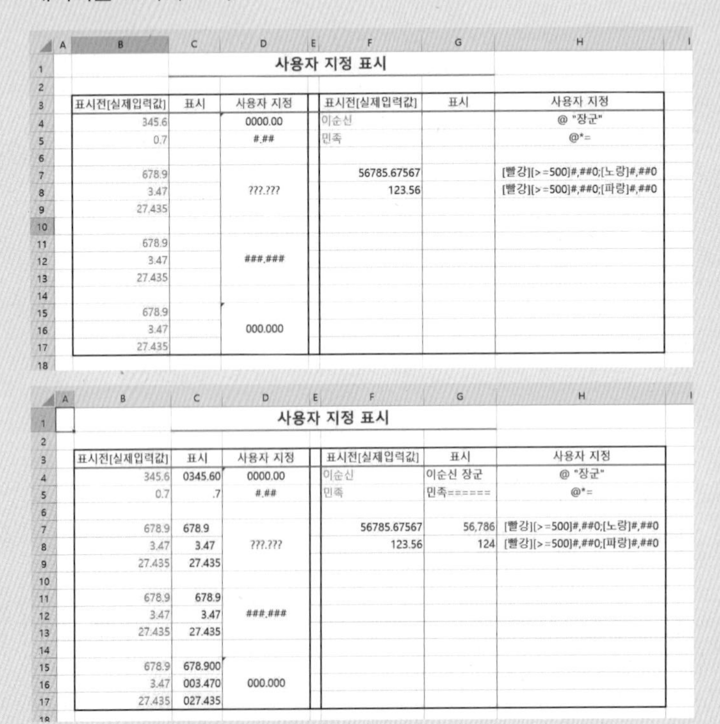

사용자 지정 표시

표시전[실제입력값]	표시	사용자 지정	표시전[실제입력값]	표시	사용자 지정
345.6		0000.00	이순신		@ "장군"
0.7		#.##	민족		@*=
678.9			56785.67567		[빨강][>=500]#,##0;[노랑]#,##0
3.47		???.???	123.56		[빨강][>=500]#,##0;[파랑]#,##0
27.435					
678.9					
3.47		###.###			
27.435					
678.9					
3.47		000.000			
27.435					

사용자 지정 표시

표시전[실제입력값]	표시	사용자 지정	표시전[실제입력값]	표시	사용자 지정
345.6	0345.60	0000.00	이순신	이순신 장군	@ "장군"
0.7	.7	#.##	민족	민족======	@*=
678.9	678.9		56785.67567	56,786	[빨강][>=500]#,##0;[노랑]#,##0
3.47	3.47	???.???	123.56	124	[빨강][>=500]#,##0;[파랑]#,##0
27.435	27.435				
678.9	678.9				
3.47	3.47	###.###			
27.435	27.435				
678.9	678.900				
3.47	003.470	000.000			
27.435	027.435				

C H A P T E R

4

워크시트 서식

4.1 워크시트 추가 및 삭제

요약

표준 설정으로 되어 있는 새로운 통합 문서는 한 개의 워크시트로 구성되어 있지만, 필요에 따라서는 워크시트를 추가하거나 삭제할 수가 있다. 또한 워크시트를 모두 숨겨서 필요할 때만 표시할 수도 있다. 보통 사용하지 않은 데이터 혹은 다른 사용자에게 숨기고 싶은 데이터가 있을 때 워크시트의 숨기기 기능을 이용한다.

■ 워크시트 추가

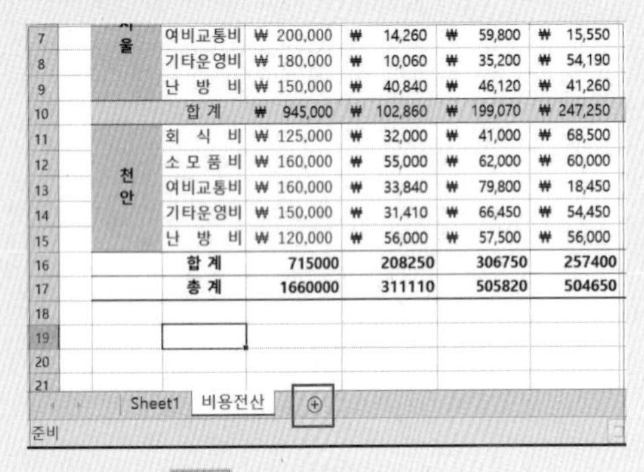

"새 시트" ⊕ 을 누른다.

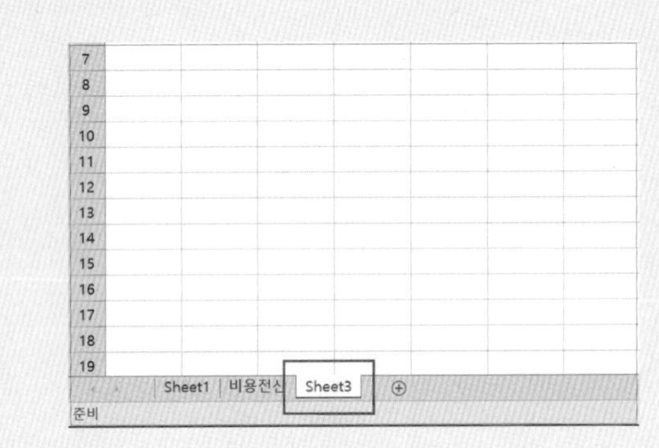

워크시트를 추가할 수 있다.

■ 워크시트 삭제

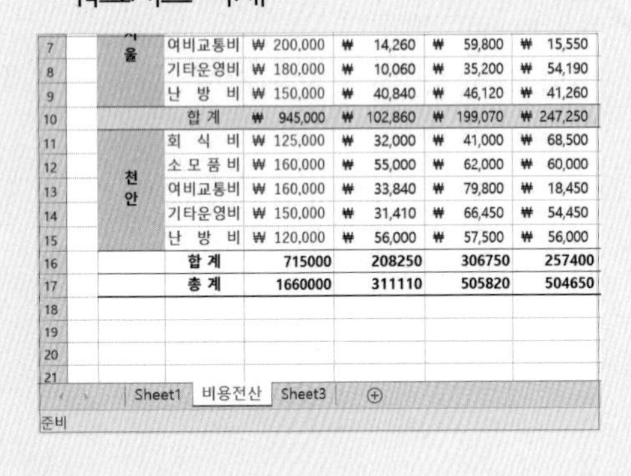

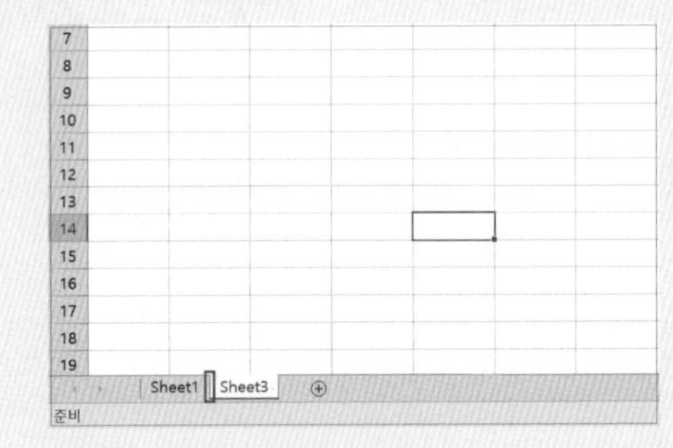

워크시트를 삭제할 수 있다.

4.1.1 워크시트 추가

화면 하단에 있는 "새 시트" ⊕ 를 이용하면 바로 워크시트를 추가할 수 있다. 이때, 워크시트에서 새로운 워크시트는 기존의 워크시트의 맨 끝에 추가된다. "새 시트"는 항상 워크시트 맨 끝에 표시되기 때문에 필요할 때에 워크시트를 추가 할 수 있다. 워크시트는 리본 메뉴를 이용해서도 추가할 수 있다.

"새 시트" ⊕ 을 누르면 새로운 워크시트가 맨 끝에 추가된다.

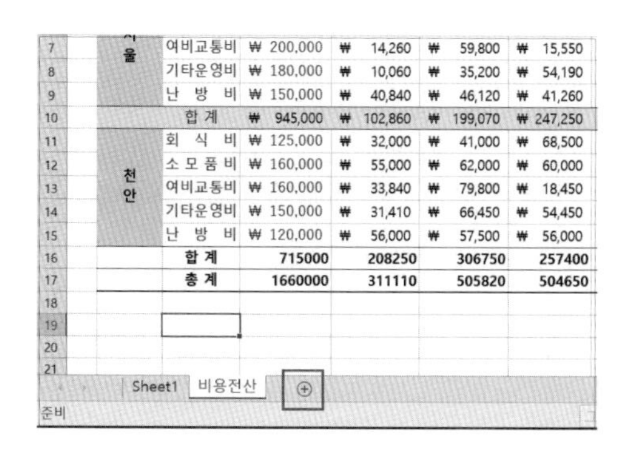

7	울	여비교통비	₩ 200,000	₩ 14,260	₩ 59,800	₩ 15,550
8		기타운영비	₩ 180,000	₩ 10,060	₩ 35,200	₩ 54,190
9		난 방 비	₩ 150,000	₩ 40,840	₩ 46,120	₩ 41,260
10		합 계	₩ 945,000	₩ 102,860	₩ 199,070	₩ 247,250
11	천안	회 식 비	₩ 125,000	₩ 32,000	₩ 41,000	₩ 68,500
12		소 모 품 비	₩ 160,000	₩ 55,000	₩ 62,000	₩ 60,000
13		여비교통비	₩ 160,000	₩ 33,840	₩ 79,800	₩ 18,450
14		기타운영비	₩ 150,000	₩ 31,410	₩ 66,450	₩ 54,450
15		난 방 비	₩ 120,000	₩ 56,000	₩ 57,500	₩ 56,000
16		합 계	715000	208250	306750	257400
17		총 계	1660000	311110	505820	504650

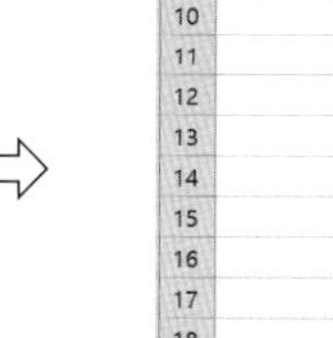

TIP

Shift + F11 키를 누르면 선택한 워크시트의 왼쪽 바로 옆에 새로운 워크시트를 추가할 수 있다. 또한 Shift + Alt + F1 키를 누르면 동일하게 워크시트가 추가된다.
리본 메뉴를 이용해서 워크시트를 추가할 경우, 추가하고 싶은 장소의 오른쪽의 워크시트를 선택해 두고 [홈] 탭의 [셀] 그룹에 있는 "삽입"(삽입)의 ▼을 누른다. 이어서 메뉴의 리스트로부터 "시트 삽입"을 누른다.

4.1.2 워크시트 삭제

워크시트에 입력한 데이터가 모두 불필요한 경우는 워크시트를 통째로 삭제하게 된다. 여기서는 단축 메뉴에서 워크시트를 삭제하는 방법을 학습한다. 단, 워크시트 삭제는 취소가 되지 않는다. 조작을 실행하기 전에 삭제해도 문제가 없는지 반드시 체크를 해야 한다.

실수로 워크시트를 삭제했을 경우는 작업 중인 문서를 저장하지 않고 다시 한 번 문서 파일의 "열기(open)"를 하면 된다. 워크시트를 삭제한 내용이 저장되지 않게 하여 워크시트를 삭제하기 전의 상태로 되돌린다. 단, 워크시트를 삭제하기 전에 저장하지 않았던 편집 내용은 복구되지 않는다. 워크시트의 삭제를 실행하기 전에 문서 저장을 해두면 좋다.

01 삭제하려는 워크시트의 이름(색인) "비용전산" 위에서 마우스 우측을 누른다.

02 "삭제"를 누르면 삭제에 관한 메시지가 표시된다. 단, 해당 워크시트에 데이터가 없으면 메시지가 표시되지 않는다.

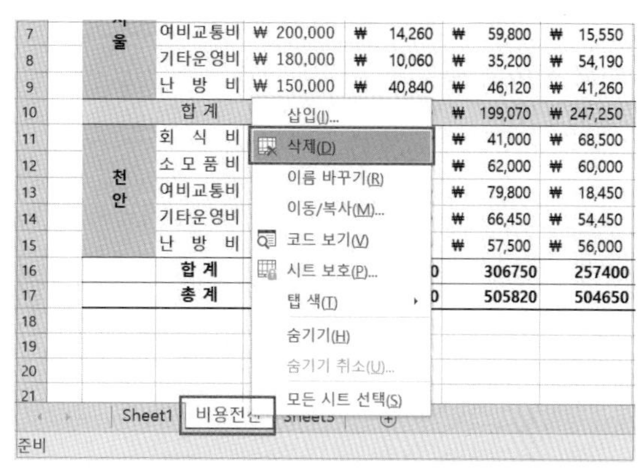

03 "삭제"를 누른다.

04 실행 결과, "비용전산" 시트가 삭제되었다.

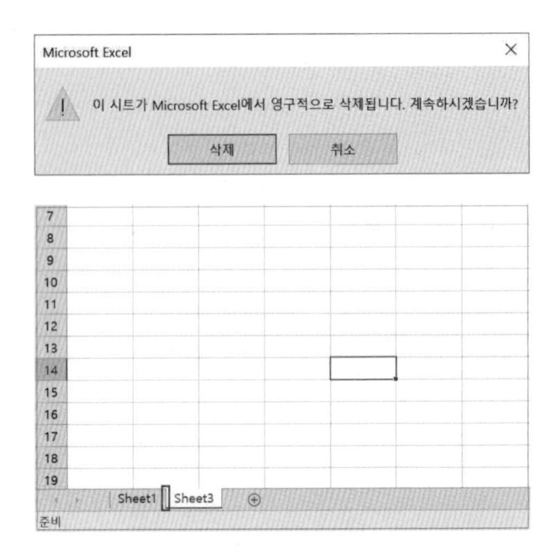

TIP

삭제하고 싶은 워크시트를 선택하고 [홈] 탭의 [셀] 그룹에 있는 "삭제" 단추 아래의 ▼을 누른다. 표시된 메뉴의 리스트로부터 "시트 삭제"를 누른다. 삭제할 워크시트에 데이터가 있으면 메시지를 확인하고 "확인" 단추를 누른다.

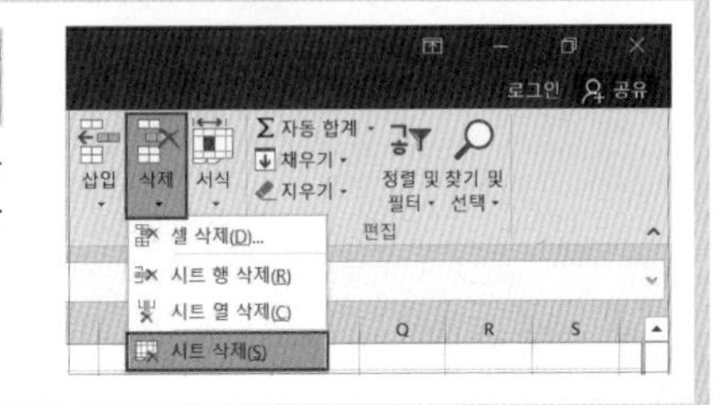

4.2 워크시트 감추기

요약

한 개의 문서에 다수의 워크시트가 있으면 원하는 워크시트를 선택하기 어려워진다. 또한 다른 사용자에게 보여주고 싶지 않은 데이터가 포함되어 있을 수도 있다. 삭제는 할 수 없지만 보통 거의 사용하지 않거나 보여주고 싶지 않는 데이터를 일시적으로 숨겨두고 싶은 경우는 워크시트를 숨기기로 설정하면 된다. 숨기고 싶은 워크시트는 언제든지 다시 표시할 수 있기 때문에 사용할 때에 표시해서 내용을 확인할 수 있다.

8			기타운영비	₩ 180,000	₩ 10,060	₩ 35,200	₩ 54,190
9			난 방 비	₩ 150,000	₩ 40,840	₩ 46,120	₩ 41,260
10			합 계	₩ 945,000	₩ 102,860	₩ 199,070	₩ 247,250
11		천안	회 식 비	₩ 125,000	₩ 32,000	₩ 41,000	₩ 68,500
12			소 모 품 비	₩ 160,000	₩ 55,000	₩ 62,000	₩ 60,000
13			여비교통비	₩ 160,000	₩ 33,840	₩ 79,800	₩ 18,450
14			기타운영비	₩ 150,000	₩ 31,410	₩ 66,450	₩ 54,450
15			난 방 비	₩ 120,000	₩ 56,000	₩ 57,500	₩ 56,000
16			합 계	715000	208250	306750	257400
17			총 계	1660000	311110	505820	504650
18							
19							
20							
21							

노선별 교통량 | 비용정산 | Sheet1

준비

⇩

워크시트 "비용정산"이 숨겨져 있다.

7	평 택 충 주 선	15,066	16,270	18,094	
8	중 부 내 륙 선	47,884	42,902	56,334	
9	영 동 선	180,406	177,790	****** 182,236	*****
10	중 앙 선	71,879	92,291	118,791	
11	서 울 외 곽 선	262,168	275,661	****** 293,364	*****
12	남 해 제 2 선 지 선	39,456	37,320	38,532	
13	제 2 경 인 선	23,671	24,545	26,055	
14	경 인 선	44,318	45,827	47,424	
15	호 남 선 지 선	41,999	37,432	43,731	
16	중 앙 선 지 선	33,992	43,745	51,248	
17					
18					

노선별 교통량 | Sheet1 | ⊕

준비

4.2.1 워크시트 숨기기

워크시트를 숨기기 위해서는 숨기고 싶은 시트 이름 위에서 마우스 우측을 누르고 단축 메뉴의 "숨기기"를 누른다. 리본 메뉴에서 워크시트를 숨기려면 숨기고 싶은 워크시트를 선택해 두고 [홈] 탭의 [셀] 그룹에 있는 "서식" 서식 단추를 누른다. 이어서 "표시 유형" - "숨기기 및 숨기기 취소" - "시트 숨기기"를 선택한다.

01 숨기려는 시트 이름, "비용 정산" 위에서 마우스 우측을 누른다.

02 "숨기기"을 누른다.

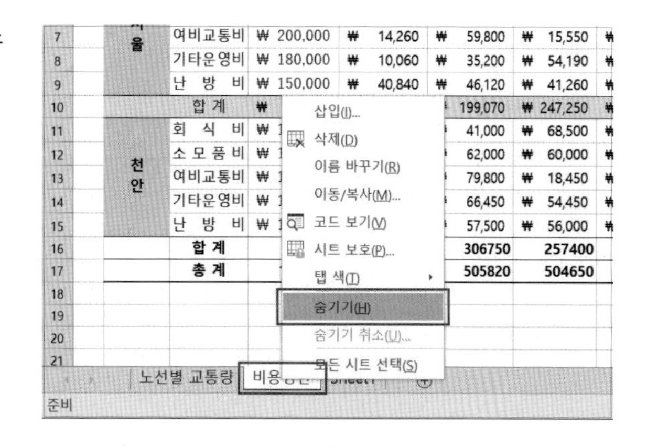

■ 실행 결과

선택한 "비용정산" 시트가 숨겨져 있다.

7	평 택 충 주 선	15,066	16,270	18,094	
8	중 부 내 륙 선	47,884	42,902	56,334	
9	영 동 선	180,406	177,790	****** 182,236	*****
10	중 앙 선	71,879	92,291	118,791	
11	서 울 외 곽 선	262,168	275,661	****** 293,364	*****
12	남 해 제 2 선 지 선	39,456	37,320	38,532	
13	제 2 경 인 선	23,671	24,545	26,055	
14	경 인 선	44,318	45,827	47,424	
15	호 남 선 지 선	41,999	37,432	43,731	
16	중 앙 선 지 선	33,992	43,745	51,248	
17					
18					

노선별 교통량 | Sheet1 | ⊕

준비

4.2.2 워크시트 숨기기 취소

워크시트를 다시 표시하기 위해서는 표시된 시트 이름 중 하나에서 마우스 우측을 누르고 단축 메뉴의 “숨기기 취소”를 누른다. [숨기기 취소] 대화상자가 표시되면 숨기기 취소할 워크시트를 선택할 수 있다. 그러나 다수의 워크시트를 숨기기 취소하고 싶을 경우, 한 번에 모두 숨기기 취소를 할 수는 없다. 한 번에 한 개씩만 취소를 할 수 있다.

01 임의의 시트 “노선별 교통량” 위에서 마우스 우측을 누른다.

02 “숨기기 취소”를 누른다.

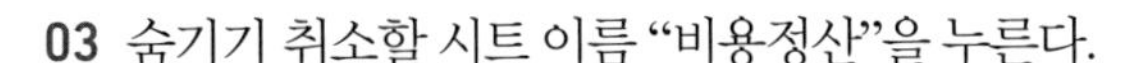

03 숨기기 취소할 시트 이름 “비용정산”을 누른다.

04 “확인”을 누른다.

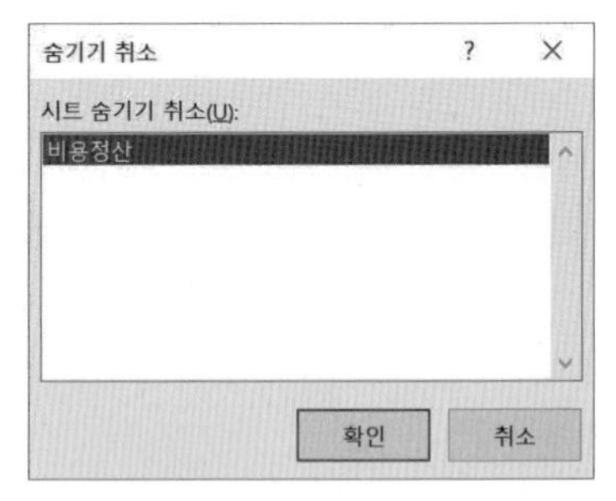

■ 실행 결과

"비용정산" 시트가 다시 표시된다.

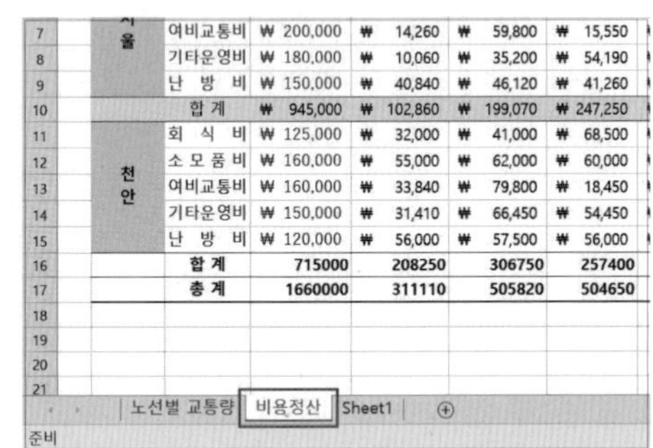

4.3 워크시트 이동 및 복사

요약

워크시트는 같은 문서 혹은 다른 문서에 복사하거나 이동할 수 있다. 동일한 표 혹은 정산서를 이용해서 데이터만을 수정하고 싶을 때, 워크시트를 여러 장 복사해서 작업한다. 또한 워크시트의 순서를 바꾸고 싶을 때는 워크시트를 이동시킨다. 워크시트의 복사 혹은 이동은 드래그 조작과 대화상자로 실행할 수 있다. 다른 문서에 워크시트를 복사하거나 이동할 때는 시트의 [이동/복사] 대화상자를 이용한다.

■ 드래그 조작에 의한 워크시트 복사

시트 이름을 Ctrl 키를 누른 상태에서 드래그 하면 워크시트를 복사할 수 있다.

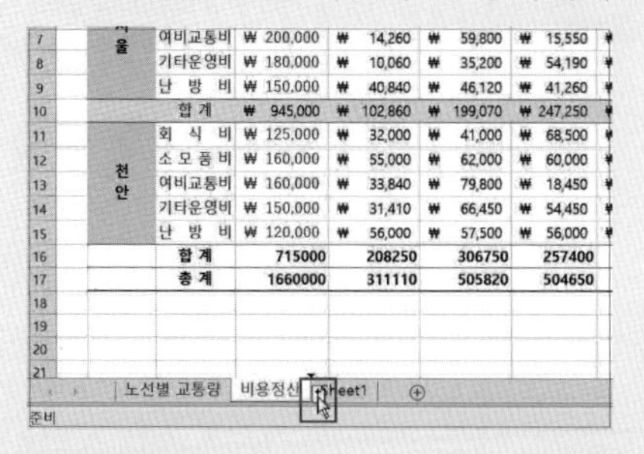

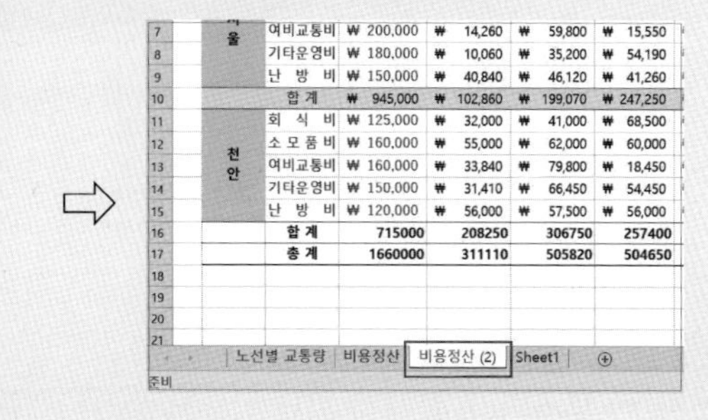

■ 드래그 조작에 의한 워크시트 이동

시트 이름을 드래그하면 워크시트를 이동할 수 있다.

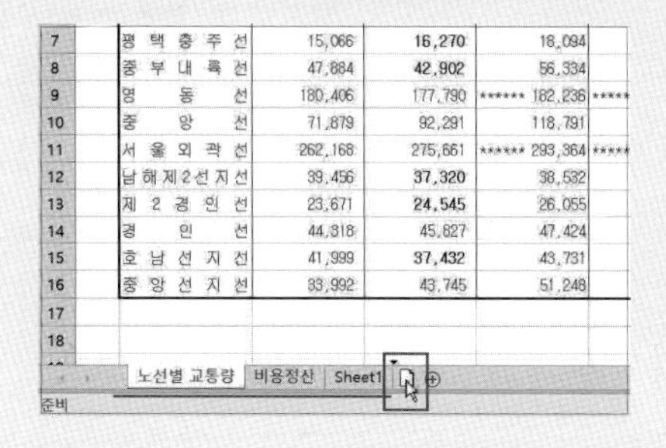

■ 다른 문서로의 복사 및 이동

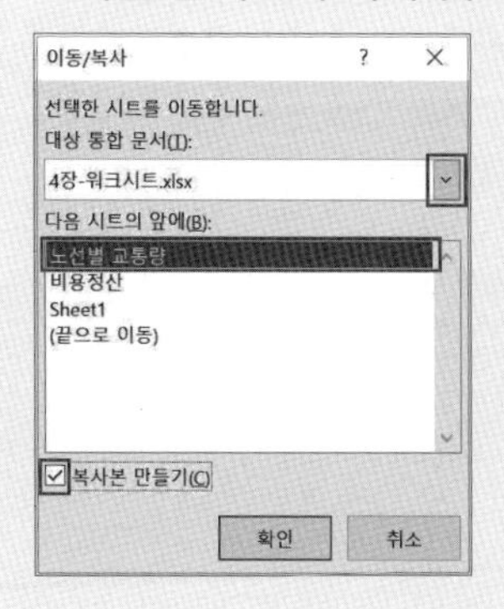

* ▼ 단추를 눌러서 이동/복사하고자 하는 문서를 선택한다.
* 선택한 시트 이름의 앞에 이동한 시트가 삽입된다.
* 워크시트를 복사하기 위해서는 “복사본 만들기”를 체크한다.

4.3.1 동일 문서에 복사

동일한 문서에 워크시트를 복사할 경우는 마우스로 드래그 하는 방법이 용이하다. 복사할 워크시트의 시트 이름을 눌러서, Ctrl 키를 누른 채로 복사하고 싶은 위치까지 드래그 한다. 시트 이름을 드래그 할 때 표시되는 ▼모양 마크를 이용해서 정확한 위치로 이동한다.

01 시트 이름 “비용정산”을 누른다.

02 [Ctrl]를 누르면서 이동할 위치까지 마우스를 드래그하면 마우스 포인터의 모양이 [아이콘]로 바뀐다. 드래그 한 위치에 ▼모양 마크가 표시된다.

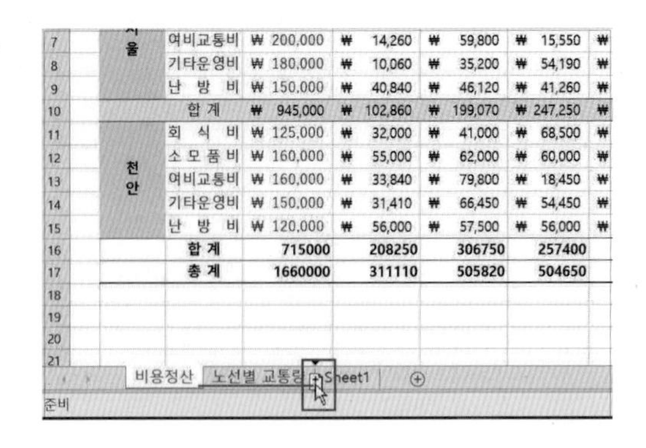

7	서울	여비교통비	₩ 200,000	₩ 14,260	₩ 59,800	₩ 15,550
8		기타운영비	₩ 180,000	₩ 10,060	₩ 35,200	₩ 54,190
9		난 방 비	₩ 150,000	₩ 40,840	₩ 46,120	₩ 41,260
10		합 계	₩ 945,000	₩ 102,860	₩ 199,070	₩ 247,250
11	천안	회 식 비	₩ 125,000	₩ 32,000	₩ 41,000	₩ 68,500
12		소 모 품 비	₩ 160,000	₩ 55,000	₩ 62,000	₩ 60,000
13		여비교통비	₩ 160,000	₩ 33,840	₩ 79,800	₩ 18,450
14		기타운영비	₩ 150,000	₩ 31,410	₩ 66,450	₩ 54,450
15		난 방 비	₩ 120,000	₩ 56,000	₩ 57,500	₩ 56,000
16		합 계	715000	208250	306750	257400
17		총 계	1660000	311110	505820	504650

■ 실행 결과

워크시트 "비용정산"이 복사된다. 복사한 시트 이름은 "시트 이름 (2)"과 같이 시트 이름의 뒤에 번호가 붙어서 표시된다.

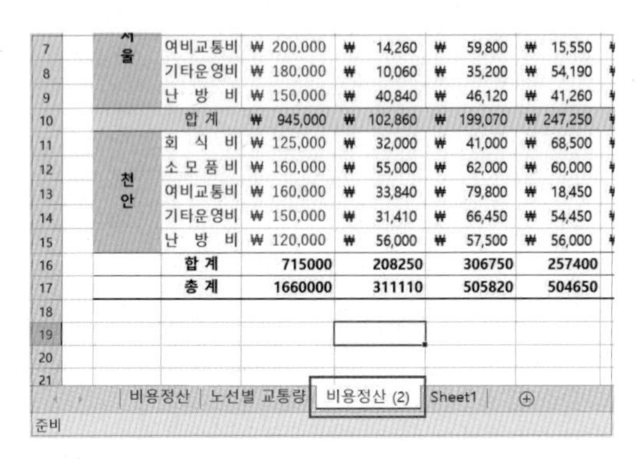

7	서울	여비교통비	₩ 200,000	₩ 14,260	₩ 59,800	₩ 15,550
8		기타운영비	₩ 180,000	₩ 10,060	₩ 35,200	₩ 54,190
9		난 방 비	₩ 150,000	₩ 40,840	₩ 46,120	₩ 41,260
10		합 계	₩ 945,000	₩ 102,860	₩ 199,070	₩ 247,250
11	천안	회 식 비	₩ 125,000	₩ 32,000	₩ 41,000	₩ 68,500
12		소 모 품 비	₩ 160,000	₩ 55,000	₩ 62,000	₩ 60,000
13		여비교통비	₩ 160,000	₩ 33,840	₩ 79,800	₩ 18,450
14		기타운영비	₩ 150,000	₩ 31,410	₩ 66,450	₩ 54,450
15		난 방 비	₩ 120,000	₩ 56,000	₩ 57,500	₩ 56,000
16		합 계	715000	208250	306750	257400
17		총 계	1660000	311110	505820	504650

4.3.2 다른 문서에 복사

워크시트를 새로운 문서에 복사하거나 기존의 문서에 복사할 경우, 시트의 [이동/복사] 대화상자를 이용하면 편리하다. 다른 문서에 워크시트를 복사할 경우는 사전에 그 문서를 열어 두어야 한다.

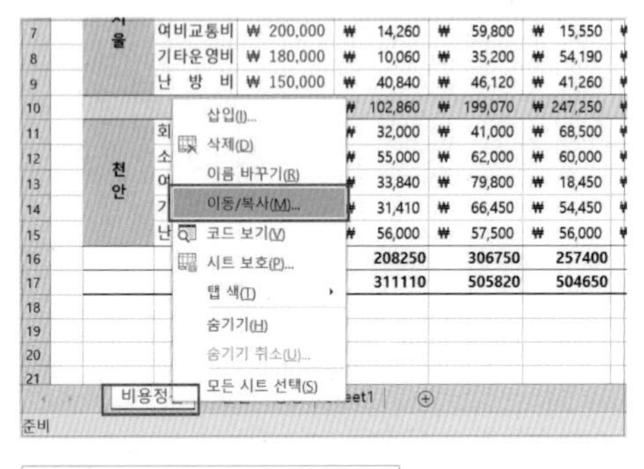

01 복사 원본의 시트 이름, "비용정산" 위에서 마우스 오른쪽을 누른다.

02 "이동/복사"를 누른다.

03 ▼ 단추를 눌러서 이동/복사하고자 하는 문서, 예시로"11주차-학과-이름-요일시간.xlsx"을 선택한다.

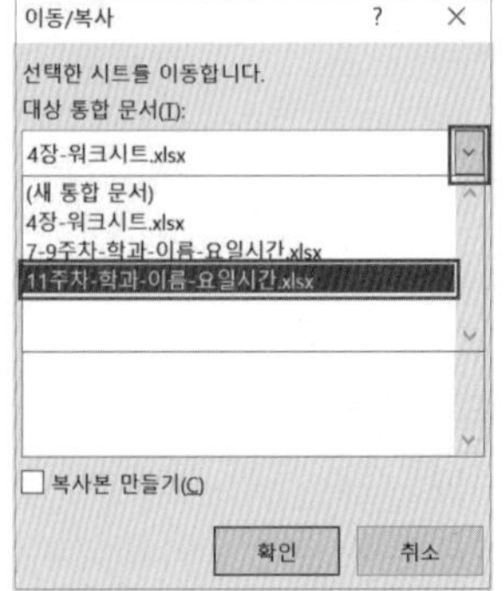

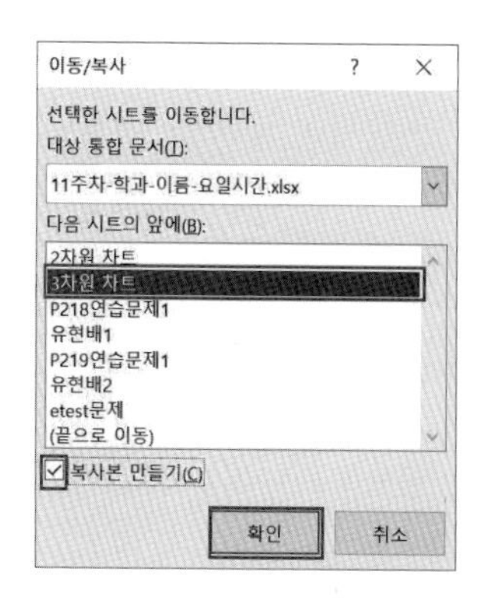

04 워크시트의 삽입 위치를 선택한다.

05 "복사본 만들기"를 눌러서 체크 마크를 붙인다.

06 "확인"을 누른다.

■ 실행 결과

문서 "11주차-학과-이름-요일시간" 파일에 "비용정산" 시트가 복사된다.

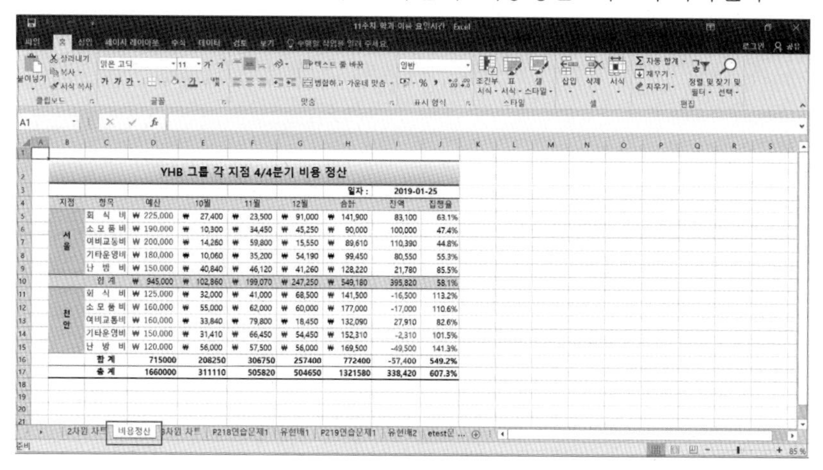

YHB 그룹 각 지점 4/4분기 비용 정산

						일자 :	2019-01-25	
지점	항목	예산	10월	11월	12월	合計	잔액	집행율
서울	회 식 비	₩ 225,000	₩ 27,400	₩ 23,500	₩ 91,000	₩ 141,900	83,100	63.1%
	소 모 품 비	₩ 190,000	₩ 10,300	₩ 34,450	₩ 45,250	₩ 90,000	100,000	47.4%
	여비교통비	₩ 200,000	₩ 14,260	₩ 59,800	₩ 15,550	₩ 89,610	110,390	44.8%
	기타운영비	₩ 180,000	₩ 10,060	₩ 35,200	₩ 54,190	₩ 99,450	80,550	55.3%
	난 방 비	₩ 150,000	₩ 40,840	₩ 46,120	₩ 41,260	₩ 128,220	21,780	85.5%
	합 계	₩ 945,000	₩ 102,860	₩ 199,070	₩ 247,250	₩ 549,180	395,820	58.1%
천안	회 식 비	₩ 125,000	₩ 32,000	₩ 41,000	₩ 68,500	₩ 141,500	-16,500	113.2%
	소 모 품 비	₩ 160,000	₩ 55,000	₩ 62,000	₩ 60,000	₩ 177,000	-17,000	110.6%
	여비교통비	₩ 160,000	₩ 33,840	₩ 79,800	₩ 18,450	₩ 132,090	27,910	82.6%
	기타운영비	₩ 150,000	₩ 31,410	₩ 66,450	₩ 54,450	₩ 152,310	-2,310	101.5%
	난 방 비	₩ 120,000	₩ 56,000	₩ 57,500	₩ 56,000	₩ 169,500	-49,500	141.3%
	합 계	715000	208250	306750	257400	772400	-57,400	549.2%
	총 계	1660000	311110	505820	504650	1321580	338,420	607.3%

4.3.3 동일 문서에서 이동

동일한 문서 안에서 워크시트를 이동할 경우는 마우스로 드래그하는 방법이 편리하다. 이동하고 싶은 워크시트의 시트 이름을 눌러서 이동하고 싶은 위치까지 드래그한다. 다수의 워크시트를 동시에 이동하기 위해서는 사전에 다수의 워크시트를 선택해서 시트 이름을 드래그 한다.

01 "노선별 교통량" 시트를 누른다.

02 이동하고 싶은 위치, "Sheet1"의 오른쪽까지 드래그하면 마우스 포인터의 모형이 으로 바뀐다. 드래그 위치에 ▼의 마크가 표시된다.

7	평 택 충 주 선	15,066	16,270	18,094
8	중 부 내 륙 선	47,884	42,902	56,334
9	영 동 선	180,406	177,790	****** 182,236 *****
10	중 앙 선	71,879	92,291	118,791
11	서 울 외 곽 선	262,168	275,661	****** 293,364 *****
12	남 해 제 2 선 지 선	39,456	37,320	38,532
13	제 2 경 인 선	23,671	24,545	26,055
14	경 인 선	44,318	45,827	47,424
15	호 남 선 지 선	41,999	37,432	43,731
16	중 앙 선 지 선	33,992	43,745	51,248
17				
18				

노선별 교통량 | 비용정산 | Sheet1

준비

■ 실행 결과

"노선별 교통량" 시트가 "Sheet1"의 오른쪽에 이동된다.

7		평 택 충 주 선	15,066	16,270	18,094
8		중 부 내 륙 선	47,884	42,902	56,334
9		영 동 선	180,406	177,790	****** 182,236 *****
10		중 앙 선	71,879	92,291	118,791
11		서 울 외 곽 선	262,168	275,661	****** 293,364 *****
12		남 해 제 2 선 지 선	39,456	37,320	38,532
13		제 2 경 인 선	23,671	24,545	26,055
14		경 인 선	44,318	45,827	47,424
15		호 남 선 지 선	41,999	37,432	43,731
16		중 앙 선 지 선	33,992	43,745	51,248
17					
18					

비용정산 | Sheet1 | 노선별 교통량

준비

4.4 워크시트의 이름 편집 및 보호

요약

(1) 이름과 색의 변경

워크시트에는 표준 설정에서 "Sheet1"이라는 이름의 색인이 붙여진다. 그러나 필요에 따라서 이름을 수정할 수 있으며 시트 색인에는 색을 붙일 수 있다. 워크시트의 내용을 나타내는 이름을 붙이거나 다른 색으로 설정하면 원하는 워크시트를 쉽게 알아볼 수 있다.

■ 시트 이름 변경

시트 이름을 변경할 수 있다.

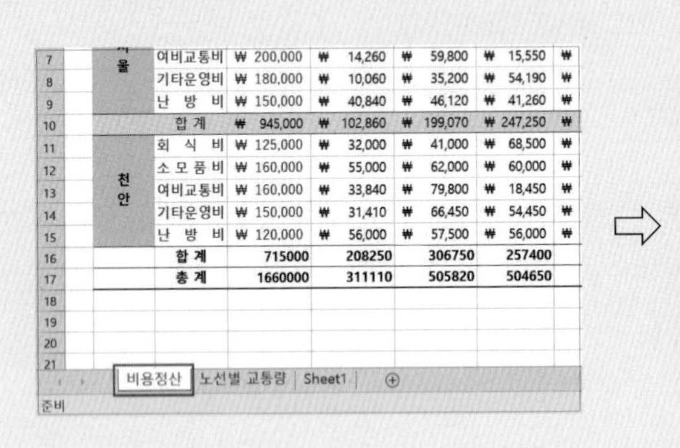

7	울	여비교통비	₩ 200,000	₩ 14,260	₩ 59,800	₩ 15,550
8		기타운영비	₩ 180,000	₩ 10,060	₩ 35,200	₩ 54,190
9		난 방 비	₩ 150,000	₩ 40,840	₩ 46,120	₩ 41,260
10		합 계	₩ 945,000	₩ 102,860	₩ 199,070	₩ 247,250
11	천안	회 식 비	₩ 125,000	₩ 32,000	₩ 41,000	₩ 68,500
12		소 모 품 비	₩ 160,000	₩ 55,000	₩ 62,000	₩ 60,000
13		여비교통비	₩ 160,000	₩ 33,840	₩ 79,800	₩ 18,450
14		기타운영비	₩ 150,000	₩ 31,410	₩ 66,450	₩ 54,450
15		난 방 비	₩ 120,000	₩ 56,000	₩ 57,500	₩ 56,000
16		합 계	715000	208250	306750	257400
17		총 계	1660000	311110	505820	504650

비용정산 | 노선별 교통량 | Sheet1

준비

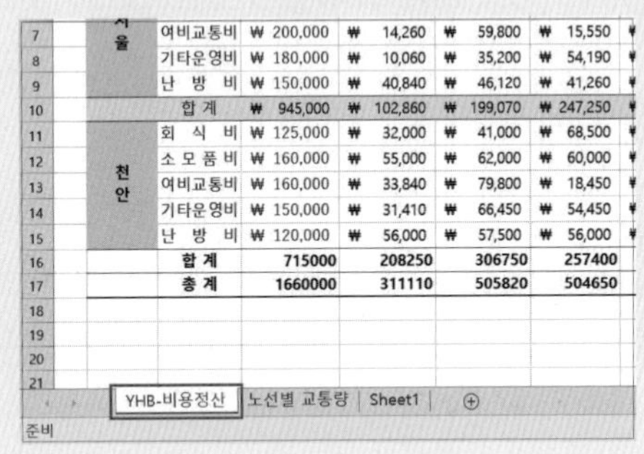

7	울	여비교통비	₩ 200,000	₩ 14,260	₩ 59,800	₩ 15,550
8		기타운영비	₩ 180,000	₩ 10,060	₩ 35,200	₩ 54,190
9		난 방 비	₩ 150,000	₩ 40,840	₩ 46,120	₩ 41,260
10		합 계	₩ 945,000	₩ 102,860	₩ 199,070	₩ 247,250
11	천안	회 식 비	₩ 125,000	₩ 32,000	₩ 41,000	₩ 68,500
12		소 모 품 비	₩ 160,000	₩ 55,000	₩ 62,000	₩ 60,000
13		여비교통비	₩ 160,000	₩ 33,840	₩ 79,800	₩ 18,450
14		기타운영비	₩ 150,000	₩ 31,410	₩ 66,450	₩ 54,450
15		난 방 비	₩ 120,000	₩ 56,000	₩ 57,500	₩ 56,000
16		합 계	715000	208250	306750	257400
17		총 계	1660000	311110	505820	504650

YHB-비용정산 | 노선별 교통량 | Sheet1

준비

■ 색 변경

시트 색인에 색을 붙일 수 있다.

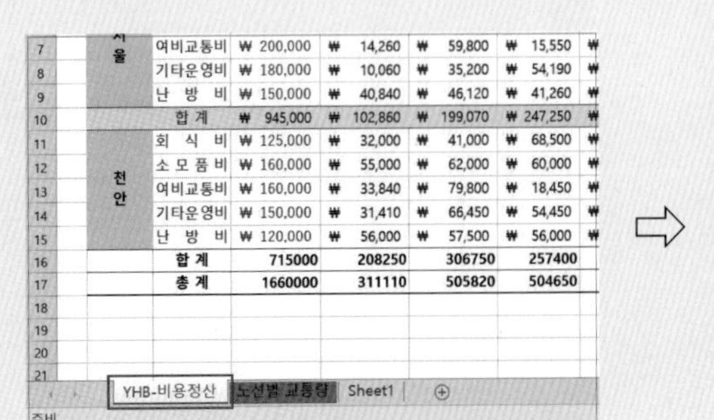

7	울	여비교통비	₩ 200,000	₩ 14,260	₩ 59,800	₩ 15,550
8		기타운영비	₩ 180,000	₩ 10,060	₩ 35,200	₩ 54,190
9		난 방 비	₩ 150,000	₩ 40,840	₩ 46,120	₩ 41,260
10		합 계	₩ 945,000	₩ 102,860	₩ 199,070	₩ 247,250
11	천안	회 식 비	₩ 125,000	₩ 32,000	₩ 41,000	₩ 68,500
12		소 모 품 비	₩ 160,000	₩ 55,000	₩ 62,000	₩ 60,000
13		여비교통비	₩ 160,000	₩ 33,840	₩ 79,800	₩ 18,450
14		기타운영비	₩ 150,000	₩ 31,410	₩ 66,450	₩ 54,450
15		난 방 비	₩ 120,000	₩ 56,000	₩ 57,500	₩ 56,000
16		합 계	715000	208250	306750	257400
17		총 계	1660000	311110	505820	504650

YHB-비용정산 | 노선별 교통량 | Sheet1

준비

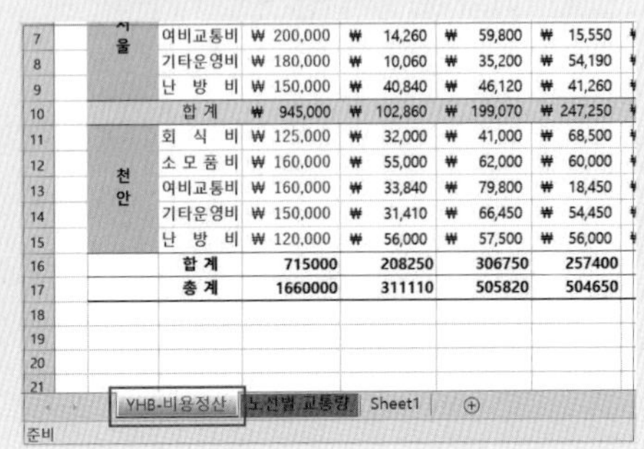

7	울	여비교통비	₩ 200,000	₩ 14,260	₩ 59,800	₩ 15,550
8		기타운영비	₩ 180,000	₩ 10,060	₩ 35,200	₩ 54,190
9		난 방 비	₩ 150,000	₩ 40,840	₩ 46,120	₩ 41,260
10		합 계	₩ 945,000	₩ 102,860	₩ 199,070	₩ 247,250
11	천안	회 식 비	₩ 125,000	₩ 32,000	₩ 41,000	₩ 68,500
12		소 모 품 비	₩ 160,000	₩ 55,000	₩ 62,000	₩ 60,000
13		여비교통비	₩ 160,000	₩ 33,840	₩ 79,800	₩ 18,450
14		기타운영비	₩ 150,000	₩ 31,410	₩ 66,450	₩ 54,450
15		난 방 비	₩ 120,000	₩ 56,000	₩ 57,500	₩ 56,000
16		합 계	715000	208250	306750	257400
17		총 계	1660000	311110	505820	504650

YHB-비용정산 | 노선별 교통량 | Sheet1

준비

(2) 워크시트 보호

작성한 데이터가 임의로 덧씌워지거나 삭제되지 않도록 하기 위해서는 워크시트를 보호해야 한다. 워크시트의 보호에는 편집할 수 있는 셀을 지정하거나 보호를 해제하는 암호를 설정할 수 있다. 이러한 표의 레이아웃 혹은 수식이 있는 셀이 임의로 편집되지 않도록 보호한 상태에서, 필요한 곳에만 입력 혹은 편집을 허가하거나 편집할 수 있는 사용자를 제한할 수가 있다.

■ 편집할 수 있는 셀 설정

셀 범위의 잠금을 일단 해제 후, 암호 보호를 실행한다. 특정한 셀만을 편집할 수 있다.

G5 =ROUND(AVERAGE(C5:F5)-F5,1)

노선별 교통량 현황

(단위:천대)

노 선	2005년	2006년	2007년	2008년	평균과 2008년도차	비고
경 부 선	338,307	351,749	******** 357,943	******** 338,010	8,492.3	
남 해 선	110,657	110,264	108,204	102,596		
평 택 충 주 선	15,066	**16,270**	18,094	20,630		
중 부 내 륙 선	47,884	**42,902**	56,334	63,546		
영 동 선	180,406	177,790	******** 182,236	******** 174,052		
중 앙 선	71,879	92,291	118,791	113,048		
서 울 외 곽 선	262,168	275,661	******** 293,364	******** 293,319		
남 해 제 2 선 지 선	39,456	**37,320**	38,532	35,756		
제 2 경 인 선	23,671	**24,545**	26,055	25,998		
경 인 선	44,318	45,827	47,424	47,710		
호 남 선 지 선	41,999	**37,432**	43,731	41,325		
중 앙 선 지 선	33,992	43,745	51,248	45,728		

비용정산 | 노선별 교통량 | 4-4-1,비용정산 | 4-4-1,노선별 교통량 | 4-4-4-노선별 교통량 | Sheet1

■ 암호에 의한 편집 허용

편집을 허용할 셀 범위를 지정해서 암호를 설정한다. 암호를 알면 특정한 범위의 셀만을 편집할 수 있다.

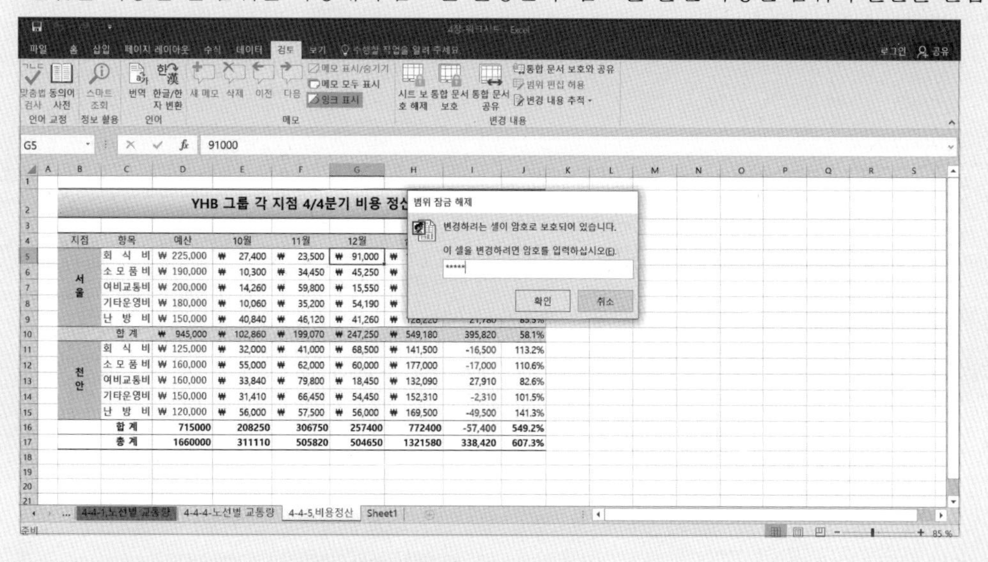

4.4.1 시트 이름 변경

시트 색인을 더블 누르면 시트 색인을 수정할 수 있는 상태가 되어 새로운 시트 이름을 입력할 수 있다. 입력한 다음 반드시 Enter 키를 눌러서 이름 변경을 끝내야 한다.

01 "비용정산" 시트를 두번 연속 누르면(더블 클릭) 시트 이름을 편집할 수 있게 된다.

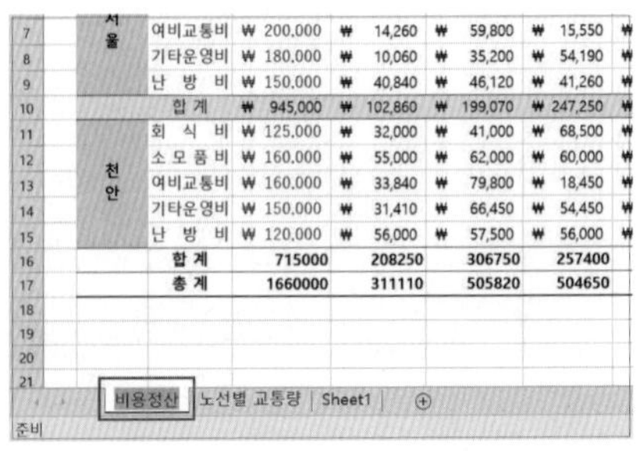

02 "YHB-비용정산"을 입력한다.

03 Enter 키를 누르면 시트의 이름 변경이 완료된다.

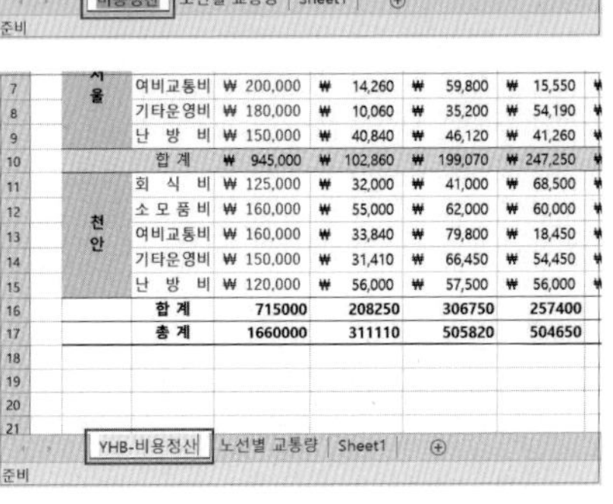

4.4.2 시트 색인에 색상 설정

시트 색인에 색을 붙여두면 워크시트를 구분하기 쉬워지고 워크시트의 내용 분류에 도움이 된다. 시트 색인에 색을 붙이기 위해서는 색을 붙이고 싶은 시트를 마우스로 누르고, 단축 메뉴의 "탭 색"에 있는 테마 색에 마우스 포인터를 맞춰서 색을 선택한다.

01 색을 붙일 시트의 색인을 누른다.

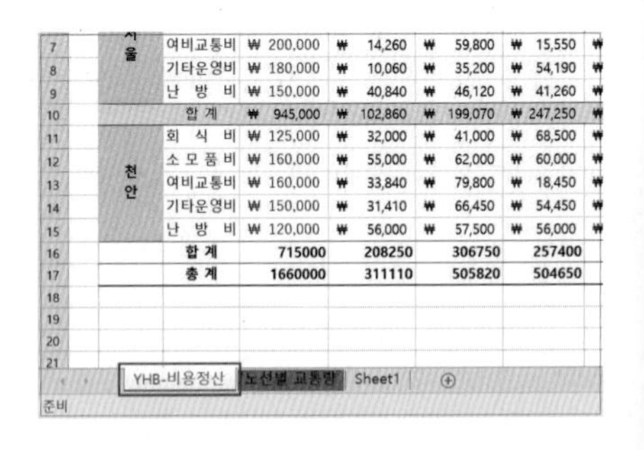

02 해당 색인에서 마우스 우측을 누른다.

03 단축 메뉴의 탭 색에서 "빨강" 색을 선택한다.

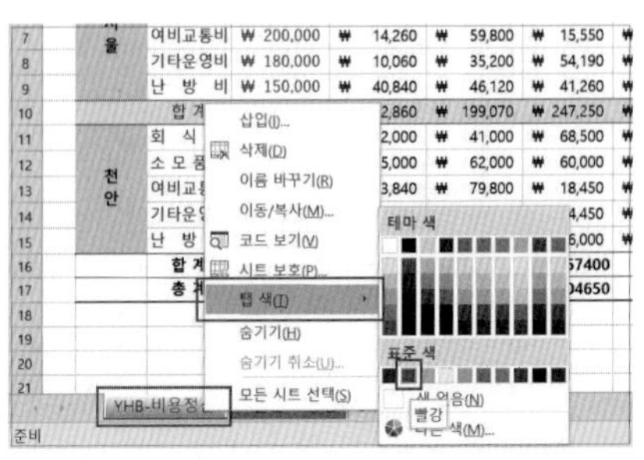

■ 시행 결과

시트 색인이 변했다. 액티브 워크시트의 색은 그라데이션으로 표시된다.

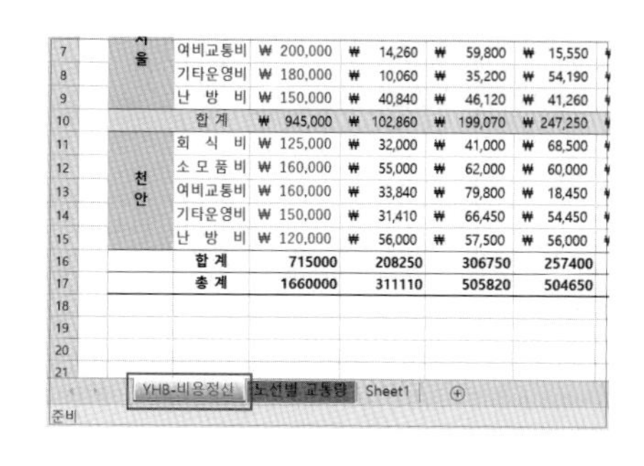

4.4.3 워크시트 보호

다른 사용자의 편집 권한을 제한하여 원치 않는 변경을 방지한다. 예를 들어, 다른 사용자가 잠긴 셀을 편집하거나 서식을 변경할 수 없도록 할 수 있다. 워크시트의 모든 셀은 초기 상태에서 보호된다. 단, 보호가 유효하려면 워크시트를 보호했을 때 뿐이다. 워크시트를 보호하면 키를 누르는 것만으로도 오류 메시지가 표시되면서 편집할 수 없게 된다.

01 [검토] 탭-[변경 내용] 그룹-"시트 보호" 시트 보호 을 누르면 [시트 보호] 대화상자가 표시된다.

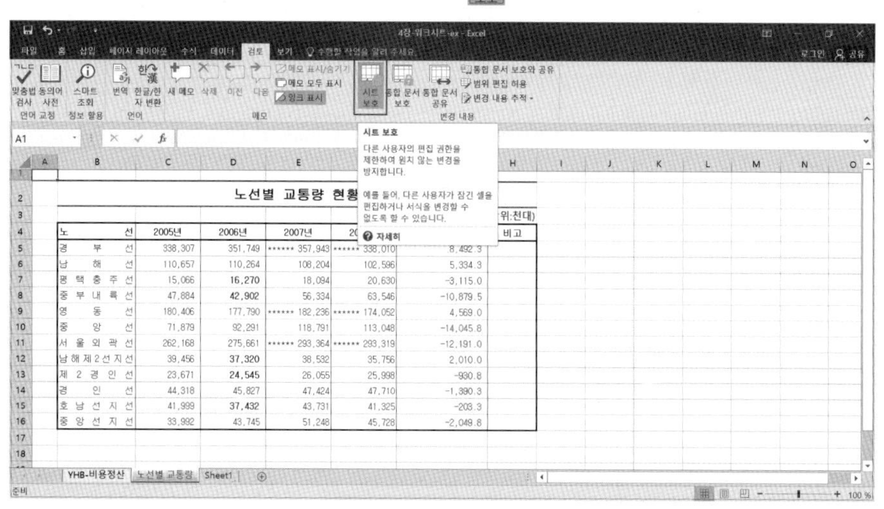

02 보호된 워크시트에서 예외로 실행할 수 있는 조작을 설정할 수 있다. "확인"을 누른다.

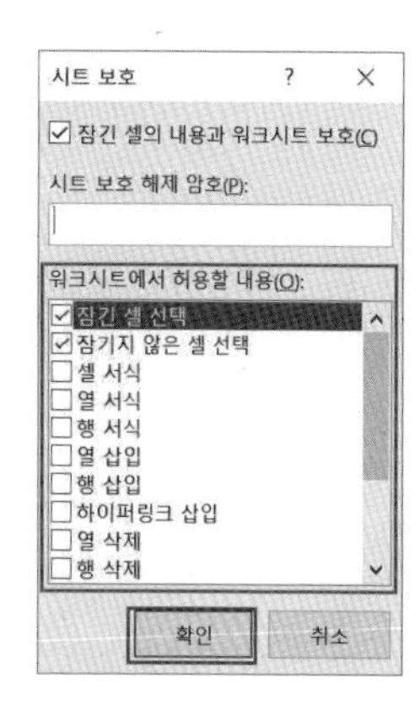

■ 실행 결과

임의의 셀에서 임의의 단추를 누르면 다음의 에러 메시지가 나타난다.

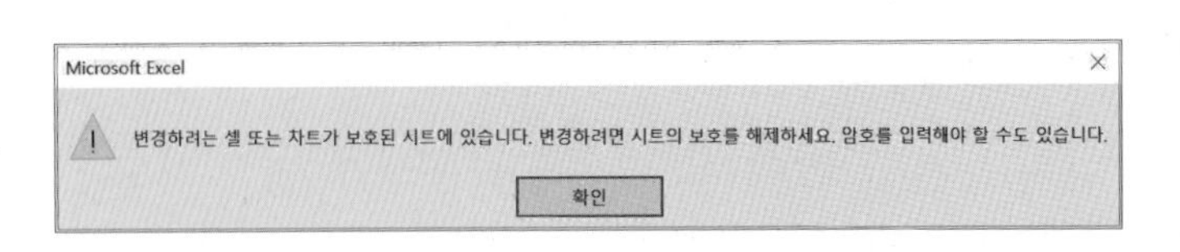

TIP

[홈] 탭의 [셀] 그룹에 있는 "서식"을 누르고, 리스트로부터 "시트 보호"를 눌러도 워크시트의 보호를 실행할 수 있다. 이 리스트로부터 "셀 잠금"을 누르면 선택한 셀을 잠금 상태로도 변환할 수 있다. 특정한 셀만 입력을 허용하고 그 이외의 셀을 보호할 때 탭을 이동하지 않고도 설정할 수 있다.

4.4.4 특정한 셀의 입력 허용

보호를 실행한 워크시트에서 특정한 셀에만 편집이 가능할 수 있도록 하기 위해서는 워크시트를 보호하기 전에 셀의 잠금을 해제한다.

01 셀 G5~G16까지 드래그를 해서 선택한다.

02 [홈] 탭 - [셀] 그룹 - "서식" 단추를 누른다.

03 "셀 잠금"을 눌러서 셀 G5~G16까지의 셀 잠금을 해제시킨다.

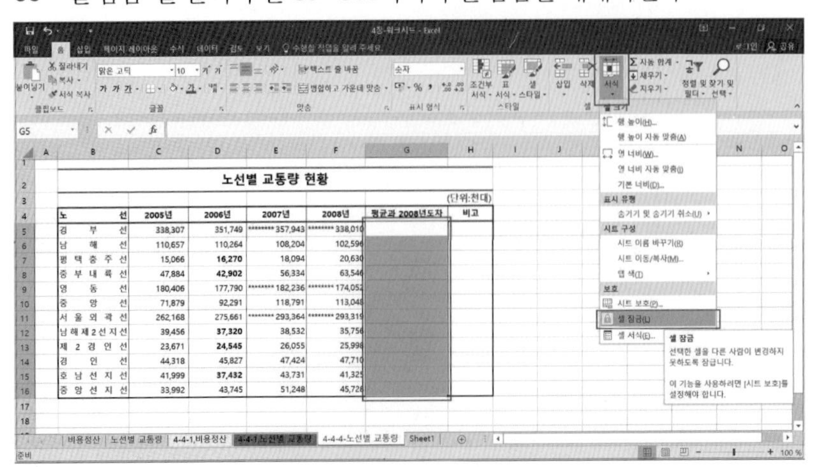

04 [홈] 탭 - [셀] 그룹 - “서식” 을 누른다.

05 “시트 보호”를 누르면 [시트 보호] 대화상자가 표시된다.

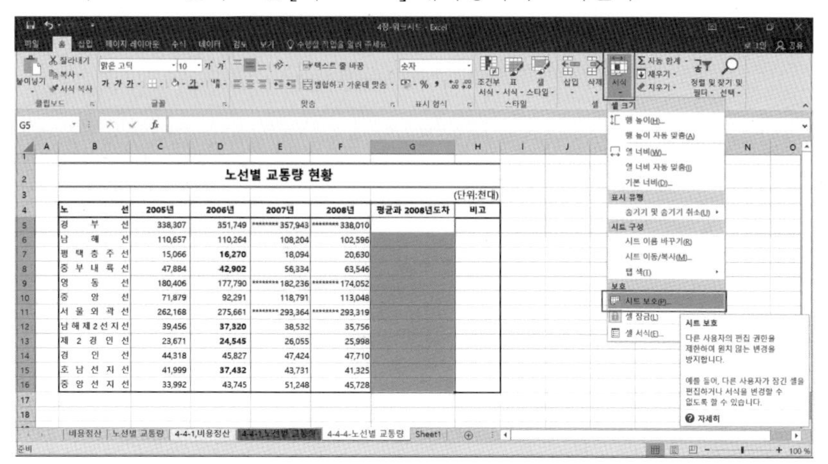

06 [시트 보호] 대화상자에 있는 "워크시트에서 허용할 내용"의 리스트를 다음의 그림과 같이 체크한 후에 “확인”을 누르면 특정한 셀에서만 편집이 가능하게 된다.

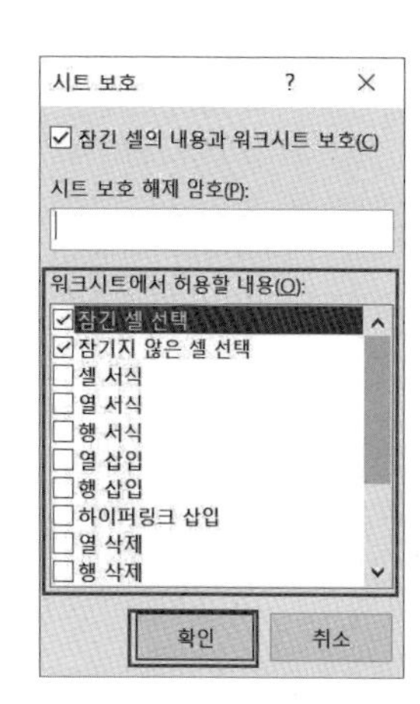

■ 실행 결과

* 잠금이 해제된 셀 G5~G16까지는 편집이 가능하게 된다. 그러나 그 이외의 셀에서 임의의 키를 누르면 에러 메시지가 나타난다.

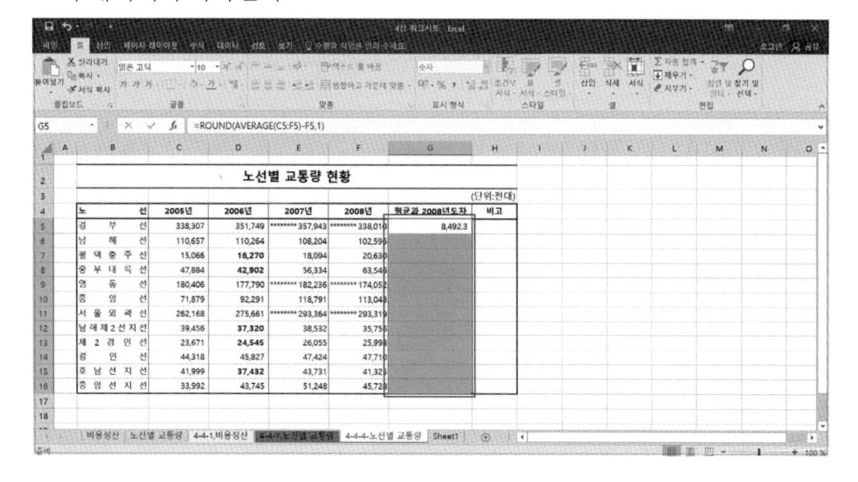

* 에러 메시지

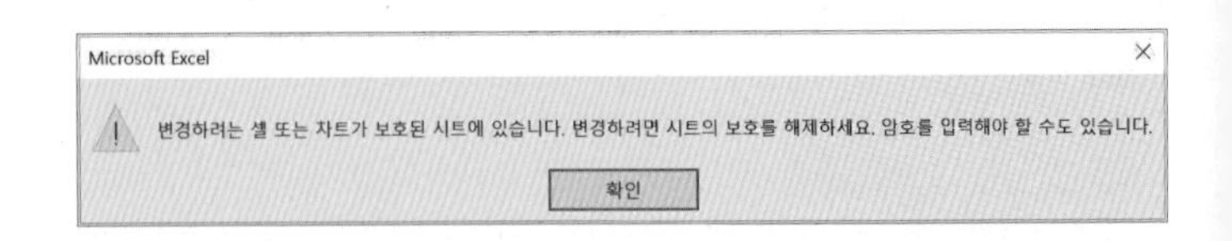

4.4.5 특정 사용자만 편집 가능

암호를 알고 있는 사람만이 특정의 셀을 편집할 수 있도록 하기 위해서는 특정 범위에 암호 보호를 설정하고 해당 범위를 편집할 수 있는 사람을 선택한다. 설정하고 나면 "시트 보호"를 눌러서 해당 범위에 대한 암호 보호 기능을 활성화 할 수 있다.

01 [검토] 탭 - [변경 내용] 그룹 - "범위 편집 허용" 범위 편집 허용 을 누르면 [범위 편집 허용] 대화상자가 표시된다.

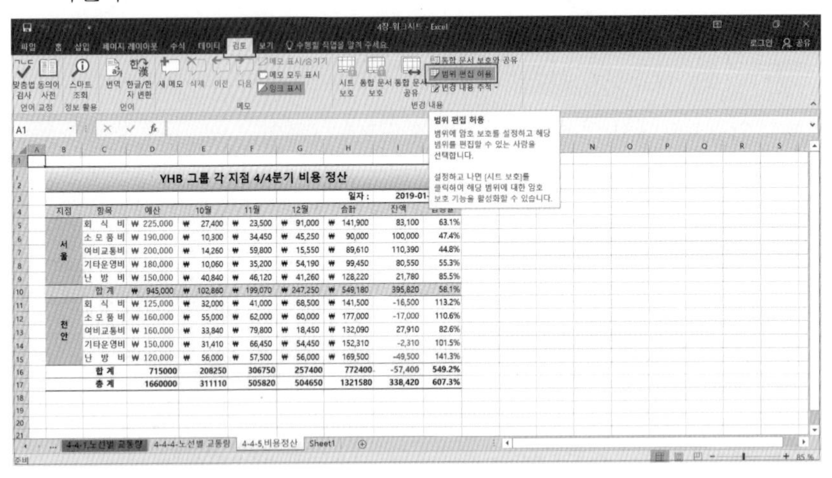

02 "새로 만들기"를 누르면 [새 범위] 대화상자가 표시된다. 서울지점 관리자가 셀 G5~G9에 편집이 가능하도록 설정한다.

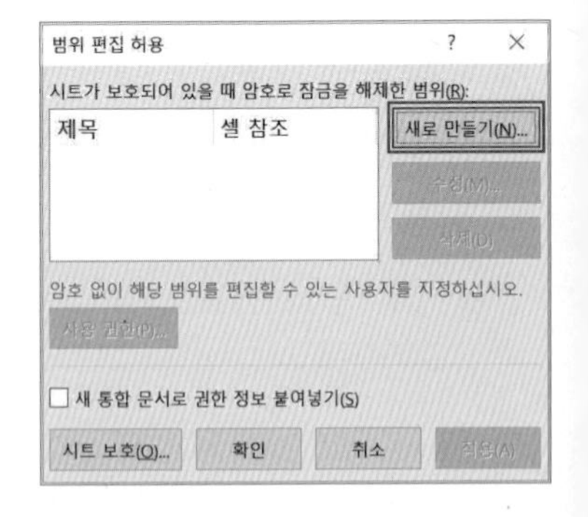

03 제목에 "서울지점관리자"를 입력한다.

04 을 눌러서 셀 참조 범위를 지정한다.

새 범위
제목(T):
서울지점관리자
셀 참조(R):
=$A$1
범위 암호(P):
사용 권한(E)...
확인
취소

05 편집 허용 범위(셀 G5~G9)를 드래그해서 선택한다.

06 [icon]을 누른다.

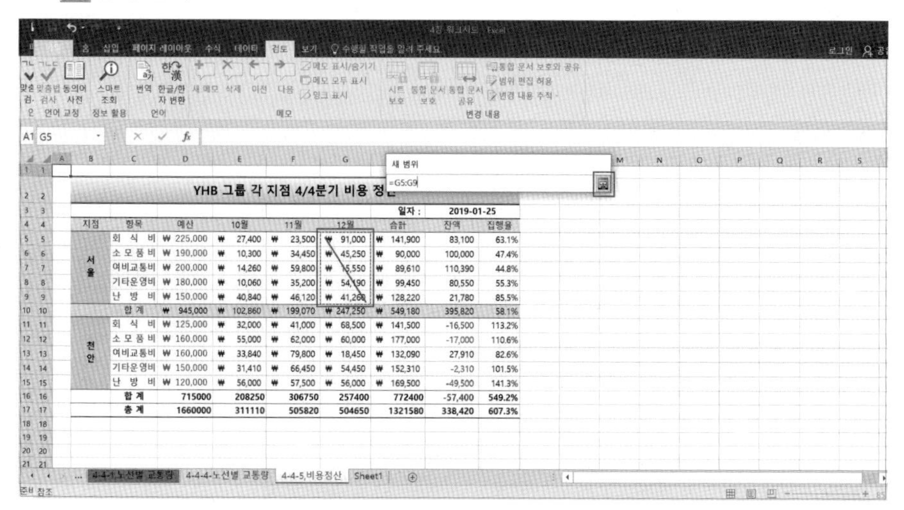

07 암호를 입력한다. 위의 과정에 의해 암호를 알고 있는 사용자만 셀 G5~G9를 편집할 수 있도록 설정되었다.

08 "확인"을 누르면 [암호 확인] 대화상자가 표시된다.

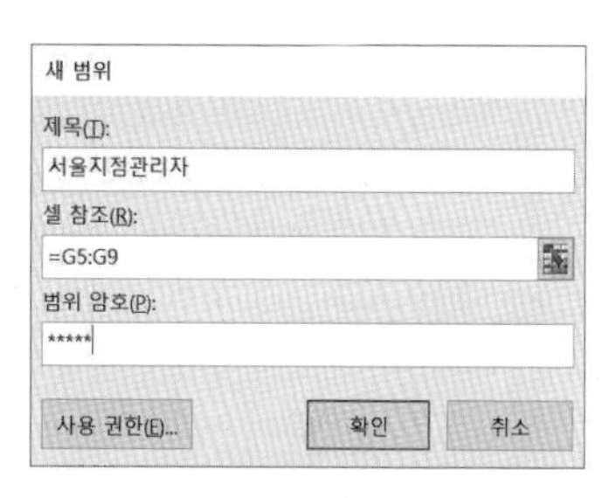

09 다시 한 번 암호를 입력한다.

10 "확인"을 누른다.

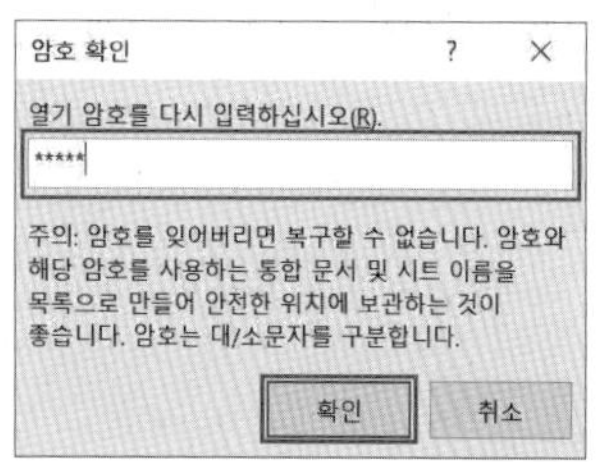

11 "시트 보호"를 누르면 [시트 보호] 대화상자가 표시된다.

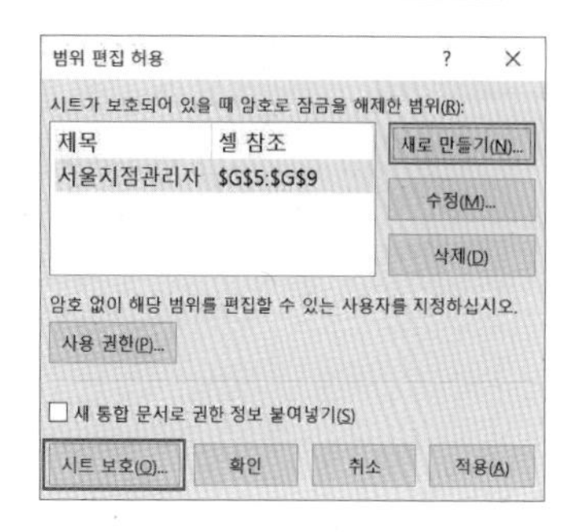

12 워크시트에서 허용할 내용을 체크한 후 "확인"을 누른다.

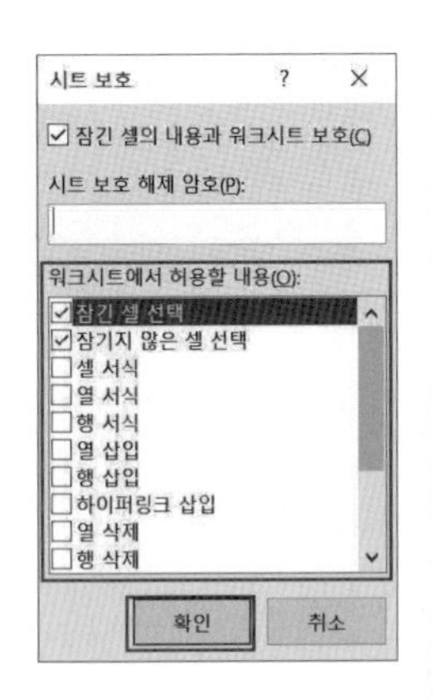

■ 실행 결과

설정된 허용 범위를 편집하려고 하면 [범위 잠금 해제] 대화상자가 표시된다. 이때 이미 알고 있는 암호를 입력하면 입력이 가능하게 된다.

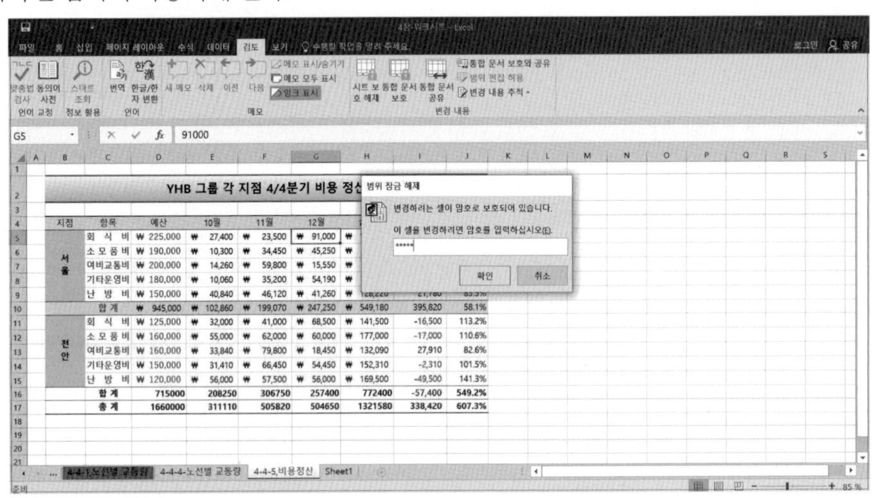

TIP

워크시트의 보호를 해제하는 방법은 워크시트를 보호하는 조작과 동일하다. 워크시트를 보호할 때에 조작했던 [검토] 탭의 "시트 보호 해제" 단추를 누르면 된다.

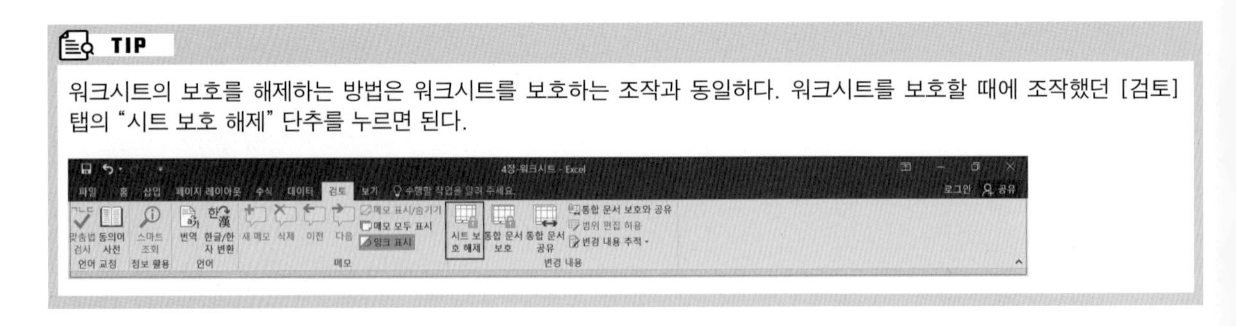

연습문제

1. 워크시트의 가장 오른쪽 끝에(아래의 화살표 위치) 새 워크시트를 삽입해 보자.

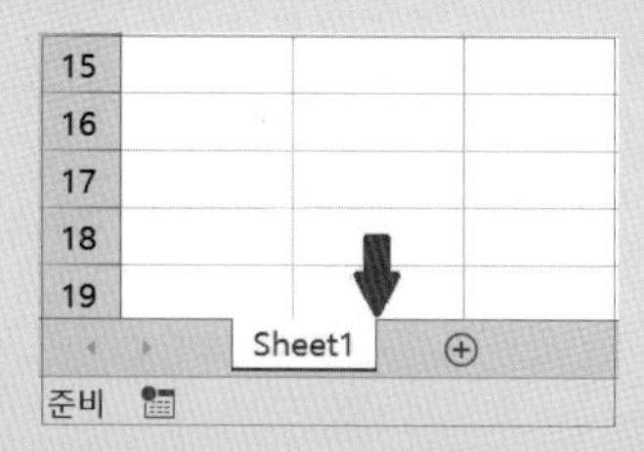

2. 문제 1에서 새 워크시트가 삽입된 Sheet2에 시트명 "AI활용–성적처리"를 입력해 보자. 이어서 같은 방법으로 "BI기초–성적처리, BIG데이터분석–성적처리" 시트들을 만들어 보자.

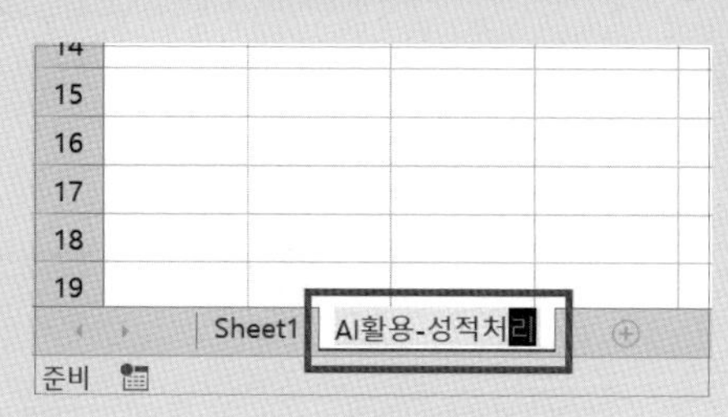

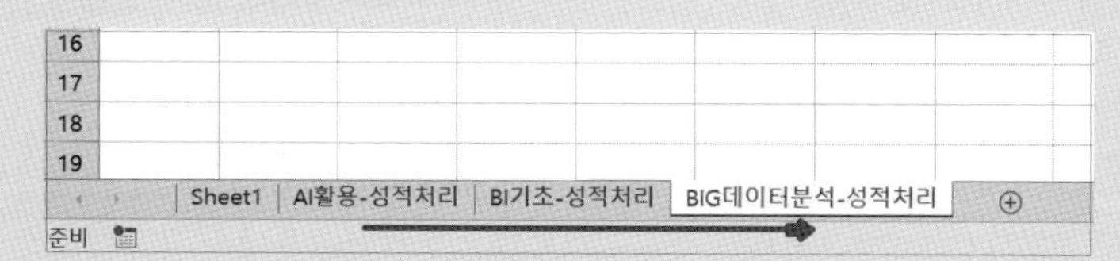

3. 맨 왼쪽에 있는 Sheet1을 삭제해 보자.

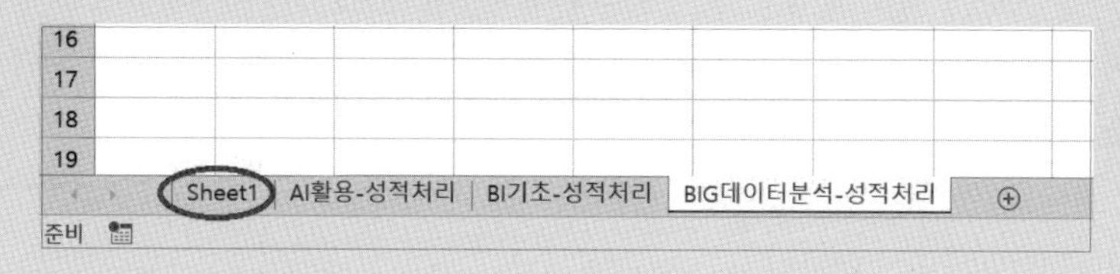

연습문제

4. 아래의 그림과 같이 "AI활용–성적처리" 시트를 오른쪽 맨 끝(화살표 위치)으로 이동해 보자.

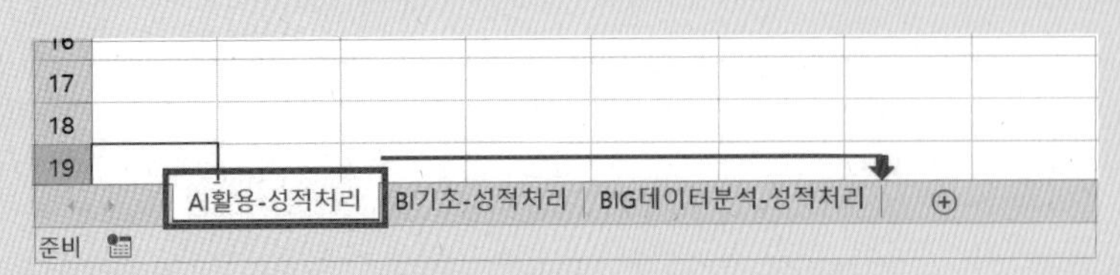

5. 새 통합문서를 만들고 그 파일명을 "2020년1학기–과목성적처리"로 저장해 보자. 그리고 현재 문서에 있는 "BI기초–성적처리" 워크시트를 "2020년1학기–과목성적처리" 파일에 이동/복사를 실행해 보자. 아래의 왼쪽 그림은 현재 문서이고 오른쪽 그림은 "2020년1학기–과목성적처리" 파일이다.

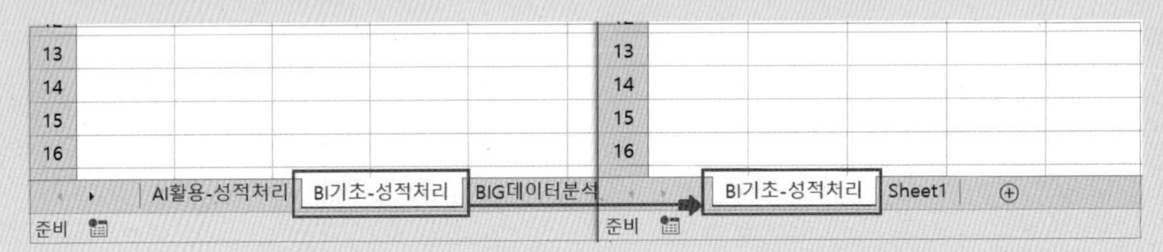

6. "BI기초–성적처리" 워크시트를 숨겨보자. 이것을 실행한 후에 다시 숨기기 취소로 "BI기초–성적처리" 워크시트가 나타나도록 해보자.

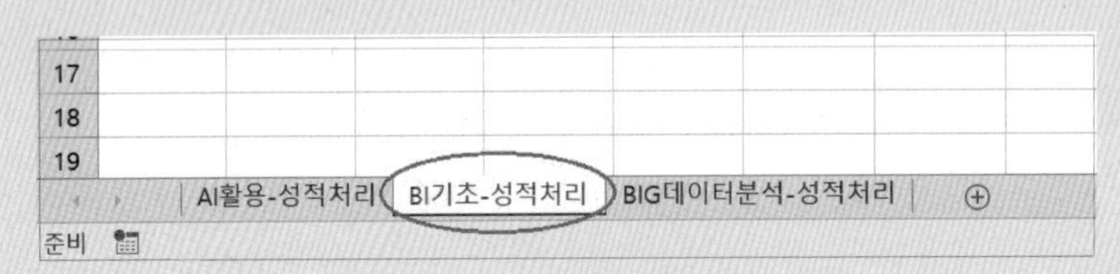

7. "시트 보호 해제 암호: 12345"를 이용해서 "BI기초–성적처리" 워크시트를 보호해 보자. 그리고 보호된 이 시트에 데이터를 입력이 가능한지를 확인해 보자.

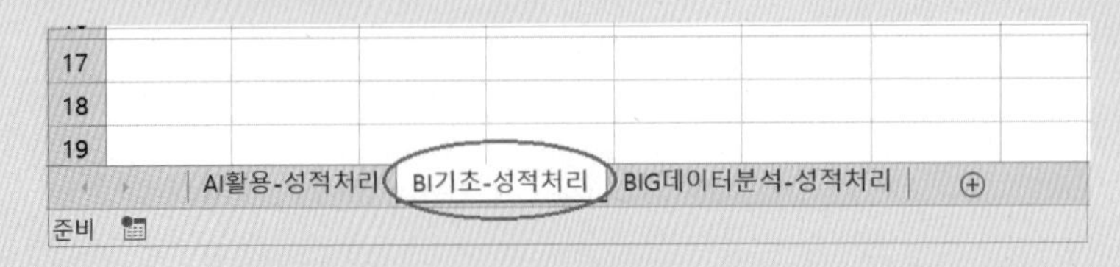

C H A P T E R

5

표 만들기

5.1 표 만들기

요약

우리는 여러 가지 데이터를 만들고 분석하기 위해 일반적으로 표를 만들어 정리한다. 표를 사용하여 시트 내의 데이터를 쉽게 정렬 및 필터링하고 서식을 지정할 수 있다. 표 형식으로 작성된 데이터를 표 스타일로 만들면 표 전체에 색 및 테두리를 한 번에 묶어서 설정할 수 있다. 또, 표 스타일로 변환해 두면 데이터를 추가하고 싶을 때에 자동으로 수식 및 서식이 복사되거나 표의 마지막 행에 요약된 결과가 표시되는 등 표의 조작이 보다 간단해 진다.

■ 표 만들기 및 활용

필터 단추를 이용할 수 있으며 다양한 스타일을 설정할 수 있다.

지점별 월매출 현황

지점	담당	상품	수량	단가
쌍용	김기영	신라면	500	1300
쌍용	이기자	우유	1000	1200
두정	마동석	안성탕면	550	110
두정	강기주	새우깡	1200	550

기존의 표에 표 스타일을 적용시킬 수 있다.

지점별 월매출 현황

지점	담당	상품	수량	단가	기타
쌍용	김기영	신라면	500	1300	우수
쌍용	이기자	우유	1000	1200	
두정	마동석	안성탕면	550	110	
두정	강기주	새우깡	1200	550	
불당	유야곰	생수	2500	700	우수
불당	한동희	돌산갓김치	250	3500	

■ 요약 행 이용

요약 행을 추가할 수 있으며 요약 방법을 선택할 수 있다.

지점별 월매출 현황

지점	담당	상품	수량	단가	기타
쌍용	김기영	신라면	500	1300	우수
쌍용	이기자	우유	1000	1200	
두정	마동석	안성탕면	550	110	
두정	강기주	새우깡	1200	550	
불당	유야곰	생수	2500	700	우수
불당	한동희	돌산갓김치	250	3500	
요약					2

없음
평균
개수
숫자 개수
최대값
최소값
합계
표본 표준 편차
표본 분산
함수 추가...

계산식 및 함수를 이용하지 않고 평균 등을 구할 수 있다.

지점별 월매출 현황

지점	담당	상품	수량	단가	기타
쌍용	김기영	신라면	500	1300	우수
쌍용	이기자	우유	1000	1200	
두정	마동석	안성탕면	550	110	
두정	강기주	새우깡	1200	550	
불당	유야곰	생수	2500	700	우수
불당	한동희	돌산갓김치	250	3500	
요약				1226.67	2

5.1.1 새로운 표 만들기

데이터가 입력되지 않은 상태에서도 먼저 표의 틀을 만들 수 있다. 먼저 표로 지정하고 싶은 범위를 고려해서 열 색인(열 머리글)과 그것에 대한 데이터 행으로 이용될 두 개의 행을 지정한다. 표를 작성한 후에 데이터를 입력하면 데이터 행이 자동으로 늘어나게 된다.

01 새로운 표의 열 머리글(열 색인)을 고려해서 셀 영역 B4~G5를 드래그해서 선택한다.

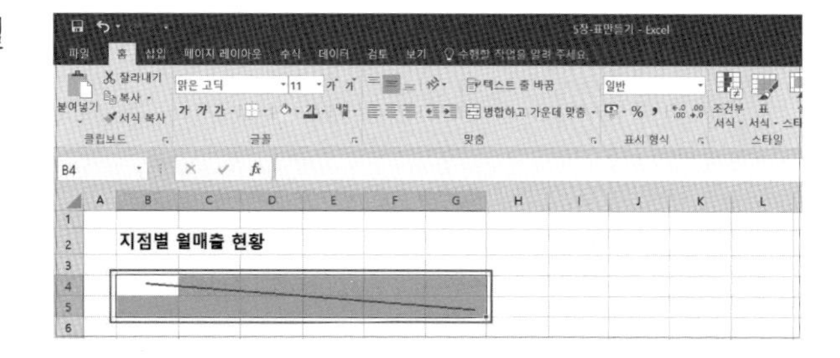

02 [삽입] 탭 - [표] 그룹 - "표" 을 누르면 [표 만들기] 대화상자가 표시된다.

03 "머리글 포함"을 체크(☑)한다. **01** 단계에서 이미 사용할 셀 범위를 선택했기 때문에 데이터 지정은 추가로 할 필요는 없다.

04 대화상자에서 "확인"을 누른다.

■ 실행 결과

지정된 범위에 표가 만들어 진다.

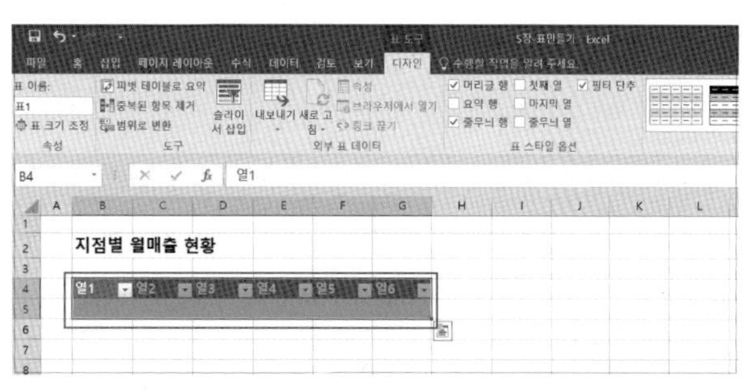

* 색인 "열1, 열2,..."에 각각에 데이터를 입력해서 수정한다.

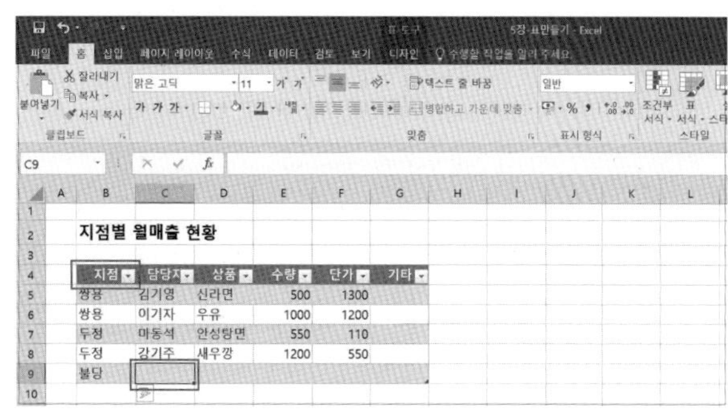

TIP

표의 아래로 새로운 데이터를 입력하는 것만으로도 표의 범위가 자동으로 넓혀진다. 색 혹은 테두리뿐 만 아니라 수식이 포함된 경우에는 수식의 복사도 자동으로 이루어진다. 그러나 자동으로 범위가 넓혀지지 않을 경우는 [파일] 탭 - [옵션] - [Excel 옵션] "언어 교정" - "자동 고침 옵션" - [자동 고침] "입력할 때 자동 서식" - 작업할 때 적용: "표에 새 행 및 열 포함"을 체크하면 된다.

5.1.2 데이터의 표 변환

이미 있는 데이터를 표로 변환하기 위해서는 데이터 안의 임의의 셀을 선택해서 [삽입] 탭의 [표] 그룹에 있는 "표" 단추를 누른다.

01 표로 변환하고 싶은 데이터 안의 임의의 셀을 선택한다.

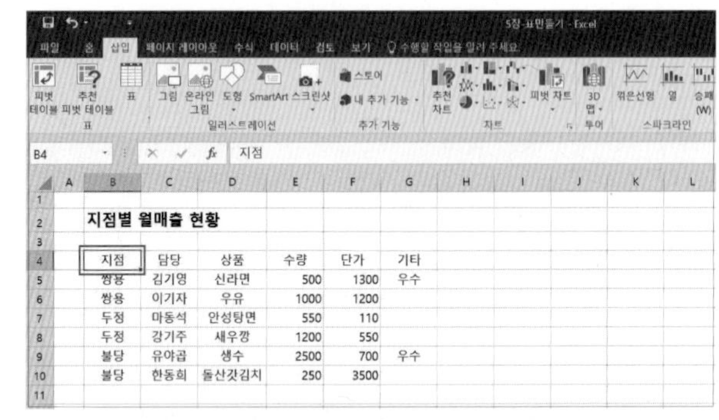

02 [삽입] 탭 - [표] 그룹 - "표" 단추를 누르면 [표 만들기] 대화상자가 표시된다.

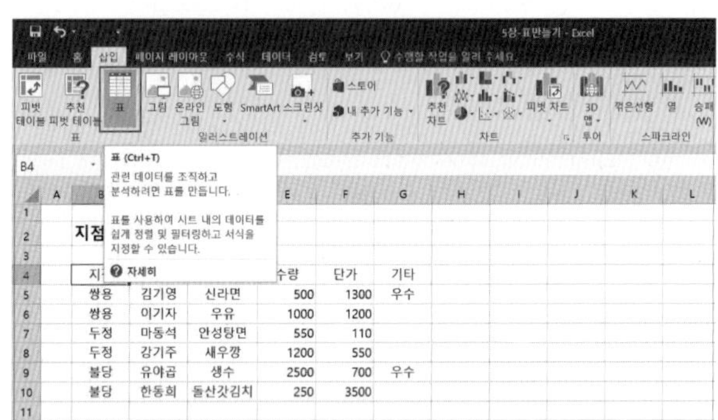

03 데이터 범위 B4:G10을 확인한다.

04 "머리글 포함"에 체크 마크가 붙어 있는지 확인한다.

05 대화상자의 "확인"을 누른다.

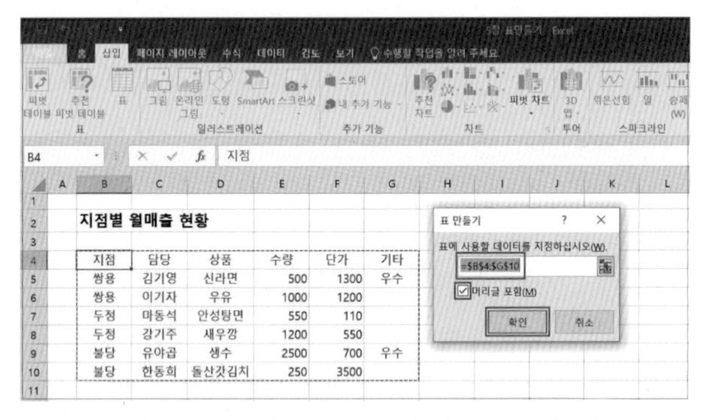

■ 실행 결과

범위 B4:G10의 데이터가 표로 변환되었다.

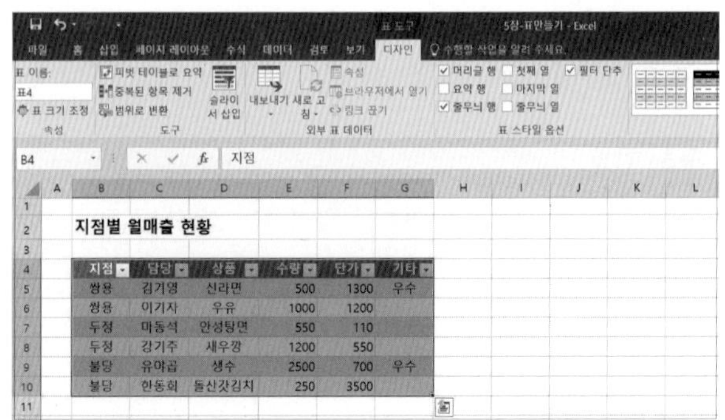

5.1.3 행(열) 추가

표의 끝 행(열)의 바로 아래(오른)쪽에 이어서 데이터를 입력하면 자동으로 표로 인식되어 표의 범위가 확장된다. 표의 추가 및 삭제를 실행해도 표의 형식에는 지장을 주지 않는다.

01 표의 맨 아래쪽 행의 바로 아래 셀 B9를 누른다.

02 데이터 "불당"을 입력하고 Enter 키를 누르면 행이 추가된다.

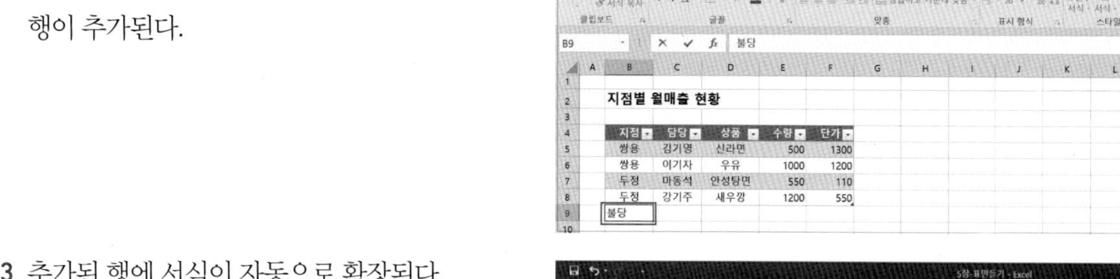

03 추가된 행에 서식이 자동으로 확장된다.

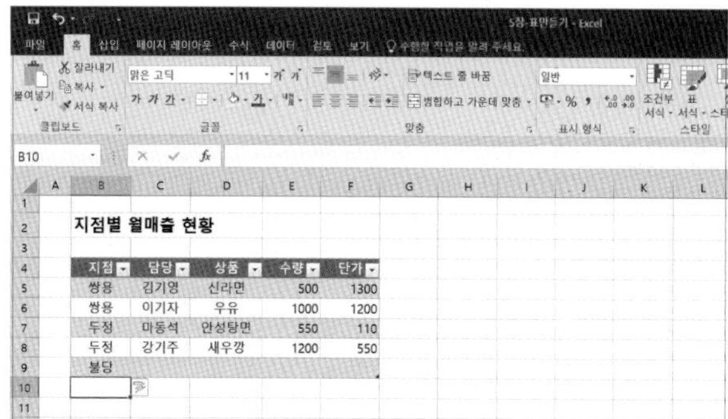

04 표의 맨 오른쪽 열의 바로 옆 셀 G4를 누른다.

05 데이터 "비고"를 입력하고 Enter 키를 누르면 열이 추가된다.

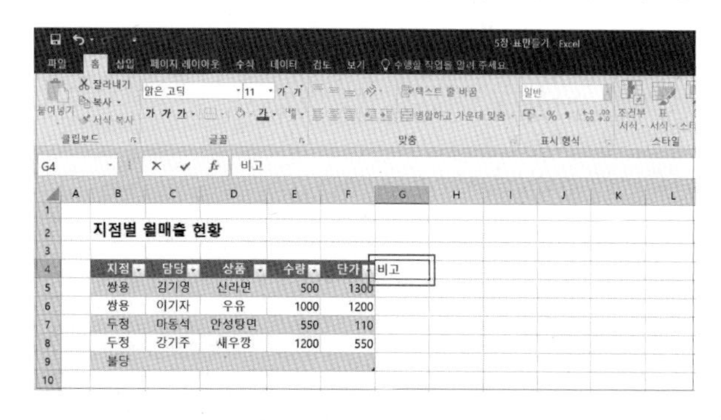

06 실행 결과, 추가된 열에 서식이 자동으로 확장된다.

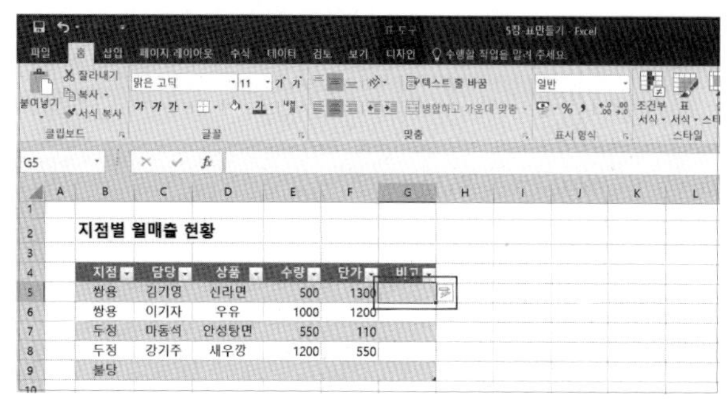

데이터를 입력해서 인접한 행 및 열이 확장된 작업을 취소하고 싶을 때는 표시된 "자동 고침 옵션" 단추를 눌러서 "표 자동 확장 취소"를 선택한다. 다시 자동 확장을 설정하기 위해서는 표 크기를 변경한다.

* 취소된 행과 열에 데이터를 입력해도 표가 확장되지 않게 된다.

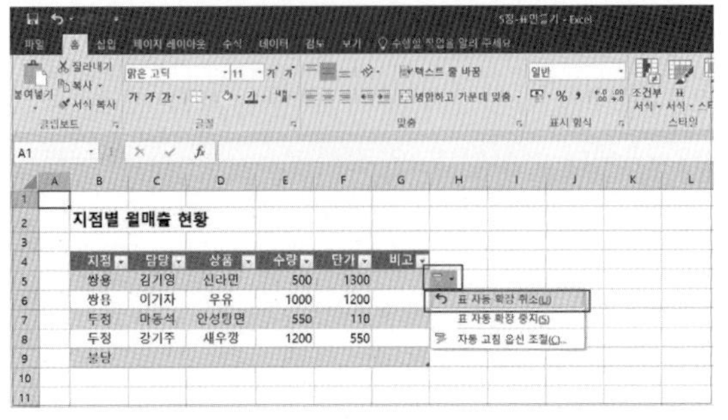

표의 중간에 행 혹은 열을 추가하기 위해서는 다음과 같이 실행하면 된다. 행을 삽입할 때는 "위에 표 행 삽입", 열을 삽입할 때는 "왼쪽에 표 열 삽입"을 선택한다.

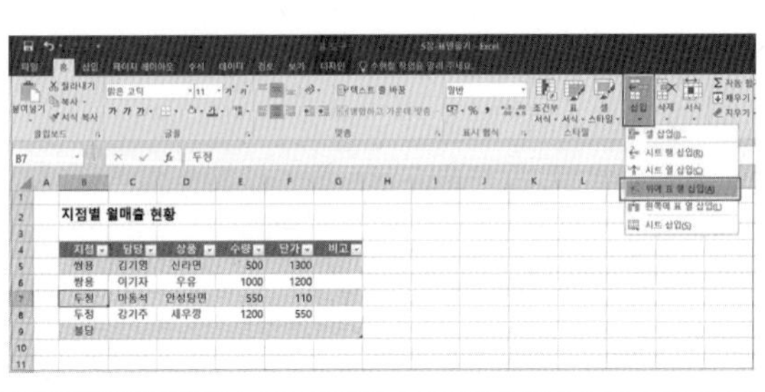

5.1.4 표 스타일 활용

기존의 표 형식으로 작성된 데이터를 표 스타일로 변환할 때가 있다. 이때 원하는 색으로 표 스타일을 설정하고 싶은 경우에는 표 안의 셀을 선택해서 [홈] 탭의 [스타일] 그룹에 있는 "표 서식" 단추를 이용한다.

01 표 안의 임의의 셀을 누른다.
02 [홈] 탭 - [스타일] 그룹 - "표 서식" 단추를 누른다.
03 스타일 "표 스타일 보통7"을 선택하면 [표 서식] 대화상자가 표시된다.

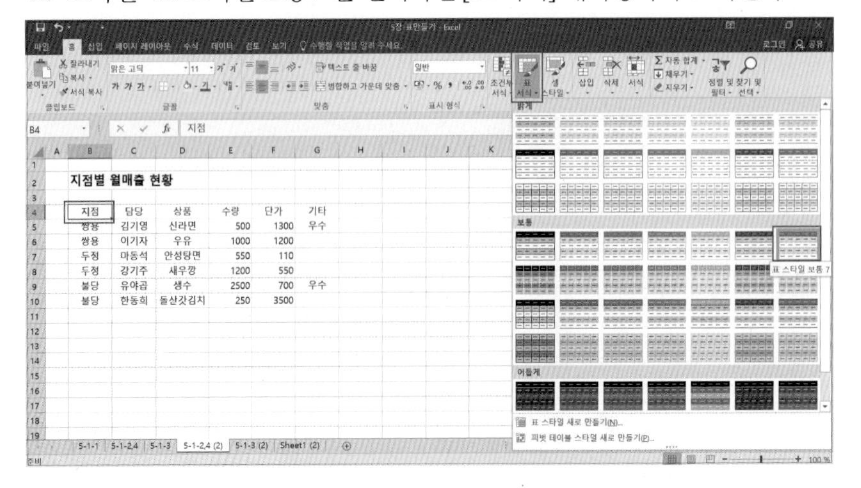

04 데이터 범위 B4:G10을 확인한다.

05 대화상자에서 "확인"을 누른다.

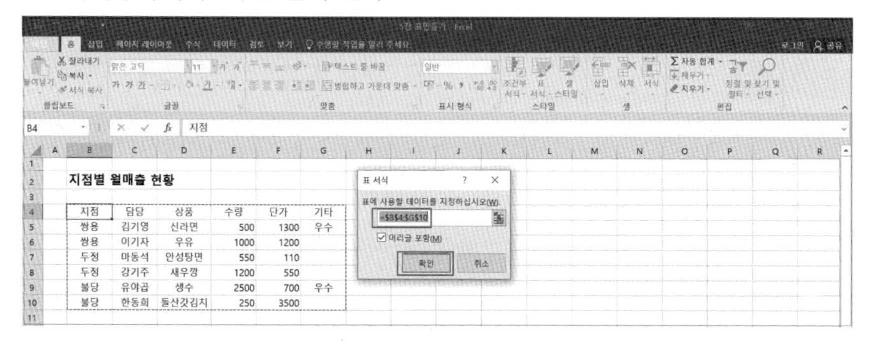

■ 실행 결과

표 스타일이 변경되었다.

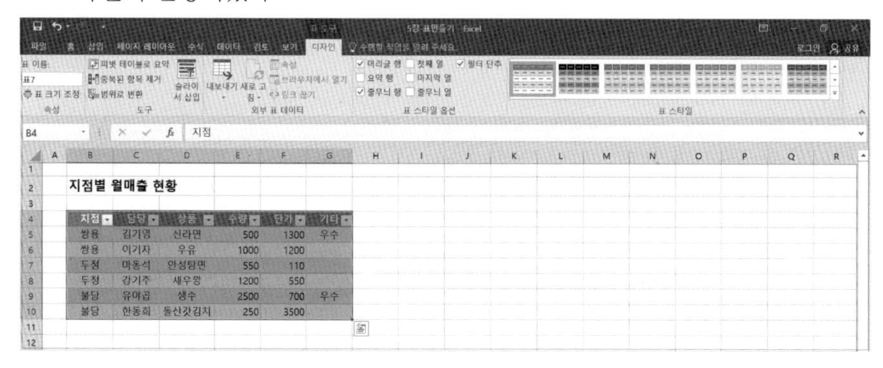

5.1.5 요약 행 추가

표의 마지막 행에 요약 행을 추가할 수 있다. 표 안을 눌러서 [디자인] 탭의 [표 스타일 옵션] 그룹에 있는 "요약 행"에 체크 마크를 표시 한다.

01 표 안의 임의의 셀을 누른다.

02 [표 도구] - [디자인] 탭 - [표 스타일 옵션] 그룹 - "요약 행"에 체크 표시를 한다.

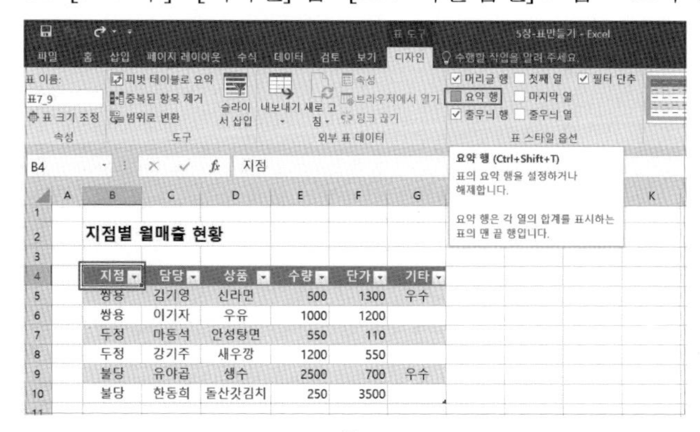

⇩

* 표의 맨 끝에 요약 행이 추가되었다.

지점별 월매출 현황

지점	담당	상품	수량	단가	기타
쌍용	김기영	신라면	500	1300	우수
쌍용	이기자	우유	1000	1200	
두정	마동석	안성탕면	550	110	
두정	강기주	새우깡	1200	550	
불당	유아곱	생수	2500	700	우수
불당	한동희	돌산갓김치	250	3500	
요약					2

03 셀 F11을 누른다.

04 셀 F11 옆의 "드롭 다운"▼ 단추를 누른다.

05 요약으로 평균을 이용하고자 한다면, 목록에서 "평균"을 선택한다.

지점별 월매출 현황

지점	담당	상품	수량	단가	기타
쌍용	김기영	신라면	500	1300	우수
쌍용	이기자	우유	1000	1200	
두정	마동석	안성탕면	550	110	
두정	강기주	새우깡	1200	550	
불당	유아곱	생수	2500	700	우수
불당	한동희	돌산갓김치	250	3500	
요약					2

없음
평균
개수
숫자 개수
최대값
최소값
합계
표본 표준 편차
표본 분산
함수 추가...

■ 실행 결과

단가의 평균 "1226.67"이 계산된다.

지점별 월매출 현황

지점	담당	상품	수량	단가	기타
쌍용	김기영	신라면	500	1300	우수
쌍용	이기자	우유	1000	1200	
두정	마동석	안성탕면	550	110	
두정	강기주	새우깡	1200	550	
불당	유아곱	생수	2500	700	우수
불당	한동희	돌산갓김치	250	3500	
요약				1226.67	2

5.2 텍스트 나누기

요약

다른 어플리케이션(application, 응용 프로그램)으로 만들어진 데이터를 엑셀로 불러오면, 다수의 데이터가 동일한 셀에 입력되어 표시되는 경우가 있다. 이 때, 동일한 너비로 셀에 입력되어 있거나 데이터의 경계에 공백 및 쉼표 등의 나누기 문자가 입력되어 있는 경우는 [텍스트 마법사] 대화상자를 이용하면 셀에 입력된 데이터를 적절한 셀로 나누어 입력할 수 있다. 이것을 텍스트 나누기라고 한다. 즉 텍스트가 있는 한 열을 여러 열로 나눈다. 예를 들면, 전체 이름의 열을 이름 열과 성 열로 나눌 수 있다. 또한 고정 너비로 나누거나 쉼표, 마침표 또는 지정한 다른 문자를 기준으로 나누는 등 원하는 방법을 선택할 수 있다.

■ 구분 기호로 텍스트 나누기

한 셀에 쉼표 등의 특정 문자들로 나누어진 다수의 데이터가 입력되어 있다.

	A	B	C	D	E	F	G
1	지역,단위	2008년 2009년					
2	서울 km,0261905.0246019						
3	부산 km,0349149.0347599						
4	대구 km,0241012.0246780						
5	인천 km,0462289.0451931						
6	광주 km,0250833,0257954						
7	대전 km,0395606.0395251						
8	울산 km,0503367.0483829						
9	경기 km,5672289.5558135						
10	강원 km,2122731.2089365						
11	충북 km,3921253.3969635						

⇨

특정 문자를 나누기 위치로 지정해서 다른 셀에 데이터를 나눌 수 있다.

	A	B	C	D	E	F	G
1	지역	단위	2008년	2009년			
2	서울	km	261905	246019			
3	부산	km	349149	347599			
4	대구	km	241012	246780			
5	인천	km	462289	451931			
6	광주	km	250833	257954			
7	대전	km	395606	395251			
8	울산	km	503367	483829			
9	경기	km	5672289	5558135			
10	강원	km	2122731	2089365			
11	충북	km	3921253	3969635			

■ 일정한 너비로 텍스트 나누기

한 셀에 일정한 너비로 나누어진 다수의 데이터가 입력되어 있다.

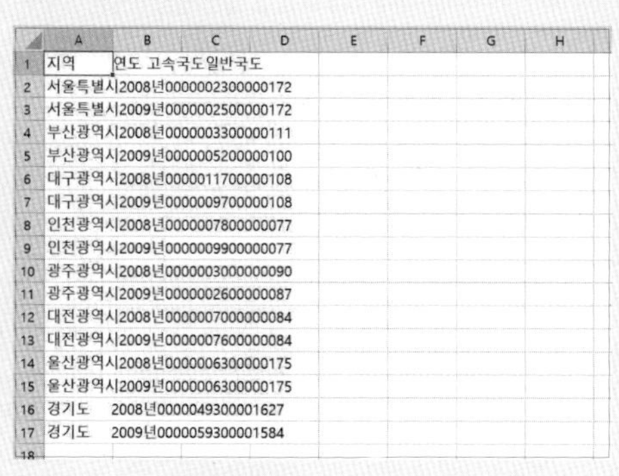

	A	B	C	D	E	F	G	H
1	지역	연도 고속국도일반국도						
2	서울특별시2008년000002300000172							
3	서울특별시2009년000002500000172							
4	부산광역시2008년000003300000111							
5	부산광역시2009년000005200000100							
6	대구광역시2008년000011700000108							
7	대구광역시2009년000009700000108							
8	인천광역시2008년000007800000077							
9	인천광역시2009년000009900000077							
10	광주광역시2008년000003000000090							
11	광주광역시2009년000002600000087							
12	대전광역시2008년000007000000084							
13	대전광역시2009년000007600000084							
14	울산광역시2008년000006300000175							
15	울산광역시2009년000006300000175							
16	경기도	2008년000049300001627						
17	경기도	2009년000059300001584						

⇨

일정한 너비로 나누어진 데이터가 다수의 셀로 나누어져 입력되어 있다.

	A	B	C	D	E	F	G	H
1	지역	연도	고속국도	일반국도				
2	서울특별시	2008년	23	172				
3	서울특별시	2009년	25	172				
4	부산광역시	2008년	33	111				
5	부산광역시	2009년	52	100				
6	대구광역시	2008년	117	108				
7	대구광역시	2009년	97	108				
8	인천광역시	2008년	78	77				
9	인천광역시	2009년	99	77				
10	광주광역시	2008년	30	90				
11	광주광역시	2009년	26	87				
12	대전광역시	2008년	70	84				
13	대전광역시	2009년	76	84				
14	울산광역시	2008년	63	175				
15	울산광역시	2009년	63	175				
16	경기도	2008년	493	1627				
17	경기도	2009년	593	1584				

5.2.1 구분 기호로 텍스트 나누기

하나의 셀에 입력된 다수의 데이터를 분할하기 위해서는 "텍스트 나누기"를 이용한다. 데이터의 텍스트 사이에 쉼표(,), 공백 , 마침표 또는 지정한 다른 문자 등이 입력된 경우는 특정 문자를 기준으로 나누기를 할 수 있다.

01 한 셀에 일정한 너비로 나누어지는 다수의 텍스트 데이터가 입력되어 있다. 해당 셀 A1~A11을 드래그해서 선택한다.

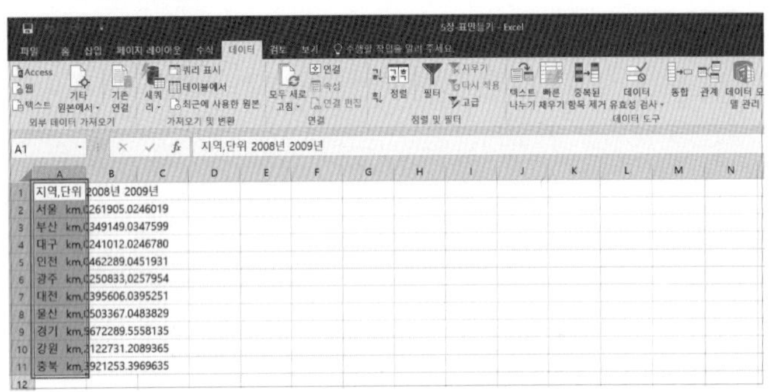

02 [데이터] 탭 - [데이터 도구] 그룹 - "텍스트 나누기" 단추를 누르면 [텍스트 마법사] 대화상자가 표시된다.

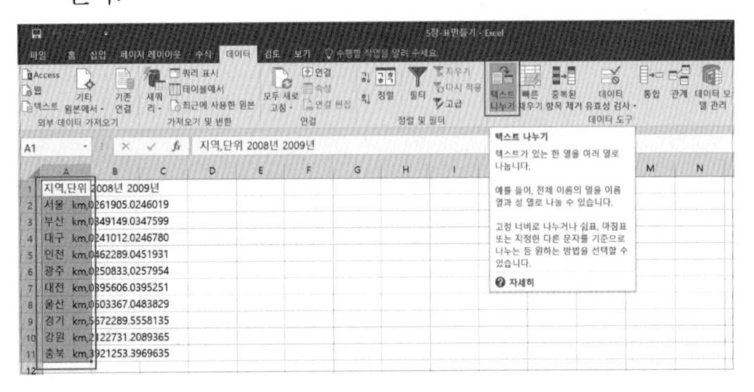

03 "구분 기호로 분리됨"을 체크한다.

04 "다음"을 누른다.

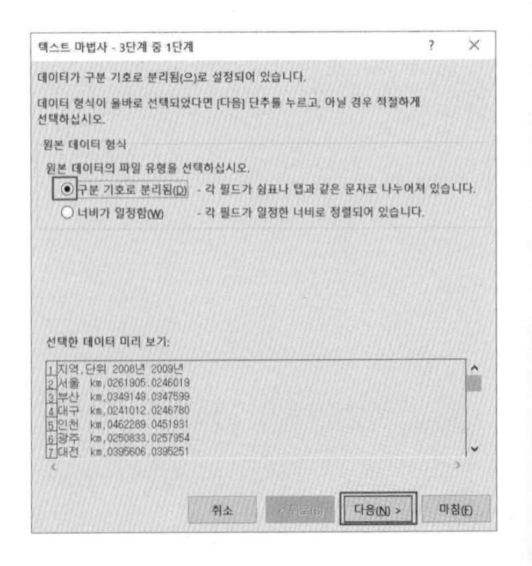

05 "구분 기호" 영역에서 추가로 쉼표(,), 공백과 기타에 마침표(.)를 체크한다. 선택한 데이터 미리 보기가 가능하다.

06 "다음"을 누른다.

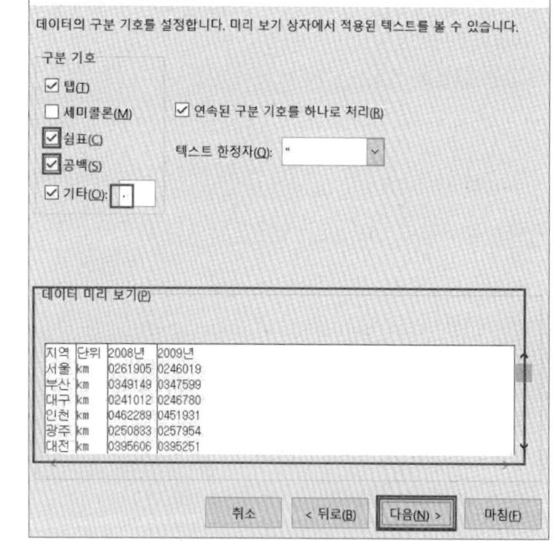

07 대화상자에서 "마침"을 누른다.

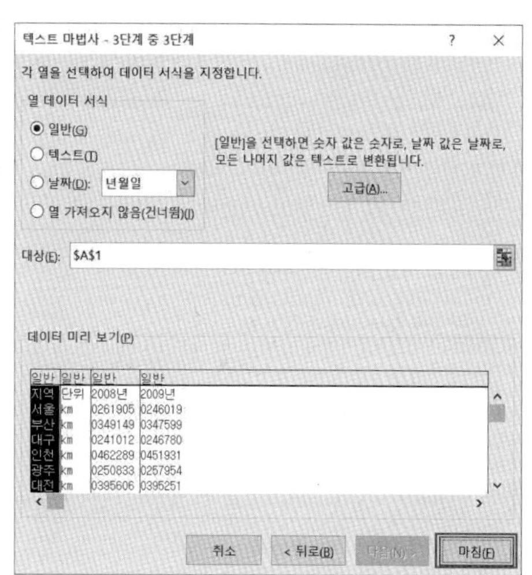

■ 실행 결과

한 셀에 입력된 데이터가 다수의 셀에 나누어서 입력된다. 필요하다면 열 너비를 변경해 준다.

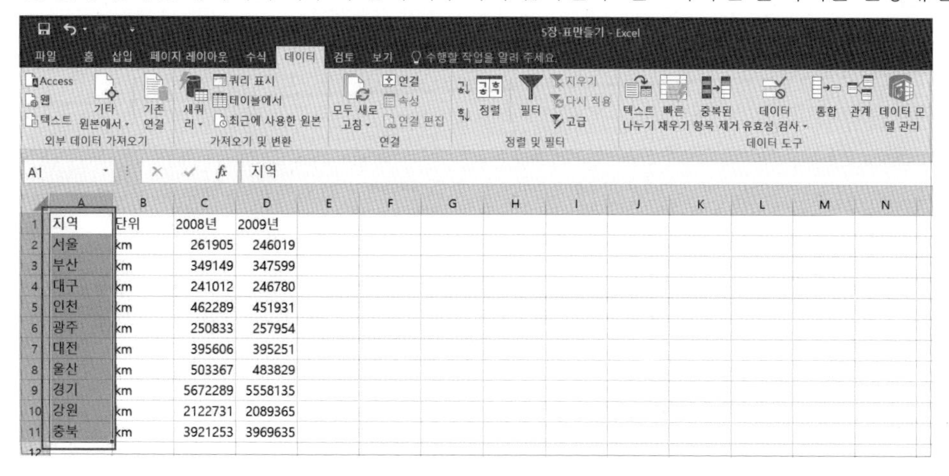

5.2.2 일정한 너비로 텍스트 나누기

데이터의 나누기가 일정한 너비일 경우는 마우스의 조작으로 나누기 위치를 눌러서 설정할 수 있다. 예를 들면, 텍스트가 있는 한 열을 여러 열로 나눈다.

어떠한 나누기 문자 혹은 공백도 없이 다수의 텍스트가 연결되어 있을 경우에도 마우스로 나누기 위치를 지정할 수 있다. 단, 각 열의 문자의 길이가 일정하지 않으면 각 셀에 입력된 텍스트 데이터가 바르게 표시되지 않는다.

01 A열에 일정한 너비로 나누어지는 다수의 텍스트 데이터가 입력되어 있다. 해당 텍스트가 입력된 셀 A1~A17을 선택한다.

02 [데이터] 탭 - [데이터 도구] 그룹 - "텍스트 나누기" 단추를 누르면 [텍스트 마법사] 대화상자가 표시된다.

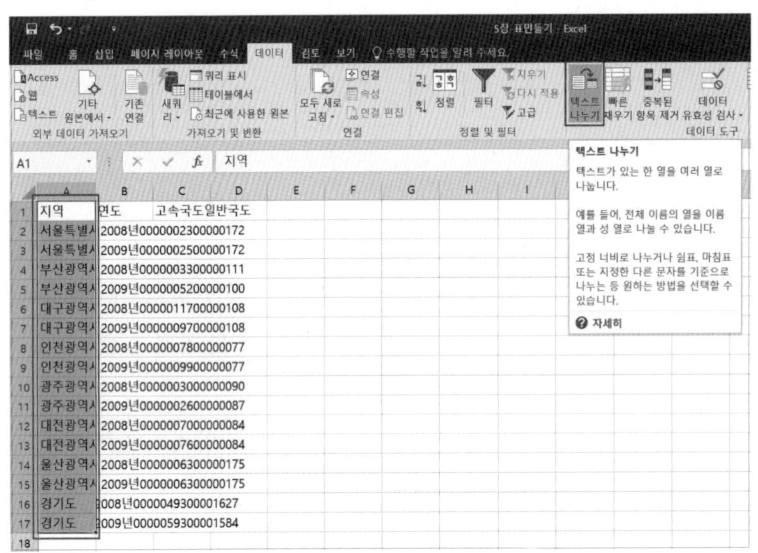

03 [텍스트 마법사] 대화상자에서 "원본 데이터 형식"의 "너비가 일정함"을 선택한다.

04 대화상자의 "다음"을 누른다.

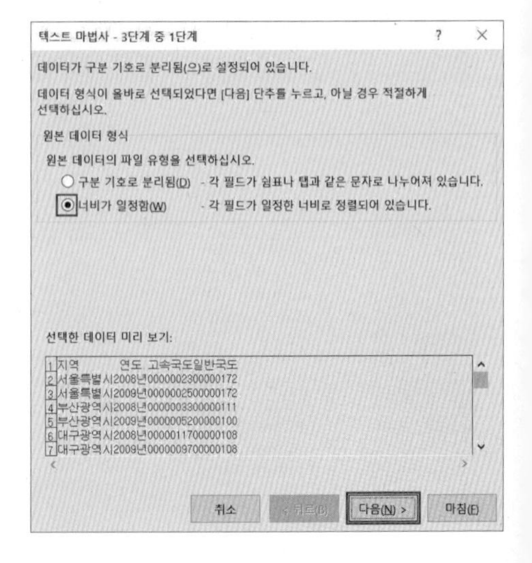

05 "데이터 미리 보기"에서 나누기 위치 "10, 16, 24"를 누른다.

06 [텍스트 마법사] 대화상자에 있는 "다음"을 누른다.

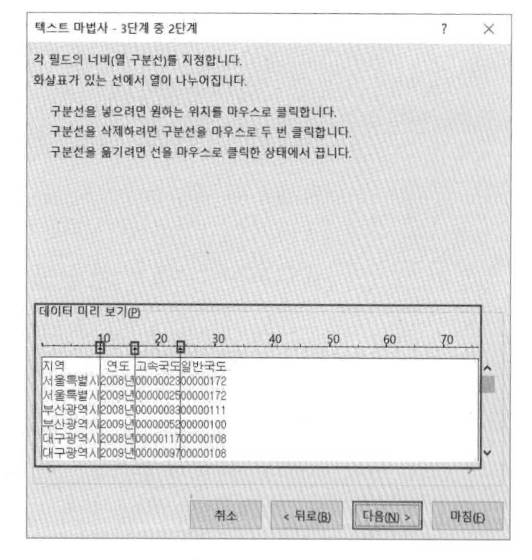

07 "열 데이터 서식"의 목록을 확인하고 "마침"을 누른다.

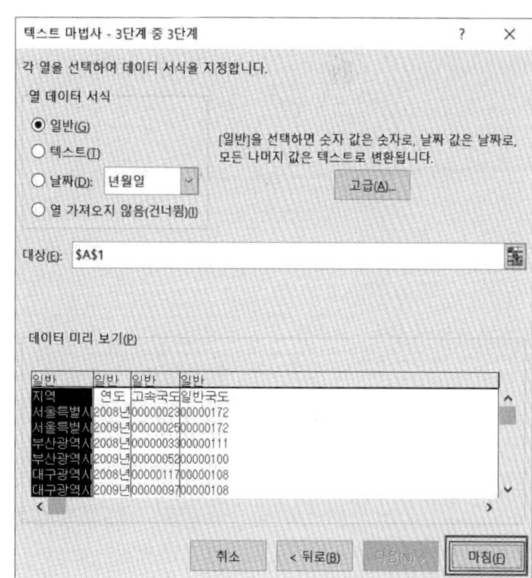

■ 실행 결과

한 셀에 입력된 텍스트가 다수의 셀로 나누어져서 입력된다.
필요하다면 열 너비를 변경해 준다.

	A	B	C	D
1	지역	연도	고속국도	일반국도
2	서울특별시	2008년	23	172
3	서울특별시	2009년	25	172
4	부산광역시	2008년	33	111
5	부산광역시	2009년	52	100
6	대구광역시	2008년	117	108
7	대구광역시	2009년	97	108
8	인천광역시	2008년	78	77
9	인천광역시	2009년	99	77
10	광주광역시	2008년	30	90
11	광주광역시	2009년	26	87
12	대전광역시	2008년	70	84
13	대전광역시	2009년	76	84
14	울산광역시	2008년	63	175
15	울산광역시	2009년	63	175
16	경기도	2008년	493	1627
17	경기도	2009년	593	1584
18				

연습문제

1. 다음의 조건에 맞춰서 표를 만들어 보자.

(1) [A1:G1]; 병합하고 가운데 맞춤, 굵게, 16
(2) [A3:G3]; 가운데 맞춤, 굵게
(3) [A4:A15],[C4:D15]; 가운데 맞춤
(4) [B4:B15]; 각 셀의 데이터에 '영업'을 붙임(사용자 지정 표시 서식 이용), 가로 균등 분할 맞춤, 들여쓰기 0
(5) [E4:G15]; 숫자 표시형식을 사용하여 세자리마다 콤마가 나타나고 음수인 경우 빨간색 (1,234)로 나타나도록 지정
(6) E와 F열 너비; 11, G열 너비: 15, B열 너비; 13, 표에서 그 외의 열의 너비는 모두 자동 맞춤
(7) 1행 높이; 31
(8) 테두리 결과보고 적절하게 그리기

	A	B	C	D	E	F	G
1	직원별 12월 판매 현황						
2							
3	이름	영업분야	성별	직위	10년 판매량	11년 판매량	지난해와의 차이
4	고신철	국 내 영 업	남	사원	401,000	432,000	31,000
5	권미진	해 외 영 업	여	차창	351,900	359,300	7,400
6	김미란	해 외 영 업	여	과장	490,500	840,700	350,200
7	김영규	해 외 영 업	남	대리	40,000	54,600	14,600
8	김영희	국 내 영 업	여	과장	32,000	25,500	(6,500)
9	김은형	국 내 영 업	남	대리	1,149,000	1,650,000	501,000
10	박성준	국 내 영 업	남	차장	65,200	65,200	0
11	박신영	해 외 영 업	여	사원	39,000	45,000	6,000
12	박정수	국 내 영 업	남	사원	18,900	19,200	300
13	성민수	국 내 영 업	남	대리	14,500	15,300	800
14	유현영	국 내 영 업	여	과장	39,000	14,230	(24,770)
15	윤민희	해 외 영 업	여	부장	89,900	99,820	9,920

연습문제

2. 다음 조건을 참고해서 표 스타일을 완성해 보자.

(1) A1 셀; 셀 스타일은 "요약"

(2) 셀 영역 [A3:G15]; 표 스타일 보통2

(3) 표 스타일 옵션 체크; 요약 행, 머리글 행, 줄무늬 행(필터 단추; 체크 해제)

직원별 12월 판매 현황

이름	영업분야	성별	직위	10년 판매량	11년 판매량	지난해와의 차이
고신철	국 내 영 업	남	사원	401,000	432,000	31,000
권미진	해 외 영 업	여	차장	351,900	359,300	7,400
김미란	해 외 영 업	여	과장	490,500	840,700	350,200
김영규	해 외 영 업	남	대리	40,000	54,600	14,600
김영희	국 내 영 업	여	과장	32,000	25,500	(6,500)
김은형	국 내 영 업	남	대리	1,149,000	1,650,000	501,000
박성준	국 내 영 업	남	차장	65,200	65,200	0
박신영	해 외 영 업	여	사원	39,000	45,000	6,000
박정수	국 내 영 업	남	사원	18,900	19,200	300
성민수	국 내 영 업	남	대리	14,500	15,300	800
유현영	국 내 영 업	여	과장	39,000	14,230	(24,770)
윤민희	해 외 영 업	여	부장	89,900	99,820	9,920
요약						889,950

3. 다음의 조건으로 텍스트 나누기를 실행해 보자.

(1) 원본 데이터 형식; 너비가 일정함

(2) 열 구분선; 4개를 지정하여 5열로 나눔(구분선 지정 위치: 4, 10, 16, 24)

(3) 두 번째 열 데이터 서식("특별시" 데이터가 입력된 열); 열 가져오지 않음(건너뜀), 나머지 열 데이터 서식은 모두 일반

지역	연도	고속국도	일반국도
서울	2008년	23	172
서울	2009년	25	172
부산	2008년	33	111
부산	2009년	52	100
대구	2008년	117	108
대구	2009년	97	108
인천	2008년	78	77
인천	2009년	99	77
광주	2008년	30	90
광주	2009년	26	87
대전	2008년	70	84
대전	2009년	76	84
울산	2008년	63	175
울산	2009년	63	175
경기	2008년	493	1627
경기	2009년	593	1584

CHAPTER

6

수식

6.1 수식 입력

요약

(1) 수식 입력

엑셀에서는 맨 앞에 "="(equal)을 입력해서 시작하는 데이터를 "수식"으로 인식한다. 수식을 입력할 때에 셀 참조를 이용하면 셀의 값을 변경했을 경우에 수식의 결과가 자동으로 다시 계산된다.

D5 | =C5*D5

매출 현황

품명	단가	수량	매상	기타
마우스	15,000	370	=C5*D5	
키보드	32,000	37		
이어폰	22,000	710		
헤드셋	53,000	730		
스테이플	7,200	57		
모니터	70,000	60		
USB	23,000	90		

"="을 입력하고 셀 주소와 "+, -, *, /"을 조합해서 수식을 입력할 수 있다.

⇨

E6

매출 현황

품명	단가	수량	매상	기타
마우스	15,000	370	5,550,000	
키보드	32,000	37		
이어폰	22,000	710		
헤드셋	53,000	730		
스테이플	7,200	57		
모니터	70,000	60		
USB	23,000	90		

수식을 입력한 셀에 계산 결과가 표시된다.

■ 수식 입력 순서

01 결과를 표시할 셀을 선택한다.

E5

명세표

품명	단가	수량	매상	할인율	금액
마우스	15,000	300		30%	
키보드	32,000	37		15%	
이어폰	22,000	710		25%	
헤드셋	53,000	730		25%	
스테이플	7,200	57		0%	
모니터	70,000	60		10%	
USB	23,000	90		35%	

02 선택한 셀의 맨 앞에 "="을 입력한다.

IF | =

명세표

품명	단가	수량	매상	할인율	금액
마우스	15,000	300	=	30%	
키보드	32,000	37		15%	
이어폰	22,000	710		25%	
헤드셋	53,000	730		25%	
스테이플	7,200	57		0%	
모니터	70,000	60		10%	
USB	23,000	90		35%	

03 셀 주소 또는 연산자 등을 선택해서 수식을 입력한다.

E5 | =C5*D5

명세표

품명	단가	수량	매상	할인율	금액
마우스	15,000	300	=C5*D5	30%	
키보드	32,000	37		15%	
이어폰	22,000	710		25%	
헤드셋	53,000	730		25%	
스테이플	7,200	57		0%	
모니터	70,000	60		10%	
USB	23,000	90		35%	

04 Enter 키를 눌러서 수식 종료한다.

E6

명세표

품명	단가	수량	매상	할인율	금액
마우스	15,000	300	4,500,000	30%	
키보드	32,000	37		15%	
이어폰	22,000	710		25%	
헤드셋	53,000	730		25%	
스테이플	7,200	57		0%	
모니터	70,000	60		10%	
USB	23,000	90		35%	

(2) 수식 편집

셀에 입력된 수식을 편집하기 위해서는 먼저 셀을 연속 두 번 누른다. 두 번 누르면 수식이 표시되며 편집할 수 있는 상태가 된다. 편집한 후에 Enter 키를 누르면 편집한 수식이 자동으로 다시 계산이 된다.

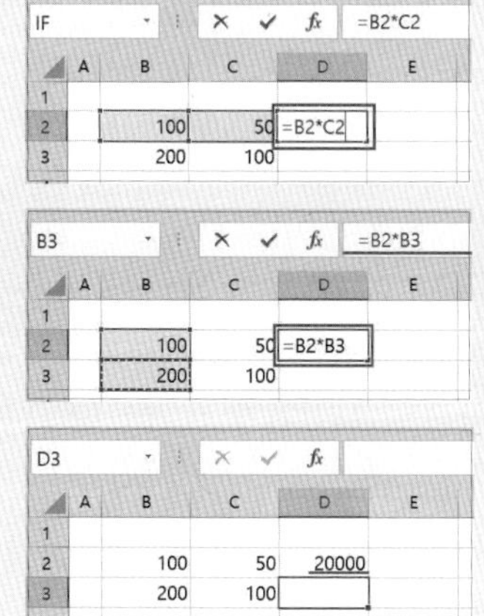

해당 셀을 연속 두 번 눌러서 수식을 편집할 수 있다.

수식 입력줄에서 수식을 수정할 수 있다.

수정한 값으로 자동으로 다시 계산된다.

(3) 수식 구성

① = : '=' 등호는 엑셀에서 수식을 작성한다는 의미이다.
② 피연산자 : 연산의 대상자로 숫자, 셀 주소, 문자, 함수 등이 올 수 있다.
③ 연산자 : 일반적으로 사칙 연산의 산술 연산자, 비교, 참조, 문자열 연산자가 올 수 있다.

(4) 연산자 종류

종류	기호	의미
산술 연산자	+	덧셈
	−	뺄셈 (음수)
	*	곱셈
	/	나눗셈
	%	백분율
	^	거듭제곱
비교 연산자	=	같다
	>	보다 크다
	<	보다 작다
	>=	이상(보다 크거나 같다)
	<=	이하(보다 작거나 같다)
	<>	같지 않다
문자열 연산자	&	2개의 텍스트를 하나로 연결 예 "나사렛"&"대학교" → 나사렛대학교

종류	기호	의미
참조 연산자	:	연속된 셀의 범위 참조 예 =SUM(C5:C9)
	,	불연속적인 셀의 참조 예 =SUM(C5:F7, C15, F12)
	공백(띄어쓰기)	2개의 참조에 공통으로 교차되는 셀에 대한 참조 예 'J5:M6 L3:L7' 교차되는 L6,L7 셀을 참조한다.

(5) **연산 우선순위**

① 참조 연산자 > 산술 연산자 > 문자열 연산자 > 비교 연산자 순으로 계산된다.

② 산술 연산자 중에서는 백분율 > 거듭 제곱 > 곱셈/나눗셈 > 덧셈/뺄셈 순으로 계산된다.

③ 연산자의 우선순위가 낮더라도 괄호( )를 이용하면 연산의 우선순위가 달라져 괄호 안을 먼저 계산한 이후 연산자의 우선순위에 따라 계산된다.

6.1.1 수식 입력

수식을 입력할 때에 중요한 것은 결과를 나타내고 싶은 셀을 올바르게 선택하는 것이다. 수식의 내용에 집중하느라 실수하여 목적과는 다른 셀에 결과가 표시되는 경우가 있기 때문이다. 수식이 입력된 셀의 맨 앞에 "="(equal)을 입력해서 수식을 만든다. 수식에서 참조한 셀에 파랑 혹은 녹색의 윤곽선이 표시되는 것을 볼 수 있다.

수식에 이용되는 셀을 누르지 않고 해당된 셀의 주소를 직접 입력해도 셀로 인식한다. 셀 참조의 영문자는 대소문자를 구분하지 않으며, 셀 로 인식되면 자동으로 대문자로 변환된다. 수식의 입력을 취소할 때는 수식의 입력 중에 Esc 키를 누르거나 Ctrl+Z 키를 누른다.

조건 셀 E5에 "단가 × 수량"을 계산하는 수식을 구한다.

01 셀 E5에 "="을 입력한다.

02 셀 C5를 누르면, 셀 E5에 표기되는 C5 문자 색(파랑)으로 셀 C5에 윤곽선이 회전한다.

03 이어서 “*”을 입력한다.

04 셀 D5를 누르면 셀 E5에 “=C5*D5”로 입력되며, 셀 E5에 표기되는 D5 문자 색(빨강)으로 셀 D5에 윤곽선이 회전한다.

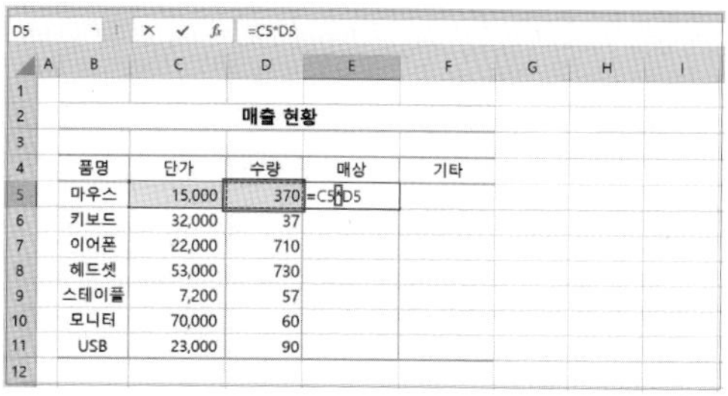

05 마지막으로 Enter 키를 누른다.

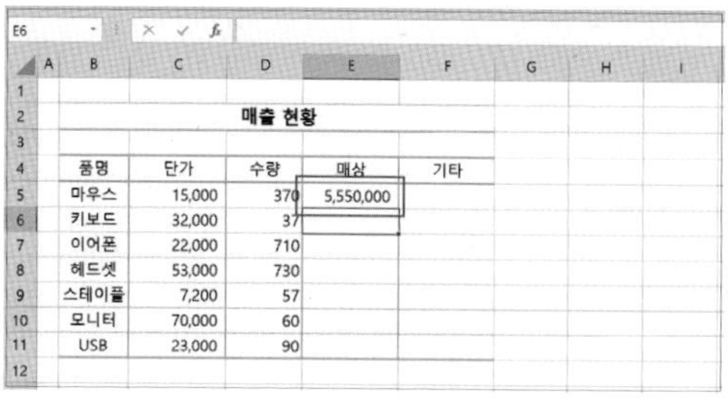

TIP 수식에 사용되는 산술 연산자 우선 순위

연산자	의미	수식 예	결과	연산자 우선 순위
%	백분율	=4%	0.04	1
^	거듭 제곱	=4^3	64	2
*	곱하기	=4X3	12	3
/	나누기	=4/3	1.3333333	
+	더하기	=4+3	7	4
–	빼기	=4-3	1	

*연산자 우선 순위
① ( ) 안을 가장 먼저 계산한다.
② “*, /, ^”을 “+, -”보다 먼저 계산한다.
③ 우선 순위가 동일할 때는 왼쪽부터 오른쪽의 순서로 계산된다.

* “-”를 “-1”과 같이 음의 값으로 이용할 경우는 “%”보다 먼저 계산된다.

6.1.2 중간 계산용 셀 이용

유사한 수식이 많아질 경우는 관련 셀 중에 한 셀을 선택해서 중간 계산용으로 이용하고 이것을 나머지 셀에 복사한다. 이것을 “셀 자동 채우기”라고도 한다.

01 셀 E5에 “=C5*D5”을 입력하고 Enter 키를 누른다.

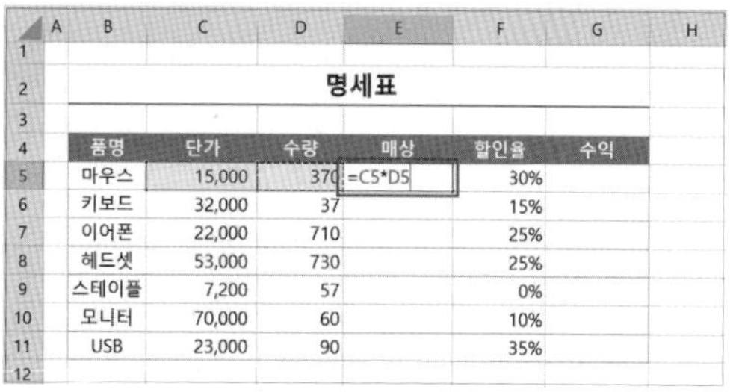

02 셀 E5의 테두리의 오른쪽 하단 모서리를 마우스 왼쪽 버튼으로 누른 상태에서 셀 E11까지 드래그 한다.

E5 =C5*D5

명세표

품명	단가	수량	매상	할인율	수익
마우스	15,000	370	5,550,000	30%	
키보드	32,000	37		15%	
이어폰	22,000	710		25%	
헤드셋	53,000	730		25%	
스테이플	7,200	57		0%	
모니터	70,000	60		10%	
USB	23,000	90		35%	

⇩

E5 =C5*D5

명세표

품명	단가	수량	매상	할인율	수익
마우스	15,000	370	5,550,000	30%	
키보드	32,000	37		15%	
이어폰	22,000	710		25%	
헤드셋	53,000	730		25%	
스테이플	7,200	57		0%	
모니터	70,000	60		10%	
USB	23,000	90		35%	

⇩

03 실행 결과, 셀 E5~E11의 매상이 각각 계산된다.

E5 =C5*D5

명세표

품명	단가	수량	매상	할인율	수익
마우스	15,000	370	5,550,000	30%	
키보드	32,000	37	1,184,000	15%	
이어폰	22,000	710	15,620,000	25%	
헤드셋	53,000	730	38,690,000	25%	
스테이플	7,200	57	410,400	0%	
모니터	70,000	60	4,200,000	10%	
USB	23,000	90	2,070,000	35%	

04 셀 G5에 "=E5*(1-F5)"을 입력하고 Enter 키를 누른다.

G5 =E5*(1-F5)

명세표

품명	단가	수량	매상	할인율	수익
마우스	15,000	370	5,550,000	30%	=E5*(1-F5)
키보드	32,000	37	1,184,000	15%	
이어폰	22,000	710	15,620,000	25%	
헤드셋	53,000	730	38,690,000	25%	
스테이플	7,200	57	410,400	0%	
모니터	70,000	60	4,200,000	10%	
USB	23,000	90	2,070,000	35%	

05 셀 G5의 테두리의 오른쪽 하단 모서리를 마우스 왼쪽 버튼으로 누른 상태에서 셀 G11까지 드래그 한다.

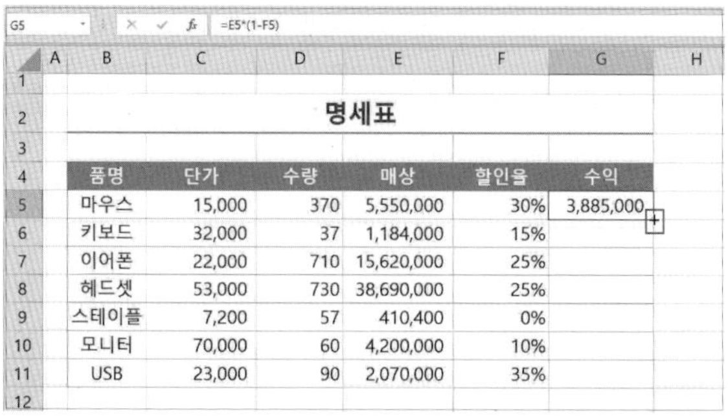

G5 =E5*(1-F5)

명세표

품명	단가	수량	매상	할인율	수익
마우스	15,000	370	5,550,000	30%	3,885,000
키보드	32,000	37	1,184,000	15%	
이어폰	22,000	710	15,620,000	25%	
헤드셋	53,000	730	38,690,000	25%	
스테이플	7,200	57	410,400	0%	
모니터	70,000	60	4,200,000	10%	
USB	23,000	90	2,070,000	35%	

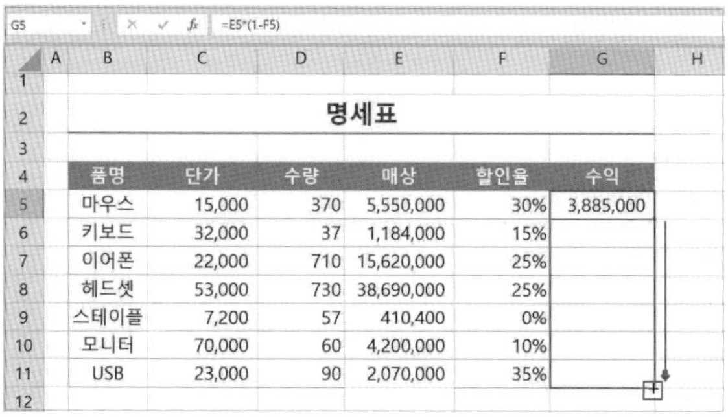

⇩

G5 =E5*(1-F5)

명세표

품명	단가	수량	매상	할인율	수익
마우스	15,000	370	5,550,000	30%	3,885,000
키보드	32,000	37	1,184,000	15%	
이어폰	22,000	710	15,620,000	25%	
헤드셋	53,000	730	38,690,000	25%	
스테이플	7,200	57	410,400	0%	
모니터	70,000	60	4,200,000	10%	
USB	23,000	90	2,070,000	35%	

⇩

06 실행결과, 셀 G5~G11에 매상의 할인율을 적용한 금액이 각각 계산된다.

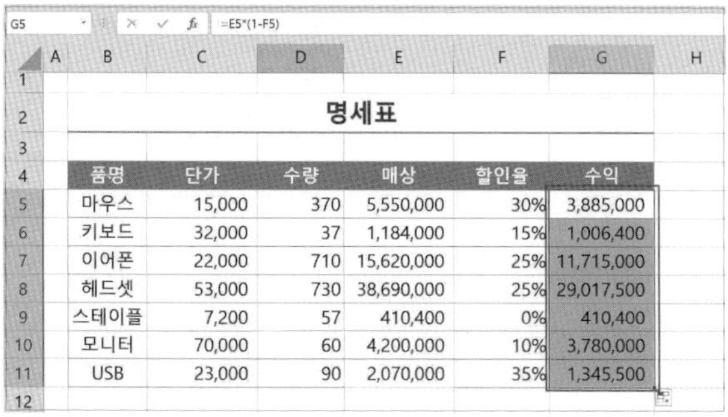

G5 =E5*(1-F5)

명세표

품명	단가	수량	매상	할인율	수익
마우스	15,000	370	5,550,000	30%	3,885,000
키보드	32,000	37	1,184,000	15%	1,006,400
이어폰	22,000	710	15,620,000	25%	11,715,000
헤드셋	53,000	730	38,690,000	25%	29,017,500
스테이플	7,200	57	410,400	0%	410,400
모니터	70,000	60	4,200,000	10%	3,780,000
USB	23,000	90	2,070,000	35%	1,345,500

6.1.3 수식 편집

(1) 수식 입력줄에서 수식 확인

수식을 입력해도 셀에는 수식의 수식의 결과인 숫자가 표시된다. 입력한 수식의 내용을 확인하기 위해서는 리본 메뉴의 아래에 있는 "수식 입력줄"을 확인한다. 수식 입력줄은 선택한 셀의 내용이 표시되는 곳이다.

수식을 확인하고 싶은 셀을 누르면 "수식 입력줄"에 수식이 표시된다.

G5 =E5*(1-F5)

명세표

품명	단가	수량	매상	할인율	수익
마우스	15,000	370	5,550,000	30%	3,885,000
키보드	32,000	37	1,184,000	15%	1,006,400
이어폰	22,000	710	15,620,000	25%	11,715,000
헤드셋	53,000	730	38,690,000	25%	29,017,500
스테이플	7,200	57	410,400	0%	410,400
모니터	70,000	60	4,200,000	10%	3,780,000
USB	23,000	90	2,070,000	35%	1,345,500

(2) 수식 입력줄에서 수식 편집

수식 입력줄에서 수식의 수정을 하기 위해서는 먼저 수식이 있는 셀을 누른 후, 수식 입력줄 안을 누른다. 누른 위치에 커서(cursor)가 표시되며 편집할 수 있는 상태가 된다. 커서 위치가 편집 위치가 아닐 경우, 방향키를 좌우로 조절해서 커서를 편집 위치로 이동한 후에 수식의 편집을 한다. 편집이 끝나면 Enter 키를 눌러서 수식 편집을 끝낸다.

01 미리 수식을 편집할 셀 E5를 선택하고 수식 입력줄 안을 누른 후, 수식 입력줄에서 직접 편집한다.

02 Enter 키를 누르면 편집한 수식의 결과가 표시된다.

RIGHT =E5*(1-F5)

명세표

품명	단가	수량	매상	할인율	수익
마우스	15,000	370	5,550,000	30%	=E5*(1-F5)
키보드	32,000	37	1,184,000	15%	1,006,400
이어폰	22,000	710	15,620,000	25%	11,715,000
헤드셋	53,000	730	38,690,000	25%	29,017,500
스테이플	7,200	57	410,400	0%	410,400
모니터	70,000	60	4,200,000	10%	3,780,000
USB	23,000	90	2,070,000	35%	1,345,500

TIP

수식이 입력된 셀을 선택해서 F2 키를 누르면 해당 셀에 수식과 커서가 표시되며 편집 가능한 상태가 된다. 커서는 수식의 맨 끝에 표시되기 때문에 편집할 곳으로 커서를 이동해서 편집한다.

(3) 수식 계산을 수동 변경

기본적으로 엑셀의 수식 계산은 그 수식에 이용된 셀 값에 변화가 생기면 자동으로 계산이 실행된다. 그러나 "수동" 수식 계산이 필요한 경우는 수식이 많거나 과도한 반복 계산 등으로 컴퓨터 시스템의 과부하가 우려될 때이다. 수동 계산을 간단히 실행하기 위해서는 "계산 옵션" 목록에서 "수동"을 선택하면 된다. 계산을 다시해서 수식의 결과를 자동으로 변경하고 싶을 경우는 "계산 옵션"에서 "자동"을 선택하면 된다.

01 셀 E5에 수식 "=C5*D5"를 입력하고 Enter 키를 누르면 수식이 자동 계산된다.

02 [수식] 탭 - [계산] 그룹 - "계산 옵션" 목록에서 "수동"을 누른다.

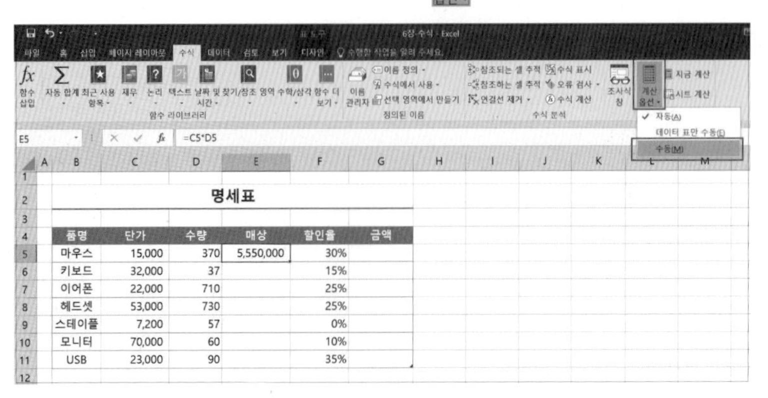

품명	단가	수량	매상	할인율	금액
마우스	15,000	370	5,550,000	30%	
키보드	32,000	37		15%	
이어폰	22,000	710		25%	
헤드셋	53,000	730		25%	
스테이플	7,200	57		0%	
모니터	70,000	60		10%	
USB	23,000	90		35%	

03 셀 D5의 값을 370에서 300으로 변경하고 Enter 키를 누른다. 단, 참조하는 D5의 값이 바뀌어도 계산이 다시 되지 않는다.

D6 | 37

명세표

품명	단가	수량	매상	할인율	금액
마우스	15,000	300	5,550,000	30%	
키보드	32,000	37		15%	
이어폰	22,000	710		25%	
헤드셋	53,000	730		25%	
스테이플	7,200	57		0%	
모니터	70,000	60		10%	
USB	23,000	90		35%	

04 [수식] 탭 - [계산] 그룹 - "지금 계산" 지금 계산 단추를 누르면 다시 계산이 되어 결산 결과(4,500,000)가 변경된다. "지금 계산" 단추 기능은 전체 통합 문서를 지금 다시 계산하는 것이다. 자동 계산이 해제된 경우에만 필요한 기능이다.

D6 | 37

명세표

품명	단가	수량	매상	할인율	금액
마우스	15,000	300	4,500,000	30%	
키보드	32,000	37		15%	
이어폰	22,000	710		25%	
헤드셋	53,000	730		25%	
스테이플	7,200	57		0%	
모니터	70,000	60		10%	
USB	23,000	90		35%	

6.2 합계 구하기

요약

정해진 범위를 한꺼번에 합하여 계산하기 위해서는 SUM 함수를 이용한다. [홈] 탭에 있는 "자동 합계" 단추를 누르면 인접한 범위를 합계의 범위로 인식해서 SUM 함수가 입력된다. 합계를 하는 범위가 올바르면 Enter 키를 누르는 것만으로 원하는 범위의 합계가 계산된다.

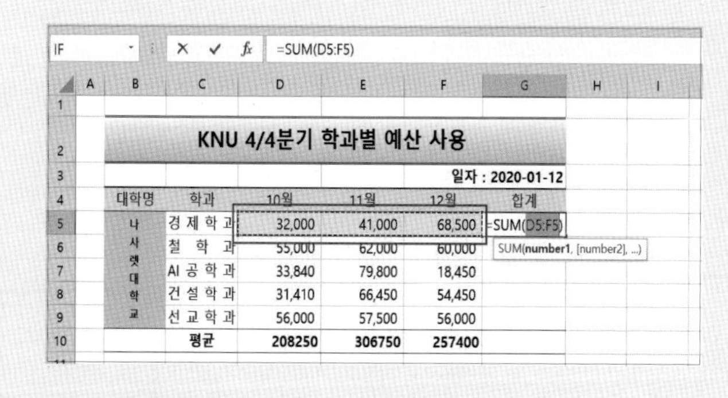

IF | =SUM(D5:F5)

KNU 4/4분기 학과별 예산 사용

일자 : 2020-01-12

대학명	학과	10월	11월	12월	합계
나사렛대학교	경제학과	32,000	41,000	68,500	=SUM(D5:F5)
	철학과	55,000	62,000	60,000	
	AI공학과	33,840	79,800	18,450	
	건설학과	31,410	66,450	54,450	
	선교학과	56,000	57,500	56,000	
	평균	208250	306750	257400	

셀 D5~F5의 값의 합계를 계산한다.

```
[수식]=SUM(D5:F5)
```

- "SUM"; 함수명
- "D5:F5"; 합계 셀 범위

■ 합계 계산

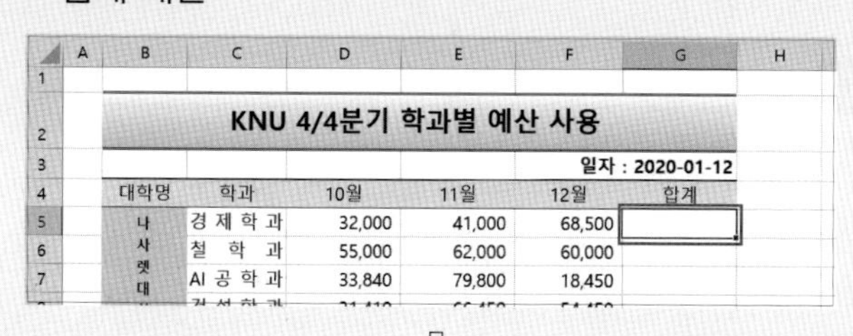

KNU 4/4분기 학과별 예산 사용

일자 : 2020-01-12

대학명	학과	10월	11월	12월	합계
나사렛대	경제학과	32,000	41,000	68,500	
	철학과	55,000	62,000	60,000	
	AI공학과	33,840	79,800	18,450	

셀을 선택해서 "자동 합계" 단추를 누른다.

⇩

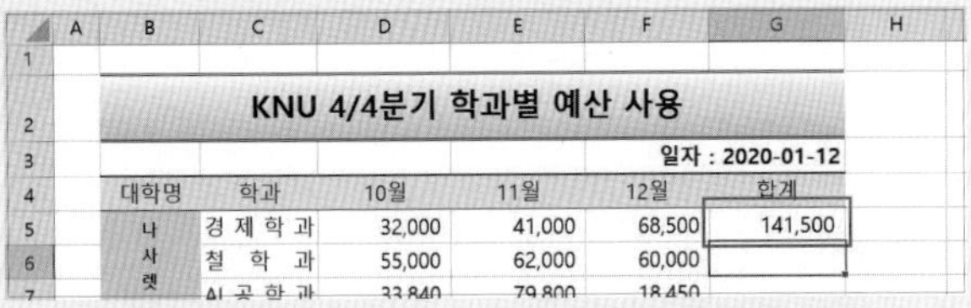

엑셀이 합계를 계산하는 범위를 자동으로 판단하여 계산한다.

■ 셀 참조의 수정

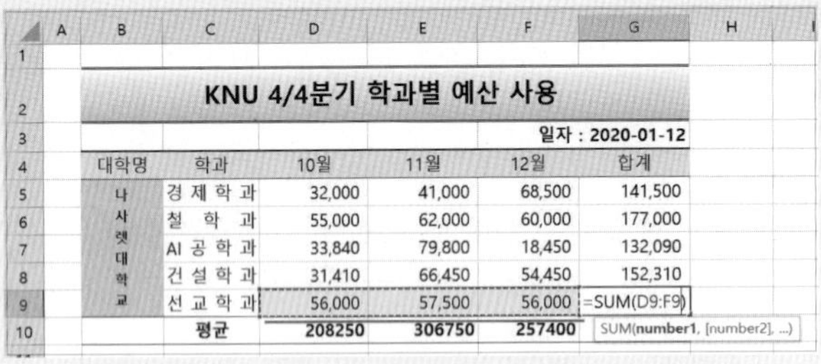

자동으로 설정된 합계 범위가 올바르지 않을 경우 사용자가 범위를 직접 지정할 수 있다.

6.2.1 간단한 합계

숫자의 합계를 구하기 위해서는 합계를 구하는 셀을 선택해서 [홈] 탭의 [편집] 그룹에 있는 "자동 합계" 단추를 누른다. 그 결과, 선택한 셀에 인접한 숫자의 셀 범위을 자동으로 합계 범위로 인식해서 SUM 함수가 입력된다. 합계 범위를 확인하고 Enter 키를 누르면 합계가 얻어진다. "자동 합계" 단추의 기능은 셀 값을 자동으로 합산하는 것이며 그 합계는 선택한 셀 뒤에 표시된다. 자동 합계의 단축 단추는 "Alt + =" 키 이다.

01 합계가 계산될 셀 G5을 누른다.

02 [홈] 탭 - [편집] 그룹 - "자동 합계" Σ 자동 합계 단추를 누르면 자동으로 수식이 입력이 된다.

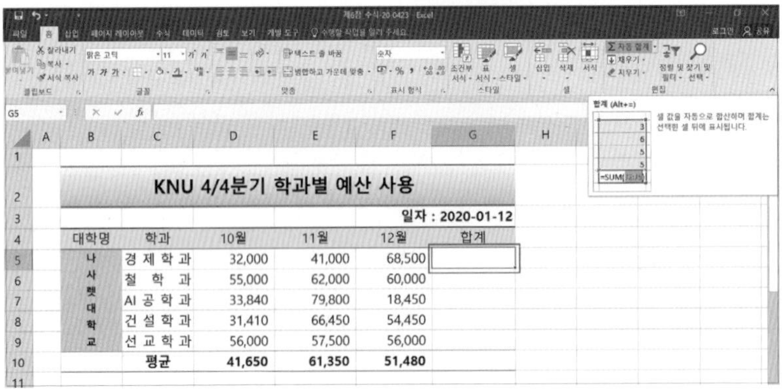

⇩

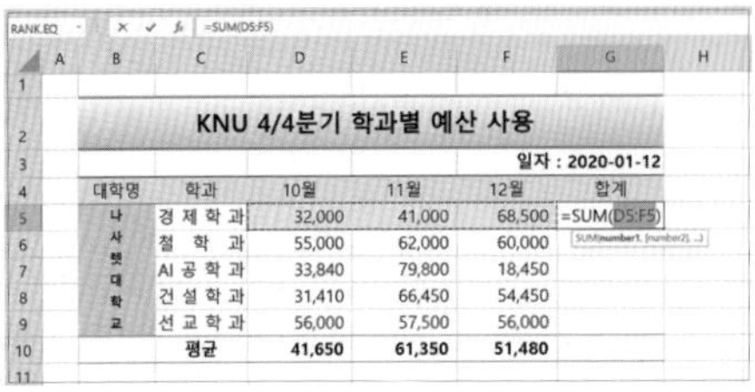

03 [Enter] 키를 누른다.

G6

KNU 4/4분기 학과별 예산 사용

일자 : 2020-01-12

대학명	학과	10월	11월	12월	합계
나사렛대학교	경 제 학 과	32,000	41,000	68,500	141,500
	철 학 과	55,000	62,000	60,000	
	AI 공 학 과	33,840	79,800	18,450	
	건 설 학 과	31,410	66,450	54,450	
	선 교 학 과	56,000	57,500	56,000	
	평균	41,650	61,350	51,480	

> **TIP**
>
> SUM 함수는 [수식] 탭의 [함수 라이브러리] 그룹에 있는 "자동 합계" 단추로도 입력할 수 있다. [수식] 탭을 이용해서 계산을 하면 의도적으로 [홈] 탭으로 바꿀 필요가 없다. 계산의 상황에 따라서 사용을 구분하면 된다.
> "자동 합계" 단추로 자동으로 인식되는 합계 범위는 깜빡이는 점선 테두리가 나타나는 영역이다. 그 영역이 연속해서 이어져 있을 경우에는 시작 셀부터 마지막 셀까지 ":(콜론)"으로 표시된다. 예를 들면, 동일한 행으로 시작 셀 D5부터 마지막 셀 F5일 경우는 "D5:F5"로 표시된다.

6.2.2 합계 범위 수정

"자동 합계" 단추는 인접한 셀 범위를 자동으로 합계 범위로 인식하지만, 합계를 할 범위를 수정하기 위해서는 원하는 셀 범위를 드래그해서 변경한다. 셀을 확정할 때까지는 몇 번이고 드래그를 변경하면서 참조를 수정할 수 있다.

떨어져 있는 셀을 합계 범위로 지정하기 위해서는 "자동 합계" 단추를 누른 후, [Ctrl] 키를 누른 상태에서 원하는 셀을 누르거나 셀 범위를 드래그한다. 떨어져 있는 범위는 ",(쉼표)"로 구분한다.

01 합계를 입력할 셀 G9를 누른다.

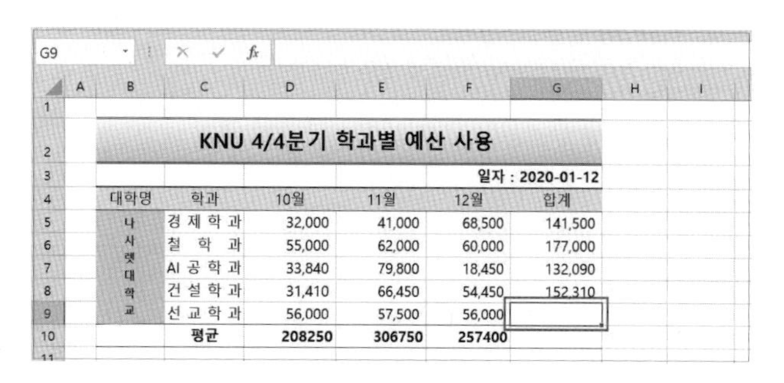

G9

KNU 4/4분기 학과별 예산 사용

일자 : 2020-01-12

대학명	학과	10월	11월	12월	합계
나사렛대학교	경 제 학 과	32,000	41,000	68,500	141,500
	철 학 과	55,000	62,000	60,000	177,000
	AI 공 학 과	33,840	79,800	18,450	132,090
	건 설 학 과	31,410	66,450	54,450	152,310
	선 교 학 과	56,000	57,500	56,000	
	평균	208250	306750	257400	

02 [홈] 탭 - [편집] 그룹 - "자동 합계" Σ 자동 합계 단추를 누르면 계산될 범위가 점선으로 표시된다.

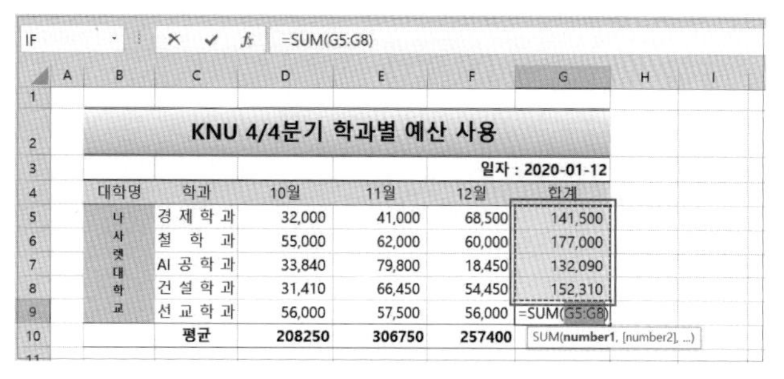

IF =SUM(G5:G8)

KNU 4/4분기 학과별 예산 사용

일자 : 2020-01-12

대학명	학과	10월	11월	12월	합계
나사렛대학교	경 제 학 과	32,000	41,000	68,500	141,500
	철 학 과	55,000	62,000	60,000	177,000
	AI 공 학 과	33,840	79,800	18,450	132,090
	건 설 학 과	31,410	66,450	54,450	152,310
	선 교 학 과	56,000	57,500	56,000	=SUM(G5:G8)
	평균	208250	306750	257400	SUM(number1, [number2], ...)

⇩

03 올바른 합계 범위를 드래그해서 선택, 즉 선교학과 10월~12월의 합계를 구하는 범위로 드래그를 해서 수정한다.

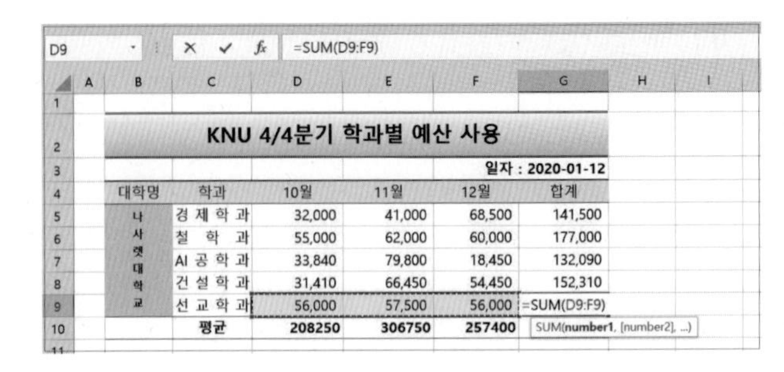

D9 =SUM(D9:F9)

KNU 4/4분기 학과별 예산 사용					
					일자 : 2020-01-12
대학명	학과	10월	11월	12월	합계
나사렛대학교	경 제 학 과	32,000	41,000	68,500	141,500
	철 학 과	55,000	62,000	60,000	177,000
	AI 공 학 과	33,840	79,800	18,450	132,090
	건 설 학 과	31,410	66,450	54,450	152,310
	선 교 학 과	56,000	57,500	56,000	=SUM(D9:F9)
	평균	208250	306750	257400	SUM(number1, [number2], ...)

04 Enter 키를 누르면 올바른 합계가 계산된다.

G10

KNU 4/4분기 학과별 예산 사용					
					일자 : 2020-01-12
대학명	학과	10월	11월	12월	합계
나사렛대학교	경 제 학 과	32,000	41,000	68,500	141,500
	철 학 과	55,000	62,000	60,000	177,000
	AI 공 학 과	33,840	79,800	18,450	132,090
	건 설 학 과	31,410	66,450	54,450	152,310
	선 교 학 과	56,000	57,500	56,000	169,500
	평균	208250	306750	257400	

6.3 상대 참조와 절대 참조

요약

상대 참조와 절대 참조는 셀을 참조하는 형식이다. 수식을 다른 셀에 복사할 때, 복사된 셀의 위치에 맞춰서 수식이 참조하는 셀도 상대적으로 이동하는 형식을 "상대 참조"라고 한다. 또한 복사된 셀의 위치와는 관계없이 항상 같은 셀을 참조하는 형식을 "절대 참조"라고 한다.

■ 상대 참조

셀 E5에 "=C5*D5" 입력 → C5*D5, C6*D6, ..., C11*D11과 같이 참조하는 셀의 변경

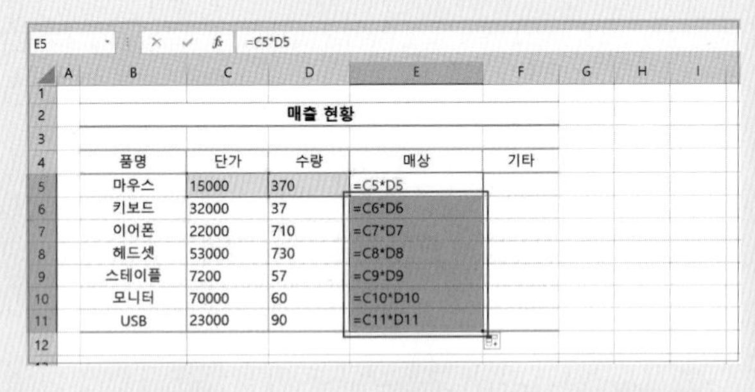

E5 =C5*D5

매출 현황				
품명	단가	수량	매상	기타
마우스	15000	370	=C5*D5	
키보드	32000	37	=C6*D6	
이어폰	22000	710	=C7*D7	
헤드셋	53000	730	=C8*D8	
스테이플	7200	57	=C9*D9	
모니터	70000	60	=C10*D10	
USB	23000	90	=C11*D11	

■ 절대 참조

셀 G7에 "=F7*$G$4" 입력 → 항상 셀 G4 참조

천안 쌍용 지점 2020년 2월 매출					
				판매이익율	0.1
제품 이름	제품 분류	단가	판매량	금액	이익금액
오렌지 주스	유제품	80000	44	=SUM(D7:E7)	=F7*$G$4
레몬 주스	음료	19000	42	=SUM(D8:E8)	=F8*$G$4
체리 시럽	조미료	10000	29	=SUM(D9:E9)	=F9*$G$4
복숭아 시럽	조미료	22000	43	=SUM(D10:E10)	=F10*$G$4
파인애플 시럽	조미료	21000	27	=SUM(D11:E11)	=F11*$G$4
블루베리 잼	조미료	25000	48	=SUM(D12:E12)	=F12*$G$4
건과(배)	가공 식품	30000	31	=SUM(D13:E13)	=F13*$G$4
딸기 소스	조미료	40000	45	=SUM(D14:E14)	=F14*$G$4
상등육 쇠고기	육류	97000	43	=SUM(D15:E15)	=F15*$G$4
연어알 조림	해산물	31000	26	=SUM(D16:E16)	=F16*$G$4
합계			=SUM(E7:E16)	=SUM(F7:F16)	

6.3.1 상대 참조

상대 참조는 수식이 입력된 셀을 다른 셀에 이동 또는 복사를 할 때, 수식 중에서 참조하고 있는 셀이 복사될 장소의 위치에 맞춰서 자동으로 변경되는 참조 형식이다. 수식을 한 곳에 입력해서 셀 자동 채우기로 수식을 복사하면 참조 범위가 자동으로 변경된다.

01 셀 E5에 수식 "=C5*D5"를 입력한다.

E5 | =C5*D5

매출 현황

품명	단가	수량	매상	기타
마우스	15000	370	=C5*D5	
키보드	32000	37		
이어폰	22000	710		
헤드셋	53000	730		
스테이플	7200	57		
모니터	70000	60		
USB	23000	90		

02 셀 E5에 입력한 수식을 아래 방향으로 셀 E11까지 셀 자동 채우기를 한다. 수식의 셀의 위치에 맞춰서 C열은 C5~C11, D열은 D5~D11로 각각 바뀌어서 올바른 계산이 된다.

E5 | =C5*D5

매출 현황

품명	단가	수량	매상	기타
마우스	15000	370	=C5*D5	
키보드	32000	37	=C6*D6	
이어폰	22000	710	=C7*D7	
헤드셋	53000	730	=C8*D8	
스테이플	7200	57	=C9*D9	
모니터	70000	60	=C10*D10	
USB	23000	90	=C11*D11	

6.3.2 절대 참조

절대 참조는 수식이 입력된 셀을 다른 셀에 이동 또는 복사를 할 때, 어느 곳에 복사를 해도 수식 중에 참조하고 있는 셀이 변화지 않는 참조 형식이다. 절대 참조를 설정하기 위해서는 셀의 행 번호와 열 번호의 앞에 "$(달러)" 기호가 붙여진다.

01 셀 G7에 수식 "=F7*$G4$"을 입력한다.
이 식은 항상 특정한 셀(G4)을 참조하도록 참조 방법을 절대 참조로 변경해 둔 것이다.

천안 쌍용 지점 2020년 2월 매출

판매이익율 | 10.00%

제품 이름	제품 분류	단가	판매량	금액	이익금액
오렌지 주스	유제품	80,000	44	80,044	8,004
레몬 주스	음료	19,000	42	19,042	
체리 시럽	조미료	10,000	29	10,029	
복숭아 시럽	조미료	22,000	43	22,043	
파인애플 시럽	조미료	21,000	27	21,027	
블루베리 잼	조미료	25,000	48	25,048	
건과(배)	가공 식품	30,000	31	30,031	
딸기 소스	조미료	40,000	45	40,045	
상등육 쇠고기	육류	97,000	43	97,043	
연어알 조림	해산물	31,000	26	31,026	
합계			378	375,378	

<이익 금액 계산>

천안 쌍용 지점 2020년 2월 매출

판매이익율 | 0.1

제품 이름	제품 분류	단가	판매량	금액	이익금액
오렌지 주스	유제품	80000	44	=SUM(D7:E7)	=F7*$G$4
레몬 주스	음료	19000	42	=SUM(D8:E8)	
체리 시럽	조미료	10000	29	=SUM(D9:E9)	
복숭아 시럽	조미료	22000	43	=SUM(D10:E10)	
파인애플 시럽	조미료	21000	27	=SUM(D11:E11)	
블루베리 잼	조미료	25000	48	=SUM(D12:E12)	
건과(배)	가공 식품	30000	31	=SUM(D13:E13)	
딸기 소스	조미료	40000	45	=SUM(D14:E14)	
상등육 쇠고기	육류	97000	43	=SUM(D15:E15)	
연어알 조림	해산물	31000	26	=SUM(D16:E16)	
합계			=SUM(E7:E16)	=SUM(F7:F16)	

<계산 결과의 "수식 표시">

⇩

02 셀 G7에 입력한 수식를 아래 방향으로 셀 G16까지 자동 채우기로 복사를 한다.
$를 붙인(절대 참조) 셀은 복사를 해도 참조한 셀이 이동하지 않고 올바르게 계산된다.

천안 쌍용 지점 2020년 2월 매출

제품 이름	제품 분류	단가	판매량	금액	이익금액
				판매이익율	10.00%
오렌지 주스	유제품	80,000	44	80,044	8,004
레몬 주스	음료	19,000	42	19,042	1,904
체리 시럽	조미료	10,000	29	10,029	1,003
복숭아 시럽	조미료	22,000	43	22,043	2,204
파인애플 시럽	조미료	21,000	27	21,027	2,103
블루베리 잼	조미료	25,000	48	25,048	2,505
건과(배)	가공 식품	30,000	31	30,031	3,003
딸기 소스	조미료	40,000	45	40,045	4,005
상등육 쇠고기	육류	97,000	43	97,043	9,704
연어알 조림	해산물	31,000	26	31,026	3,103
합계			378	375,378	

<이익 금액 계산>

천안 쌍용 지점 2020년 2월 매출

제품 이름	제품 분류	단가	판매량	금액	이익금액
				판매이익율	0.1
오렌지 주스	유제품	80000	44	=SUM(D7:E7)	=F7*$G$4
레몬 주스	음료	19000	42	=SUM(D8:E8)	=F8*$G$4
체리 시럽	조미료	10000	29	=SUM(D9:E9)	=F9*$G$4
복숭아 시럽	조미료	22000	43	=SUM(D10:E10)	=F10*$G$4
파인애플 시럽	조미료	21000	27	=SUM(D11:E11)	=F11*$G$4
블루베리 잼	조미료	25000	48	=SUM(D12:E12)	=F12*$G$4
건과(배)	가공 식품	30000	31	=SUM(D13:E13)	=F13*$G$4
딸기 소스	조미료	40000	45	=SUM(D14:E14)	=F14*$G$4
상등육 쇠고기	육류	97000	43	=SUM(D15:E15)	=F15*$G$4
연어알 조림	해산물	31000	26	=SUM(D16:E16)	=F16*$G$4
합계			=SUM(E7:E16)	=SUM(F7:F16)	

<계산 결과의 "수식 표시">

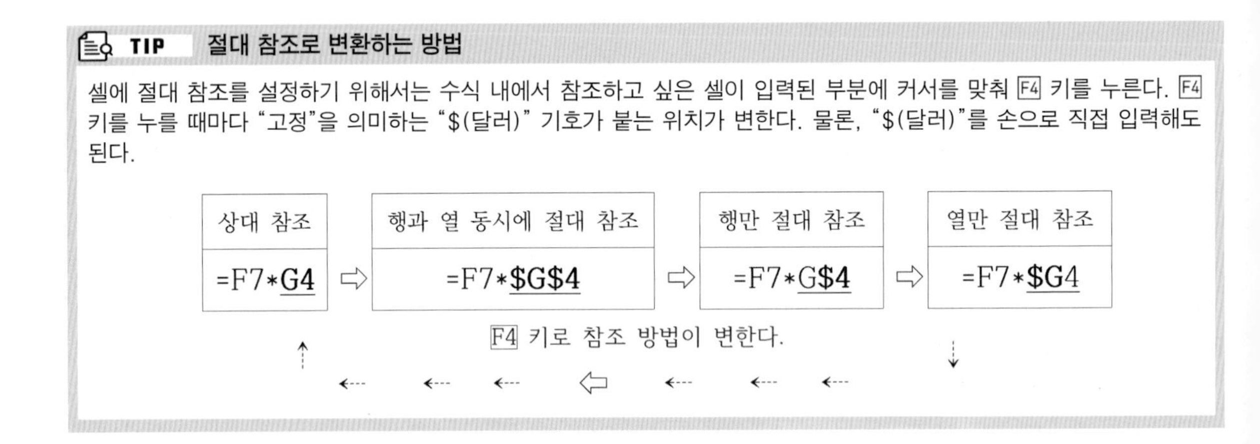

TIP 절대 참조로 변환하는 방법

셀에 절대 참조를 설정하기 위해서는 수식 내에서 참조하고 싶은 셀이 입력된 부분에 커서를 맞춰 F4 키를 누른다. F4 키를 누를 때마다 "고정"을 의미하는 "$(달러)" 기호가 붙는 위치가 변한다. 물론, "$(달러)"를 손으로 직접 입력해도 된다.

6.3.3 혼합 참조

혼합 참조는 행만을 고정하거나 열만을 고정하는 참조 형식이다. 행 혹은 열 중에서 한 쪽만 고정된다. 즉 고정되어 있지 않는 어느 한 쪽은 상대 참조이며 위치 변경이 된다.

다음의 구구단 표에서, 옆으로 복사할 때는 A열을 고정하고 아래로 복사할 때는 4행을 고정한다.

01 셀 B5에 "=B$4*$A5"를 입력한다.

- B$4; 옆으로 복사할 때는 항상 4행을 참조한다.
- $A5; 아래로 복사할 때는 항상 A열을 참조한다.

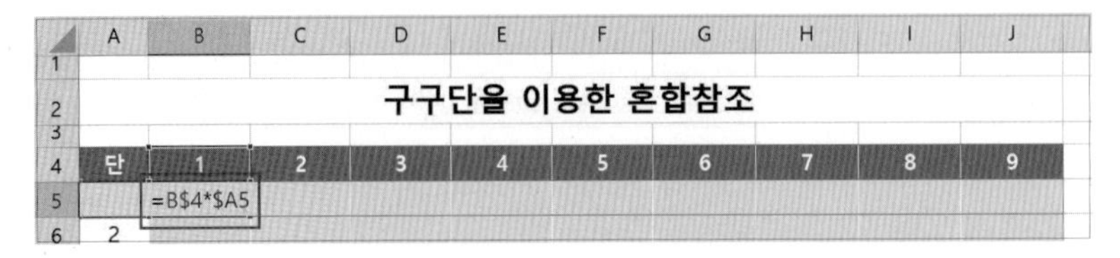

구구단을 이용한 혼합참조

단	1	2	3	4	5	6	7	8	9
	=B$4*$A5								
2									

02 셀 B5를 오른쪽 방향으로 셀 자동 채우기를 이용해서 셀 J5까지 복사한다.

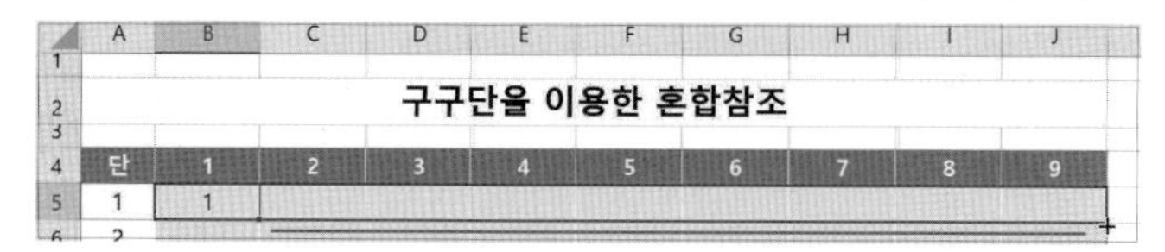

구구단을 이용한 혼합참조

단	1	2	3	4	5	6	7	8	9
1	1								
2									

03 5행을 참조해서 아래로 셀 자동 채우기로 13행까지 복사한다.

구구단을 이용한 혼합참조

단	1	2	3	4	5	6	7	8	9
1	1	2	3	4	5	6	7	8	9
2									
3									
4									
5									
6									
7									
8									
9									

04 실행 결과, 혼합 참조한 표가 만들어 진다.

구구단을 이용한 혼합참조

단	1	2	3	4	5	6	7	8	9
1	1	2	3	4	5	6	7	8	9
2	2	4	6	8	10	12	14	16	18
3	3	6	9	12	15	18	21	24	27
4	4	8	12	16	20	24	28	32	36
5	5	10	15	20	25	30	35	40	45
6	6	12	18	24	30	36	42	48	54
7	7	14	21	28	35	42	49	56	63
8	8	16	24	32	40	48	56	64	72
9	9	18	27	36	45	54	63	72	81

6.4 문자 연결

요약

문자열 연산자의 "&(엠퍼센트)"를 사용해서 수식을 입력하면 다수의 셀 데이터를 연결해서 한 셀에 표시할 수 있다. 또한 셀 대신에 「""(큰따옴표, 더블 쿼테이션)」으로 둘러싼 문자를 직접 지정해서도 연결할 수 있다.

- 수식 입력줄

  =C5&D5

* 셀 C5의 문자와 셀 D5의 문자를 연결한다.
* 두 개의 셀로 나누어진 데이터가 한 개의 셀에 표시된다.

E5 =C5&D5

AI학과 학생 리스트

학번	성	이름	성명	출생년	출생월	기타
20111	김	사랑	김사랑	2002	10	
20112	이	기동		2001	11	
20113	박	희동		2002	2	
20114	강	유미		2002	3	
20115	유	현배		1998	5	
20116	윤	형숙		2001	7	
20117	차	운국		2002	11	
20118	김	민국		2001	3	

6.4.1 셀 데이터 연결

성과 이름이 입력된 각각의 셀 데이터를 연결해서 표시하기 위해서는 결과를 표시하는 셀을 선택해서 "="를 입력한다. 이어서 서로 연결하려는 참조 셀 사이에 "&(엠퍼센트)"를 넣고 Enter 키를 누른다.

"&"로 연결한 값은 문자로 인식된다. 숫자 간의 셀을 연결시키면 셀 안에서 왼쪽 맞춤으로 표시되고 문자로 취급된다.

01 셀 E5에 "="을 입력한다.

02 셀 C5를 누른 후, "&"을 입력한다.

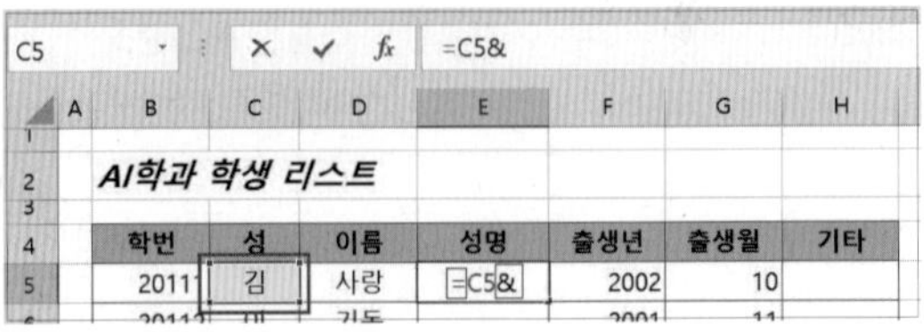

03 셀 D5를 누른 후, Enter 키를 누른다.

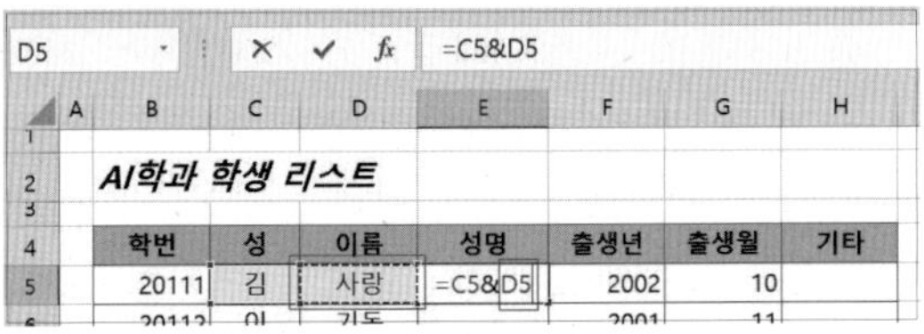

04 실행 결과, 두 개의 셀 데이터가 연결되어 표시된다.

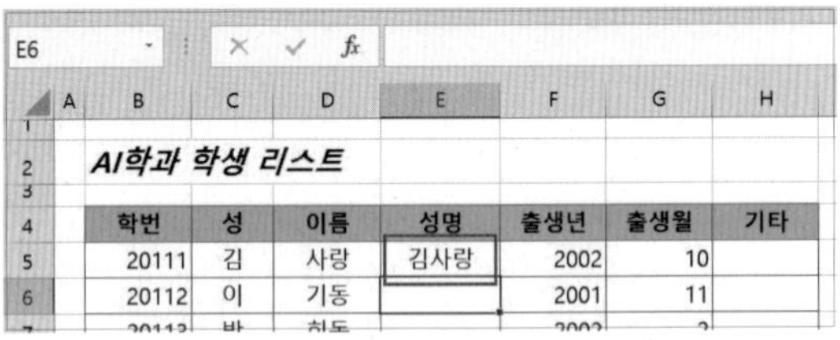

6.4.2 문자와 셀 데이터 연결

문자를 직접 지정해서 연결할 경우는 연결하고 싶은 문자를 「""」사이에 입력한다. 셀 데이터를 활용해서 간단한 문장을 작성할 때에 매우 유용하다. 또한 문자와 문자 사이에 공백을 입력할 경우, 공백을 「" □ "」로 지정한다. 숫자 형식을 유지한 상태로 문자를 연결하고 싶은 경우는 "셀 서식" 대화상자의 "범주"의 "사용자 정의"를 사용한다.

01 셀 H5를 누른 후, "=" 입력한다.

02 셀 E5를 누른다.

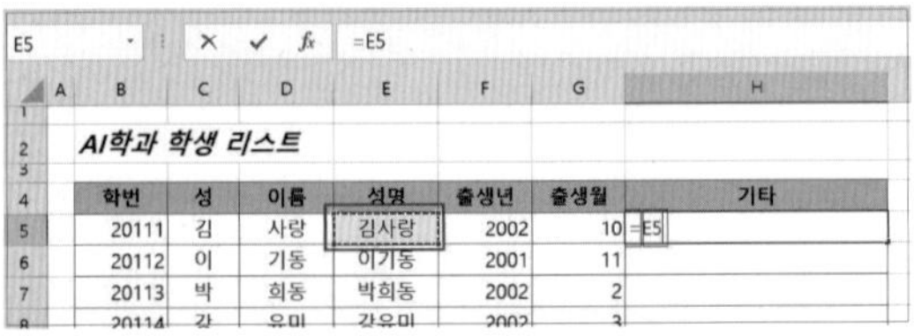

03 「&"은 "&」을 입력한다.

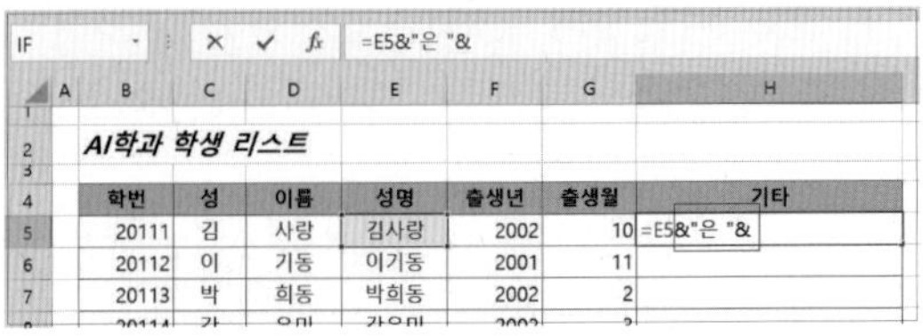

04 셀 F5를 누른다.

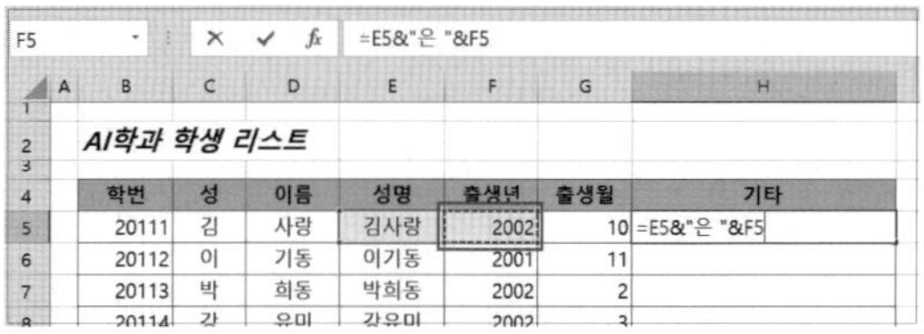

F5 | =E5&"은 "&F5

AI학과 학생 리스트

학번	성	이름	성명	출생년	출생월	기타
20111	김	사랑	김사랑	2002	10	=E5&"은 "&F5
20112	이	기동	이기동	2001	11	
20113	박	희동	박희동	2002	2	

05 「&"년생 입니다."」을 입력한다.

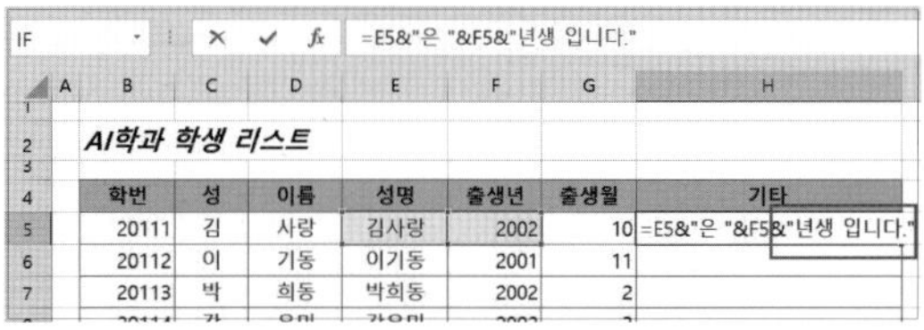

IF | =E5&"은 "&F5&"년생 입니다."

AI학과 학생 리스트

학번	성	이름	성명	출생년	출생월	기타
20111	김	사랑	김사랑	2002	10	=E5&"은 "&F5&"년생 입니다."
20112	이	기동	이기동	2001	11	
20113	박	희동	박희동	2002	2	

06 실행 결과, 셀의 값과 문자가 연결되어 문장이 완성되었다.

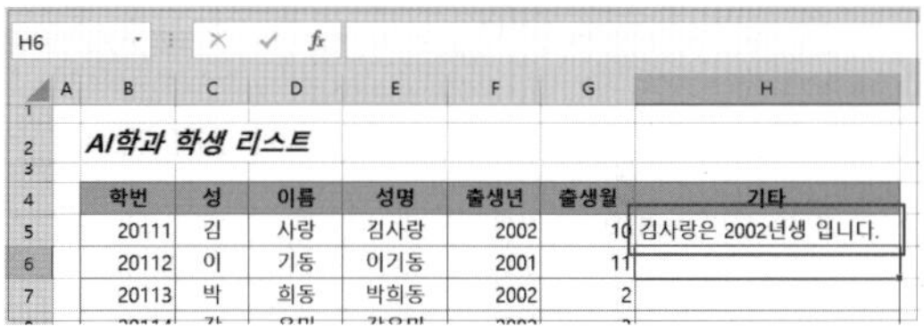

H6

AI학과 학생 리스트

학번	성	이름	성명	출생년	출생월	기타
20111	김	사랑	김사랑	2002	10	김사랑은 2002년생 입니다.
20112	이	기동	이기동	2001	11	
20113	박	희동	박희동	2002	2	

6.5 수식 분석

요약

엑셀에는 셀에 입력한 수식의 내용과 오류의 원인을 검사하는 기능이 있다. 셀에 입력된 수식의 의미를 잘 모른다거나 수식의 결과에 오류가 났을 때 등 수식으로 어려움을 겪을 경우, 이 기능이 좋은 해결 도구가 된다.

- 수식 표시

* 입력된 수식을 표시할 수 있다.

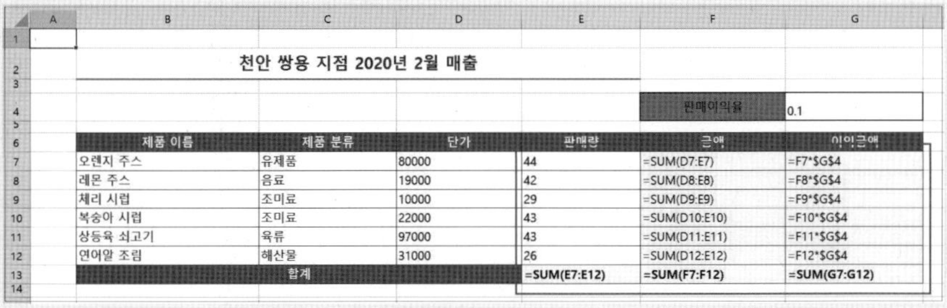

천안 쌍용 지점 2020년 2월 매출

판매이익율 | 0.1

제품 이름	제품 분류	단가	판매량	금액	이익금액
오렌지 주스	유제품	80000	44	=SUM(D7:E7)	=F7*$G$4
레몬 주스	음료	19000	42	=SUM(D8:E8)	=F8*$G$4
체리 시럽	조미료	10000	29	=SUM(D9:E9)	=F9*$G$4
복숭아 시럽	조미료	22000	43	=SUM(D10:E10)	=F10*$G$4
상등육 쇠고기	육류	97000	43	=SUM(D11:E11)	=F11*$G$4
연어알 조림	해산물	31000	26	=SUM(D12:E12)	=F12*$G$4
합계			=SUM(E7:E12)	=SUM(F7:F12)	=SUM(G7:G12)

- 참조 관계 표시

* 참조 관계를 나타내는 화살표를 표시할 수 있다.

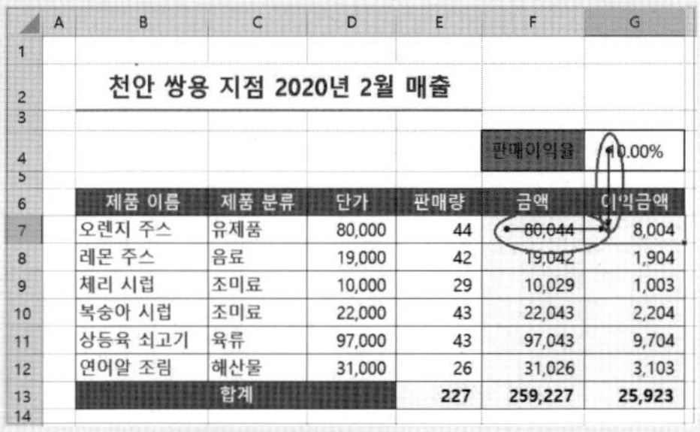

천안 쌍용 지점 2020년 2월 매출

판매이익율 | 10.00%

제품 이름	제품 분류	단가	판매량	금액	이익금액
오렌지 주스	유제품	80,000	44	80,044	8,004
레몬 주스	음료	19,000	42	19,042	1,904
체리 시럽	조미료	10,000	29	10,029	1,003
복숭아 시럽	조미료	22,000	43	22,043	2,204
상등육 쇠고기	육류	97,000	43	97,043	9,704
연어알 조림	해산물	31,000	26	31,026	3,103
합계			227	259,227	25,923

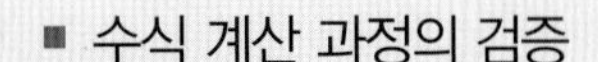

■ 수식 계산 과정의 검증

네스트가 포함된 복잡한 수식의 계산 과정 및 형식을 확인할 수 있다.

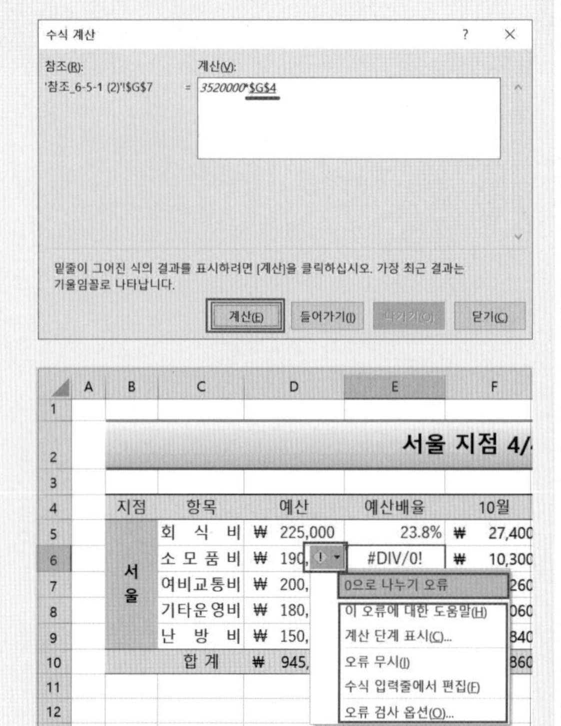

■ 오류 메시지

#DIV/0!
#DIV/0!

오류가 있는 셀에는 "녹색 오류 지시"가 붙는다.

"오류 검사 옵션"을 누르면 오류에 관한 리스트가 표시된다.

6.5.1 셀 수식 표시

셀에 수식을 입력하면 셀에는 수식의 결과가 표시된다. 셀을 선택하면 "수식 입력줄"에서 수식의 내용을 확인할 수 있다. 그러나 워크시트 내에 수식이 이용된 모든 셀의 수식을 확인하고 싶을 경우는 [수식] 탭의 [수식 분석] 그룹에 있는 "수식 표시" 수식 표시 단추를 누르면 워크시트 내에 있는 모든 셀의 수식을 표시할 수 있다. 즉, 각 셀에 결과 값 대신 수식을 표시한다.

01 문서 내의 수식을 확인하고자 하는 시트를 선택한다.

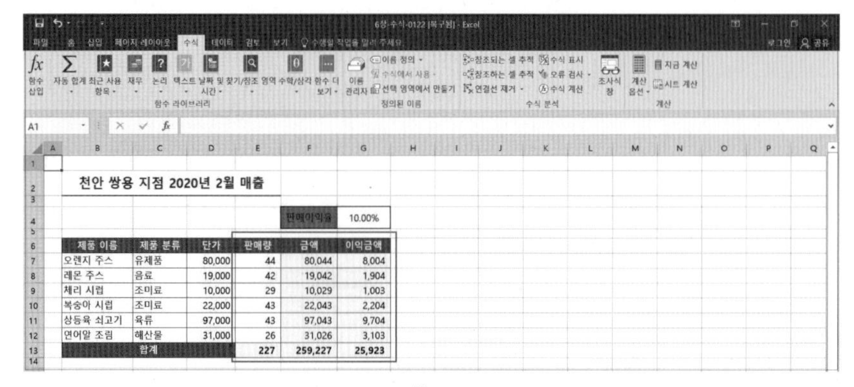

⇩

02 [수식] 탭 - [수식 분석] 그룹 - "수식 표시" 수식 표시 단추를 누른다.

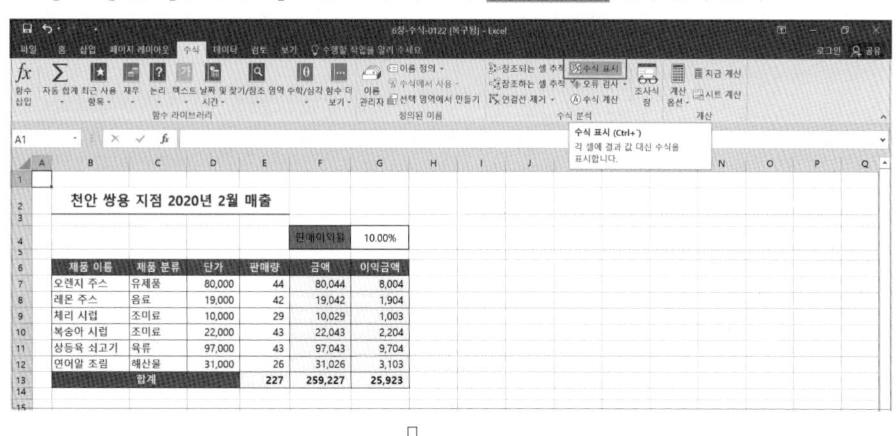

천안 쌍용 지점 2020년 2월 매출

판매이익률	10.00%

제품 이름	제품 분류	단가	판매량	금액	이익금액
오렌지 주스	유제품	80,000	44	80,044	8,004
레몬 주스	음료	19,000	42	19,042	1,904
체리 시럽	조미료	10,000	29	10,029	1,003
복숭아 시럽	조미료	22,000	43	22,043	2,204
상등육 쇠고기	육류	97,000	43	97,043	9,704
연어알 조림	해산물	31,000	26	31,026	3,103
합계			227	259,227	25,923

⇩

03 실행 결과, 워크시트 내의 수식이 표시된다.

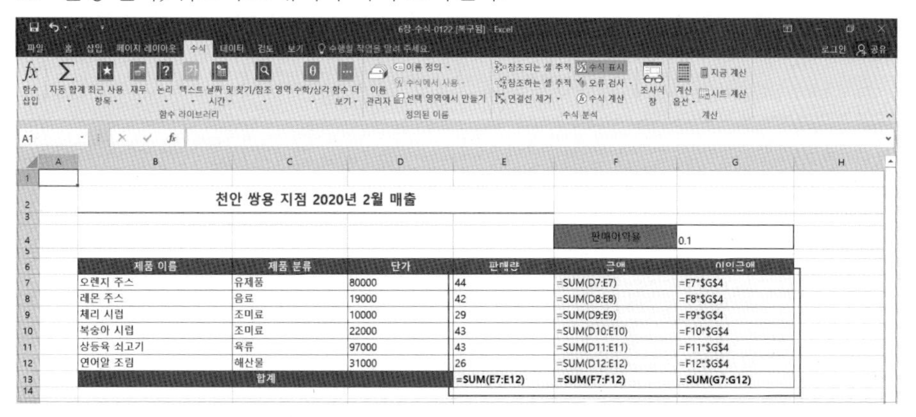

천안 쌍용 지점 2020년 2월 매출

판매이익률	0.1

제품 이름	제품 분류	단가	판매량	금액	이익금액
오렌지 주스	유제품	80000	44	=SUM(D7:E7)	=F7*$G$4
레몬 주스	음료	19000	42	=SUM(D8:E8)	=F8*$G$4
체리 시럽	조미료	10000	29	=SUM(D9:E9)	=F9*$G$4
복숭아 시럽	조미료	22000	43	=SUM(D10:E10)	=F10*$G$4
상등육 쇠고기	육류	97000	43	=SUM(D11:E11)	=F11*$G$4
연어알 조림	해산물	31000	26	=SUM(D12:E12)	=F12*$G$4
합계			=SUM(E7:E12)	=SUM(F7:F12)	=SUM(G7:G12)

6.5.2 셀 참조 관계 표시

셀에 입력한 수식과 수식 중의 셀과의 참조 관계를 확인하기 위해서는 추적 기능을 이용한다. 추적 기능에는 "참조되는 추적"과 "참조하는 추적"이 있다. 참조되는 추적은 액티브 셀(눌러서 활성화된 셀)의 수식이 수식 중에서 참조하고 있는 셀을 검출한다. 참조하는 추적은 액티브 셀을 참조하고 있는 수식을 검출한다.

(1) 참조되는 셀 확인

수식이 입력된 셀을 선택했을 때는 "참조되는 셀 추적" 참조되는 셀 추적 단추를 이용한다. 수식에서 참조하고 있는 셀부터 액티브 셀을 향해서 화살표가 표시되어 수식에 이용되고 있는 셀을 확인할 수 있다. 즉, 이 단추는 현재 선택한 셀 값에 영향을 주는 셀을 나타내는 화살표를 표시한다.

01 수식을 분석하려는 셀 G7을 누른다.

02 [수식] 탭 - [수식 분석] 그룹 - "참조되는 셀 추적" 참조되는 셀 추적 을 누른다.

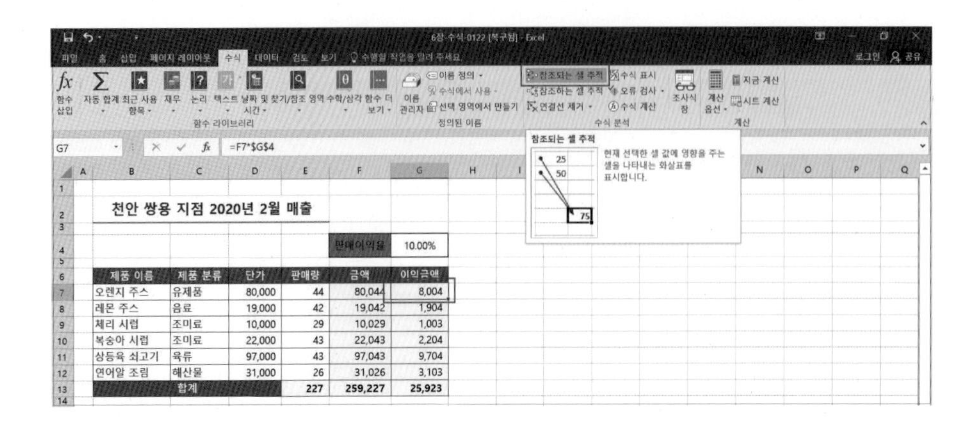

03 실행 결과, 참조되는 셀 G4와 셀 F7로부터 각각의 추적 화살표가 표시된다.

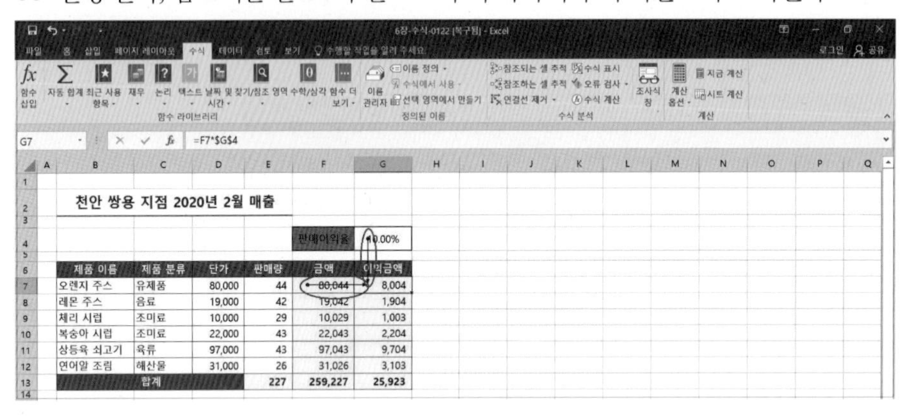

(2) 참조하는 셀 추적

값이 들어있는 셀을 선택했을 때는 "참조하는 셀 추적" 참조하는 셀 추적 단추를 이용한다. 액티브 셀을 이용하고 있는 수식의 셀 방향으로 화살표가 표시된다.

01 수식을 분석할 셀 E7을 누른다.

02 [수식] 탭 - [수식 분석] 그룹 - "참조하는 셀 추적" 참조하는 셀 추적 을 누른다.

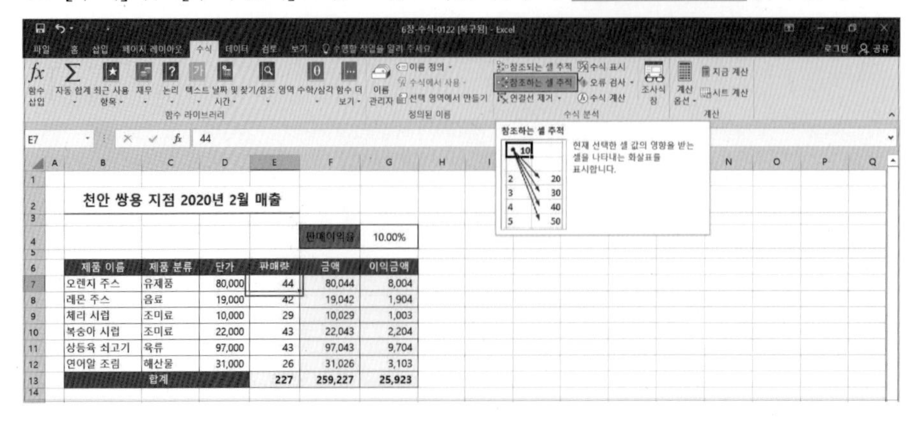

03 실행 결과, 셀 E7을 참조하는 셀 E13, F7의 방향으로 추적 화살표가 표시된다.

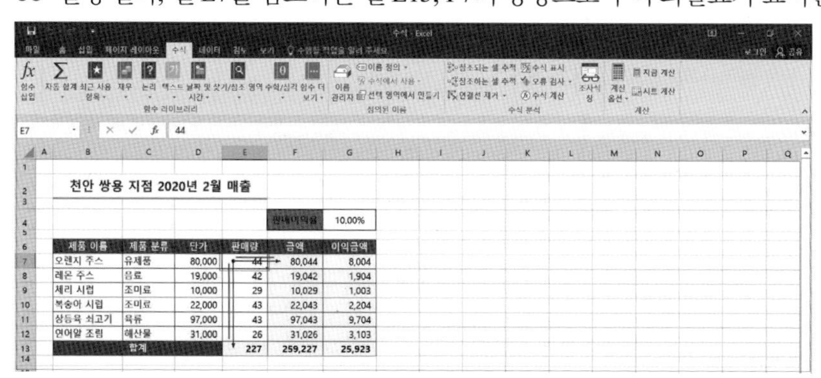

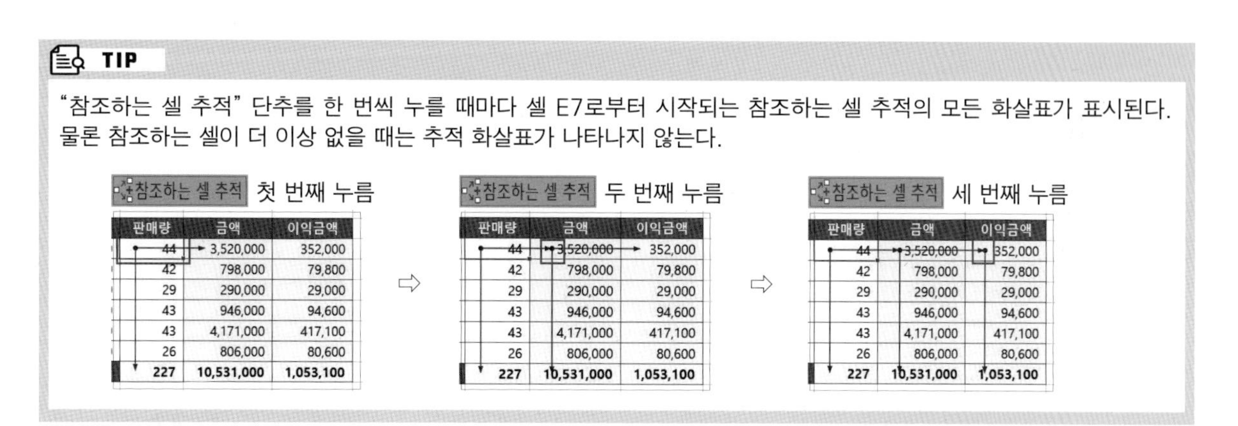

TIP

"참조하는 셀 추적" 단추를 한 번씩 누를 때마다 셀 E7로부터 시작되는 참조하는 셀 추적의 모든 화살표가 표시된다. 물론 참조하는 셀이 더 이상 없을 때는 추적 화살표가 나타나지 않는다.

참조하는 셀 추적 첫 번째 누름

판매량	금액	이익금액
44	3,520,000	352,000
42	798,000	79,800
29	290,000	29,000
43	946,000	94,600
43	4,171,000	417,100
26	806,000	80,600
227	10,531,000	1,053,100

⇨ 참조하는 셀 추적 두 번째 누름

판매량	금액	이익금액
44	3,520,000	352,000
42	798,000	79,800
29	290,000	29,000
43	946,000	94,600
43	4,171,000	417,100
26	806,000	80,600
227	10,531,000	1,053,100

⇨ 참조하는 셀 추적 세 번째 누름

판매량	금액	이익금액
44	3,520,000	352,000
42	798,000	79,800
29	290,000	29,000
43	946,000	94,600
43	4,171,000	417,100
26	806,000	80,600
227	10,531,000	1,053,100

6.5.3 수식 계산 과정 검증

긴 수식 혹은 수식 안에 수식이 있을 경우 등 복잡한 수식은 가볍게 한 번 봐서는 그 내용을 이해하기가 쉽지 않다. 이와 같을 때는 [수식] 탭의 [수식 분석] 그룹에 있는 "수식 계산" 수식 계산 단추를 사용하면 수식의 구조를 확인할 수 있다. 즉, 각 수식의 구성 요소를 확인하여 맞게 계산되었는지 확인할 수 있다.

01 수식을 분석할 셀 G7을 누른다.

02 [수식] 탭 - [수식 분석] 그룹 - "수식 계산" 수식 계산 을 누르면 [수식 계산] 대화상자가 표시된다.

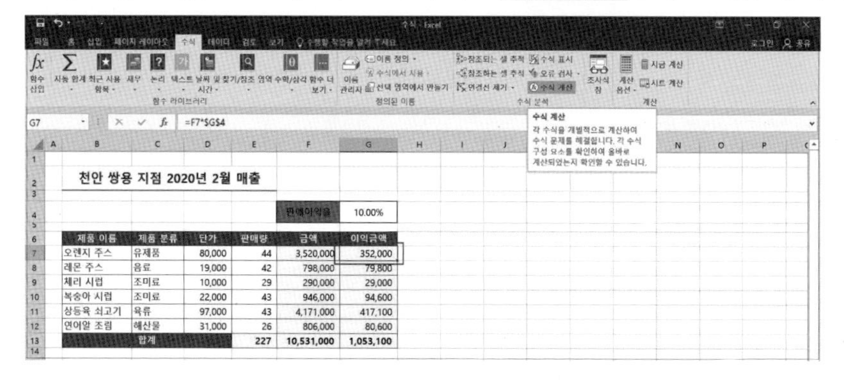

03 계산 영역에 수식의 밑줄이 있을 경우, "계산"을 누른다.

- 밑줄이 있는 셀 F7부터 계산

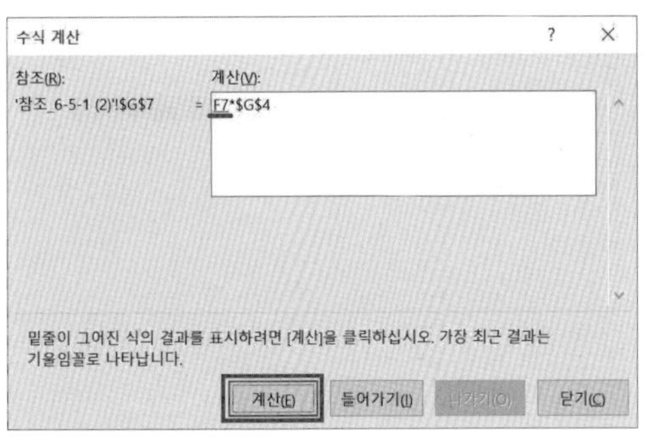

- $G$4 계산

수식 계산

참조(R): '참조_6-5-1 (2)'!$G$7 계산(V): = 3520000*$G$4

- 3520000*0.1 계산

수식 계산

참조(R): '참조_6-5-1 (2)'!$G$7 계산(V): = 3520000*0.1

- 최종 결과("닫기"를 누르고 종료)

수식 계산

참조(R): '참조_6-5-1 (2)'!$G$7 계산(V): = 352,000

다시 시작(E) 닫기(C)

6.5.4 오류 메시지

입력한 수식에 어떤 문제가 있을 경우에는 값이 아닌 "#"으로 시작하는 오류 값이 표시된다. 오류 값이 있는 셀의 왼쪽 귀퉁이에는 녹색 오류 지시와 "오류 검사 옵션" 단추가 표시된다. 오류 검사 옵션 단추를 누르면 오류의 종류와 그 해결 방법의 리스트가 표시된다.

수식의 결과는 표시되는데 셀의 왼쪽 귀퉁이에 오류 지시가 표시되는 경우가 있다. 이것은 수식에 인접하고 있는 숫자 셀을 수식이 참조하지 않을 경우 등 셀 참조에 모순이 있는 경우에 표시된다.

01 오류가 표시된 셀을 누르면 "오류 검사 옵션"이 표시된다.

서울 지점 4/4분기 비용 정산

일자 : 2019-01-25

지점	항목	예산	예산배율	10월	11월	12월	합계	잔액	집행율
서울	회 식 비	₩ 225,000	23.8%	₩ 27,400	₩ 23,500	₩ 91,000	₩ 141,900	83,100	63.1%
	소 모 품 비	₩ 190	#DIV/0!	₩ 10,300	₩ 34,450	₩ 45,250	₩ 90,000	100,000	47.4%
	여비교통비	₩ 200,0	사용한 수식이나 함수를 0이나 빈 셀로 나누는 중입니다.			₩ 15,550	₩ 89,610	110,390	44.8%
	기타운영비	₩ 180,000	#DIV/0!	₩ 10,060	₩ 35,200	₩ 54,190	₩ 99,450	80,550	55.3%
	난 방 비	₩ 150,000	#DIV/0!	₩ 40,840	₩ 46,120	₩ 41,260	₩ 128,220	21,780	85.5%
합 계		₩ 945,000	#DIV/0!	₩ 102,860	₩ 199,070	₩ 247,250	₩ 549,180	395,820	58.1%

02 "오류 검사 옵션"을 누르면 해결 방법이 표시되며, 오류 종류에 따라서 표시되는 리스트가 다르다.

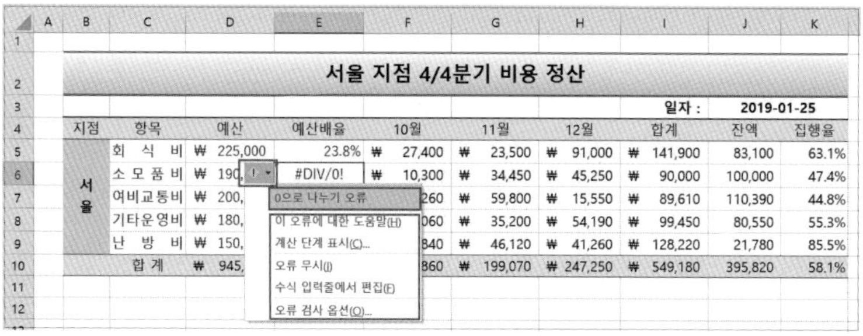

서울 지점 4/4분기 비용 정산

지점	항목	예산	예산배율	10월	11월	12월	합계	잔액	집행율
							일자 :	2019-01-25	
서울	회 식 비	₩ 225,000	23.8%	₩ 27,400	₩ 23,500	₩ 91,000	₩ 141,900	83,100	63.1%
	소 모 품 비	₩ 190,	#DIV/0!	₩ 10,300	₩ 34,450	₩ 45,250	₩ 90,000	100,000	47.4%
	여비교통비	₩ 200,		260	₩ 59,800	₩ 15,550	₩ 89,610	110,390	44.8%
	기타운영비	₩ 180,		060	₩ 35,200	₩ 54,190	₩ 99,450	80,550	55.3%
	난 방 비	₩ 150,		840	₩ 46,120	₩ 41,260	₩ 128,220	21,780	85.5%
합 계		₩ 945,		860	₩ 199,070	₩ 247,250	₩ 549,180	395,820	58.1%

0으로 나누기 오류
이 오류에 대한 도움말(H)
계산 단계 표시(C)...
오류 무시(I)
수식 입력줄에서 편집(F)
오류 검사 옵션(O)...

TIP 오류 종류

입력한 수식에 어떤 문제가 있을 때에 표시되는 "#"로 시작하는 오류 값은 오류의 내용에 따라서 다음의 7종류로 분류된다.

오류 값	의미	해결 방법
#VALUE!	수식에 문자를 지정하거나, 함수의 인수의 지정 방법이 틀렸을 때에 표시되는 문법 오류	수식에서 참조하고 있는 셀의 위치와 내용을 확인하거나 문자를 참조하지 않도록 한다. 함수의 경우는 인수의 지정 방법을 확인한다.
#DIV/0!	나누기에서 분모가 0 혹은 공백	0 혹은 공백으로 나누어지지 않도록 셀의 값 혹은 셀 참조를 수정한다.
#NAME?	수식에 지정한 이름이 없거나 함수명이 존재하지 않음	"이름 관리자" 대화상자에서 이름을 확인하고 수정한다. 함수는 함수명을 확인한다.
#N/A	수식에서 참조하고 있는 셀 혹은 함수의 인수에 해당한 셀에 필요한 값이 입력되어 있지 않음	수식 혹은 함수에 필요한 값을 입력한다.
#REF!	수식 혹은 함수에서 참조하는 셀이 삭제되어 해당한 셀을 찾을 수 없음	참조한 셀을 다시 지정하거나 "되돌리기" 단추를 눌러서 삭제 전으로 되돌린다.
#NULL!	두 개의 셀 범위를 지정할 때의 범위의 구분이 되는 ",(쉼표)"가 없음	수식을 검토하여 셀 범위의 구분에 ",(쉼표)"를 붙인다.
#NUM!	수식 혹은 함수에서 이용한 값에 오류가 있거나 혹은 값이 너무 크거나 너무 작아서 올바르게 계산이 불가능	수식 혹은 함수에서 사용한 값을 확인해서 수정한다. 또한 "Excel 옵션" 대화상자의 "수식" 범주에 있는 "계산 옵션"의 "최대 반복 횟수" 혹은 "변화 한도값"의 숫자를 변경한다.

연습문제

1. 아래의 그림을 보고 A와 B의 더하기를 실행한 후, [수식] 탭–[수식 분석] 그룹–"수식 표시" 단추를 눌러서 확인해 보자.

<계산 전>

데이터		A와 B의 더하기	
		셀 주소 참조	직접 계산
A	B	결과 값	결과 값
10	100	=B5+C5	=10+100
20	200		
30	300		
40	400		
50	500		

⇨

<계산 후>

데이터		A와 B의 더하기	
		셀 주소 참조	직접 계산
A	B	결과 값	결과 값
10	100	110	110
20	200	220	220
30	300	330	330
40	400	440	440
50	500	550	550

2. 다음의 식을 참조해서 매출 현황을 계산해 보자.

(1) 상하반기 판매차액=하반기 판매액-상반기 판매액

(2) 상하반기 판매증가율=하반기 판매액/상반기 판매액-1

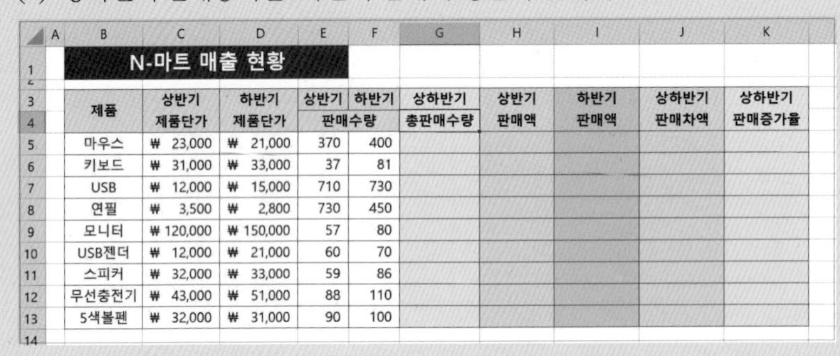

N-마트 매출 현황

제품	상반기 제품단가	하반기 제품단가	상반기 판매수량	하반기 판매수량	상하반기 총판매수량	상반기 판매액	하반기 판매액	상하반기 판매차액	상하반기 판매증가율
마우스	₩ 23,000	₩ 21,000	370	400					
키보드	₩ 31,000	₩ 33,000	37	81					
USB	₩ 12,000	₩ 15,000	710	730					
연필	₩ 3,500	₩ 2,800	730	450					
모니터	₩ 120,000	₩ 150,000	57	80					
USB젠더	₩ 12,000	₩ 21,000	60	70					
스피커	₩ 32,000	₩ 33,000	59	86					
무선충전기	₩ 43,000	₩ 51,000	88	110					
5색볼펜	₩ 32,000	₩ 31,000	90	100					

3. 다음의 문자열을 계산해 보자.

문자열 연산자		
A	B	결과 값
전라	남도	
전라	북도	
충청	남도	
충청	북도	
서울	특별시	
대전	광역시	

연습문제

4. 다음의 표에서 달성율과 비고를 계산해 보자.

(1) 달성율(%)=월 실적/월 목표*100

(2) 비고=월 실적/실적 합계*100

2017년 실적 현황

부서	월	목표	실적	달성률(%)	비고
상반기	1월	17,749.425	17,794.646		
	2월	13,874.600	19,255.158		
	3월	29,069.579	27,400.464		
	4월	30,012.028	27,515.592		
	5월	24,227.000	26,047.710		
	6월	29,148.281	25,515.592		
하반기	7월	10,339.739	12,517.517		
	8월	19,183.600	19,395.741		
	9월	19,819.553	20,454.328		
	10월	23,120.515	21,573.884		
	11월	27,272.132	28,049.545		
	12월	12,778.761	15,573.884		
요약		**21,382.934**	**261,094.061**		

5. 다음의 구구단표를 혼합 참조 형식을 활용하여 계산한 후, [수식] 탭–[수식 분석] 그룹–"수식 표시" 단추를 눌러서 혼합 참조를 확인해 보자.

혼합참조를 활용한 구구단 작성

	1단	2단	3단	4단	5단	6단	7단	8단	9단
1									
2									
3									
4									
5									
6									
7									
8									
9									

6. 문제 5에서 구구단표를 작성하였으면 셀 E6에서 "참조되는 셀" 화살표, 셀 D3과 A9에서 "참조하는 셀"의 화살표가 표시되도록 조작을 해보자.

혼합참조를 활용한 구구단 작성

	1단	2단	3단	4단	5단	6단	7단	8단	9단
1	1	2	3	4	5	6	7	8	9
2	2	4	6	8	10	12	14	16	18
3	3	6	9	12	15	18	21	24	27
4	4	8	12	16	20	24	28	32	36
5	5	10	15	20	25	30	35	40	45
6	6	12	18	24	30	36	42	48	54
7	7	14	21	28	35	42	49	56	63
8	8	16	24	32	40	48	56	64	72
9	9	18	27	36	45	54	63	72	81

CHAPTER

7 함수

7.1 함수 입력

요약

함수란, 자주 사용하는 계산이나 수고가 필요한 계산을 간단히 처리하는 수식이다. 계산에 필요한 정보를 "인수"라고 말한다. 이 인수에 값을 지정하면 그 후에 함수가 계산된다. 복잡한 계산식을 암기할 필요는 없다.

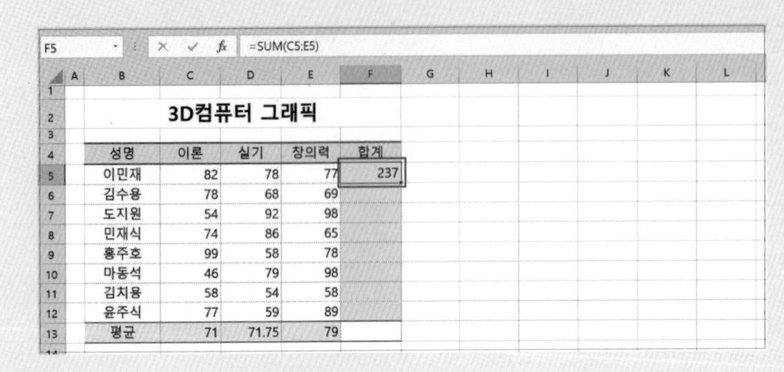
F5 =SUM(C5:E5)

3D컴퓨터 그래픽

성명	이론	실기	창의력	합계
이민재	82	78	77	237
김수용	78	68	69	
도지원	54	92	98	
민재식	74	86	65	
홍주호	99	58	78	
마동석	46	79	98	
김치용	58	54	58	
윤주식	77	59	89	
평균	71	71.75	79	

합계를 구한다.

일반 계산 방식	함수 활용
"이민재"의 합계를 구하는 수식 =C5+D5+E5 를 입력하면 계산할 수 있다. 그러나 더하는 셀의 수가 많게 되면 조금 수고가 필요하다.	합계를 구하는 SUM 함수 =SUM(C5:E5) 를 입력하면 계산된다.

함수란? "어려운 계산을 간단하게 만드는 수식"

■ 함수 형식

=SUM(C5:E5)

* =; 수식 및 함수 입력 시작
* SUM; 함수명
* C5:E5; 인수. 계산에 필요한 정보
* (...); 인수 구분

■ 함수 마법사를 이용한 함수 및 인수 입력

[함수 마법사] 대화상자

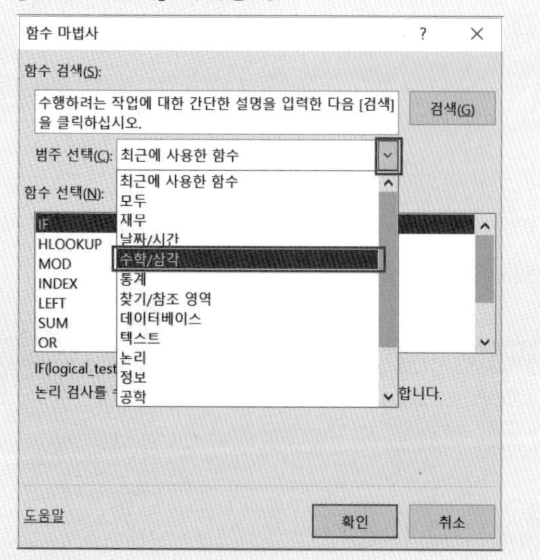

* 함수를 선택할 수 있다.

[함수 인수] 대화상자

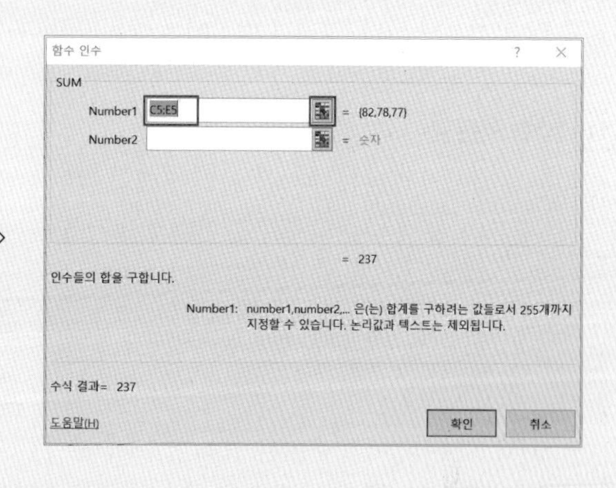

* 대화 상자의 내용은 선택한 함수에 따라 다르다.
* 인수를 입력 할 수 있다.

■ 수식 입력줄과 자동 완성 [auto complete] 이용

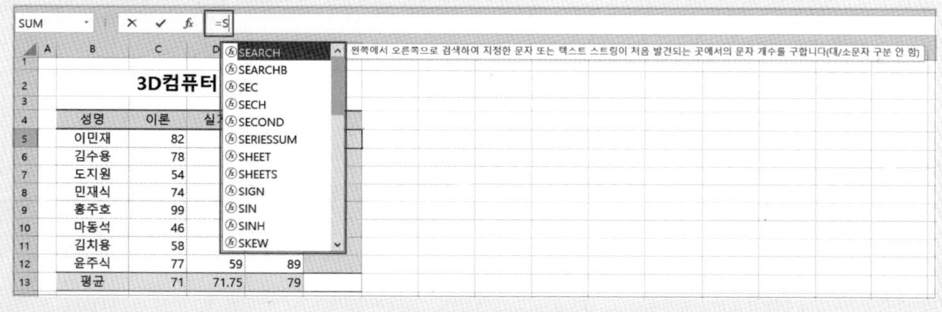

* 수식을 "수식 입력줄" 또는 셀에 직접 입력할 수 있다.
* "=S"를 입력하면 "S"로 시작하는 함수명이 표시된다. 이것은 자동 완성 기능이며 함수명을 선택할 수 있다.

■ 함수 결합

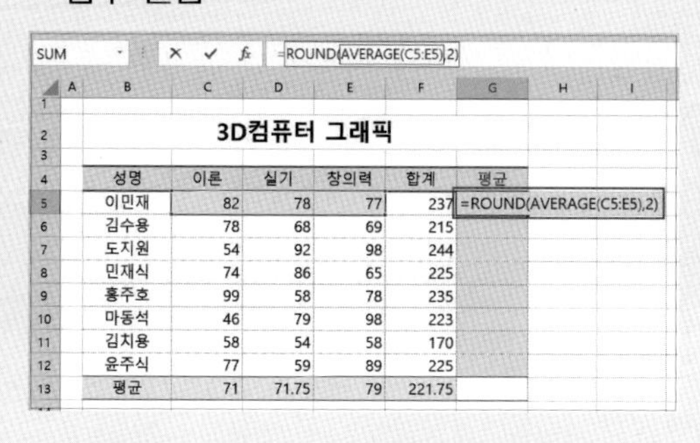

성명	이론	실기	창의력	합계	평균
이민재	82	78	77	237	=ROUND(AVERAGE(C5:E5),2)
김수용	78	68	69	215	
도지원	54	92	98	244	
민재식	74	86	65	225	
홍주호	99	58	78	235	
마동석	46	79	98	223	
김치용	58	54	58	170	
윤주식	77	59	89	225	
평균	71	71.75	79	221.75	

* 함수 안에 함수를 입력해서 사용할 수 있다.
* 다수의 함수를 결합한 계산 결과가 셀에 표시된다.

7.1.1 함수 형식

함수는 "=함수명(인수)"와 같이 정해진 형식으로 입력한다. 함수 가운데에는 인수를 반드시 필요로 하거나 그렇지 않은 경우도 있다. 그러나 형식에는 예외가 없다. 모든 함수가 동일한 형식으로 되어 있다.

(1) 함수 기본형

함수는 수식이기 때문에 수식을 입력할 때와 같이 "=(등호)"로 시작해서 함수명을 입력, 인수는 "("로 시작해서 ")"로 닫는다. 또한 다수의 정보를 인수로 지정할 때는 ",(쉼표)"로 정보를 구분한다.

=SUM(B3:B6,B8:B9,C5,…)
* =; 수식 시작 * SUM; 함수명. 미리 준비된 수식(함수)에 붙여진 이름 * B3:B6,B8:B9,C5,…; 사용하는 함수의 계산에 필요한 정보. 함수에 따라서 지정 * ,; 인수가 다수일 때는 ","로 구분

(2) 인수

인수는 함수에서 계산하기 위해 필요한 정보로서 숫자, 문자, 논리값, 셀 참조 혹은 수식도 지정할 수 있다. 또한 인수를 지정할 필요가 없는 함수도 있지만 인수를 둘러싼 괄호는 생략할 수 없다.

=	함수명	(	인수	)	기능
=	SUM	(	숫자1,숫자2,…,숫자255	)	합계
=	AVERAGE	(	숫자1,숫자2,…,숫자255	)	평균
=	IF	(	논리식,참일 때,거짓일 때	)	조건 분기
=	HLOOKUP	(	검색값,범위,행번호,검색방법	)	데이터 검색
=	TODAY	(	인수를 지정하지 않음	)	오늘 날짜

*인수는 함수에 따라서 다를 수 있다.

7.1.2 함수 마법사

엑셀에 이미 준비된 함수는 약 400여개 이상이다. [함수 마법사] 대화상자를 이용하면, 간단한 설명 등을 입력해서 함수를 검색하거나 함수의 범주로 그 범위를 좁혀서 재빨리 원하는 함수를 찾을 수 있다. 함수가 선택되면 이어서 표시된 [함수 인수] 대화상자를 이용해서 인수를 지정한다.

01 함수를 입력할 셀 F5을 누른다.

02 [수식] 탭 - [함수 라이브러리] 그룹 - "함수 삽입" fx 함수 삽입 을 누르면 [함수 마법사] 대화상자가 표시된다.

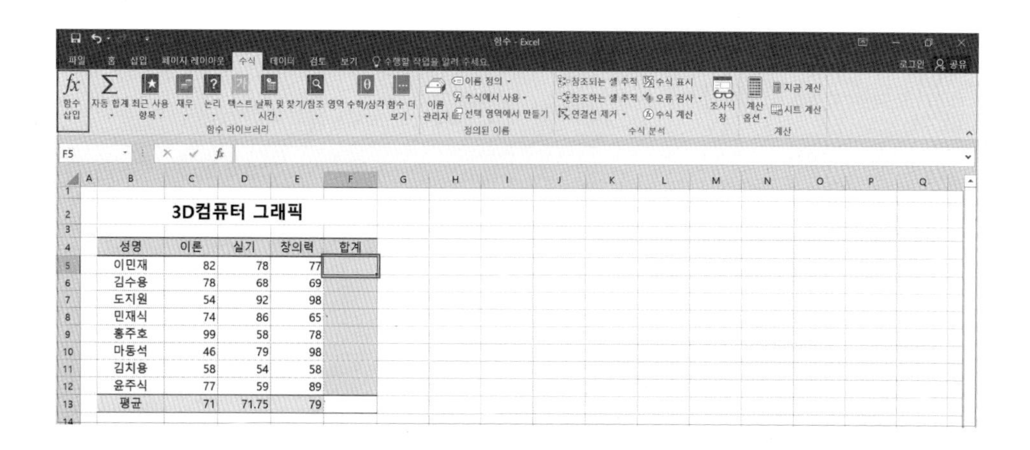

03 "범주 선택"의 ▽을 누른 후, 선택 리스트에서 함수의 범주 "수학/삼각"을 선택한다.

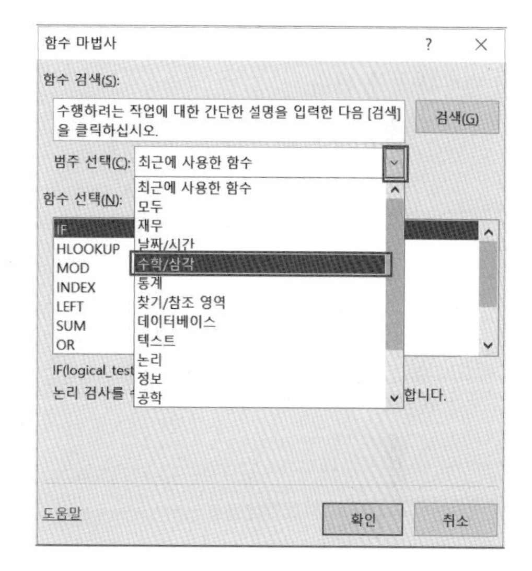

04 "함수 선택" 영역에서 입력할 함수명을 누르면, 이 영역 바로 아래에 선택한 함수의 설명이 표시된다.

05 "확인"을 누르면 [함수 인수] 대화상자가 표시된다.

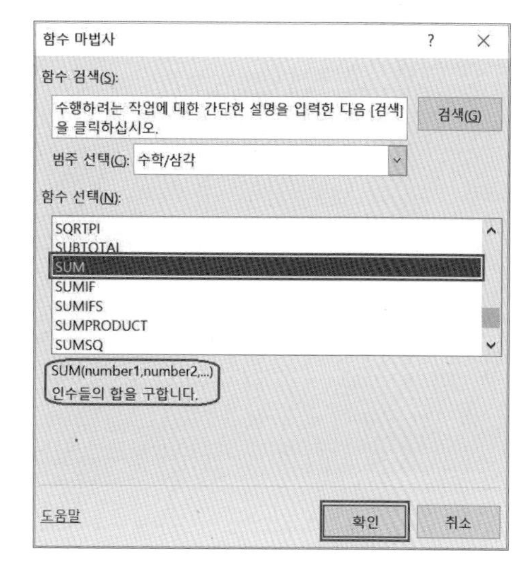

06 Number1 영역의 우측 끝단에 있는 을 누른 후, 인수를 직접 입력하거나 셀 범위를 마우스 드래그한다.

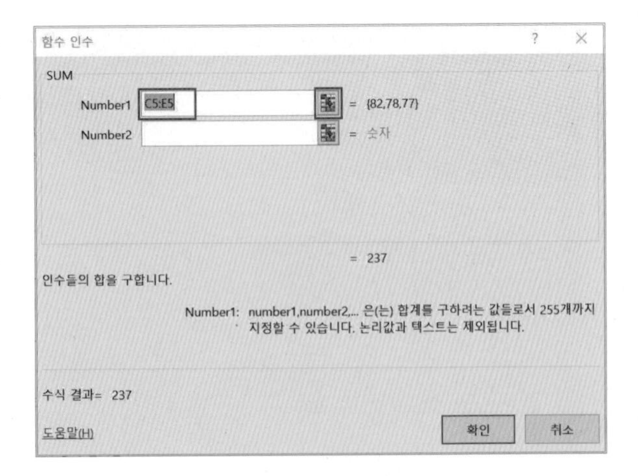

07 인수로 지정할 셀 범위 C5:E5를 드래그 한 후, 을 누른다.

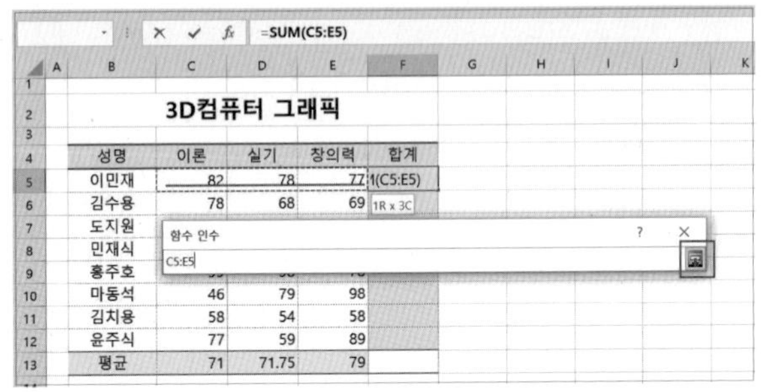

08 함수의 계산 결과 237이 미리 보기에 표시된다.

09 "확인"을 누른다.

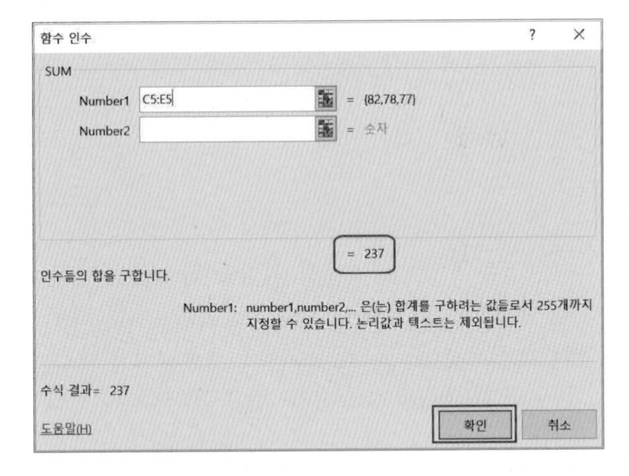

10 계산 결과, 셀 F5에 237이 표시된다.

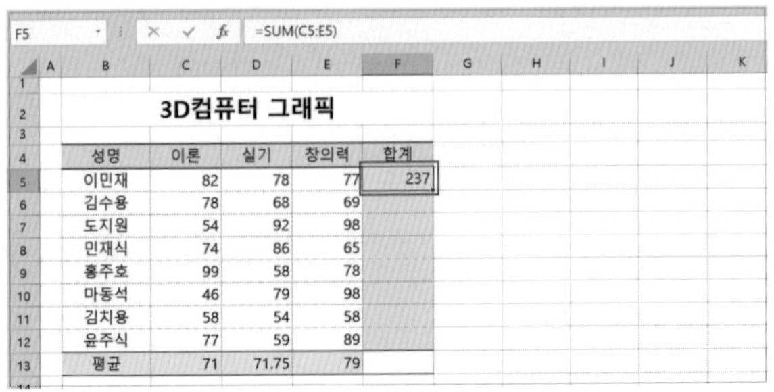

7.1.3 함수 입력

함수는 수식 입력줄 혹은 셀에 직접 입력할 수 있다. 함수를 입력하는 셀 또는 그 셀의 수식 입력줄에 "="을 입력하고 함수명, "(", 인수, ")"의 순서로 입력한다. 인수를 지정할 때는 자동으로 팝 힌트(pop-hints)가 표시되어 입력에 도움을 준다. 마지막으로 Enter 키를 눌러서 함수의 입력을 끝낸다.

함수는 [수식] 탭의 [함수 라이브러리] 그룹에 종류별로 분류되어 있다. 이용하고 싶은 함수의 분류를 사전에 알고 있으면 함수 찾기가 더 쉬워진다.

01 함수를 입력할 셀 F5를 누르고 "수식 입력줄"에서 "=S"을 입력하면 "S"로 시작하는 함수가 표시된다.

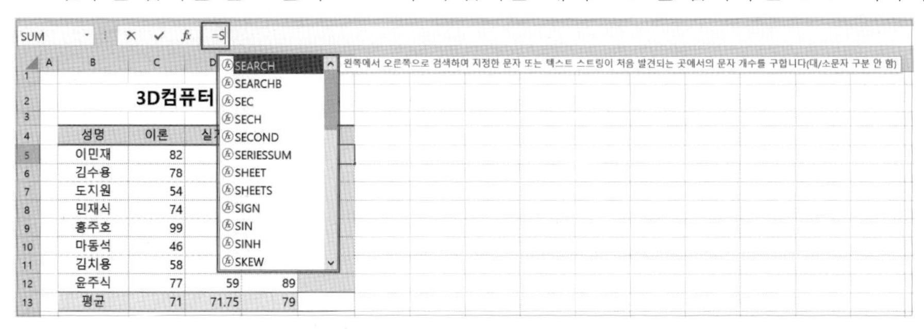

02 표시된 목록 중에 SUM을 마우스 더블 클릭해서 "SUM("을 입력하면 인수의 팝 힌트가 표시된다.

=SUM(

SUM(number1, [number2], ...)

3D컴퓨터 그래픽

성명	이론	실기	창의력	합계
이민재	82	78	77	=SUM(
김수용	78	68	69	
도지원	54	92	98	
민재식	74	86	65	
홍주호	99	58	78	
마동석	46	79	98	
김치용	58	54	58	
윤주식	77	59	89	
평균	71	71.75	79	

03 "C5:E5)"를 입력한다.

=SUM(C5:E5)

3D컴퓨터 그래픽

성명	이론	실기	창의력	합계
이민재	82	78	77	=SUM(C5:E5)
김수용	78	68	69	
도지원	54	92	98	
민재식	74	86	65	
홍주호	99	58	78	
마동석	46	79	98	
김치용	58	54	58	
윤주식	77	59	89	
평균	71	71.75	79	

04 Enter 키를 누르면 계산 결과가 표시된다.

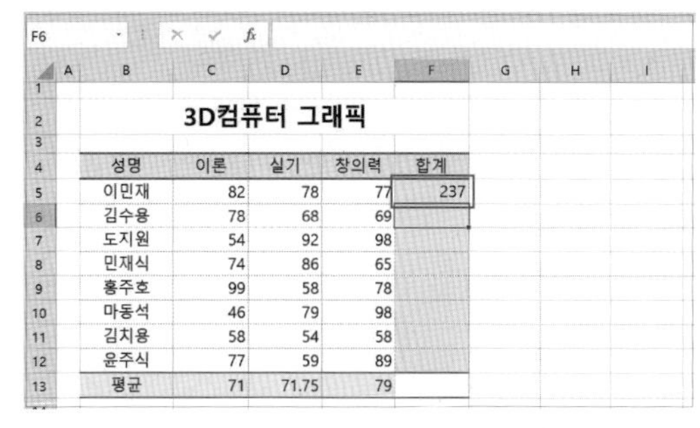

7.1.4 함수 결합

함수의 인수에 별도의 함수를 입력, 즉 함수를 결합해서 이용할 수 있다. 이것을 함수의 네스트(nest) 혹은 둥지라고 한다. 하나의 함수로는 할 수 없는 계산도 함수를 결합해서 다양한 방법으로 가능하게 할 수 있다.

SUM =ROUND(AVERAGE(C5:E5),2)

3D컴퓨터 그래픽

성명	이론	실기	창의력	합계	평균
이민재	82	78	77	237	=ROUND(AVERAGE(C5:E5),2)
김수용	78	68	69	215	
도지원	54	92	98	244	
민재식	74	86	65	225	
홍주호	99	58	78	235	
마동석	46	79	98	223	
김치용	58	54	58	170	
윤주식	77	59	89	225	
평균	71	71.75	79	221.75	

⇩

• 함수1(AVERAGE)과 함수2(ROUND)의 결합

셀 G5 =ROUND(AVERAGE(C5:E5),2)
레벨1 레벨2

* 함수1: AVERAGE(C5:E5) ← 셀 C5로부터 E5까지의 평균
* 함수2: ROUND(...) ←함수1의 결과를 소수점 이하 셋째 자리에서 반올림해서 소수 둘째 자리로 표현

7.2 통계 함수

요약

통계 함수에는 수집된 데이터의 경향을 분석하는 함수가 있다. 예를 들면, 학기말 시험의 평균점과 최고점이나 최저점을 알게 되면 시험 전체의 결과를 판단하기 쉬워진다. 그 이외에 통계 함수를 이용하면 개별 데이터의 순위를 구할 수 있다.

자주 이용하는 통계 함수는 "자동 함수" 리스트에서 선택할 수 있다.

* 평균; AVERAGE 함수. 지정한 범위의 평균값을 구한다.
* 숫자 개수; COUNT 함수. 지정한 범위 안의 숫자의 개수를 구한다.
* 최대값; MAX 함수. 지정한 범위 내 숫자의 최대값을 구한다.

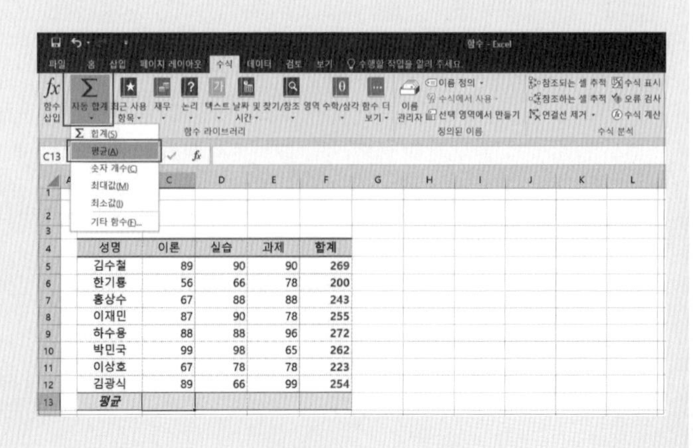

성명	이론	실습	과제	합계
김수철	89	90	90	269
한기룡	56	66	78	200
홍상수	67	88	88	243
이재민	87	90	78	255
하수용	88	88	96	272
박민국	99	98	65	262
이상호	67	78	78	223
김광식	89	66	99	254
평균				

* RANK.EQ 함수: 지정한 범위 안에서 숫자의 순위를 구한다.

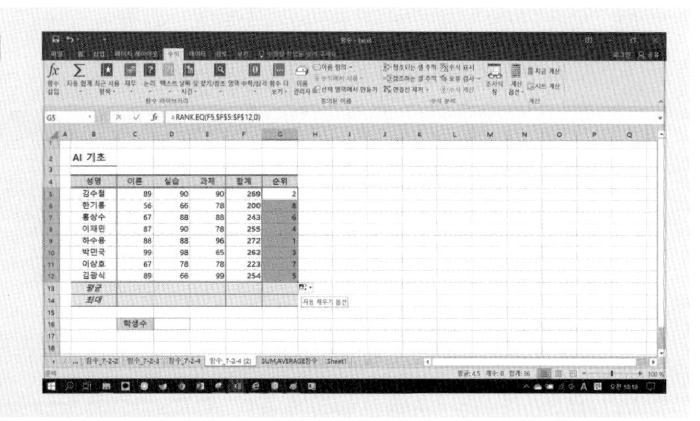

7.2.1 평균값

AVERAGE(숫자1, 숫자2, …, 숫자255)
* 숫자1, 숫자2,…, 숫자255 ; 평균을 구하는 셀 범위나 숫자
데이터의 평균값을 구하는 함수이다. 인수의 "숫자1", "숫자2",…에는 평균을 구하는 셀이나 셀 범위, 숫자를 255개까지 지정할 수 있다. 떨어져 있는 범위를 지정하기 위해서는 Ctrl 키를 누르면서 선택하거나 ",(쉼표)"로 구분하면서 선택한다.

지정한 범위의 평균값을 구하기 위해서는 AVERAGE 함수를 사용한다. 평균값은 자주 이용하는 계산 중의 하나로 "자동 합계"자동 합계 버튼을 누르고 "평균(A)"를 선택하면 AVERAGE 함수를 입력할 수 있다. 즉, "자동 합계" 버튼은 합계, 평균 등의 빠른 계산을 워크시트에 자동으로 추가하는 기능을 갖고 있다.

01 함수를 입력할 셀 C13을 누른다.

02 [수식] 탭 - [함수 라이브러리] 그룹 - "자동 합계"의 ▼을 누른다.

03 "평균(A)"를 누른다.

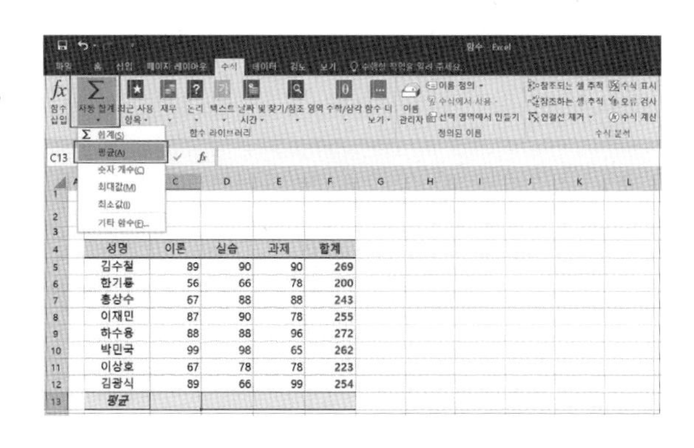

04 인수의 범위가 맞는지 확인 후, Enter 키를 누른다.

=AVERAGE(C5:C12)

AI 기초

성명	이론	실습	과제	합계
김수철	89	90	90	269
한기룡	56	66	78	200
홍상수	67	88	88	243
이재민	87	90	78	255
하수용	88	88	96	272
박민국	99	98	65	262
이상호	67	78	78	223
김광식	89	66	99	254
평균	=AVERAGE(C5:C12)			

AVERAGE(number1, [number2], ...)

05 계산 결과가 표시된 셀 C13을 누른 후, 그 셀의 우측 하단을 마우스 왼쪽을 누른 상태에서 셀의 자동 채우기로 복사할 셀 F13까지 드래그한다.

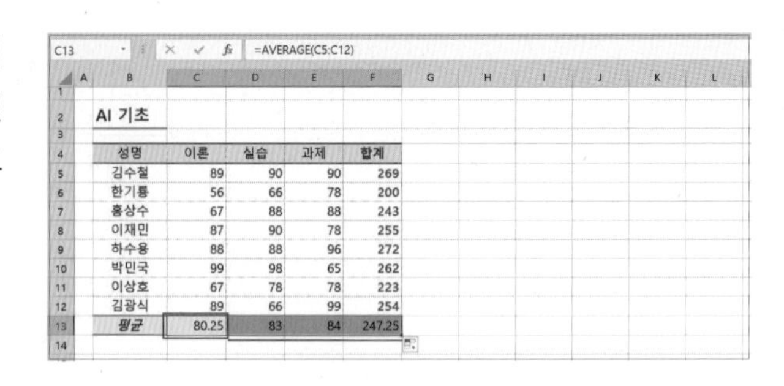

성명	이론	실습	과제	합계
김수철	89	90	90	269
한기룡	56	66	78	200
홍상수	67	88	88	243
이재민	87	90	78	255
하수용	88	88	96	272
박민국	99	98	65	262
이상호	67	78	78	223
김광식	89	66	99	254
평균	80.25	83	84	247.25

TIP

AVERAGE 함수에서 지정한 범위에 공백 셀이 포함되어 있을 경우는 계산 대상에서 제외된다. 또한 숫자 이외의 문자가 포함된 경우도 무시된다. "0"은 평균값을 구하는 데이터로서 인식된다.

7.2.2 최대값

MAX(숫자1, 숫자2, …, 숫자255)
* 숫자1, 숫자2,…, 숫자255 ; 최대값을 구하는 셀 범위나 숫자
지정한 범위의 최대값을 구하는 함수이다. 인수의 "숫자1", "숫자2",…에는 최대값을 구하고 싶은 셀이나 셀 범위, 숫자를 255까지 지정할 수 있다. 떨어져 있는 범위를 지정하기 위해서는 Ctrl 키를 누르면서 선택하거나 ",(쉼표)"로 구분하면서 선택한다.

지정한 범위의 최대값을 구하기 위해서는 MAX 함수를 사용한다. 최대값은 자주 이용하는 계산 중의 하나로 "자동 합계"자동 합계 버튼을 누르고 "최대값(M)"을 선택하면 MAX 함수를 입력할 수 있다. 즉, "자동 합계" 버튼은 합계, 평균 등의 빠른 계산을 워크시트에 자동으로 추가하는 기능을 갖고 있다.

01 함수를 입력할 셀 C14를 누른다.

02 [수식] 탭 - [함수 라이브러리] 그룹 - "자동 합계"의 ▼을 누른다.

03 "최대값(M)"을 누른다.

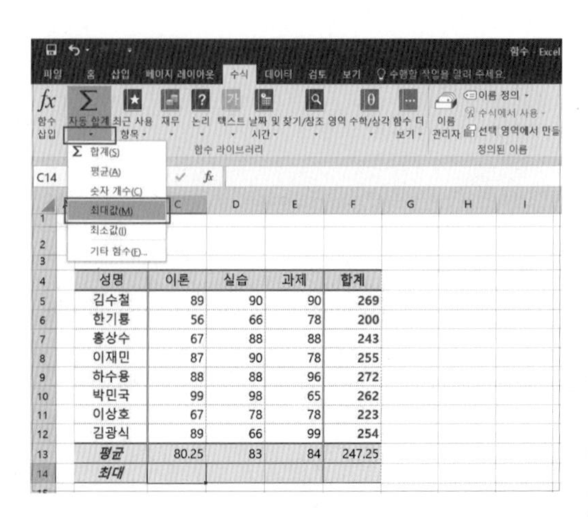

성명	이론	실습	과제	합계
김수철	89	90	90	269
한기룡	56	66	78	200
홍상수	67	88	88	243
이재민	87	90	78	255
하수용	88	88	96	272
박민국	99	98	65	262
이상호	67	78	78	223
김광식	89	66	99	254
평균	80.25	83	84	247.25
최대				

04 인수의 범위가 맞는지 확인 후, “C5:C13”을 “C5:C12”로 변경하고 Enter 키를 누른다.

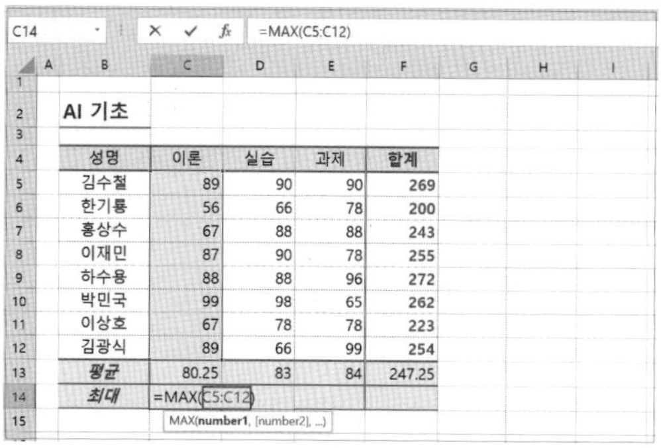

05 계산 결과가 표시된 셀 C14를 누른 후, 그 셀의 우측 하단을 마우스 왼쪽을 누른 상태에서 셀의 자동 채우기로 복사할 셀 F14까지 오른쪽으로 드래그 한다.

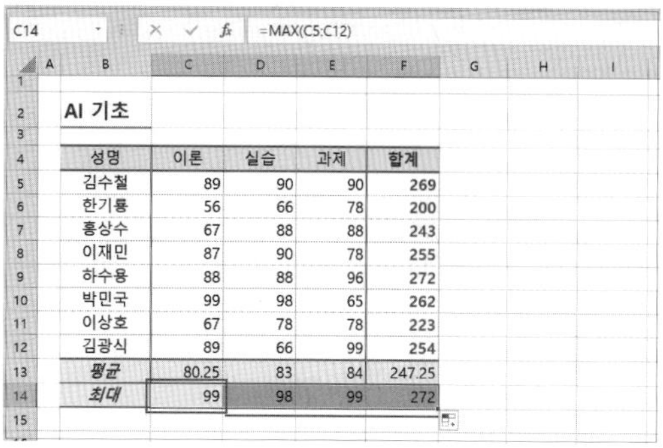

7.2.3 숫자 개수

COUNT(숫자1, 숫자2, …, 숫자255)
* 숫자1, 숫자2,…, 숫자255 ; 숫자가 입력된 셀의 수를 구하는 셀 범위
지정한 범위의 숫자가 있는 셀의 개수를 구하는 함수이다. 공백 셀이나 텍스트 셀은 수를 세지 않는다. 인수의 “숫자1”, “숫자2”,…에는 셀이나 셀 범위, 숫자를 255까지 지정할 수 있다. 떨어져 있는 범위를 지정하기 위해서는 Ctrl 키를 누른 상태로 선택하거나 “,(쉼표)”로 구분하면서 선택한다.

지정한 범위 안에서 숫자가 입력된 셀의 개수를 구하기 위해서는 COUNT 함수를 이용한다. 그러나 지정한 범위 안에 공백 이외의 데이터가 입력되어 있는 셀의 개수를 구하기 위해서는 COUNTA 함수를 이용한다. 즉, 카운트할 대상에 따라 함수 사용은 달라진다.

01 함수를 입력할 셀 D16을 누른다.

02 [수식] 탭 - [함수 라이브러리] 그룹 - “자동 합계”의 ▼을 누른다.

03 “숫자 개수”를 누른다.

04 인수의 범위가 맞는지 확인 후, “D5:D15”를 “F5:F12”로 변경한다.

F5 =COUNT(F5:F12)

성명	이론	실습	과제	합계
김수철	89	90	90	269
한기룡	56	66	78	200
홍상수	67	88	88	243
이재민	87	90	78	255
하수용	88	88	96	272
박민국	99	98	65	262
이상호	67	78	78	223
김광식	89	66	99	254
평균	80.25	83	84	247.25
최대				

학생수 =COUNT(F5:F12)

05 Enter 키를 누르면 계산 결과값 8이 표시된다.

성명	이론	실습	과제	합계
김수철	89	90	90	269
한기룡	56	66	78	200
홍상수	67	88	88	243
이재민	87	90	78	255
하수용	88	88	96	272
박민국	99	98	65	262
이상호	67	78	78	223
김광식	89	66	99	254
평균	80.25	83	84	247.25
최대				

학생수 8

7.2.4 순위

RANK.EQ(숫자, 참조, 순위)

* 숫자; 순위를 구할 셀
* 참조: 순위를 구하려는 전체 범위
* 순위: 0 또는 생략하면 내림차순(큰 순서), 0이 아닌 값이면 오름차순(작은 순서)

선택한 범위 안에서 지정한 숫자의 순위를 구하는 함수이다. “참조”에는 순위의 대상이 되는 숫자가 포함된 전체 범위를 절대 참조로 지정한다. “숫자”에는 순위를 구하고 싶은 숫자를 지정한다, 이 때, “참조” 범위 안에 포함된 숫자를 지정하지 않으면 순위가 구해지지 않는다. “순위”는 순위를 붙이고 싶은 방향으로 지정하며, 생략하면 크기 순서로 정해진다.

범위 안에서 지정한 셀의 숫자의 순위를 구하기 위해 RANK.EQ 함수를 이용한다. 숫자의 순위는 숫자의 작은 순서(오름차순) 또는 큰 순서(내림차순) 중에서 선택해서 구한다.

01 함수를 입력할 셀 G5을 누른다.

02 “수식 입력줄” 옆의 함수 삽입 *fx* 을 누르면 [함수 마법사] 대화상자가 표시된다.

03 “통계” 범주에서 “RANK.EQ”를 선택하고 “확인”을 누르면 [함수 인수] 대화상자가 표시된다.

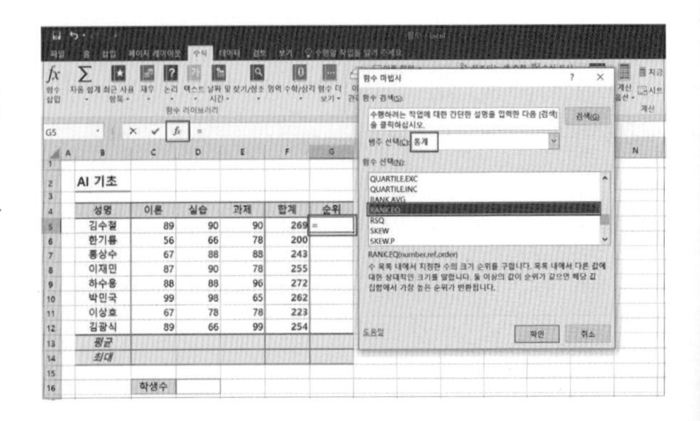

04 "Number: F5, Ref: $F$5:$F$12 ← 절대 참조, Order: 0"로 각각 입력하고 "확인"을 누른다.

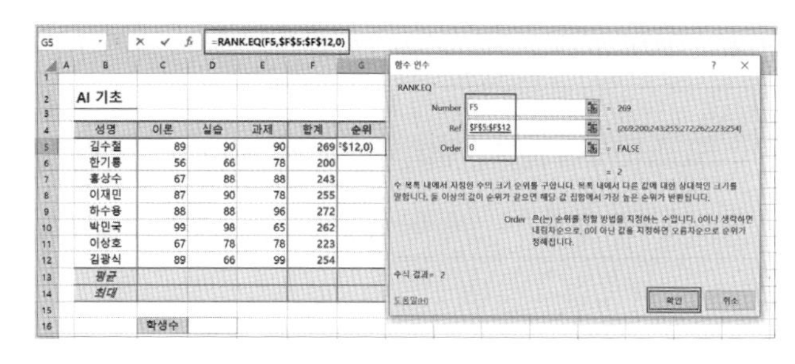

05 셀 G5에 결과가 나오면, 이 셀을 이용해서 셀 G12까지 자동 채우기를 한다.

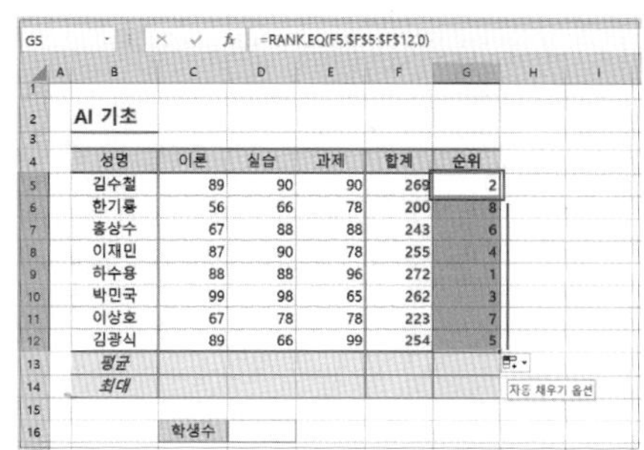

7.3 수학/삼각 함수

요약

수학/삼각 함수 범주에는 수학에서 사용하는 어려운 계산식이 많이 포함되어 있다. 자주 이용되는 합계, 반올림, 올림 그리고 버림 등의 숫자의 끝자리를 처리하는 함수도 수학/삼각 함수에 포함되어 있다.

I5 =INT(G5)

AI 기초

성명	이론	실습	과제	합계 (SUM함수)	평균	소수점 이하 반올림 (ROUND함수)	소수점 이하 버리기 (INT함수)
김수철	89	90	90	269	89.6667	89.7	89
한기룡	56	66	78	200	66.6667	66.7	66
홍상수	67	88	88	243	81	81	81
이재민	87	90	78	255	85	85	85
하수용	88	88	96	272	90.6667	90.7	90
박민국	99	98	65	262	87.3333	87.3	87
이상호	67	78	78	223	74.3333	74.3	74
김광식	89	66	99	254	84.6667	84.7	84
과목 평균							

* SUM 함수: 합을 구한다.
* ROUND 함수: 셀의 값을 처리할 자릿수를 지정해서 반올림한다.
* INT 함수: 소수점 이하의 값을 버린다.

7.3.1 합계

SUM(숫자1, 숫자2,…, 숫자255)
* 숫자1, 숫자2,…, 숫자255 ; 합계를 구하는 셀 범위나 숫자
지정한 범위의 합계를 구하는 함수이다. 공백 셀이나 텍스트는 무시된다. 인수의 "숫자1", "숫자2", …에는 셀이나 셀 범위 혹은 숫자를 255개까지 지정할 수 있다. 떨어져 있는 범위를 지정하기 위해서는 Ctrl 키를 누르면서 선택하거나 ",(쉼표)"로 구분하면서 선택한다.

지정한 범위의 합계를 구하기 위해서는 SUM 함수를 사용한다. SUM 함수는 [홈] 탭의 [편집] 그룹에 있는 "자동 합계" 버튼 혹은 [수식] 탭의 [함수 라이브러리] 그룹에 있는 "자동 합계" Σ 버튼을 누르면 셀에 입력할 수 있다.

01 함수를 입력할 셀 F5를 누른다.

02 [수식] 탭 - [함수 라이브러리] 그룹 - "자동 합계"의 Σ을 누른다.

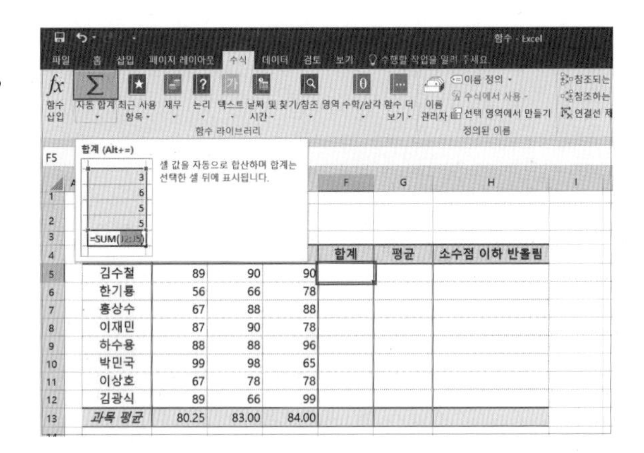

	B	C	D	E	F	G	H
4					합계	평균	소수점 이하 반올림
5	김수철	89	90	90			
6	한기룡	56	66	78			
7	홍상수	67	88	88			
8	이재민	87	90	78			
9	하수용	88	88	96			
10	박민국	99	98	65			
11	이상호	67	78	78			
12	김광식	89	66	99			
13	과목 평균	80.25	83.00	84.00			

03 인수의 범위가 맞는지 확인 후, Enter 키를 누른다.

RANK.EQ =SUM(C5:E5)

AI 기초

	B	C	D	E	F	G	H
4	성명	이론	실습	과제	합계	평균	소수점 이하 반올림
5	김수철	89	90	=SUM(C5:E5)			
6	한기룡	56	66	SUM(number1, [number2], ...)			
7	홍상수	67	88	88			
8	이재민	87	90	78			
9	하수용	88	88	96			
10	박민국	99	98	65			
11	이상호	67	78	78			
12	김광식	89	66	99			
13	과목 평균	80.25	83.00	84.00			

■ 계산 결과

합계가 계산된다.

AI 기초

	B	C	D	E	F	G	H
4	성명	이론	실습	과제	합계	평균	소수점 이하 반올림
5	김수철	89	90	90	269		
6	한기룡	56	66	78			
7	홍상수	67	88	88			
8	이재민	87	90	78			
9	하수용	88	88	96			
10	박민국	99	98	65			
11	이상호	67	78	78			
12	김광식	89	66	99			
13	과목 평균	80.25	83.00	84.00			

7.3.2 반올림

ROUND(숫자, 자릿수)
* 숫자; 반올림할 셀 * 자릿수: 처리할 자릿수
숫자를 반올림하는 함수이다. "숫자"에는 숫자나 수식 또는 셀을 지정한다. "자릿수"는 소수점 이하와 정수 부분을 반올림하는 경우에 따라 의미가 다르다. 소수점 이하를 처리할 경우는 지정한 "자릿수"로 반올림된다. 정수 부분을 처리할 경우는 지정한 "자릿수"에서 반올림한다.

끝 자릿수 처리는 숫자를 끝맺기 좋은 값으로 정리하는 것이다. 반올림이나 올림 또는 버림은 숫자를 끝맺기 좋은 값으로 정리하는 방법으로 엑셀에서는 ROUND 함수, ROUNDUP 함수, ROUNDDOWN 함수를 이용한다. 어느 함수도 인수의 지정 방법은 같다. 숫자의 정리 방법에 따라서 함수를 적절하게 선택해서 이용한다.

01 함수를 입력할 셀 H5를 누른다.

02 [수식] 탭 - [함수 라이브러리] 그룹 - "함수 삽입" f_x 버튼을 누르면 [함수 마법사] 대화상자가 표시된다.

03 함수 "ROUND"을 선택하면 [함수 인수] 대화상자가 표시된다.

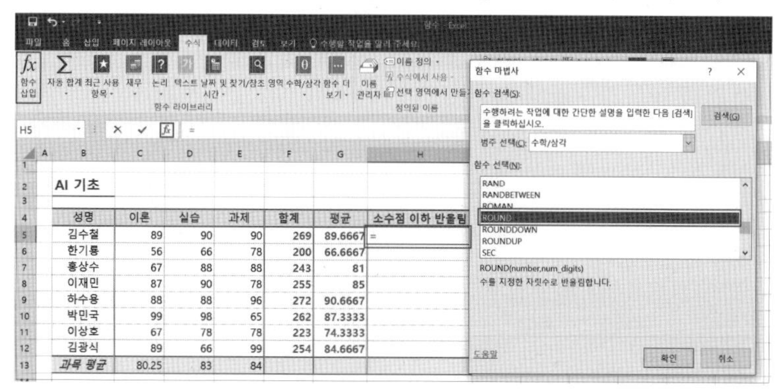

04 "Number(반올림하려는 수):G5, Num_digits(소수점 아래 자릿수 지정):1"을 입력 후, "확인"을 누른다.

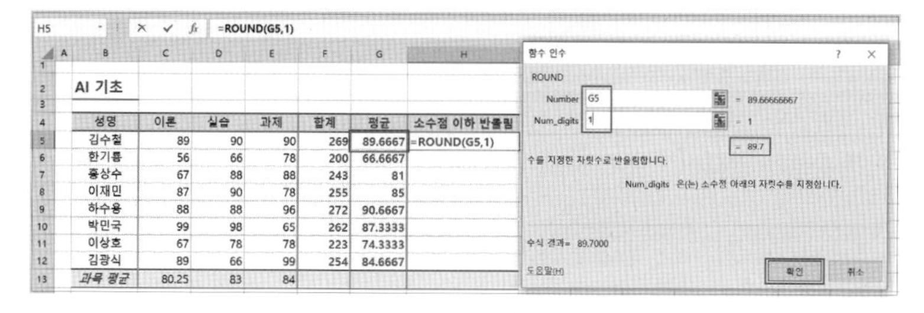

05 함수 처리 결과가 입력된 셀 H5부터 셀 H12까지 자동 채우기를 실행한다.

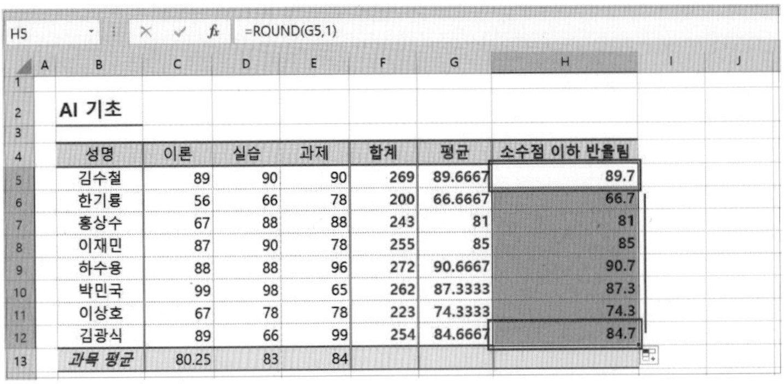

H5 =ROUND(G5,1)

AI 기초

성명	이론	실습	과제	합계	평균	소수점 이하 반올림
김수철	89	90	90	269	89.6667	89.7
한기룡	56	66	78	200	66.6667	66.7
홍상수	67	88	88	243	81	81
이재민	87	90	78	255	85	85
하수용	88	88	96	272	90.6667	90.7
박민국	99	98	65	262	87.3333	87.3
이상호	67	78	78	223	74.3333	74.3
김광식	89	66	99	254	84.6667	84.7
과목 평균	80.25	83	84			

TIP 자릿수 지정 방법

끝 자릿수를 처리하는 함수를 처리할 때 중요한 것은 끝 자릿수를 처리하는 자릿수의 위치를 올바르게 지정하는 것이다. 소수점 이하를 처리해서 정수화하는 자릿수는 0이며, 정수 자리는 음수로 소수점 첫째 자리 이하는 정수로 각각 지정한다.

예시	3	2	.	4	1	5
지정한 자릿수	-2	-1	0	1	2	3
자릿수	십의 자릿수	일의 자릿수	소수점	소수점이하 첫째자리	소수점이하 둘째자리	소수점이하 첫째자리
	자릿수에서 반올림한다.		자릿수로 반올림 된다.			

7.3.3 소수의 정수화

INT(숫자)
* 숫자; 버림의 대상이 되는 셀
소수점 아래를 버리고 가장 가까운 정수로 내림한다. “숫자”에는 숫자나 수식 또는 셀을 지정한다. 이 함수의 계산 결과는 반드시 “숫자”에 가장 가까운 또는 보다 작은 정수가 된다.

01 함수를 입력할 셀 I5를 선택한다.

02 [함수 마법사] 대화상자에서 INT 함수 선택하면 [함수 인수] 대화상자가 표시된다.

03 인수 “Number:G5”를 입력 후 “확인”을 누른다.

G5 =INT(G5)

AI 기초

성명	이론	실습	과제	합계	평균	소수점 이하 반올림	소수점 이하 버리기
김수철	89	90	90	269	89.6667	89.7	=INT(G5)
한기룡	56	66	78	200	66.6667	66.7	
홍상수	67	88	88	243	81	81	
이재민	87	90	78	255	85	85	
하수용	88	88	96	272	90.6667	90.7	
박민국	99	98	65	262	87.3333	87.3	
이상호	67	78	78	223	74.3333	74.3	
김광식	89	66	99	254	84.6667	84.7	
과목 평균							

함수 인수
INT
Number G5 = 89.66666667
= 89
소수점 아래를 버리고 가장 가까운 정수로 내림합니다.
Number 은(는) 정수로 내림하려는 실수입니다.
수식 결과= 89
도움말(H) 확인 취소

04 김수철의 평균의 소수점 이하가 버려진 값이 셀 I5에 입력된다. 해당 셀 수식을 셀 I12까지 자동 채우기로 복사한다.

I5 =INT(G5)

AI 기초

성명	이론	실습	과제	합계	평균	소수점 이하 반올림	소수점 이하 버리기
김수철	89	90	90	269	89.6667	89.7	89
한기룡	56	66	78	200	66.6667	66.7	66
홍상수	67	88	88	243	81	81	81
이재민	87	90	78	255	85	85	85
하수용	88	88	96	272	90.6667	90.7	90
박민국	99	98	65	262	87.3333	87.3	87
이상호	67	78	78	223	74.3333	74.3	74
김광식	89	66	99	254	84.6667	84.7	84
과목 평균							

7.4 논리 함수

요약

논리 함수는 조건에 따라서 처리를 분리하고 싶을 때에 이용한다. 논리 함수로 자주 이용되고 있는 IF 함수는 조건에 따라서 결과를 둘로 나누는 함수이다. 더욱이 IF 함수에 IF 함수를 결합시키면 셋 이상으로 처리를 나눌 수 있다. 또한 IF 함수에 AND 함수나 OR 함수를 결합하면 다수의 조건을 추가해서 처리를 나눌 수 있다.

■ 조건에 따른 처리 변경

조건 합계(셀 F5)가 합계 평균(셀 F13셀) 이상이면 "PASS" 그렇지 않으면 "NON-PASS"

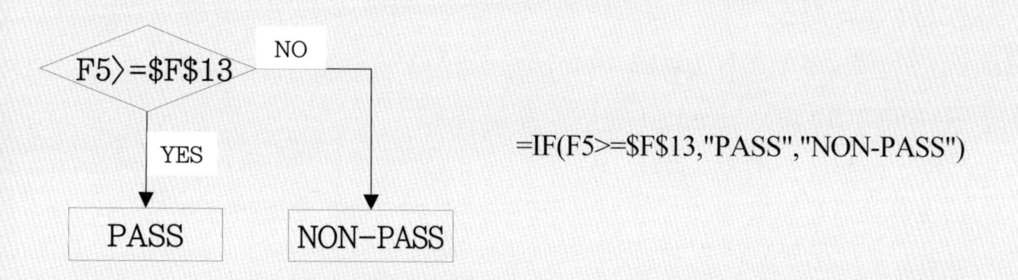

G5 =IF(F5>=$F$13,"PASS","NON-PASS")

	A	B	C	D	E	F	G
1							
2		3D컴퓨터 그래픽					
3							
4		성명	이론	실기	창의력	합계	평가
5		이민재	82	78	77	237	PASS
6		김수용	78	68	69	215	NON-PASS
7		도지원	54	92	98	244	PASS
8		민재식	74	86	65	225	PASS
9		홍주호	99	58	78	235	PASS
10		마동석	46	79	98	223	PASS
11		김치용	58	54	58	170	NON-PASS
12		윤주식	77	59	89	225	PASS
13		평균	71	71.75	79	221.75	

■ IF 함수의 네스트

⏩ **조건** 합계(셀 F5)가 235점 이상이면 A 학점으로 평가한다. 그렇지 않고 223점 이상이면 B 학점, 그 점수도 아니면 C 학점을 부여한다.

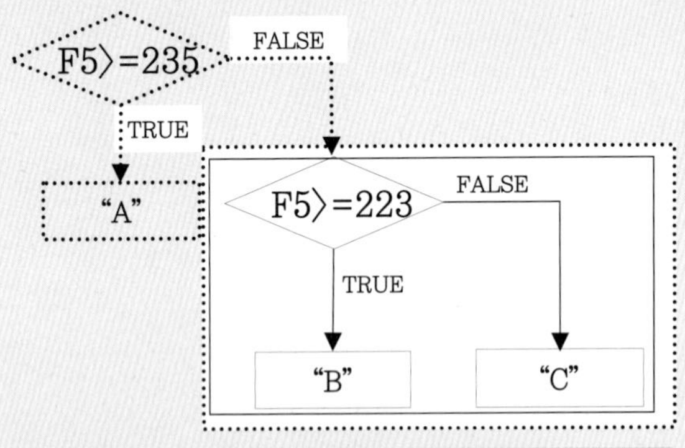

=IF(F5>=235,"A",IF(F5>=223,"B","C"))

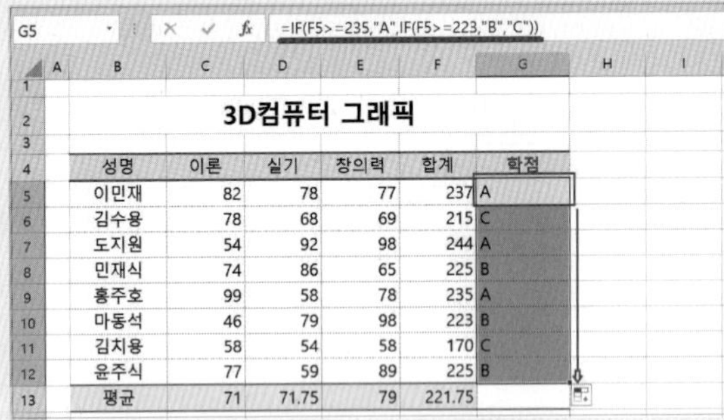

G5 =IF(F5>=235,"A",IF(F5>=223,"B","C"))

	A	B	C	D	E	F	G	H	I
1									
2		3D컴퓨터 그래픽							
3									
4		성명	이론	실기	창의력	합계	학점		
5		이민재	82	78	77	237	A		
6		김수용	78	68	69	215	C		
7		도지원	54	92	98	244	A		
8		민재식	74	86	65	225	B		
9		홍주호	99	58	78	235	A		
10		마동석	46	79	98	223	B		
11		김치용	58	54	58	170	C		
12		윤주식	77	59	89	225	B		
13		평균	71	71.75	79	221.75			

■ 다중 조건 검사: AND 함수, OR 함수

IF 함수의 조건에 AND 함수 또는 OR 함수를 사용하여 여러 개(최대 256개)의 조건을 검사할 수 있다. AND 함수 또는 OR 함수의 결과는 참(TRUE) 또는 거짓(FALSE)으로 반환된다.

=IF(AND(논리식1, 논리식2, 논리식3, …), 값1, 값2)

* AND 함수에서 지정한 모든 조건이 참일 때 값1, 한 개 이상의 조건이 거짓이면 값2를 반환한다.

=IF(OR(조건1, 조건2, 조건3, …), 값1, 값2)

* OR 함수에서 지정한 여러 개의 조건 중 하나 이상이 참일 때 값1, 모든 조건이 거짓이면 값2를 반환한다.

7.4.1 IF 함수

IF(논리식, 참일 때, 거짓일 때)
* 논리식; 조건 * 참일 때: 논리식이 참일 때 처리 * 거짓일 때: 논리식이 거짓일 때 처리
논리식의 검사를 수행하여 참이나 거짓에 해당하는 것을 처리한다. 즉, 조건을 참 또는 거짓으로 분기해서 참 혹은 거짓의 처리를 실행한다. "논리식"에는 셀에 붙여진 조건을 비교식으로 입력, 그 조건이 참이면 "참일 때" 그리고 거짓이면 "거짓일 때"로 처리를 지정한다.

⏩ **조건** 합계가 F13셀의 값(합계 평균) 이상이면 "PASS" 그렇지 않으면 "NON-PASS"

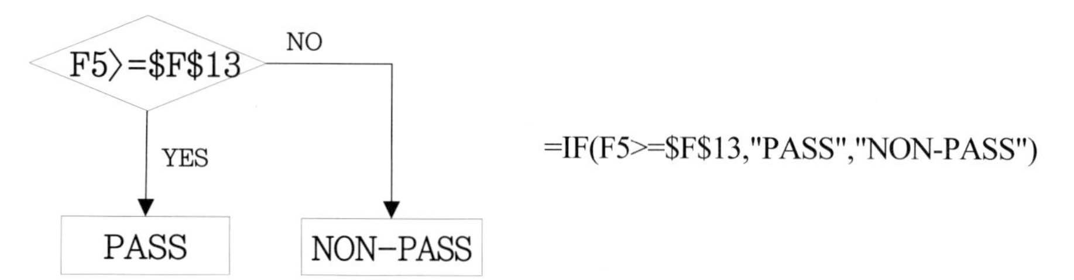

01 함수를 입력할 셀 G5를 누른다.

02 수식 입력줄 왼쪽에 있는 "함수 삽입" *fx* 을 누르면 [함수 마법사] 대화상자가 나타난다.

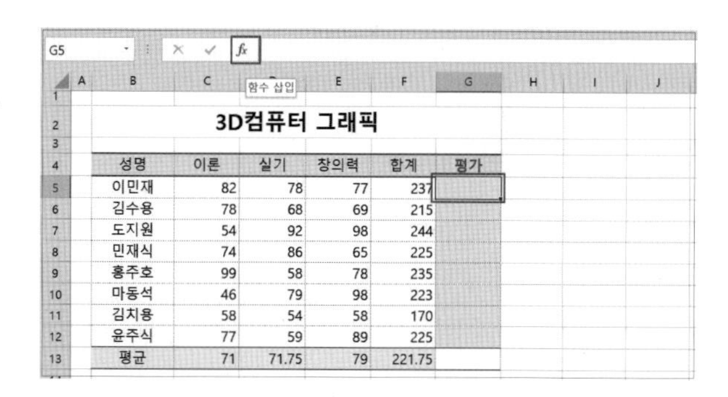

성명	이론	실기	창의력	합계	평가
이민재	82	78	77	237	
김수용	78	68	69	215	
도지원	54	92	98	244	
민재식	74	86	65	225	
홍주호	99	58	78	235	
마동석	46	79	98	223	
김치용	58	54	58	170	
윤주식	77	59	89	225	
평균	71	71.75	79	221.75	

03 논리 범주에서 IF를 선택하고 "확인"을 누르면 [함수 인수] 대화상자가 나타난다.

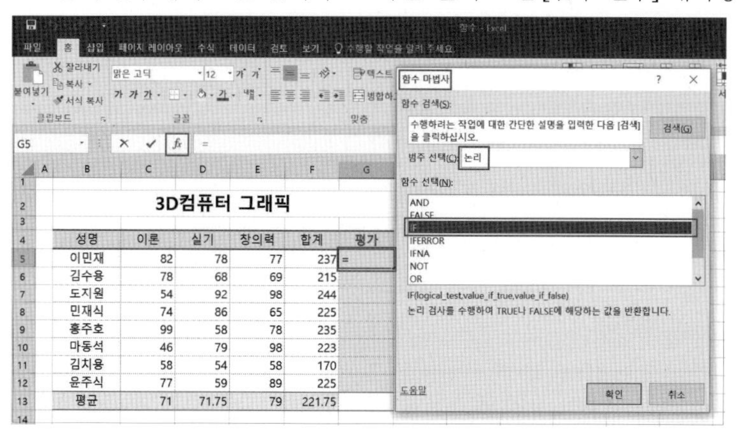

04 아래와 같이 각각 데이터를 입력하고 “확인”을 누른다. 셀 F13은 절대참조($F$13)를 이용한다.

Logical_test(조건식)	F5>=$F$13
Value_if_true(참일 때)	“PASS”
Value_if_false(거짓일 때)	“NON-PASS”

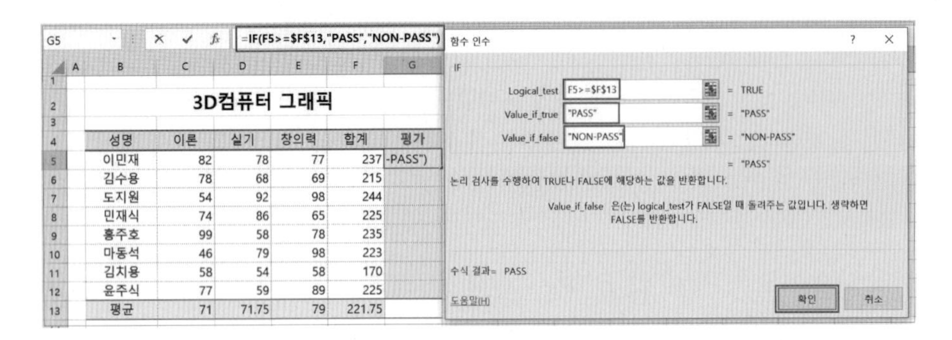

05 함수식의 결과가 나온 셀 G5를 셀 G12까지 자동 채우기로 복사를 한다.

=IF(F5>=$F$13,"PASS","NON-PASS")

3D컴퓨터 그래픽

성명	이론	실기	창의력	합계	평가
이민재	82	78	77	237	PASS
김수용	78	68	69	215	NON-PASS
도지원	54	92	98	244	PASS
민재식	74	86	65	225	PASS
홍주호	99	58	78	235	PASS
마동석	46	79	98	223	PASS
김치용	58	54	58	170	NON-PASS
윤주식	77	59	89	225	PASS
평균	71	71.75	79	221.75	

7.4.2 IF 함수의 네스트

IT 분야에서는 네스트(nest)를 “루틴이나 데이터의 작은 구조의 블록을 다른 프로그램의 루틴이나 데이터의 일부에 끼워 넣어 구성된 조합”이라 한다. 여기에서는 함수와 함수를 결합하는 것을 네스트(nest) 혹은 결합이라고 한다. IF 함수에 IF 함수를 네스트하기 위해서는 첫 번째 함수의 “거짓일 때”에 두 번째의 IF 함수를 결합한다. 그렇게 하면 [함수 인수] 대화상자가 두 번째의 IF 함수로 바뀌게 된다. 수식의 어디를 입력하고 있는지는 “수식 입력줄”을 확인하면 된다.

■ 중첩 IF 함수

IF 함수를 여러 개 겹쳐서 사용하는 것을 중첩 IF 함수라고 한다. 최대 64개까지 IF 함수를 겹쳐서 사용할 수 있으며 다양한 조건을 검사할 수 있다.

=IF(조건1, 처리1, IF(조건2, 처리2, 처리3))
*첫 번째 IF 함수의 조건1을 검사하여 참이면 처리1을 실행, 거짓이면 두 번째 IF 함수의 조건2를 검사한다. 조건 2가 참이면 처리2, 거짓이면 처리3을 실행한다.

=IF(조건1, IF(조건2, 처리1, 처리2), 처리3)
*첫 번째 IF 함수의 조건1을 검사해서 참이면 두 번째 IF 함수의 조건2를 검사한다. 이어서 조건2가 참이면 처리1, 거짓이면 처리2를 실행한다. 그러나 조건1이 거짓이면 처리3을 실행한다.

조건 학생의 합계가 235점 이상이면 A 학점으로 평가한다. 그렇지 않고 223점 이상이면 B 학점, 그 점수도 아니면 C 학점을 부여한다.

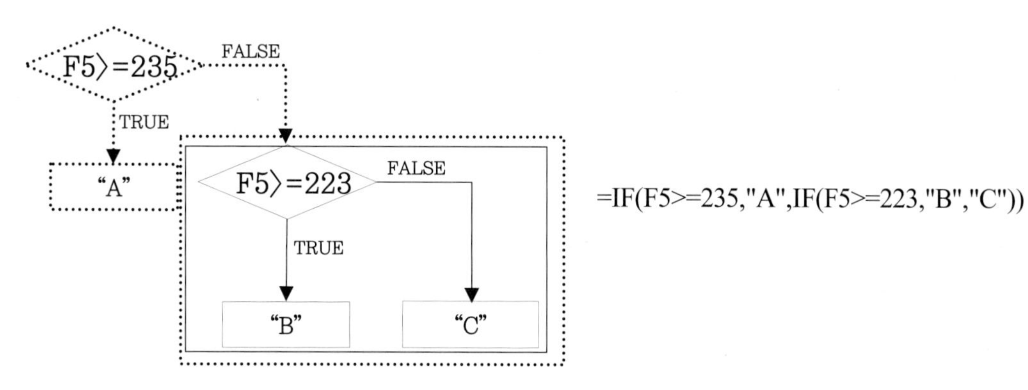

01 함수를 입력할 셀 G5를 누른다.

02 수식 입력줄 왼쪽에 있는 "함수 삽입" fx 을 누르면 [함수 마법사] 대화상자가 나타난다.

03 논리 범주에서 IF를 선택하고 "확인"을 누르면 [함수 인수] 대화상자가 나타난다.

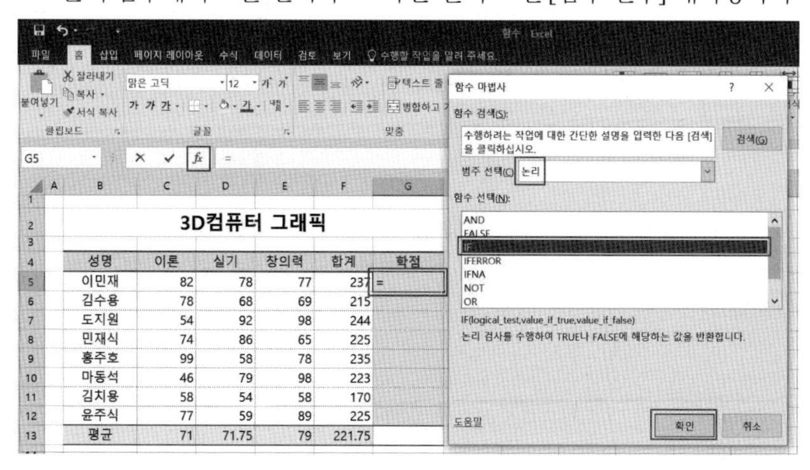

04 아래와 같이 각각 데이터를 입력

Logical_test(조건식)	F5>=235
Value_if_true(참일 때)	"A"
Value_if_false(거짓일 때)	

* Value_if_false(거짓일 때)의 입력 칸을 누른 후, "이름 상자" G5 리스트에서 함수 IF를 누르면 추가로 IF 함수를 입력할 수 있다.

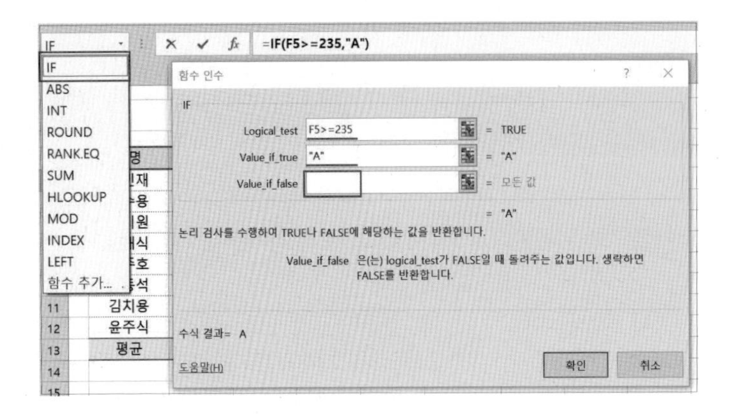

05 아래와 같이 각각 데이터를 입력하고 "확인"을 누른다.

Logical_test(조건식)	F5>=223
Value_if_true(참일 때)	"B"
Value_if_false(거짓일 때)	"C"

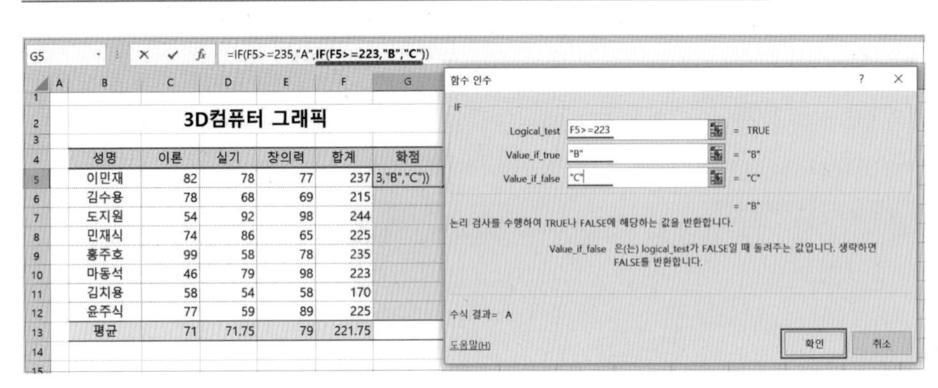

06 함수식의 결과가 나온 셀 G5를 셀 G12까지 자동 채우기로 복사를 한다.

=IF(F5>=235,"A",IF(F5>=223,"B","C"))

3D컴퓨터 그래픽

성명	이론	실기	창의력	합계	학점
이민재	82	78	77	237	A
김수용	78	68	69	215	C
도지원	54	92	98	244	A
민재식	74	86	65	225	B
홍주호	99	58	78	235	A
마동석	46	79	98	223	B
김치용	58	54	58	170	C
윤주식	77	59	89	225	B
평균	71	71.75	79	221.75	

7.4.3 AND 함수와 OR 함수

일반적으로 IF 함수의 조건은 하나의 비교식으로 지정하기 때문에 IF 함수 하나에 조건은 하나이다. 따라서 AND 함수와 OR 함수를 결합하면 IF 함수에 여러 개의 조건을 설정할 수 있다.

(1) AND 함수

AND(논리식1, 논리식2,···, 논리식255)
* 논리식1, 논리식2,···, 논리식255; "그리고"로 연결되는 조건
논리식으로 지정한 조건을 모두 만족할 경우는 "TRUE(참)"으로 표시, 하나라도 만족하지 않는 경우는 "FALSE(거짓)"으로 표시하는 함수이다. "논리식"에는 비교식을 입력한다.

조건 인사점수, 영업점수 그리고 고객만족도에서 모든 항목이 각각 평균 이상이면 PASS, 그렇지 않으면 NON-PASS로 평가한다.

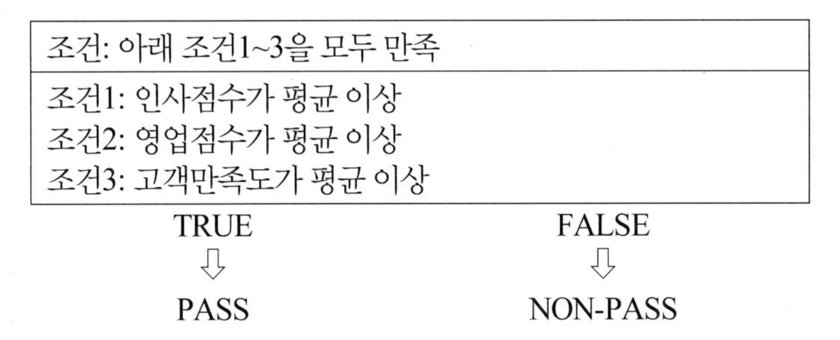

01 함수를 입력할 셀 H5를 누른다.

02 수식 입력줄 왼쪽에 있는 "함수 삽입" *fx* 을 누르면 [함수 마법사] 대화상자가 나타난다.

03 논리 범주에서 IF를 선택하고 "확인"을 누르면 [함수 인수] 대화상자가 나타난다.

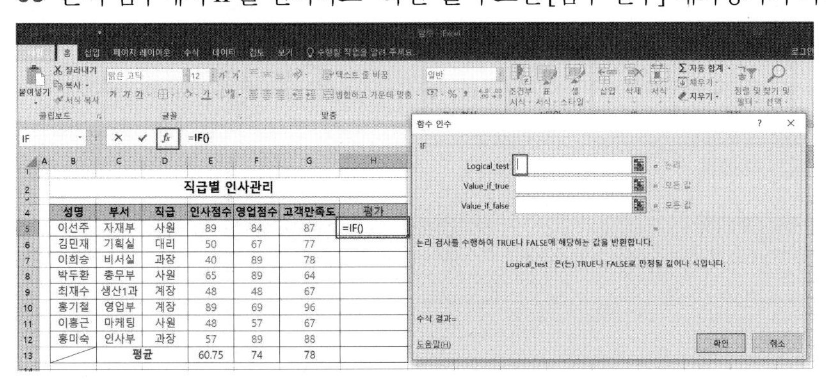

04 Logical_test(조건식)의 입력 칸을 누른 후, "이름 상자" G5 리스트에서 "함수 추가" 혹은 함수 AND를 누르면 추가로 AND 함수를 입력할 수 있다. IF 함수의 조건에 AND 함수를 이용해서 여러 개의 조건을 설정한다.

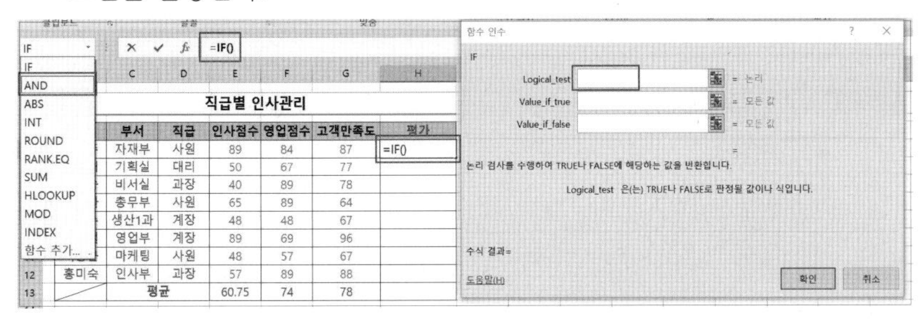

05 AND 함수의 인수를 입력할 수 있는 [함수 인수] 대화상자가 나타나면, 아래와 같이 각각 데이터를 입력한다(* 직후, 절대 "확인"을 누르지 말고, 바로 다음 단계로!). 논리식에 조건을 입력하면 자동으로 항목이 추가된다.

Logical1(논리식1)	E5>=$E$13
Logical1(논리식1)	F5>=$F$13
Logical1(논리식1)	G5>=$G$13

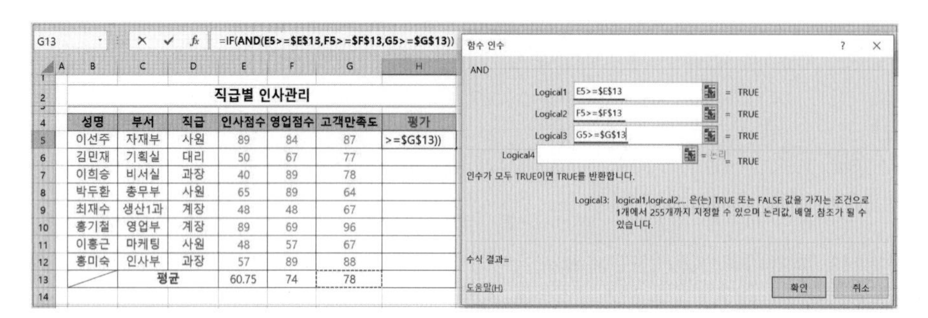

06 "수식 입력줄"의 "IF"를 누르면 다시 IF 함수의 인수를 입력하는 대화상자로 바뀐다.

07 아래와 같이 각각 데이터를 입력하고 "확인"을 누른다. 조건으로서 AND 함수를 네스트한 IF 함수를 입력할 수 있다.

Logical_test(조건식)	AND(E5>=$E$13,F5>=$F$13,G5>=$G$13)
Value_if_true(참일 때)	"PASS"
Value_if_false(거짓일 때)	"NON-PASS"

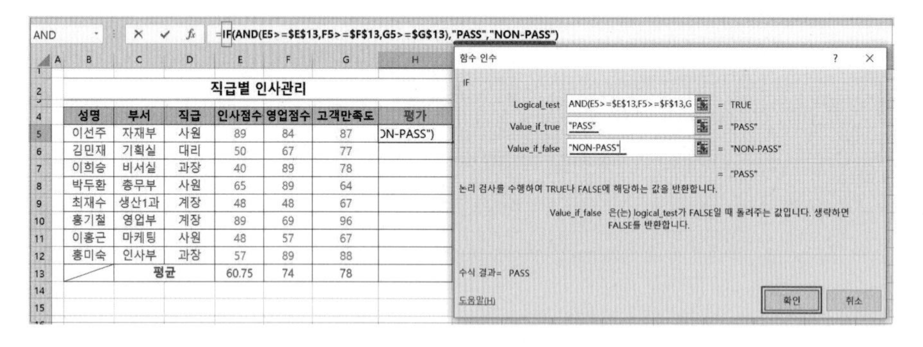

08 함수식의 결과가 나온 셀 H5를 셀 H12까지 자동 채우기로 복사를 한다.

H5 =IF(AND(E5>=$E$13,F5>=$F$13,G5>=$G$13),"PASS","NON-PASS")

직급별 인사관리

성명	부서	직급	인사점수	영업점수	고객만족도	평가
이선주	자재부	사원	89	84	87	PASS
김민재	기획실	대리	50	67	77	NON-PASS
이희승	비서실	과장	40	89	78	NON-PASS
박두환	총무부	사원	65	89	64	NON-PASS
최재수	생산1과	계장	48	48	67	NON-PASS
홍기철	영업부	계장	89	69	96	NON-PASS
이홍근	마케팅	사원	48	57	67	NON-PASS
홍미숙	인사부	과장	57	89	88	NON-PASS
	평균		60.75	74	78	

(2) OR 함수

OR(논리식1, 논리식2,⋯, 논리식255)
* 논리식1, 논리식2,⋯, 논리식255; "그리고"로 연결되는 조건
논리식으로 지정한 조건 중에 어느 하나라도 만족할 경우는 "TRUE(참)"으로 표시, 모두 만족하지 않을 경우는 "FALSE(거짓)"으로 표시하는 함수이다. "논리식"에는 비교식을 입력한다.

조건 인사점수, 영업점수 그리고 고객만족도 중에서 어느 하나라도 평균 이상이면 PASS, 그렇지 않으면 NON-PASS로 평가한다.

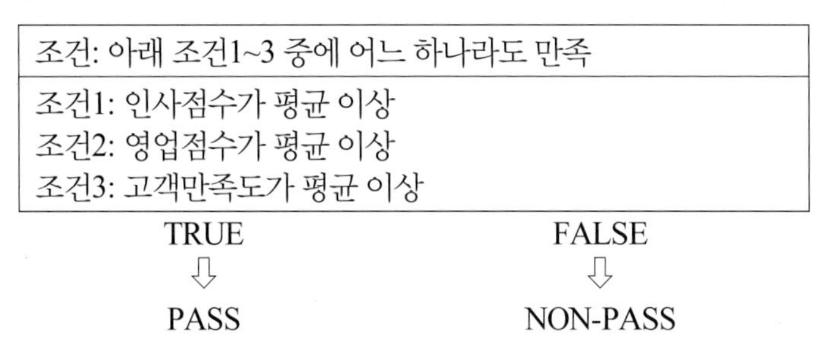

01 함수를 입력할 셀 H5를 누른다.

02 수식 입력줄 왼쪽에 있는 "함수 삽입" *fx* 을 누르면 [함수 마법사] 대화상자가 나타난다.

03 논리 범주에서 IF를 선택하고 "확인"을 누르면 [함수 인수] 대화상자가 나타난다.

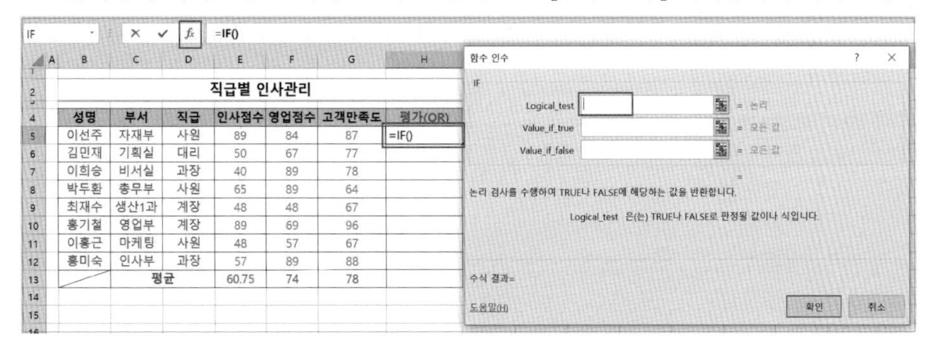

04 Logical_test(조건식)의 입력 칸을 누른 후, "이름 상자" G5 리스트에서 "함수 추가" 혹은 함수 OR를 누르면 추가로 OR 함수를 입력할 수 있다(리스트에 해당 함수가 없으면 "함수 추가"를 눌러서 해당 함수를 찾아서 입력).

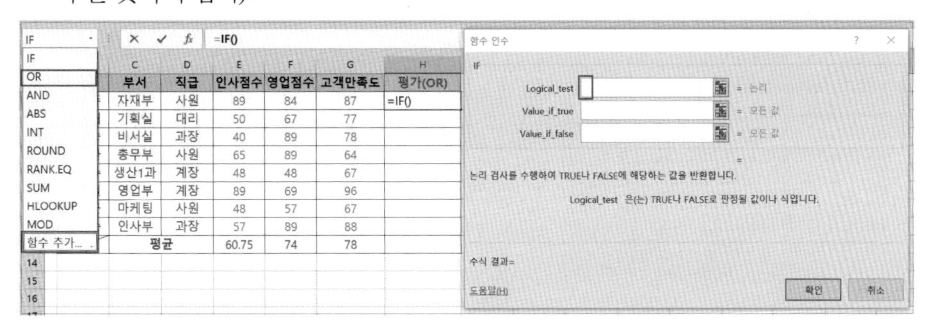

05 OR 함수의 인수를 입력할 수 있는 [함수 인수] 대화상자가 나타나면, 아래와 같이 각각 데이터를 입력한다(* 직후, 절대 "확인"을 누르지 말고, 바로 다음 단계로!). 논리식에 조건을 입력하면 자동으로 항목이 추가된다.

Logical1(논리식1)	E5>=$E$13
Logical1(논리식1)	F5>=$F$13
Logical1(논리식1)	G5>=$G$13

H5 =IF(OR(E5>=$E$13,F5>=$F$13,G5>=$G$13))

	성명	부서	직급	인사점수	영업점수	고객만족도	평가(OR)
5	이선주	자재부	사원	89	84	87	>=$G$13))
6	김민재	기획실	대리	50	67	77	
7	이희승	비서실	과장	40	89	78	
8	박두환	총무부	사원	65	89	64	
9	최재수	생산1과	계장	48	48	67	
10	홍기철	영업부	계장	89	69	96	
11	이홍근	마케팅	사원	48	57	67	
12	홍미숙	인사부	과장	57	89	88	
13		평균		60.75	74	78	

함수 인수
OR
Logical1 E5>=$E$13 = TRUE
Logical2 F5>=$F$13 = TRUE
Logical3 G5>=$G$13 = TRUE
Logical4 = 논리 = TRUE
하나 이상의 인수가 TRUE이면 TRUE를 반환합니다. 인수가 모두 FALSE인 경우에만 FALSE를 반환합니다.
Logical3: logical1,logical2,... 은(는) TRUE 또는 FALSE 값을 가지는 조건으로 1개에서 255개까지 지정할 수 있습니다.
수식 결과=
도움말(H) 확인 취소

06 "수식 입력줄"의 "IF"를 누르면 다시 IF 함수의 인수를 입력하는 대화상자로 바뀐다.

07 아래와 같이 각각 데이터를 입력하고 "확인"을 누른다.

Logical_test(조건식)	OR(E5>=$E$13,F5>=$F$13,G5>=$G$13)
Value_if_true(참일 때)	"PASS"
Value_if_false(거짓일 때)	"NON-PASS"

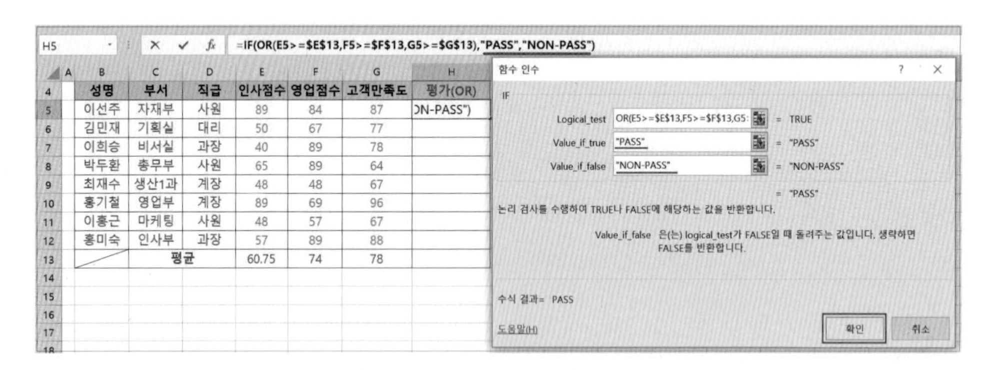

08 함수식의 결과가 나온 셀 H5를 셀 H12까지 자동 채우기로 복사를 한다.

H5 =IF(OR(E5>=$E$13,F5>=$F$13,G5>=$G$13),"PASS","NON-PASS")

	성명	부서	직급	인사점수	영업점수	고객만족도	평가(OR)
5	이선주	자재부	사원	89	84	87	PASS
6	김민재	기획실	대리	50	67	77	NON-PASS
7	이희승	비서실	과장	40	89	78	PASS
8	박두환	총무부	사원	65	89	64	PASS
9	최재수	생산1과	계장	48	48	67	NON-PASS
10	홍기철	영업부	계장	89	69	96	PASS
11	이홍근	마케팅	사원	48	57	67	NON-PASS
12	홍미숙	인사부	과장	57	89	88	PASS
13		평균		60.75	74	78	

7.5 기타 기본 함수

요약

(1) 찾기/참조 영역

찾기/참조 영역 함수는 범위로부터 찾기 조건에 맞는 데이터를 구하거나 찾기 조건에 맞는 셀의 위치를 구하는 함수이다. 여기서는 지정한 범위로부터 찾기 조건에 맞는 데이터를 구하는 HLOOKUP 함수에 대해서 살펴본다.

■ HLOOKUP 함수

별도의 표의 첫 행에서 찾을 값을 검색하여 지정한 행과 같은 열의 데이터를 추출하는 함수이다.

=HKOOKUP(G5,$C$14:$G$15,2,TRUE) ←

Lookup_value(찾을 값)	G5
Table_array(범위)	$C$14:$G$15
Row_index_num(행 번호)	2
Range_lookup(찾을 방법)	TRUE

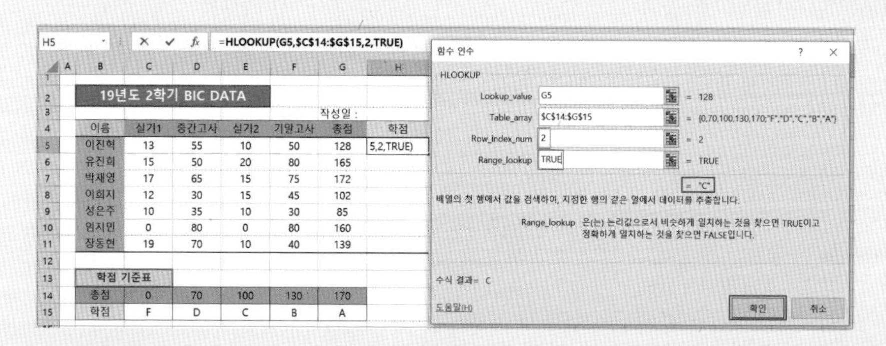

(2) 날짜 및 시간

■ TODAY 함수

현재 날짜를 날짜 서식으로 표현한다.

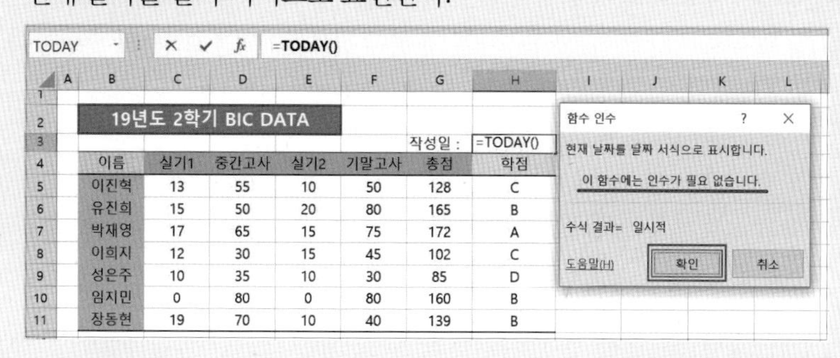

7.5.1 HLOOKUP 함수

HLOOKUP(찾을 값, 범위, 행 번호, 찾을 방법)
* 찾을 값; 찾을 값을 지정 * 범위; 찾을 표의 범위를 지정 * 행 번호; 몇 번째 행의 데이터를 찾을지를 지정 * 찾을 방법; 찾을 방법을 지정
별도의 표의 첫 행에서 찾을 값을 검색하여 지정한 행과 같은 열에 데이터를 추출하는 함수이다. "찾을 값"은 찾기 위한 값을 입력, "범위"에는 찾기에 이용될 별도의 표를 지정한다. 이 표의 맨 위쪽을 1행 째로 하고 얻고 싶은 데이터가 몇 행 째에 있는지를 "행 번호"에 지정한다. "찾을 방법"에는 찾을 방법을 "TRUE" 혹은 "FALSE"로 지정한다.

조건 총점과 비슷하게 일치하는 것을 "학점 기준표"로부터 찾아서 그 점수에 해당하는 학점을 표시한다.

01 함수를 입력할 셀 H5를 누른다.

02 수식 입력줄 왼쪽에 있는 "함수 삽입" *fx* 을 누르면 [함수 마법사] 대화상자가 나타난다.

03 찾기/참조 영역 범주에서 HLOOKUP를 선택하고 "확인"을 누르면 [함수 인수] 대화상자가 나타난다.

04 "Lookup_value(찾을 값)| G5"를 입력하고 "Table_array(범위)"의 맨 우측 버튼을 누른다.

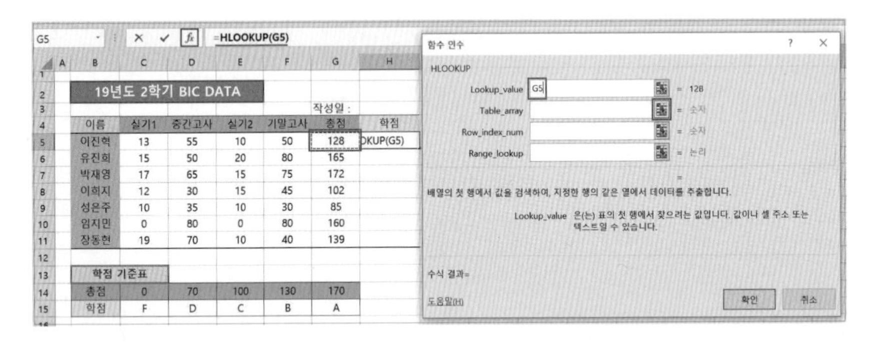

05 데이터를 찾을 범위를 셀 C14부터 G15까지 드래그해서 정하고 맨 우측 버튼을 눌러서 대화상자로 되돌아온다. "범위"의 인수는 채우기 기능을 이용해서 복사를 하기 때문에 절대 참조(F4 키를 이용)되어야 한다.

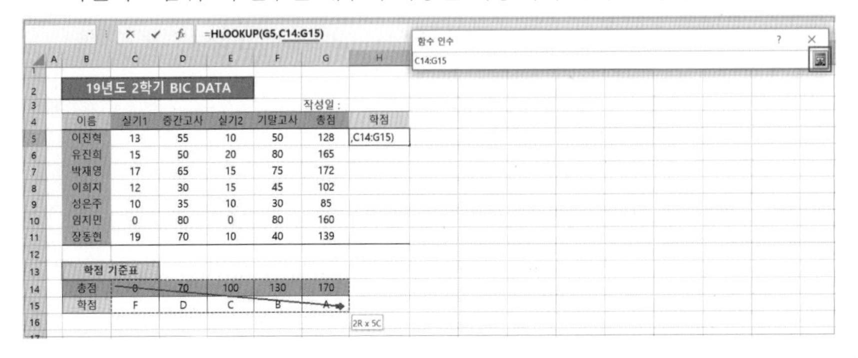

06 각 인수를 다음과 같이 입력한다.

Lookup_value(찾을 값)	G5
Table_array(범위)	$C$14:$G$15
Row_index_num(행 번호)	2
Range_lookup(찾을 방법)	TRUE

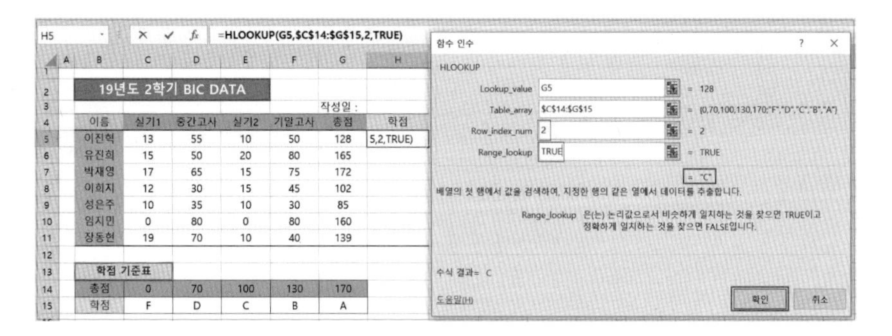

07 함수식의 결과가 나온 셀 H5를 셀 H12까지 자동 채우기로 복사를 한다.

=HLOOKUP(G5,$C$14:$G$15,2,TRUE)

19년도 2학기 BIC DATA

이름	실기1	중간고사	실기2	기말고사	총점	학점
이진혁	13	55	10	50	128	C
유진희	15	50	20	80	165	B
박재영	17	65	15	75	172	A
이희지	12	30	15	45	102	C
성은주	10	35	10	30	85	D
임지민	0	80	0	80	160	B
장동현	19	70	10	40	139	B

학점 기준표

총점	0	70	100	130	170
학점	F	D	C	B	A

7.5.2 TODAY 함수

TODAY( )
* 인수 지정이 없음
현재 날짜를 날짜 서식으로 표현한다. 날짜 정보는 PC의 시스템 시계를 참조하기 때문에 인수를 따로 지정할 필요가 없다. 단, 인수를 둘러싼 괄호는 생략할 수 없다. 결과는 고유의 값으로 얻어지지만 셀에는 “2020-01-26”과 같이 표시된다.

조건 작성일을 현재의 날짜로 표시한다.

01 함수를 입력할 셀 H3을 누른다.

02 수식 입력줄 왼쪽에 있는 "함수 삽입" *fx* 을 누르면 [함수 마법사] 대화상자가 나타난다.

H3 | *fx*

19년도 2학기 BIC DATA

작성일 :

이름	실기1	중간고사	실기2	기말고사	총점	학점
이진혁	13	55	10	50	128	C
유진희	15	50	20	80	165	B
박재영	17	65	15	75	172	A
이희지	12	30	15	45	102	C
성은주	10	35	10	30	85	D
임지민	0	80	0	80	160	B
장동현	19	70	10	40	139	B

03 날짜 및 시간 범주에서 TODAY를 선택하고 "확인"을 누르면 [함수 인수] 대화상자가 나타난다. "이 함수에는 인수가 필요 없다."의 메시지를 보고 "확인"을 누른다.

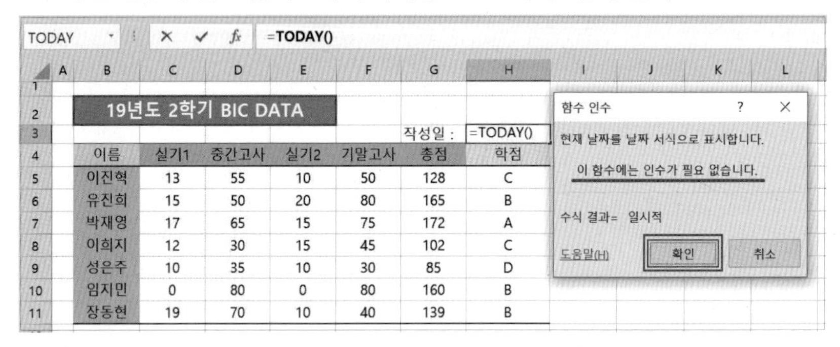

TODAY | *fx* | =TODAY()

19년도 2학기 BIC DATA

작성일 : =TODAY()

이름	실기1	중간고사	실기2	기말고사	총점	학점
이진혁	13	55	10	50	128	C
유진희	15	50	20	80	165	B
박재영	17	65	15	75	172	A
이희지	12	30	15	45	102	C
성은주	10	35	10	30	85	D
임지민	0	80	0	80	160	B
장동현	19	70	10	40	139	B

04 함수 실행 결과, "2020-01-26"로 표시된다.

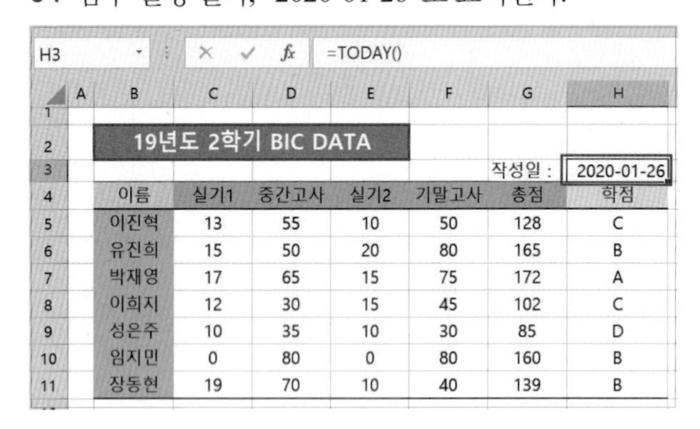

H3 | *fx* | =TODAY()

19년도 2학기 BIC DATA

작성일 : 2020-01-26

이름	실기1	중간고사	실기2	기말고사	총점	학점
이진혁	13	55	10	50	128	C
유진희	15	50	20	80	165	B
박재영	17	65	15	75	172	A
이희지	12	30	15	45	102	C
성은주	10	35	10	30	85	D
임지민	0	80	0	80	160	B
장동현	19	70	10	40	139	B

TIP 주요 텍스트 함수(LEFT, RIGHT, MID 함수)

- LEFT(문자열, 숫자); 지정한 문자열의 왼쪽에서 주어진 숫자만큼 문자열을 추출한다.
- RIGHT(문자열, 숫자); 지정한 문자열의 오른쪽에서 주어진 숫자만큼 문자열을 추출한다.
- MID(문자열, 숫자1, 숫자2); 지정한 문자열의 숫자1 위치에서 숫자2만큼 문자열을 추출한다.

연습문제

1. 다음의 표에서 창의력을 기준으로 RANK.EQ 함수를 이용하여 순위(오름차순)를 입력해 보자.

경시대회 시험결과

성명	필기	이론	창의력	합계	평균	창의력 순위
이재용	82	78	77	237	79.00	
김갑수	78	68	69	215	71.67	
최도희	54	92	98	244	81.33	
방미자	74	86	65	225	75.00	
이유식	99	58	78	235	78.33	
오도환	46	79	98	223	74.33	
김현승	58	54	58	170	56.67	
마당	77	59	89	225	75.00	
평균	71	72	79	222	74	

2. 다음의 표에서 합계와 평균을 구해보자.

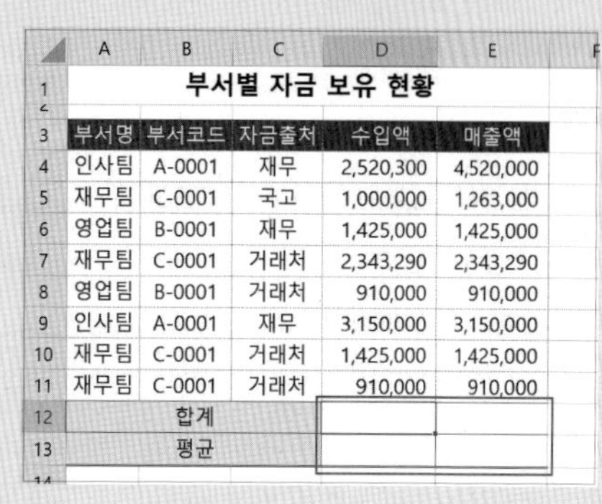

부서별 자금 보유 현황

부서명	부서코드	자금출처	수입액	매출액
인사팀	A-0001	재무	2,520,300	4,520,000
재무팀	C-0001	국고	1,000,000	1,263,000
영업팀	B-0001	재무	1,425,000	1,425,000
재무팀	C-0001	거래처	2,343,290	2,343,290
영업팀	B-0001	거래처	910,000	910,000
인사팀	A-0001	재무	3,150,000	3,150,000
재무팀	C-0001	거래처	1,425,000	1,425,000
재무팀	C-0001	거래처	910,000	910,000
합계				
평균				

3. 셀의 범위 B2:E5에서 숫자의 개수를 구해보자.

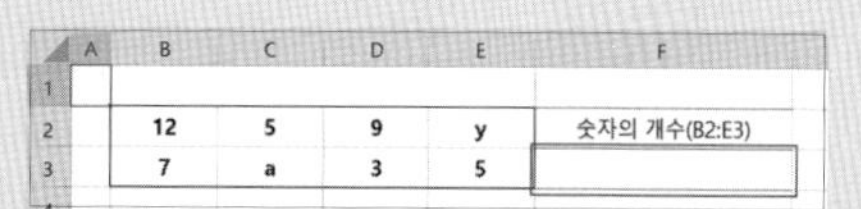

B	C	D	E	F
12	5	9	y	숫자의 개수(B2:E3)
7	a	3	5	

4. 다음의 표에서 최고, 최저 그리고 등수(평균기준, 내림차순)를 구해보자.

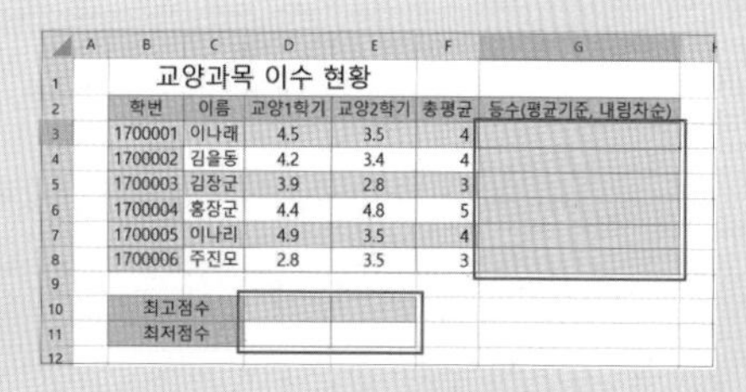

교양과목 이수 현황

학번	이름	교양1학기	교양2학기	총평균	등수(평균기준, 내림차순)
1700001	이나래	4.5	3.5	4	
1700002	김을동	4.2	3.4	4	
1700003	김장군	3.9	2.8	3	
1700004	홍장군	4.4	4.8	5	
1700005	이나리	4.9	3.5	4	
1700006	주진모	2.8	3.5	3	
	최고점수				
	최저점수				

5. 다음의 표에서 "결과값"에 맞는 ROUND 함수의 수식을 입력해 보자. [수식] 탭의 "수식표시" 기능도 이용해 보자.

ROUND 함수 이해하기

기본값	결과값	수식확인
1234.56789	1235	
	1234.6	
	1234.57	
	1234.568	
	1234.5679	
	1230	
	1200	

연습문제

6. 텍스트 함수 LEFT, RIGHT, MID 함수 그리고 IF 함수를 반드시 모두 이용해서 다음의 빈 공간의 적절한 값을 구해보자. 태어난 해는 4자리 년도 형식으로 표현한다.

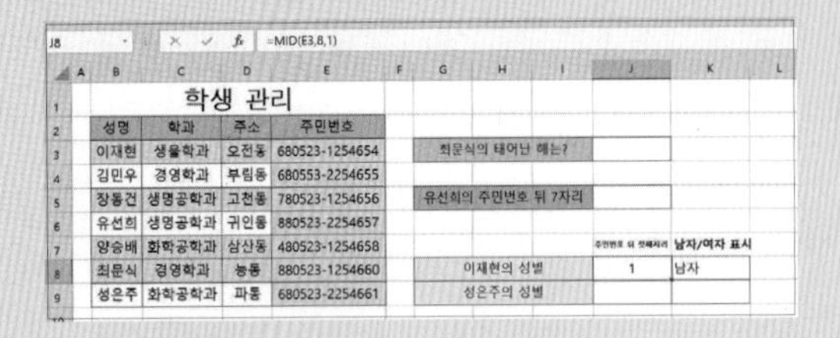

J8 =MID(E3,8,1)

학생 관리

성명	학과	주소	주민번호
이재현	생물학과	오전동	680523-1254654
김민우	경영학과	부림동	680553-2254655
장동건	생명공학과	고천동	780523-1254656
유선희	생명공학과	귀인동	880523-2254657
양승배	화학공학과	삼산동	480523-1254658
최문식	경영학과	농동	880523-1254660
성은주	화학공학과	파동	680523-2254661

	주민번호 뒤 첫째자리	남자/여자 표시
최문식의 태어난 해는?		
유선희의 주민번호 뒤 7자리		
이재현의 성별	1	남자
성은주의 성별		

7. 날짜와 시간의 함수를 적절하게 이용해서 다음을 구해보자. 특히, 생년월일은 DATE 함수를 이용한다.

	결과값	수식 확인
오늘의 날짜는?		
오늘의 년도는?		
오늘의 월은?		
오늘의 일은?		
지금의 시각은?		
지금의 시간은?		

	데이터
주민 번호	791112-123456
생년월일?	

8. 찾기 참조 함수를 적절이 활용해서 학점표로부터 학점을 구해보자.

< 성적 정리 >

이름	실기1	중간고사	실기2	기말고사	총점	학점
이진혁	13	55	10	50	128	
유진희	15	50	20	80	165	
박재영	17	65	15	75	172	
이희지	12	30	15	45	102	
성은주	10	35	10	30	85	
임지민	0	80	0	80	160	
장동현	19	70	10	40	139	

< 학점표 >

총점	0	70	100	130	170
학점	F	D	C	B	A

9. 다음의 표에서 부장은 100을 나머지 직급들은 모두 "*"를 표시해 보자.

직급별 인사관리

성명	부서	직급	필요점수	취득점수	부장은 100, 나머지 *
최창민	자재부	대리	89	84	
이재현	기획실	과장	50	67	
유선희	비서실	부장	40	89	
김지원	총무부	대리	65	89	
최대점	생산1과	부장	48	48	
박서욱	영업부	과장	89	69	
최세진	마케팅	부장	48	57	
박미성	인사부	사원	57	89	

10. 다음의 조건을 참고해서 세금과 실수령액을 구해보자.

(1) 세금; 기본급과 수당의 합계에 대한 5%, 반올림하여 정수로 계산한다.
"세금=(기본금+수당)*5%"

(2) 실수령액: 기본급과 수당의 합계에서 세금을 뺀 값, 반올림하여 100원 단위로 계산한다.
"실수령액=기본급+수당-세금"

4월 급여 지급 내역

사번	이름	기본급	수당	세금	실수령액
YJ001	이진혁	1,494,400	345,160		
YJ002	유진희	1,326,400	209,340		
YJ003	박재영	1,635,200	160,790		
YJ004	이희지	1,203,400	159,010		
YJ005	성은주	1,341,100	186,530		
YJ006	임지민	983,200	262,080		
YJ007	장동현	1,574,100	185,480		
YJ008	이나라	1,015,600	332,940		
YJ009	송지원	1,240,900	258,830		
YJ010	이만수	1,359,300	201,380		

연습문제

11. 결제가 900,000원 이상일 경우 "우수", 700,000원 이상일 경우 "보통", 나머지는 "노력"을 비고란에 표시해 보자.

유통업체별 입금현황

고객	제품	수량	판매	입금여부	결제	비고
주주 무역 ㈜	신성 스낵	25EA	96,900	O	96,900	
주강 교역 ㈜	한성 통밀가루	40EA	228,000	O	228,000	
월드 링크 ㈜	한성 특산 후추	20EA	340,000	O	340,000	
혜성 백화점 ㈜	대양 마말레이드	40EA	2,470,000	O	2,470,000	
진주 백화점 ㈜	대관령 멜론 아이스크림	25EA	47,500		-	
동남 유통 ㈜	대관령 파메쌍 치즈	40EA	1,080,000	O	1,080,000	
원일 ㈜	대림 옥수수	15EA	100,000	O	100,000	
협우 유통 ㈜	대림 훈제 대합조개 통조림	15EA	80,000	O	80,000	
베네디스 유통 ㈜	대림 사과 통조림	20EA	1,249,500	O	1,249,500	
일화 유통 ㈜	한성 특산 후추	25EA	216,750	O	216,750	
경성 트레이딩 ㈜	유미 건조 다시마	40EA	171,000	O	171,000	
성신 교역 ㈜	한림 특선 양념 칠면조	21EA	339,150	O	339,150	
					6,371,300	

12. (금액에 따라 서로 다른 자릿수에서의 사사오입)

단가와 개수로부터 부가세 제외 가격을 계산한 표가 있다. 소비세를 3%로 하는 부가세 포함 가격을 계산하려고 한다. 단, 부가세 포함 가격이 25,000원 미만이면 1원 단위를 사사오입해서 10원 단위까지, 25,000원 이상이면 10원 단위를 사사오입해서 100원 단위까지를 계산한 결과를 부가세 포함 가격(조정 후)으로 한다. 부가세 포함 가격(조정 후)을 계산하는 식을 E열에 넣어준다. 사용 함수는 IF와 ROUND 이다.

		소비세	3%
단가	**수량**	**부가세 제외 가격**	**부가세 포함 가격 (조정 후)**
850	55	46,750	
750	25	18,750	
520	19	9,880	
890	28	24,920	
980	35	34,300	
450	55	24,750	
250	35	8,750	

C H A P T E R

8

차트

8.1 차트 만들기

요약

숫자 데이터의 특징을 시각적으로 표현하는 방법으로는 차트가 가장 적합하다. 차트는 워크시트에 입력된 데이터를 원본으로 작성한다. 작성에 있어서 중요한 요소는 차트 범위의 설정과 차트 종류의 선택이다. 엑셀에는 16종류의 차트가 있다. 목적에 따라 차트를 선택하기 때문에 각 차트의 특징을 알아두어야 한다.

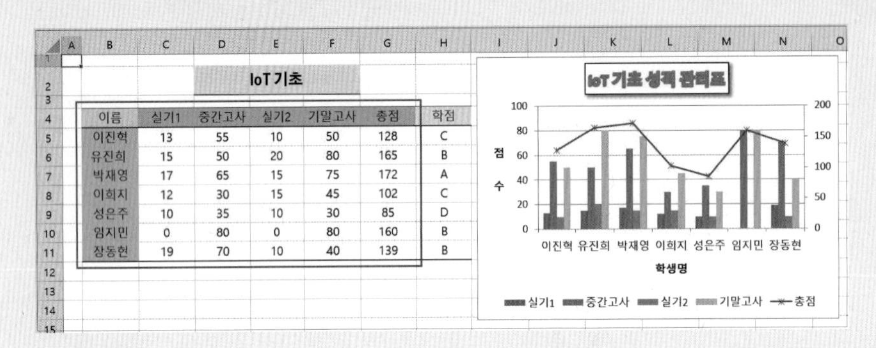

IoT 기초

이름	실기1	중간고사	실기2	기말고사	총점	학점
이진혁	13	55	10	50	128	C
유진희	15	50	20	80	165	B
박재영	17	65	15	75	172	A
이희지	12	30	15	45	102	C
성은주	10	35	10	30	85	D
임지민	0	80	0	80	160	B
장동현	19	70	10	40	139	B

■ 차트의 구성 요소

차트는 여러 개의 요소로 구성되어 있다. 이러한 요소마다 표시의 유무 혹은 서식의 설정을 실행한다.

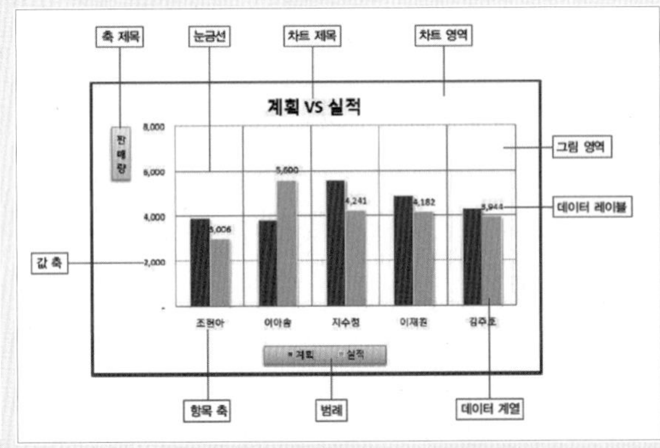

구성 요소	설명
축 제목	X(Y) 축을 기준으로 되어 있는 가로(세로) 제목이다. X(Y) 축 배열의 내용을 확인하고 제목을 설정한다.
꺾은선형	차트에 붙여진 제목. 차트에 설정한 레이아웃에 의해서 차트 제목의 유무가 바뀐다.
눈금선	X 축과 Y 축의 가로 및 세로선을 의미한다. 연속적인 데이터를 표현하기 때문에 어느 부분의 값을 정확히 표현되기 위해 필요한 선이다.
차트 영역	차트 전체의 영역을 의미한다. 차트 모든 요소를 이 영역에 표시된다.
그림 영역	차트가 실제 나타나 있는 그래픽 영역 부분이다. 모든 데이터는 이 영역에 표시된다.
계열(데이터 계열)	표의 1행 또는 1열에 입력된 데이터의 모음이다.
데이터 표식	막대형 차트의 막대 혹은 꺾은선형 차트의 점 등에 숫자를 나타내는 도형이다.
범례	차트의 데이터 계열이 가진 데이터를 바로 식별할 수 있게 해주는 표시 부분이다. 특정 모양이나 색깔이 어떤 데이터를 의미하는지 알 수 있다.

■ 차트의 종류

엑셀에는 16종류의 기본 차트가 있다. 더욱이 각 차트별로 형식이 다른 것들이 몇 개씩 있다. 자주 이용되는 차트는 [삽입] 탭의 [차트] 그룹에 표시되어 있다. 모든 차트는 [차트 삽입] 대화상자에서 확인할 수 있다.

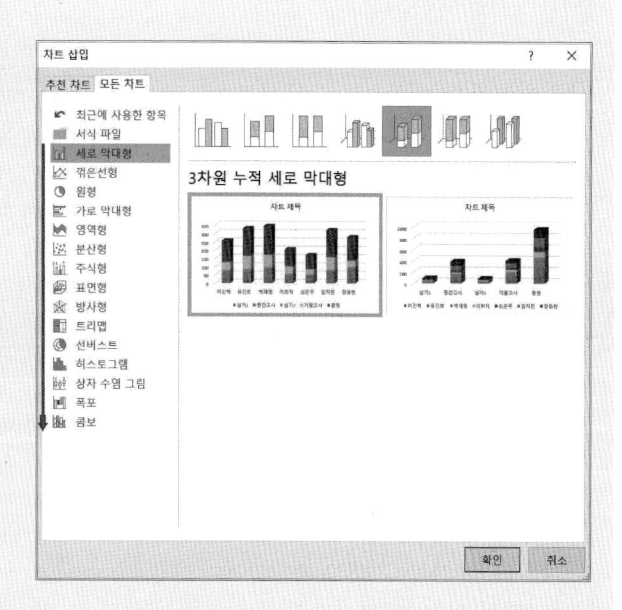

종류	설명
세로 막대형	숫자를 세로 막대로 변환, 그 높이로 데이터를 비교한다.
꺾은선형	숫자를 점으로 표시, 그것을 선으로 연결해서 선의 각도로 데이터의 변화를 본다.
원형	모든 숫자의 합계를 원으로 표시, 원 안에서 각 데이터의 점유 비율을 본다.
가로 막대형	숫자를 가로 막대로 변환, 그 길이로 데이터를 비교한다.
영역형	숫자를 색칠된 면으로 표시, 그 면적으로 데이터의 변화를 본다.
분산형	두 개의 요소로부터 이루어지는 값을 점으로 표시한다. 데이터의 흩어짐과 집중, 상관관계를 본다.
주식형	주식을 주식 차트로 나타낸다. 주식에는 4종류의 차트가 있다.
표면형	세 개의 요소로부터 이루어지는 값을 지도의 등고선과 같이 선으로 나타낸다. 색 배분도 가능하다.
방사형	항목별 숫자를 선으로 연결해서 만들어진 도형으로 전체의 균형을 본다.
트리맵	트리 구조로 구축된 데이터를 색과 직사각형의 도형의 크기로 표시한다.
선버스트	데이터 계층구조를 도넛형 차트를 겹쳐서 표시한다.
히스토그램	구간별로 데이터의 빈도를 표시, 분포상황을 시각적으로 표시한다.
상자 수염 그림	데이터의 분포나 불균형을 직사각형의 상자와 상하로 늘어나는 수염으로 표현한다.
폭포	양/음수 값의 누적을 표시할 수 있다. 숫자의 차이에 의한 현상을 본다.
콤보	서로 다른 종류의 차트를 결합한 것. 일반적으로 막대형과 꺾은선형의 결합을 자주 이용한다.

■ 차트 만들기

차트는 워크시트에 입력된 데이터로부터 만든다. 차트의 기본적인 작성 순서는 차트에 있는 데이터의 범위를 선택하고 [삽입] 탭의 [차트] 그룹으로부터 차트의 종류를 선택한다. 이것으로 차트의 기본형이 만들어진다. 이후는 필요에 따라서 차트의 크기 및 위치를 덧붙이다.

8.1.1 차트 만들기

차트를 만들기 위해서는 가장 먼저 차트의 원본이 되는 데이터의 범위를 선택한다. 이 때 숫자 데이터뿐만 아니라 항목명도 선택한다. 범위를 올바르게 선택하게 되면 [삽입] 탭의 [차트] 그룹에서 차트의 종류를 선택한다.

01 차트의 원본이 되는 데이터 B4:F11를 드래그해서 선택한다.

IoT 기초

이름	실기1	중간고사	실기2	기말고사	총점
임수진	11	65	11	55	142
기성룡	17	55	19	78	169
이철승	16	76	16	87	195
김희승	12	45	14	56	127
임유빈	18	46	11	34	109
기동성	3	78	6	67	154
유현기	20	77	14	87	198
평균	13.8571	63.1429	13	66.2857	

02 [삽입] 탭 - [차트] 그룹 - "세로 또는 가로 막대형 차트 삽입"을 누르고 차트의 종류에서 "묶은 세로 막대형"을 선택한다. 이 차트를 사용하면 여러 항목의 값을 시각적으로 비교할 수 있다.

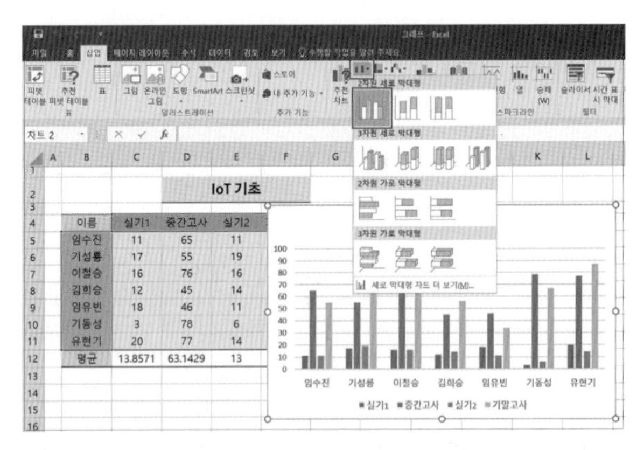

03 차트가 선택되어 있을 동안은 [차트 도구] 환경 설정 탭이 표시된다.

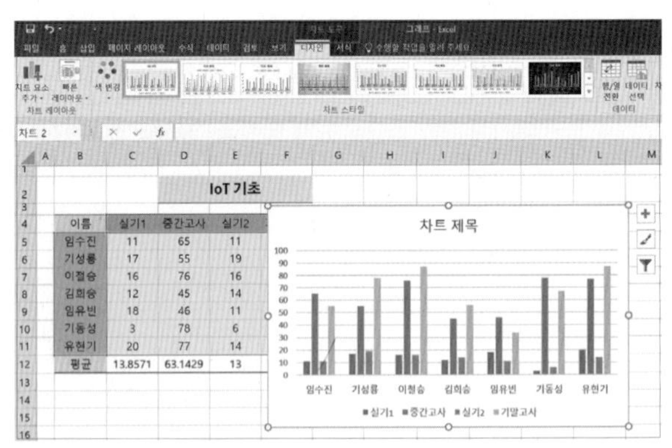

TIP 차트 선택 및 삭제

만들어진 차트를 편집하기 위해서는 먼저 차트 전체를 선택할 필요가 있다. 그렇게 선택하기 위해서는 차트 안에 마우스 포인터를 맞추어 "차트 영역"을 누른다. 선택되면 차트의 가장자리에 O표식의 핸들이 표시되고, 차트의 오른쪽에는 "차트 요소", "차트 스타일" 그리고 "차트 필터"의 3개의 단추가 나타난다. 차트의 선택을 해제하려면 차트의 테두리 이외, 즉 워크시트의 임의의 셀을 누른다.

8.1.2 차트 이동

차트의 이동은 마우스를 드래그하면 가능하지만, 이때는 미리 "차트 영역" 내부를 눌러서 차트 전체가 선택되어 있어야 한다. "차트 영역"은 차트의 구성요소가 아무것도 없는 빈 곳이다.

01 "차트 영역"을 누르면 차트 전체가 선택된다.

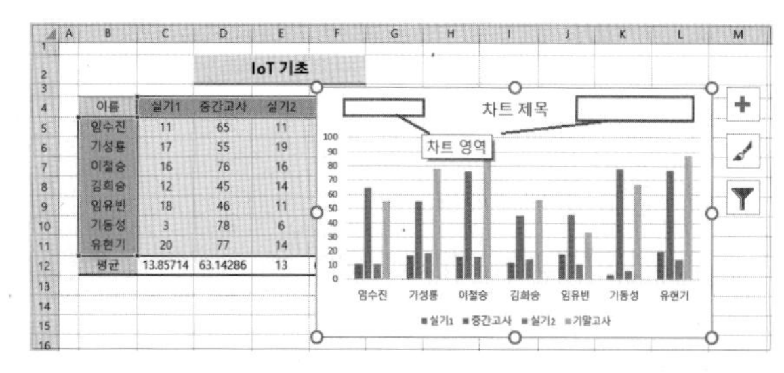

02 이동하고자 하는 위치, 셀 B13까지 차트를 드래그 한다.

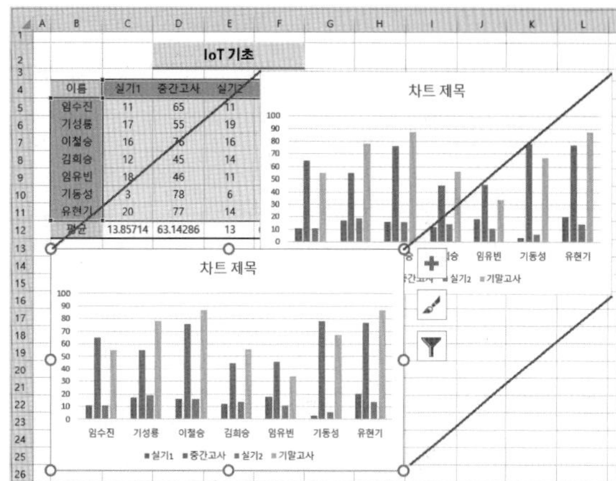

03 실행 결과, 차트의 위치가 변경되었다.

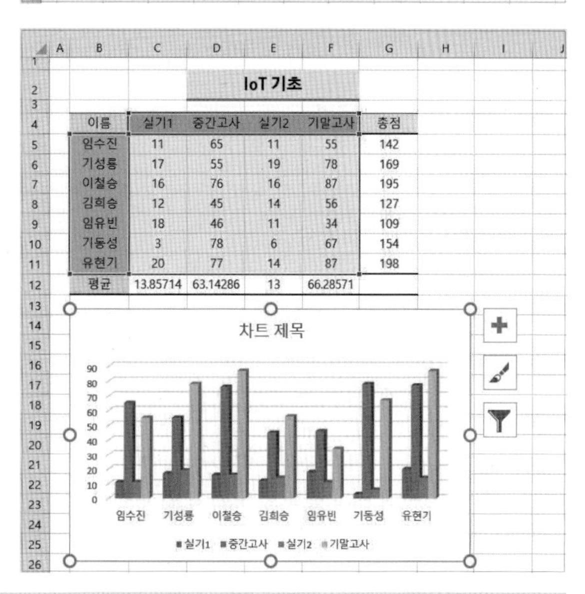

이름	실기1	중간고사	실기2	기말고사	총점
임수진	11	65	11	55	142
기성룡	17	55	19	78	169
이철승	16	76	16	87	195
김희승	12	45	14	56	127
임유빈	18	46	11	34	109
기동성	3	78	6	67	154
유현기	20	77	14	87	198
평균	13.85714	63.14286	13	66.28571	

> **TIP 차트 크기 변경**
>
> 차트 크기는 차트 전체를 선택했을 때 표시되는 핸들을 드래그해서 변경한다. 차트를 드래그해서 크기를 변경할 때, Shift 키를 누른 상태에서 드래그하면 종횡비를 고정한 상태로 크기를 변경할 수 있다.

8.2 차트 편집

요약

차트를 만들 때 선택한 차트가 반드시 "원래의 데이터를 가장 효과적으로 보여주는 차트"라고 할 수 없다. 원본 데이터의 특징을 보다 효과적으로 보여주기 위해서는 차트의 종류를 변경하거나 차트를 구성하는 요소를 추가 및 삭제할 필요가 있다.

■ 차트 종류 변경

[차트 종류 변경] 대화상자에서 같은 그룹의 종류에서 다른 형식으로 변경하거나 전혀 다른 종류로 변경할 수 있다.

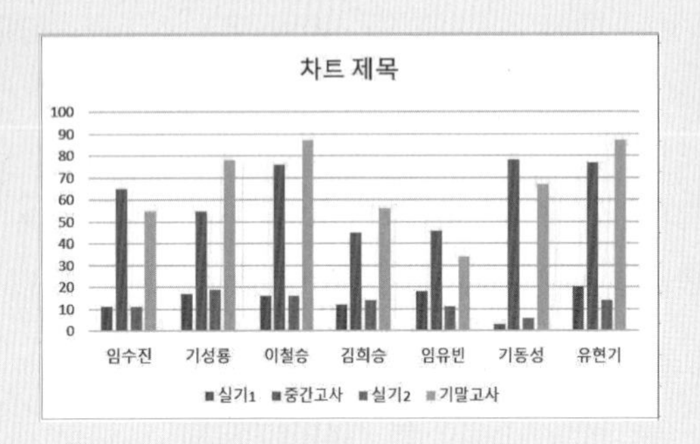

⇨

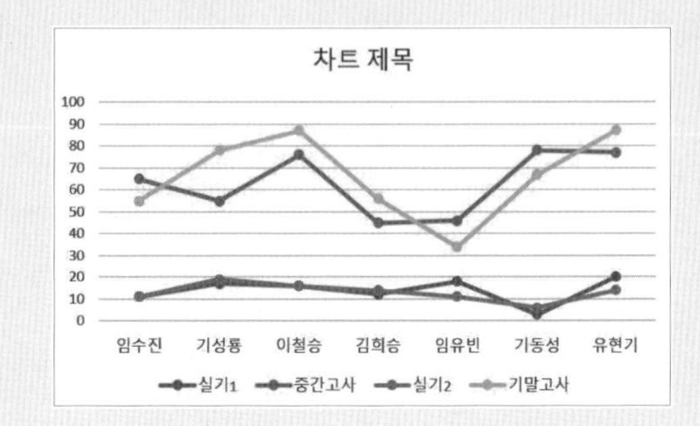

■ 축 제목 추가

축 제목을 추가하면 차트의 수량 및 단위, 항목의 내용을 쉽게 알 수 있다.

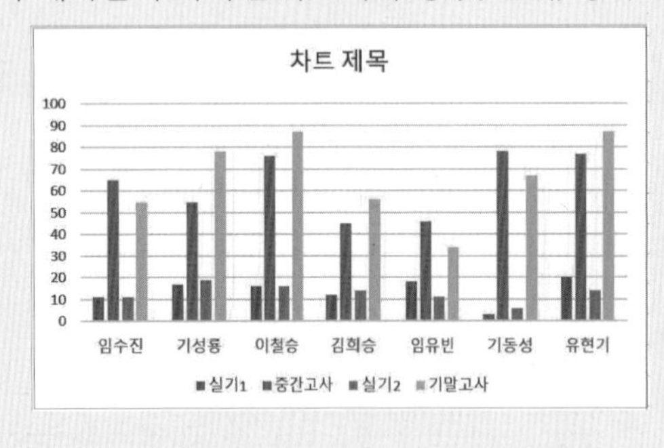

⇨

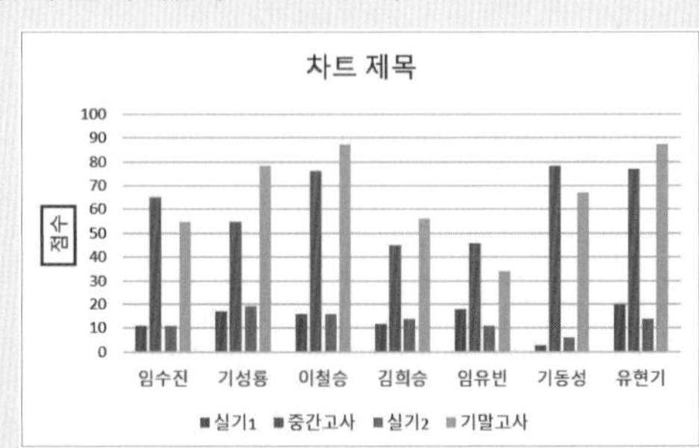

■ 데이터 계열 추가

[데이터 원본 선택] 대화상자에 표시된 "범례 항목(계열)"을 추가해서 계열의 추가를 한다.

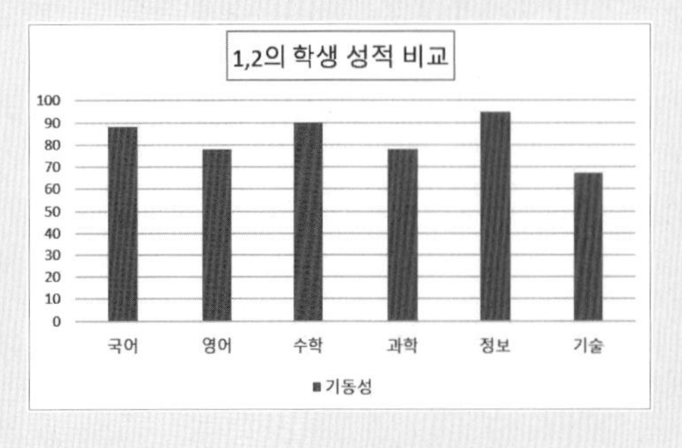

⇨

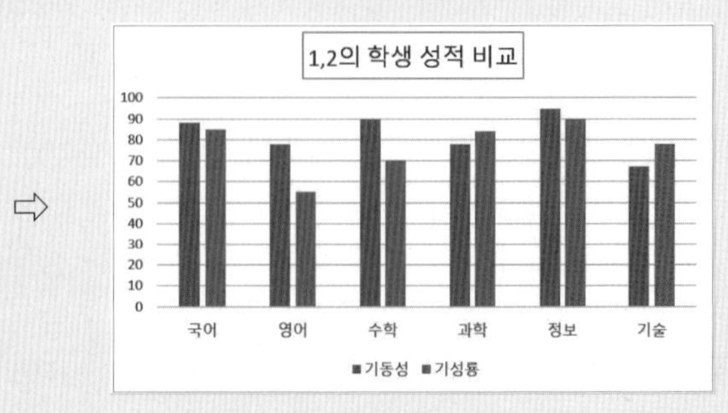

■ 차트 콤보

차트 콤보는 다른 종류의 차트를 결합해서 하나로 작성한 것이다. 자주 이용되는 것으로는 막대형과 꺾은선형의 결합 등이 있다.

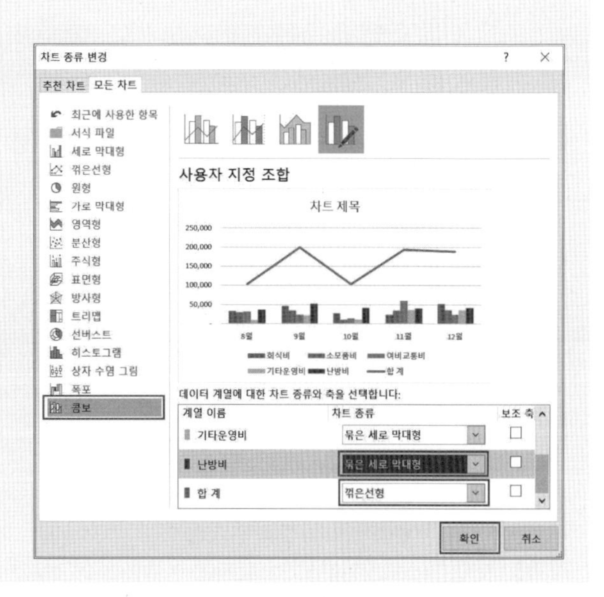

8.2.1 종류 변경

차트의 종류는 항상 변경이 가능하다. [차트 종류 변경] 대화상자에서 같은 그룹의 종류에서 다른 형식으로 변경하거나 혹은 전혀 다른 종류로도 변경할 수가 있다.

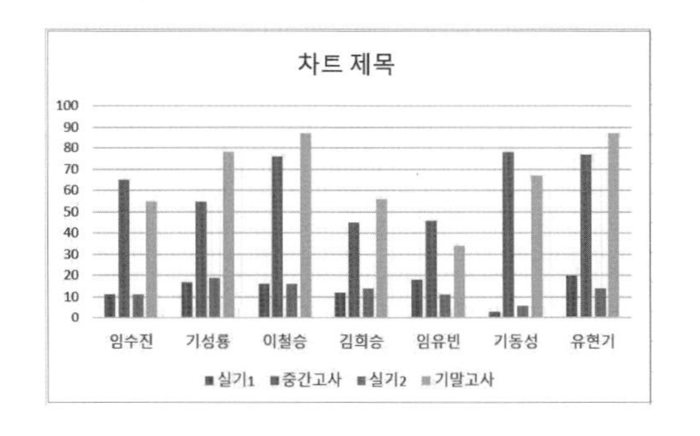

⇨

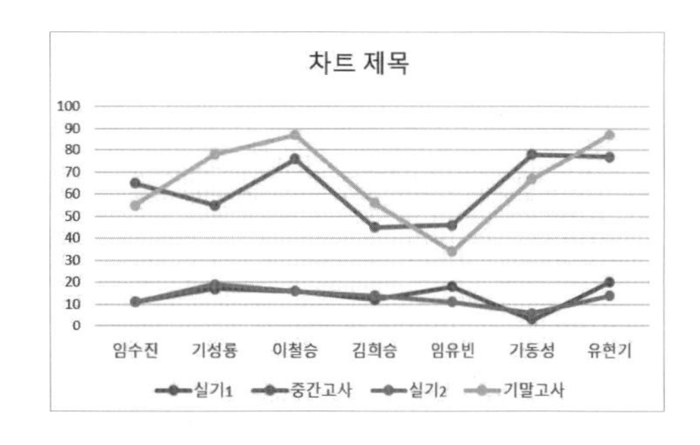

01 [차트 도구] - [디자인] 탭 - [종류] 그룹의 "차트 종류 변경" 을 누르면 [차트 종류 변경] 대화상자가 표시된다.

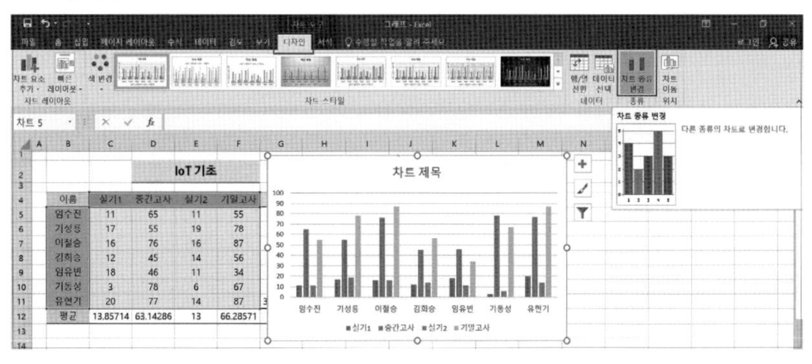

02 차트 "꺾은선형" - "표식이 있는 꺾은선형"을 선택하고 "확인"을 누른다. 미리 보기로 선택한 차트를 볼 수 있다.

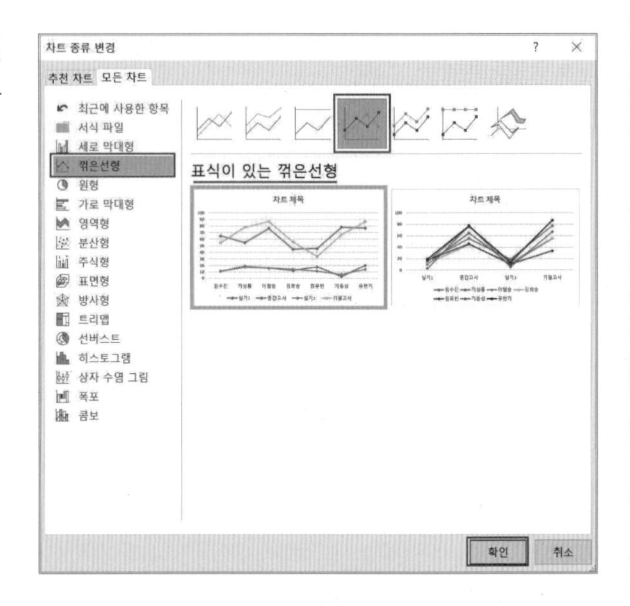

03 차트 "세로 막대형"에서 차트 "꺾은선형"로 변경되었다.

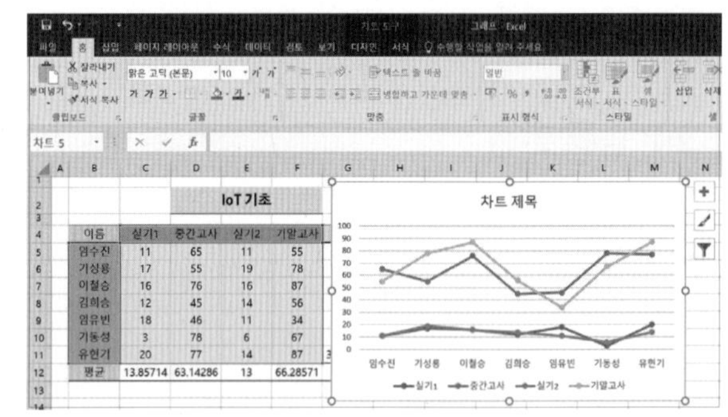

TIP 차트색의 개별 변경

차트의 색을 개별적으로 변경하기 위해서는 색을 변경하고 싶은 데이터 표식을 선택해서 [차트 도구] - [서식]탭의 [도형 스타일] 그룹에 있는 "도형 채우기" 및 "도형 윤곽선" 단추로 변경한다.

8.2.2 축 제목 추가

차트의 세로축 및 가로축에 색인을 붙이기 위해서는 축 제목을 추가한다. 축 제목을 추가하면 차트의 수량 및 단위, 항목의 내용을 알아보기 쉬워진다.

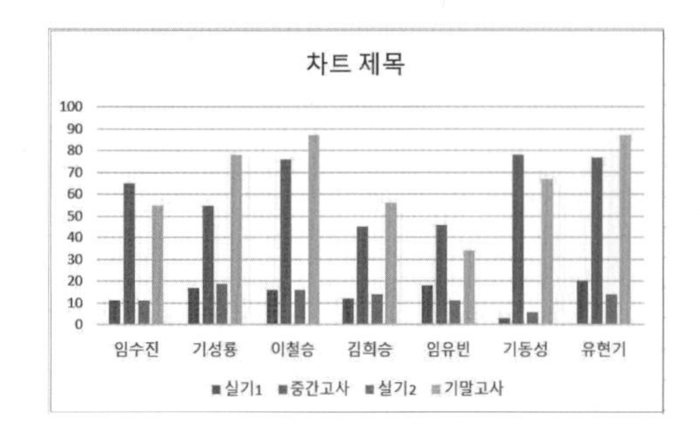

⇨

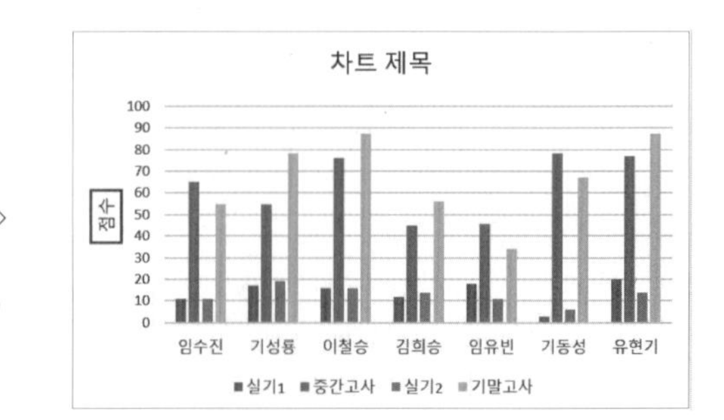

01 차트 전체를 선택한 후, [차트 도구] - [디자인] 탭 - [차트 레이아웃] 그룹의 "차트 요소 추가" 을 누른다.

02 "축 제목"에 마우스 포인터를 맞추고 "기본 세로"를 누른다.

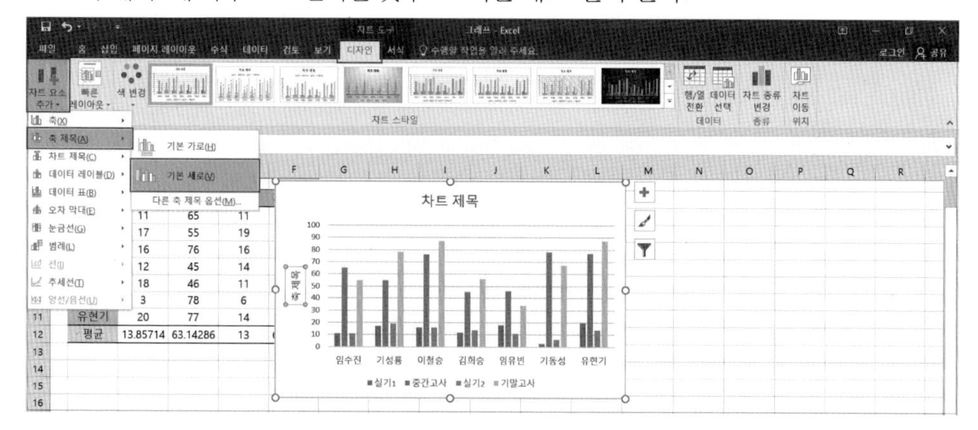

03 세로 "축 제목"이 추가되면 그 틀을 클릭 후, "점수"를 입력한다.

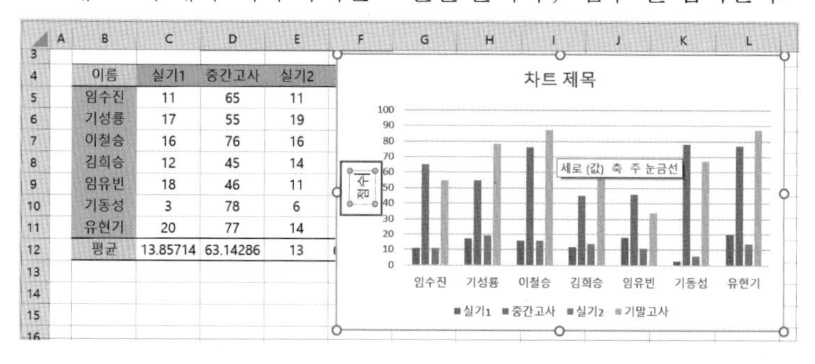

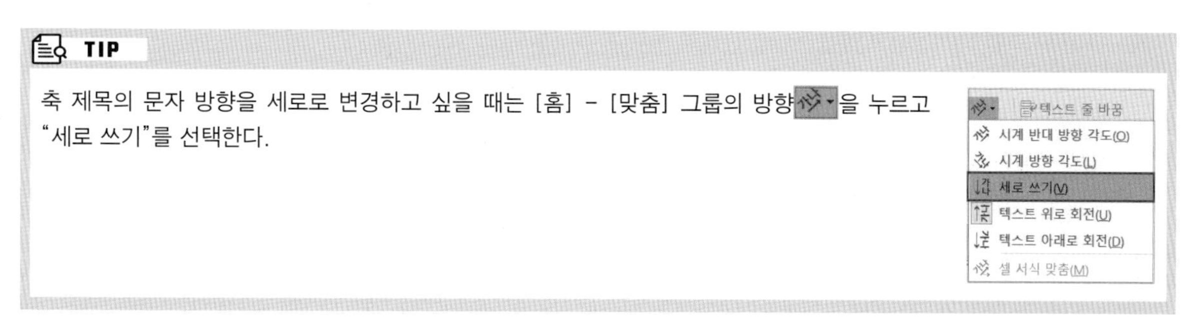

TIP

축 제목의 문자 방향을 세로로 변경하고 싶을 때는 [홈] - [맞춤] 그룹의 방향 을 누르고 "세로 쓰기"를 선택한다.

8.2.3 행/열 전환

차트는 차트를 만들 때에 선택했던 데이터 범위를 근거로 작성한다. 데이터 계열은 데이터 범위를 행 단위 혹은 열 단위로 구분한 것이다. 행 단위로 구분할지 열 단위로 구분할지는 차트를 작성할 때 자동으로 결정되지만 필요에 따라서 전환할 수 있다.

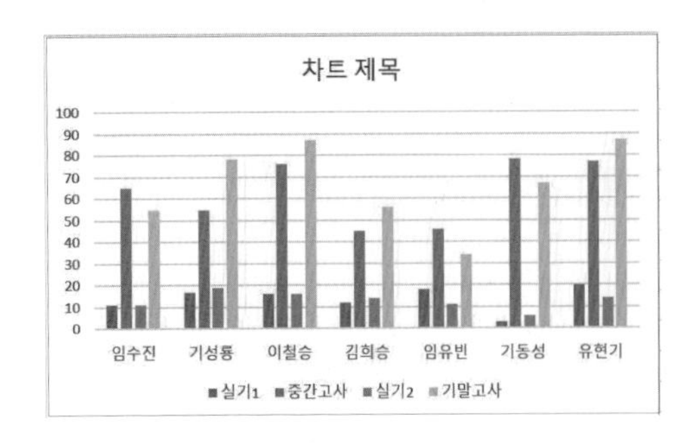

⇨

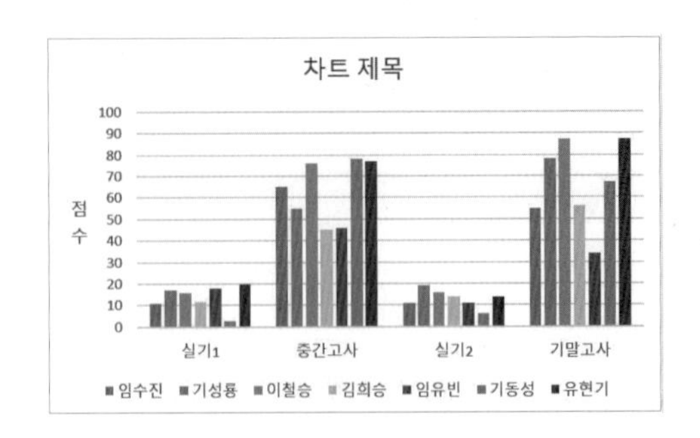

01 차트 전체를 선택한 후, [차트 도구] - [디자인] 탭 - [데이터] 그룹의 "행/열 전환" 을 누른다.

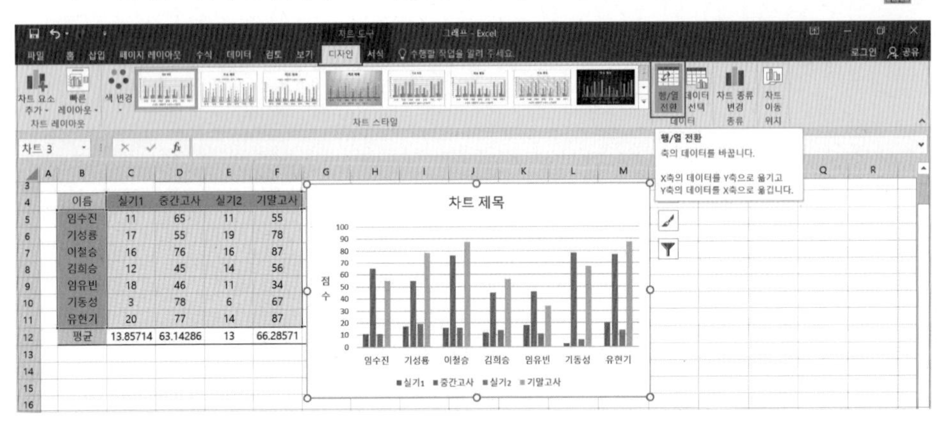

02 실행 결과, 행과 열의 데이터가 바뀌었다.

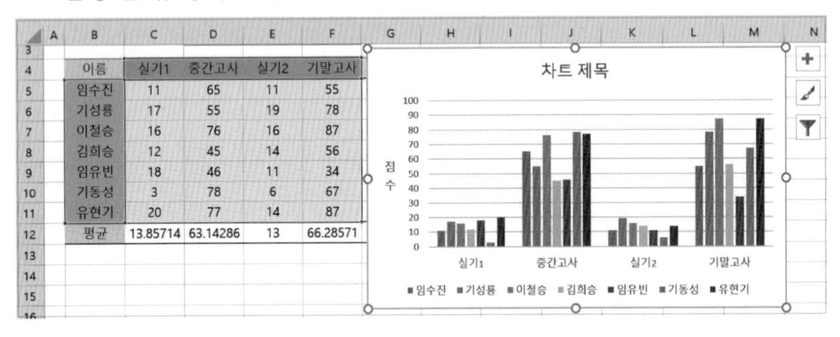

이름	실기1	중간고사	실기2	기말고사
임수진	11	65	11	55
기성룡	17	55	19	78
이철승	16	76	16	87
김희승	12	45	14	56
임유빈	18	46	11	34
기동성	3	78	6	67
유현기	20	77	14	87
평균	13.85714	63.14286	13	66.28571

TIP [데이터 원본 선택] 대화상자를 이용한 행/열 전환

[차트 도구] - [디자인] 탭의 [데이터] 그룹에 있는 "데이터 선택" 을 누르면 [데이터 원본 선택] 대화상자가 표시된다. 이 대화상자에 있는 "행/열 전환" 단추를 누르면 범례에 표시된 항목과 항목 축에 표시된 항목을 확인하면서 행과 열을 바꾼다.

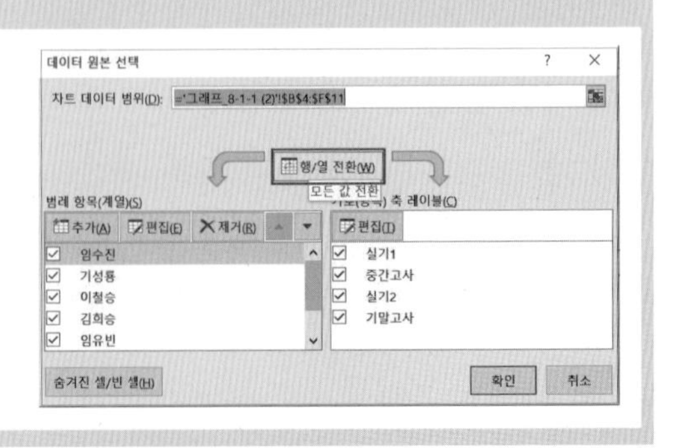

8.2.4 데이터 범위 변경

차트의 근거가 되는 데이터의 범위는 차트를 작성한 후에도 [데이터 원본 데이터] 대화상자로 변경이 가능하다. 현재 설정된 데이터 범위를 새롭게 선택해서 새로운 데이터로 지정한다.

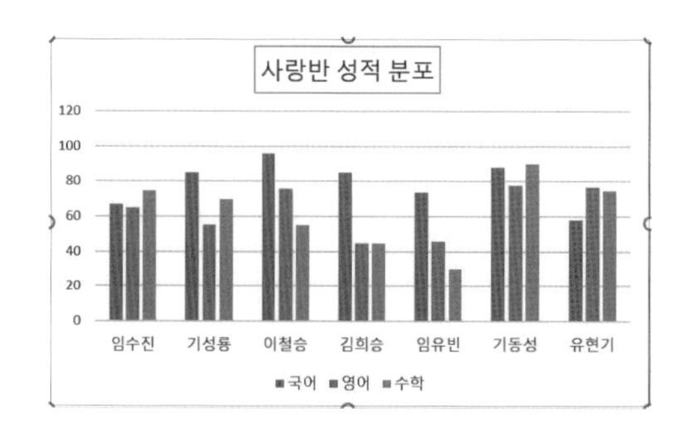

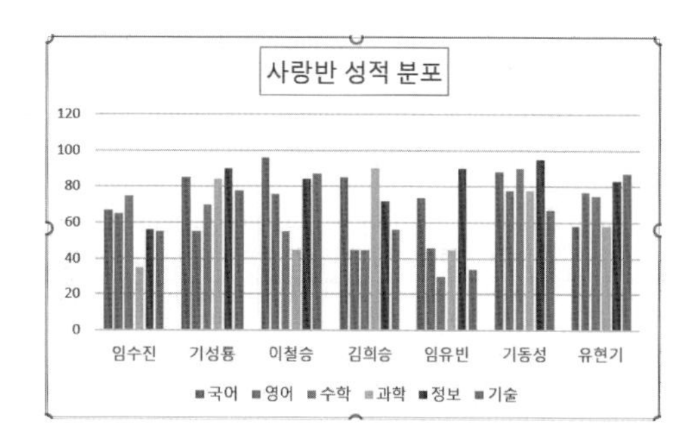

01 차트 전체를 선택한 후, [차트 도구] - [디자인] 탭의 [데이터] 그룹에 있는 "데이터 선택"을 누르면 [데이터 원본 선택] 대화상자가 표시된다.

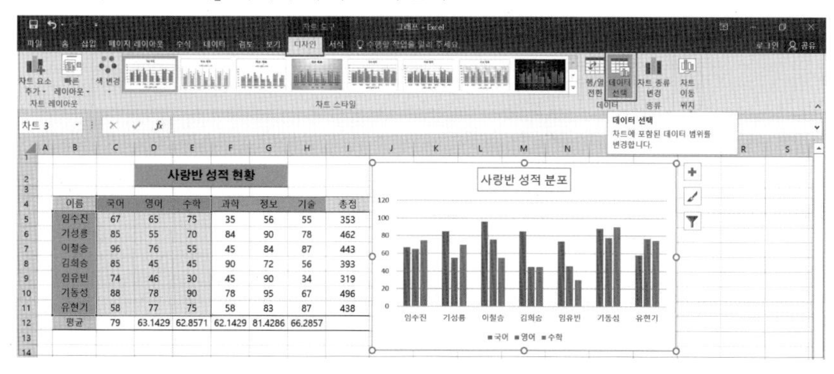

02 [데이터 원본 선택] 대화상자의 "차트 데이터 범위"의 우측 단추를 눌러서 셀 범위를 재설정한다.

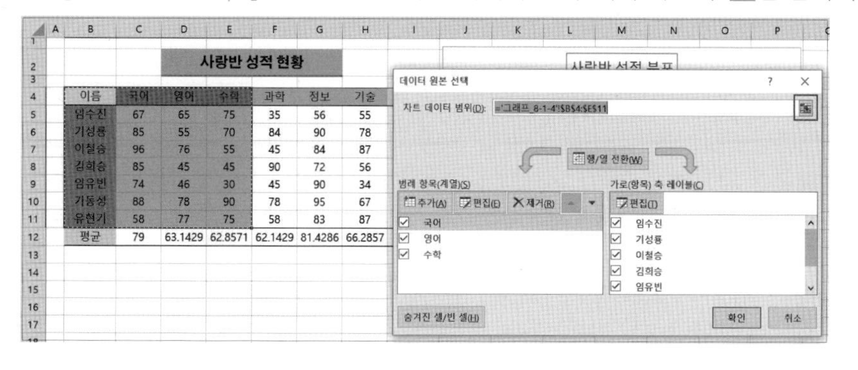

03 셀 범위를 "국어 ~ 수학"에서 "국어 ~ 기술"로 드래그해서 수정하고 우측 단추 을 누른다.

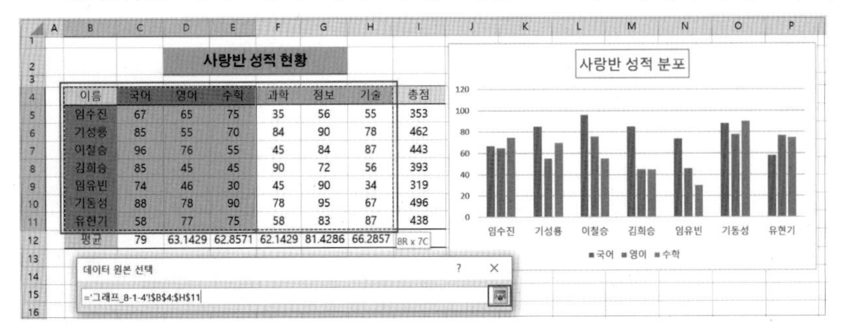

04 변경된 셀 범위를 확인하고 "확인"을 누른다.

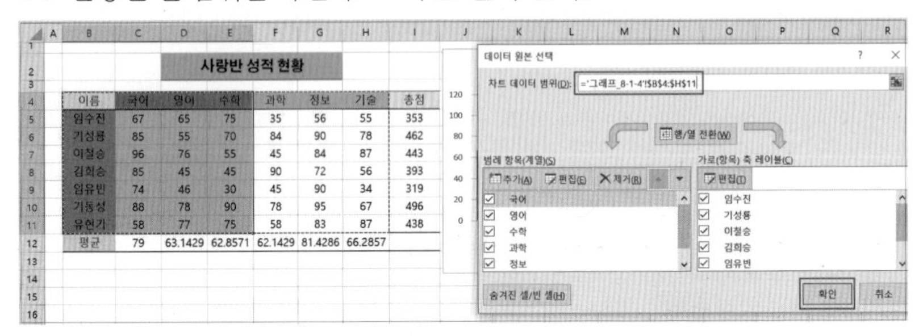

05 실행 결과, 변경된 범위에 의해 차트의 데이터 계열이 변경되었다.

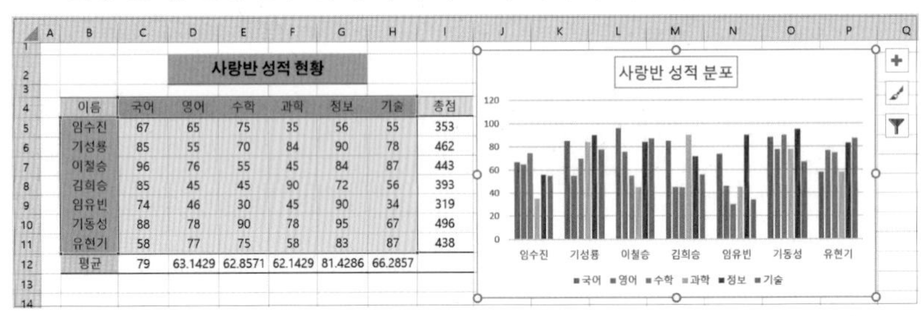

8.2.5 데이터 계열 추가

데이터 계열의 추가는 [데이터 원본 선택] 대화상자에 표시된 "범례 항목(계열)"을 추가하는 것이다. 현재의 데이터 범위로부터 떨어져 있는 항목을 차트에 추가하고 싶을 때 실행한다. 막대형 혹은 꺾은선형 차트 등은 범례에 표시되는 항목이 추가된다.

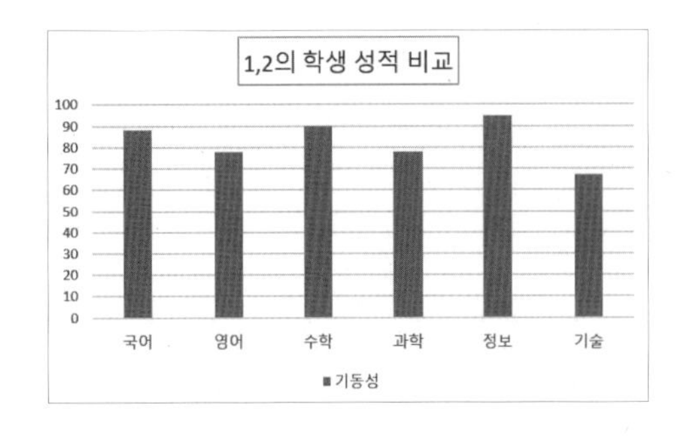

⇨

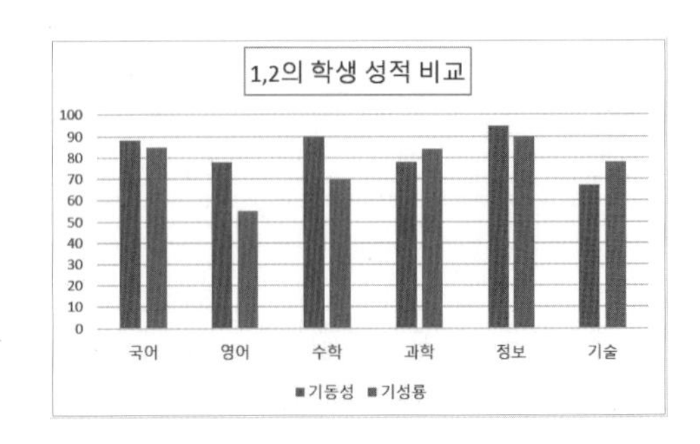

01 차트 전체를 선택한 후, [차트 도구] - [디자인] 탭의 [데이터] 그룹에 있는 "데이터 선택" 을 누르면 [데이터 원본 선택] 대화상자가 표시된다.

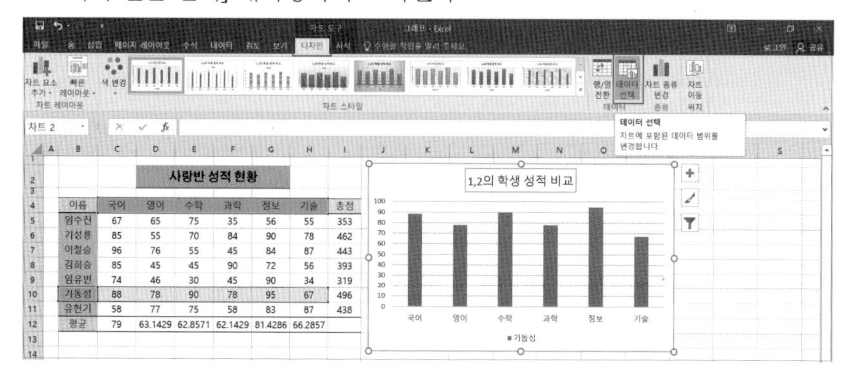

02 "추가"를 누르면 [계열 편집] 대화상자가 표시된다.

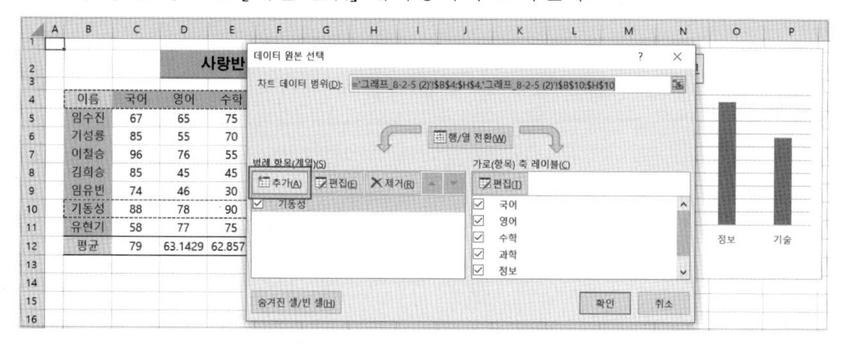

03 "계열 이름"의 우측 단추 을 누른다.

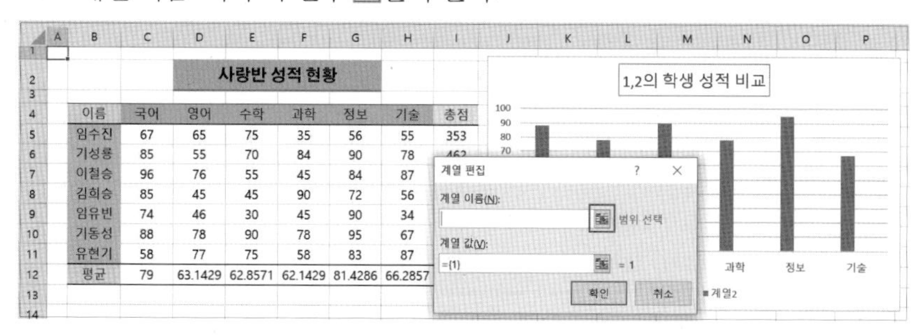

04 추가하는 계열의 항목명 "기성룡"을 선택하고 "계열 편집"의 우측 단추 을 누른다.

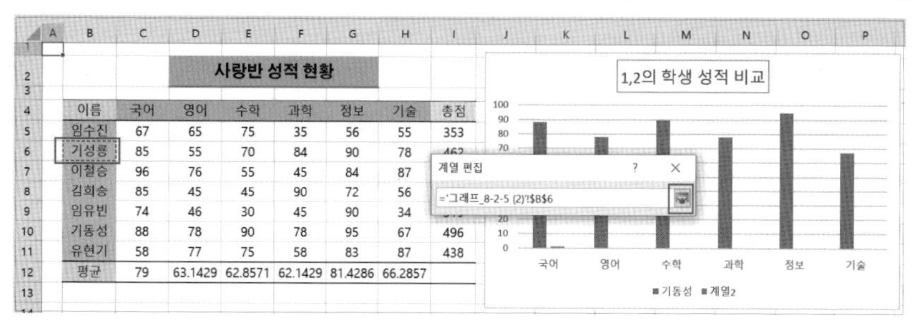

05 [계열 편집] 대화상자에서 "계열 값"의 우측 단추 을 누른다.

사랑반 성적 현황

이름	국어	영어	수학	과학	정보	기술	총점
임수진	67	65	75	35	56	55	353
기성룡	85	55	70	84	90	78	462
이철승	96	76	55	45	84	87	
김희승	85	45	45	90	72	56	
임유빈	74	46	30	45	90	34	
기동성	88	78	90	78	95	67	
유현기	58	77	75	58	83	87	
평균	79	63.1429	62.8571	62.1429	81.4286	66.2857	

06 추가할 계열 값에 해당하는 셀 범위 "$C$6 : $H$6"을 드래그해서 선택하고 단추 을 누른다.

사랑반 성적 현황

이름	국어	영어	수학	과학	정보	기술	총점
임수진	67	65	75	35	56	55	353
기성룡	85	55	70	84	90	78	462
이철승	96	76	55	45	84	87	
김희승	85	45	45	90	72	56	
임유빈	74	46	30	45	90	34	
기동성	88	78	90	78	95	67	496
유현기	58	77	75	58	83	87	438
평균	79	63.1429	62.8571	62.1429	81.4286	66.2857	

07 [계열 편집] 대화상자에서 "확인"을 누르면 [데이터 원본 선택] 대화상자가 다시 나타난다.

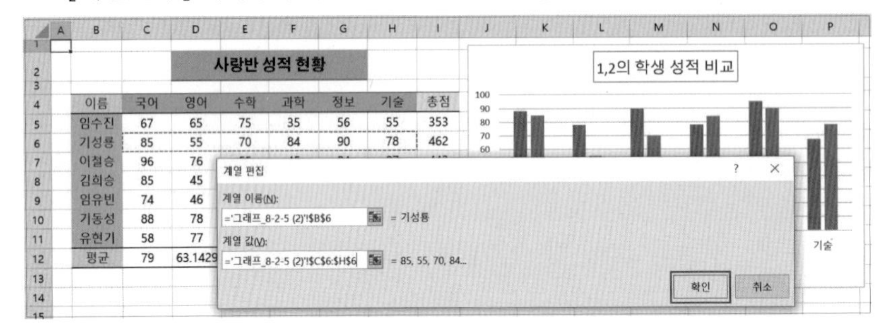

08 "가로(항목) 축 레이블"의 "편집"을 누르면 [축 레이블] 대화상자가 표시된다.

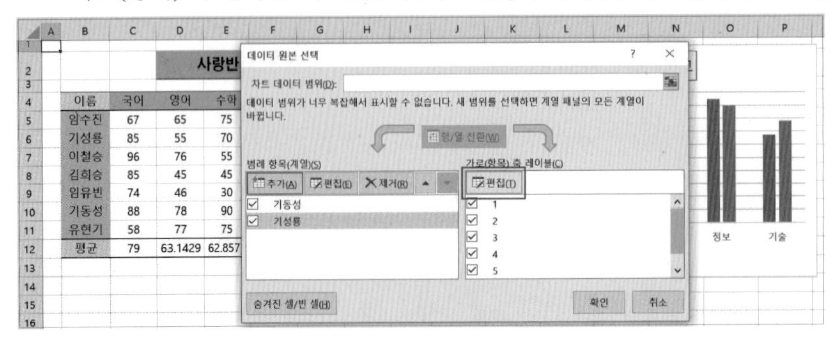

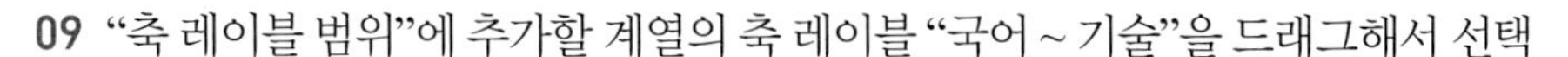

09 “축 레이블 범위”에 추가할 계열의 축 레이블 “국어 ~ 기술”을 드래그해서 선택

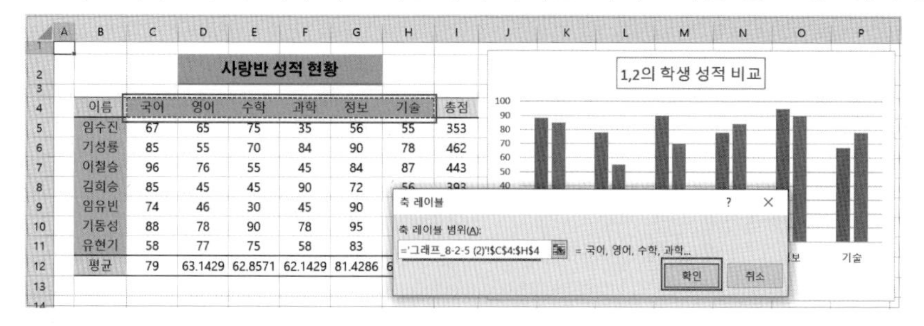

10 계열이 추가된 것을 체크하고 “확인”을 누른다.

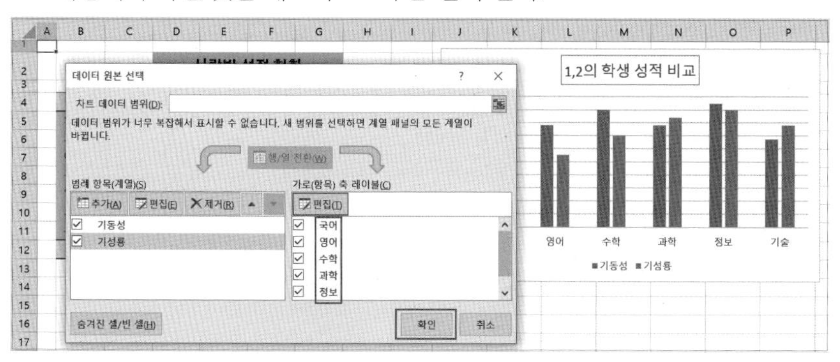

11 실행 결과, “기성룡” 데이터 계열이 추가되었다.

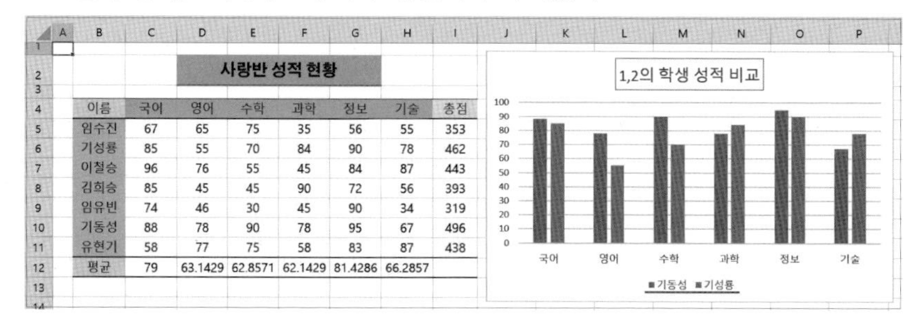

사랑반 성적 현황

이름	국어	영어	수학	과학	정보	기술	총점
임수진	67	65	75	35	56	55	353
기성룡	85	55	70	84	90	78	462
이철승	96	76	55	45	84	87	443
김희승	85	45	45	90	72	56	393
임유빈	74	46	30	45	90	34	319
기동성	88	78	90	78	95	67	496
유현기	58	77	75	58	83	87	438
평균	79	63.1429	62.8571	62.1429	81.4286	66.2857	

8.2.6 콤보 차트 만들기

콤보 차트는 미리 준비된 기존의 차트를 선택해서 만들 수 있다. 그러나 이 방법에서는 추후에 차트 종류를 변경할 필요가 있다. [차트 종류 변경] 대화상자를 이용해서 콤보 차트의 작성과 동시에 계열 별로 차트의 종류를 지정할 수 있다.

01 주어진 표에서 차트를 작성할 셀 범위 C4:H10을 지정한다.

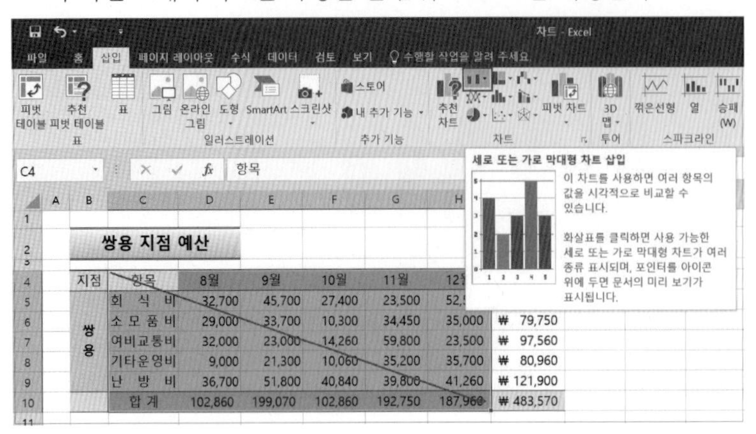

02 [삽입] 탭의 [차트] 그룹에 있는 "세로 또는 가로 막대형 차트 삽입" 단추를 눌러서 "묶은 세로 막대형"을 선택한다.

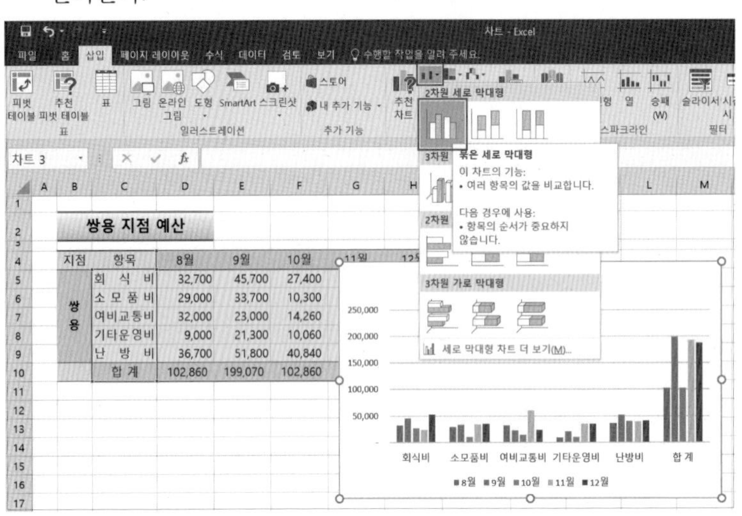

03 월별 예산을 살펴보기 위해서 [차트 도구] - [디자인] 탭 - [데이터] 그룹에 있는 "행/열 전환"을 누른다.

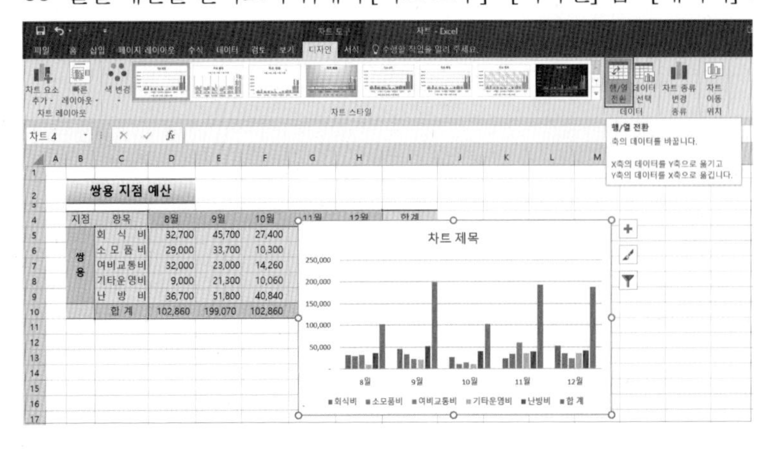

04 콤보 차트를 작성하기 위해 [차트 도구] - [디자인] 탭 - [종류] 그룹에 있는 "차트 종류 변경"을 누른다.

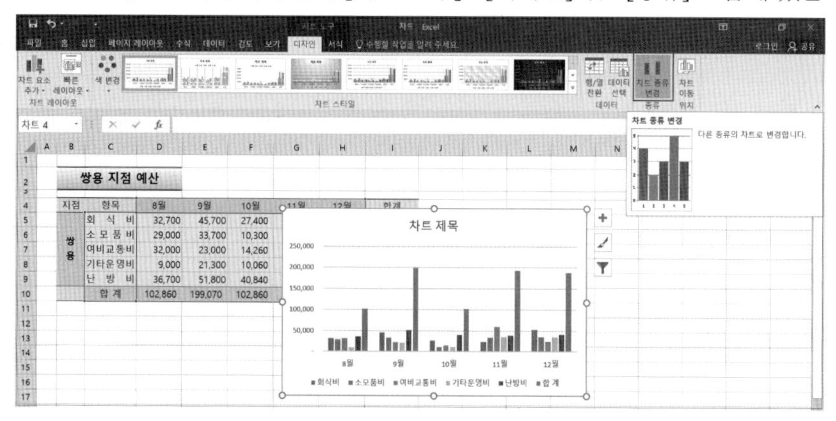

05 [차트 종류 변경] 대화상자에서 콤보 차트의 각 계열별로 차트 종류를 선택한다. 합계 계열을 "꺾은선형", 나머지 모든 계열은 "묶은 세로 막대형"으로 선택한다.

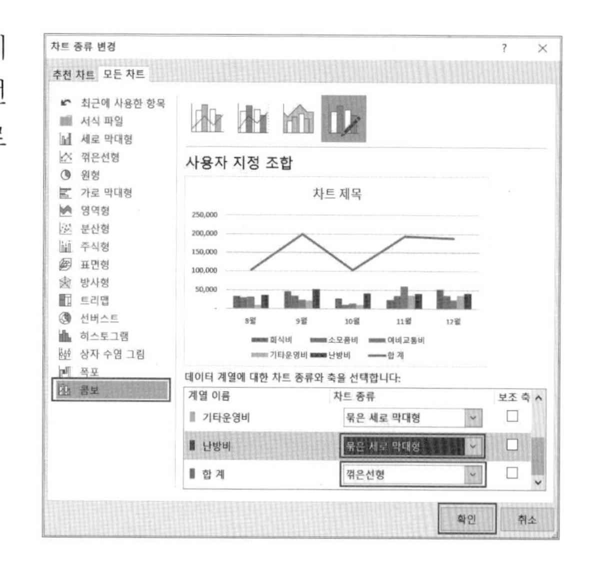

06 실행 결과, 막대형과 꺾은선형으로 구성된 콤보 차트가 작성되었다.

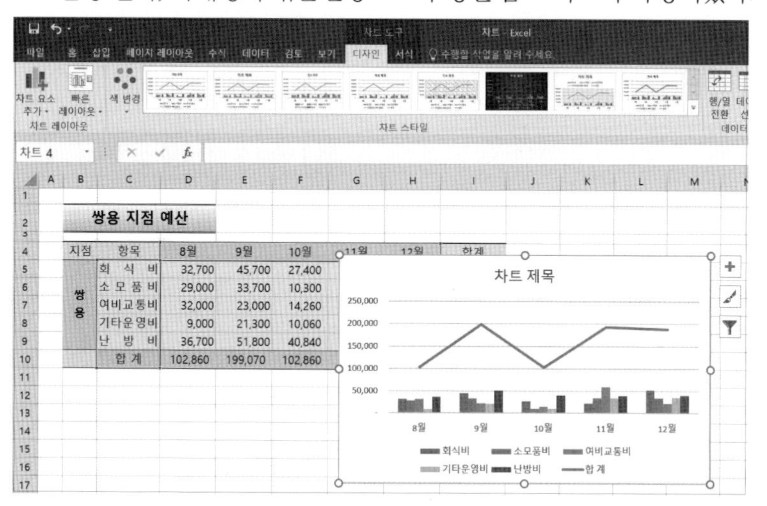

8.2.7 보조 세로축 추가

콤보 차트에서는 다른 단위의 값이나 극단적으로 크기가 다른 값을 하나의 차트로 나타낼 수 있다. 이 경우는 기존의 숫자 축(주축)과는 다른 숫자 눈금의 숫자 축(보조 축)을 차트 우측에 추가해서 차트를 읽기 쉽게 할 수 있다.

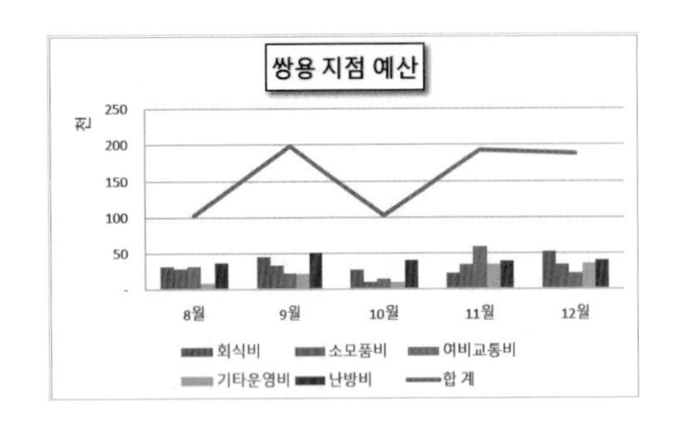

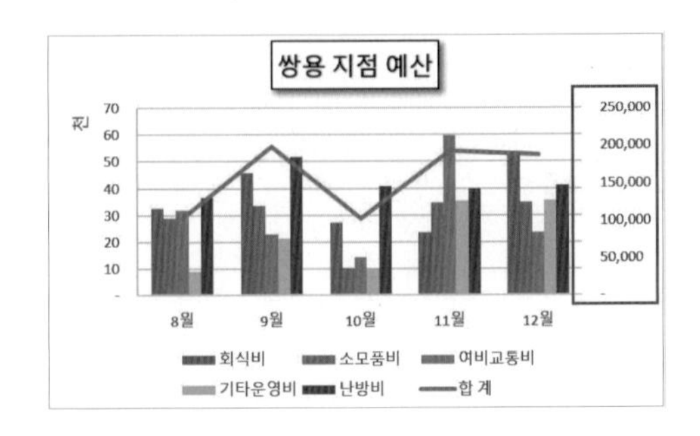

01 차트 전체를 선택한 후, [차트 도구] - [디자인] 탭 - [종류] 그룹에 있는 "차트 종류 변경"을 누른다.

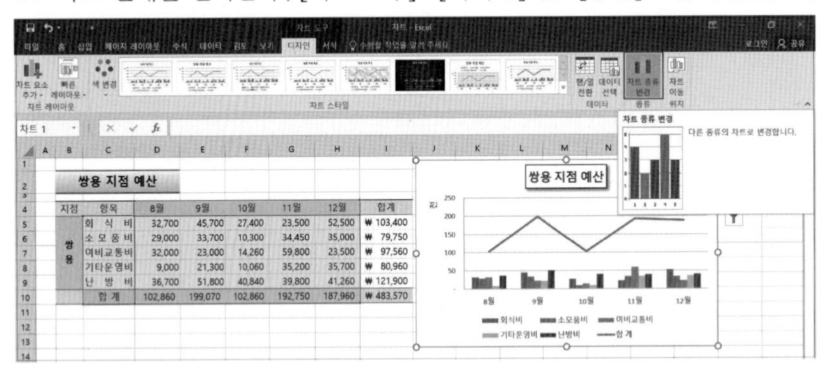

지점	항목	8월	9월	10월	11월	12월	합계
쌍용	회 식 비	32,700	45,700	27,400	23,500	52,500	₩ 103,400
	소 모 품 비	29,000	33,700	10,300	34,450	35,000	₩ 79,750
	여비교통비	32,000	23,000	14,260	59,800	23,500	₩ 97,560
	기타운영비	9,000	21,300	10,060	35,200	35,700	₩ 80,960
	난 방 비	36,700	51,800	40,840	39,800	41,260	₩ 121,900
	합 계	102,860	199,070	102,860	192,750	187,960	₩ 483,570

02 [차트 종류 변경] 대화상자가 나타나면, 그 상자에서 합계 항목의 "보조 축"의 체크 박스를 누르고 "확인"을 누른다.

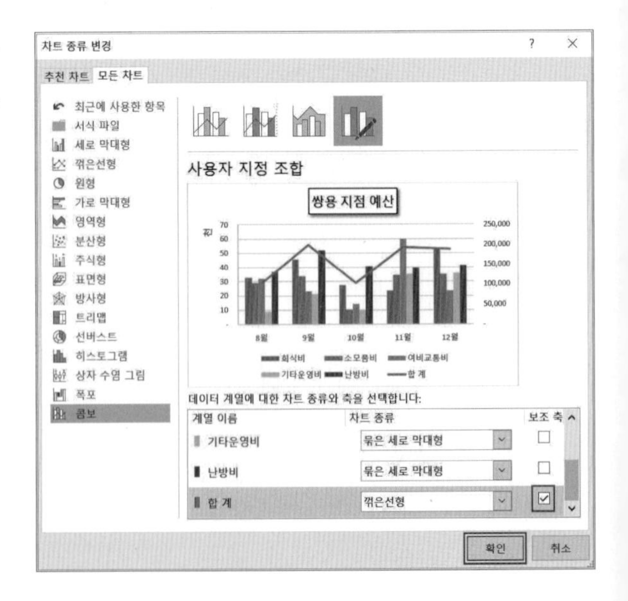

03 보조 축이 표시되어 차트를 보다 더 이해하기 쉬워졌다.

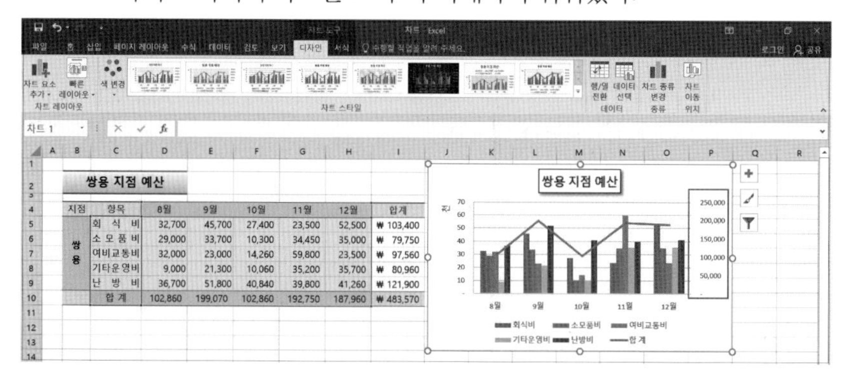

8.3 차트 서식 지정

요약

차트는 요소마다 색이나 효과 등의 서식을 설정할 수 있다. 차트 종류 혹은 요소에 의해서 사용자 서식을 만들 수도 있다. 차트를 효과적으로 눈에 띄게 하려면 서식을 이용하여 적절하게 설정하면 된다.

■ 도형 스타일

차트의 각 요소에 채우기 및 윤곽선, 효과 등을 결합해서 여러 가지 스타일을 이용할 수 있다.

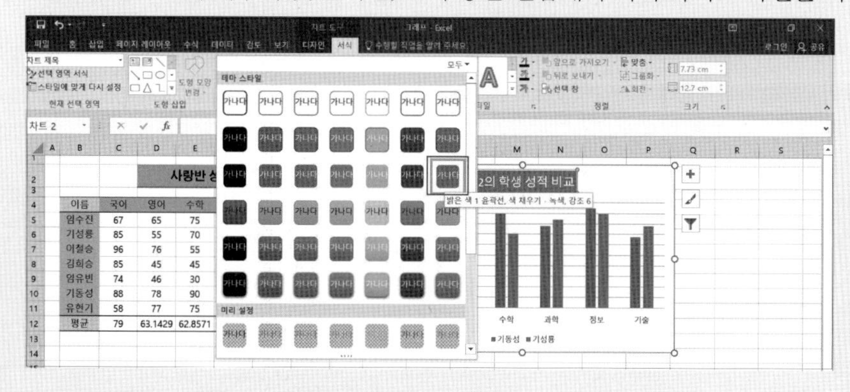

■ 축의 눈금 설정

원본의 숫자 데이터에 따라 이미 자동 설정된 숫자 축의 최소값, 최대값, 눈금 간격을 [축 서식] 대화상자의 "축 옵션"에서 변경할 수 있다.

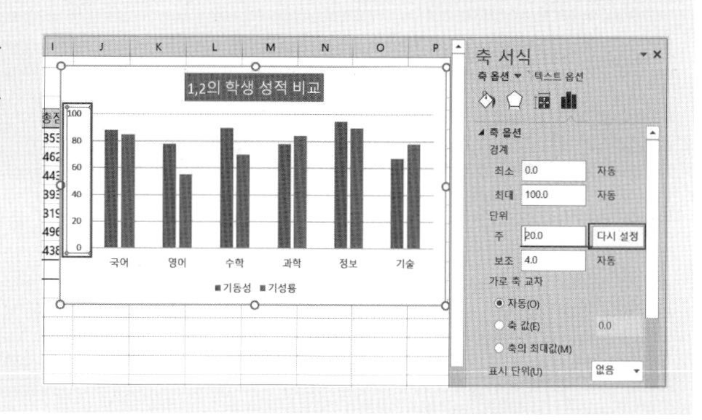

■ 축의 표시 단위 설정

원본 데이터로부터 자동으로 설정된 숫자 축에 표시된 숫자를 값의 단위 설정 변경으로 숫자 축을 보다 더 이해하기 쉽게 할 수 있다.

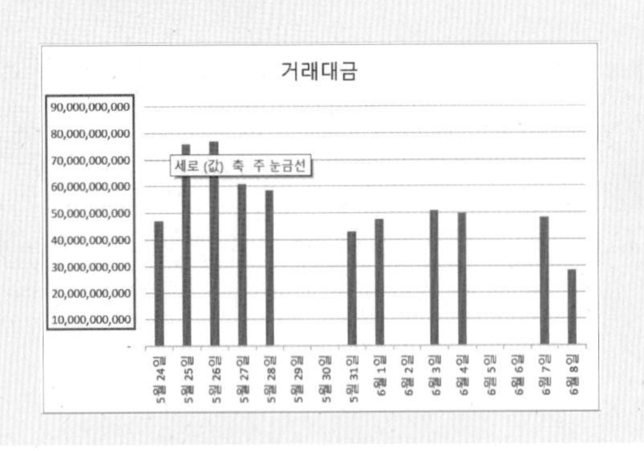

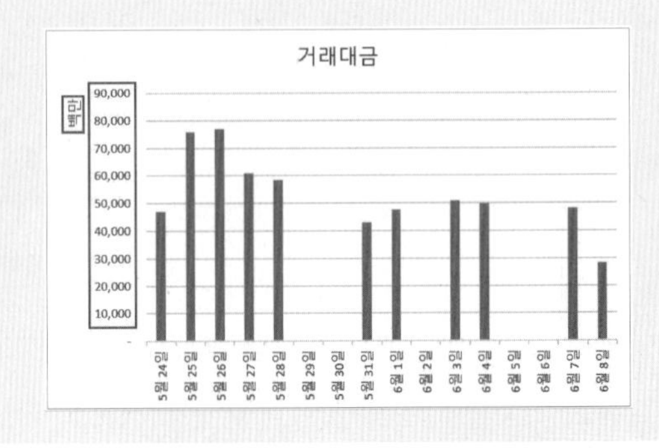

8.3.1 도형 스타일

차트의 각 요소에 채우기 및 윤곽선, 효과 등을 결합해서 여러 가지 패턴의 스타일을 적용할 수 있다. 스타일에는 현재 설정되어 있는 테마 색이 적용되고 있기 때문에 어느 것을 선택해도 차트 전체의 통일감은 훼손되지 않는다.

01 서식을 변경할 요소인 "차트 제목"을 선택한 후, [차트 도구] - [서식] 탭의 [도형 스타일] 그룹에 있는 "자세히" 단추 ▾ 을 누르면 도형 스타일의 리스트가 표시된다.

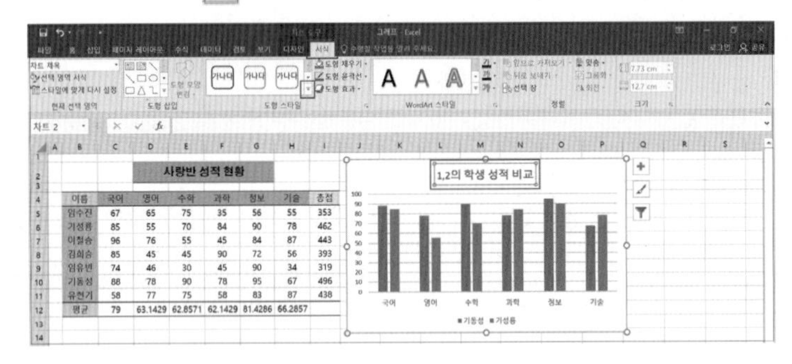

02 테마 스타일에서 "밝은 색 1 윤곽선, 색 채우기, 녹색, 강조 6"을 선택한다.

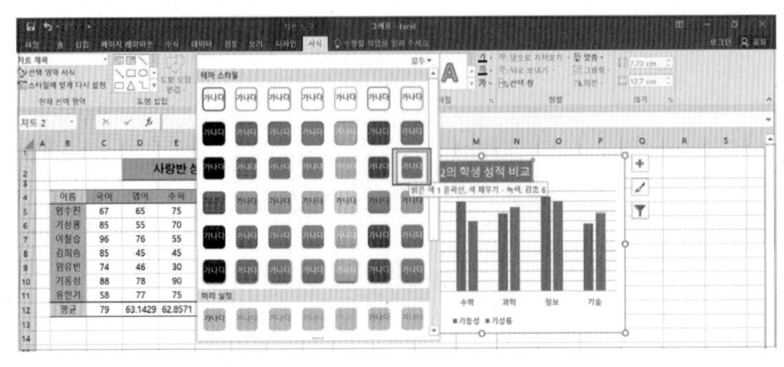

03 선택된 도형 스타일이 적용되었다.

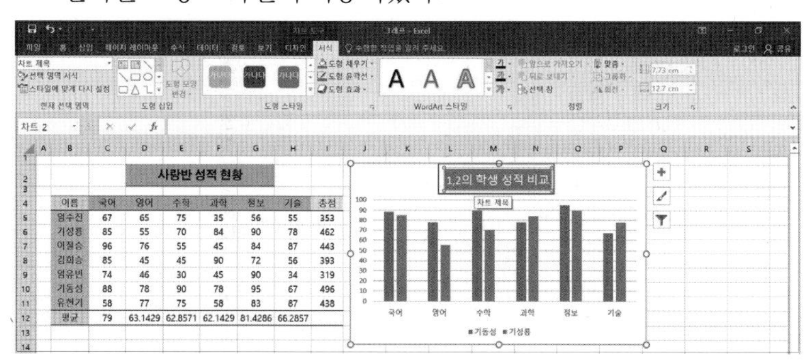

8.3.2 축 눈금 설정

숫자 축의 최소값, 최대값, 눈금 간격은 원본의 숫자 데이터에 따라 자동으로 설정된다. 이 설정은 [축 서식] 대화상자의 "축 옵션"에서 변경할 수 있다.

01 차트의 세로 축을 선택한 후, [차트 도구] - [서식] 탭의 [현재 선택 영역] 그룹에 있는 "선택 영역 서식" 선택 영역 서식 을 누르면 [축 서식] 대화상자가 표시된다.

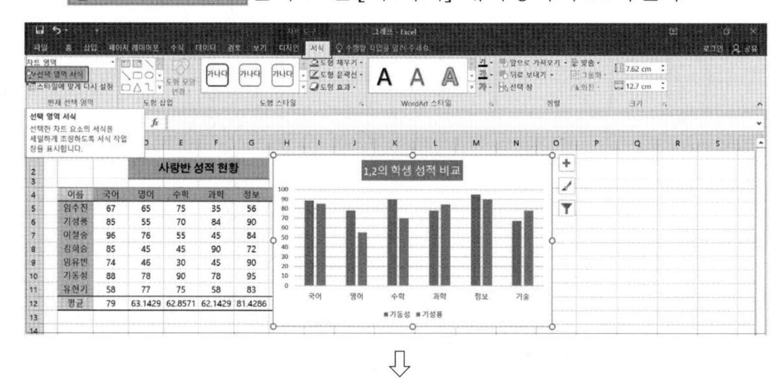

⇩

"축 옵션"의 모든 설정은 자동으로 설정되어 있다.

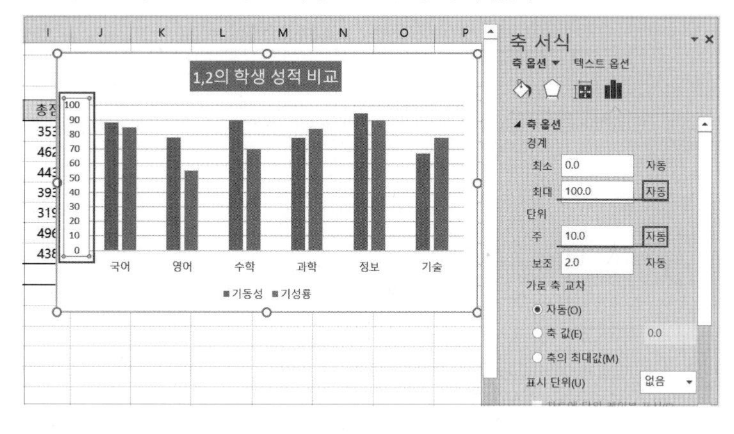

02 "축 옵션" - "단위"의 "주"에 20을 입력하면 "자동"이 "다시 설정"으로 바뀐다. 차트의 세로 축이 20간격으로 눈금이 변경되었다.

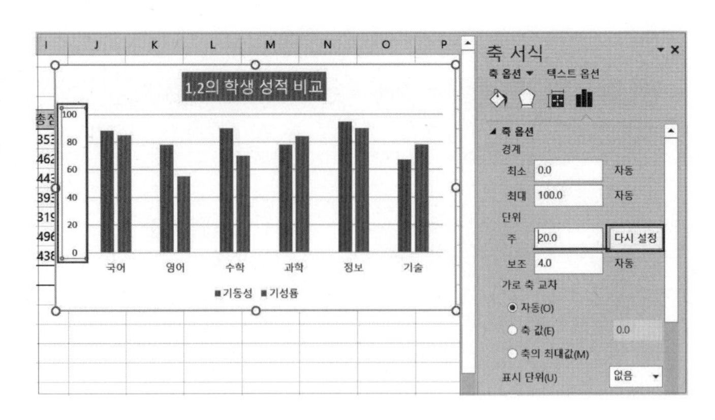

8.3.3 축 표시 단위 설정

숫자 축에 표시되는 숫자는 차트의 원본 데이터로부터 자동으로 설정된다. 그러나 숫자의 자릿수가 많은 경우는 눈금을 읽기가 어려워진다. 이러한 경우, 표시하는 값의 단위를 설정해서 숫자 축을 보다 읽기 쉽게 할 수 있다.

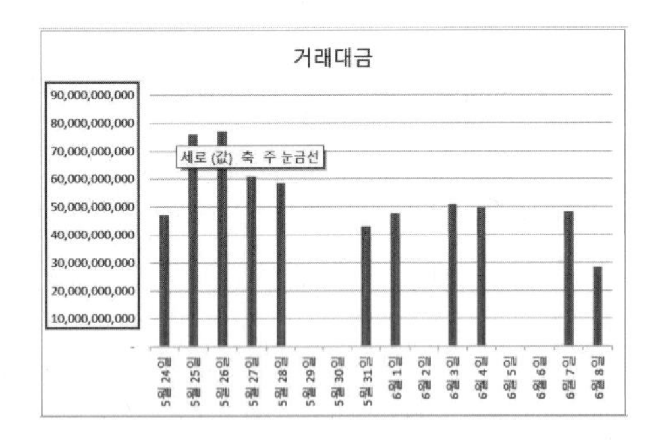

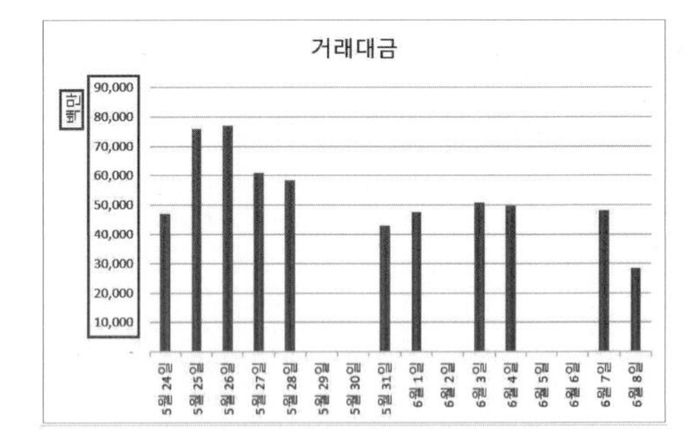

01 차트에서 세로 축을 선택한 후, [차트 도구] - [서식] 탭의 [현재 선택 영역] 그룹에 있는 "선택 영역 서식" 선택 영역 서식 을 누르면 [축 서식] 대화상자가 표시된다.

02 "표시 단위"의 "백만"을 선택하면 숫자 축의 표시 단위가 변경된다. 더 이상 변경 사항이 없으면 [축 서식] 대화상자를 닫는다.

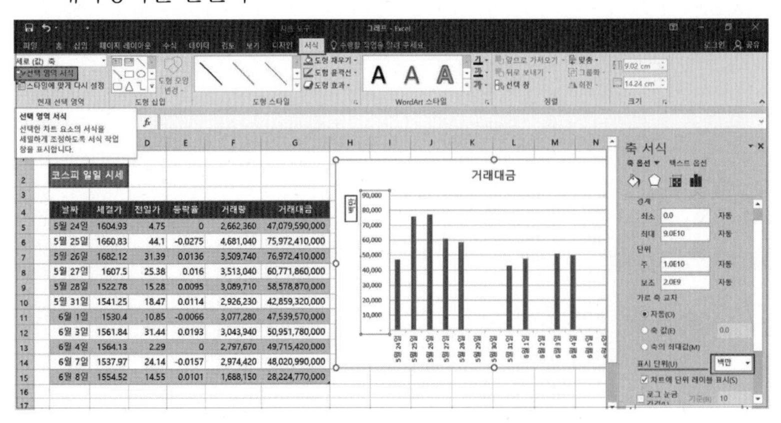

연습문제

1. 다음의 조건을 참고해서 그림과 같이 2차원 차트를 작성해 보자.

   (1) 범위 지정; 차트 삽입(2차원 세로 막대형-묶은 세로 막대형)
   (2) 차트 제목; 본과 성적 관리표
   (3) 제목 설정; WordArt 스타일 "채우기-흰색, 윤곽선-강조2, 진한 그림자-강조2", 테두리 색 "회색-25%, 배경2", 그림자 "바깥쪽, 오프셋 대각선 오른쪽 아래"
   (4) 축 제목; 가로 "학생명", 세로 "점 수"
   (5) 범례위치; 차트 아래
   (6) 총점 데이터; 표식이 있는 꺾은선형, 보조축 사용
   (7) 기본 가로축, 기본 세로축, 보조 세로축; 주 눈금"바깥쪽"
   (8) 추가로 필요한 조건은 제시한 차트 결과를 보고 적절하게 지정한다.

본과 성적 현황

이름	실기1	중간고사	실기2	기말고사	총점
이진혁	13	55	10	50	128
유진희	15	50	20	80	165
박재영	17	65	15	75	172
이희지	12	30	15	45	102
성은주	10	35	10	30	85
임지민	0	80	0	80	160
장동현	19	70	10	40	139

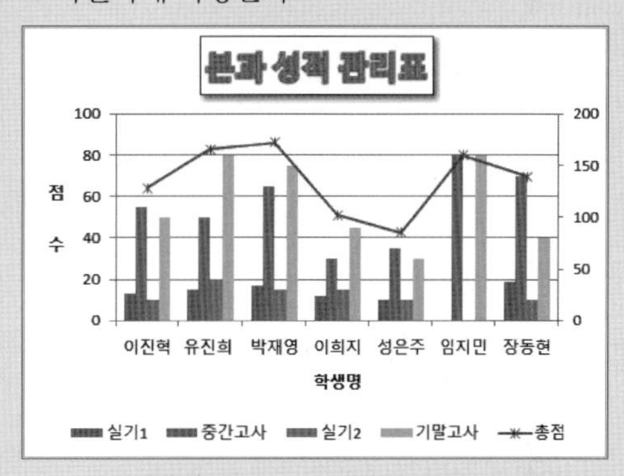

2. 다음의 그림과 같이 3차원 차트에서 확인이 되는 모든 색상, 차트 요소, 등 동일하게 3가지 차트 모두 작성해 보자. 3가지 차트의 각종 색상은 가독성을 고려해서 임의로 선택한다.

본과 성적 현황

이름	실기1	중간고사	실기2	기말고사	총점
이진혁	13	55	10	50	128
유진희	15	50	20	80	165
박재영	17	65	15	75	172
이희지	12	30	15	45	102
성은주	10	35	10	30	85
임지민	0	80	0	80	160
장동현	19	70	10	40	139

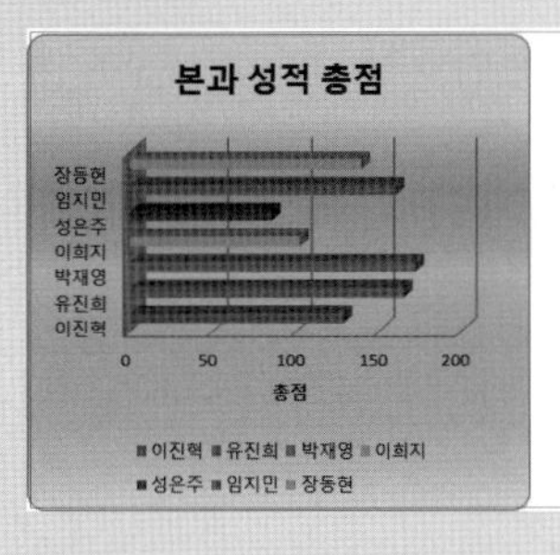

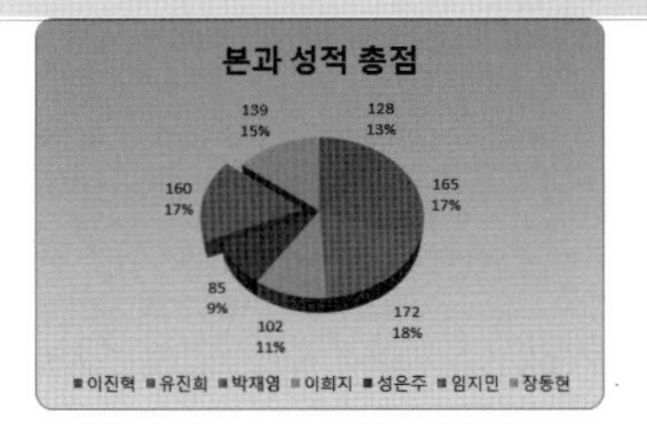

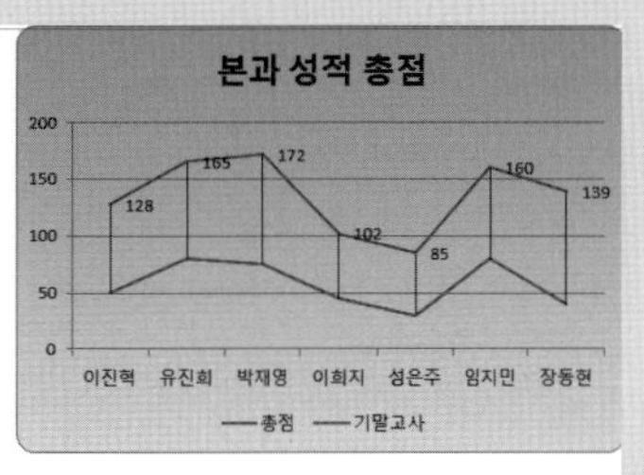

연습문제

3. 다음의 조건으로 3차원 차트를 작성해 보자.

(1) 차트 종류는 '3차원 누적 세로 막대형', 차트 스타일은 '스타일 1'로 지정한다.
(2) 작성된 차트는 '차트 이동'으로 '새 시트(S)'에 삽입한다.
(3) 이동된 차트에 [차트 도구]-[디자인] 탭-[차트 레이아웃] 그룹에 있는 '레이아웃 1'을 적용한 후, 차트 제목은 '연도별 도로현황'으로 입력, 테두리 색은 '실선, 회색-25%/배경2', 그림자는 미리 설정의 '바깥쪽, 오프셋 대각선 오른쪽 아래'를 지정한다.
(4) 기본 세로 축 옵션의 '값을 거꾸로'로 지정하고, 기본 가로 눈금선은 '없음'으로 지정한다. 그 외 실선을 그림의 차트를 보고 그대로 작성해 보자.
(5) 데이터 계열 서식의 계열 옵션-간격 너비를 60%로 지정한다.
(6) 3차원 회전의 회전은 X:10°, Y:10°로 지정한다.
(7) '시/군도' 계열의 데이터 레이블 값을 표시한다.
(8) 범례는 그림의 차트와 같은 위치에 배치해 보자.
(9) 밑면 테두리는 실선 "청회색, 텍스트2"로 지정한다.
(10) 추가로 필요한 조건은 제시한 차트 결과를 보고 적절하게 지정한다.

	A	B	C	D	E
1	연도별 도로현황				
2					
3	연도	고속국도	일반국도	지방도	시/군도
4	2005년	2968	14224	17710	49885
5	2006년	3103	14225	17677	49318
6	2007년	3368	13832	18175	49535
7	2008년	3447	13905	18193	50174
8	2009년	3776	13820	18138	50501

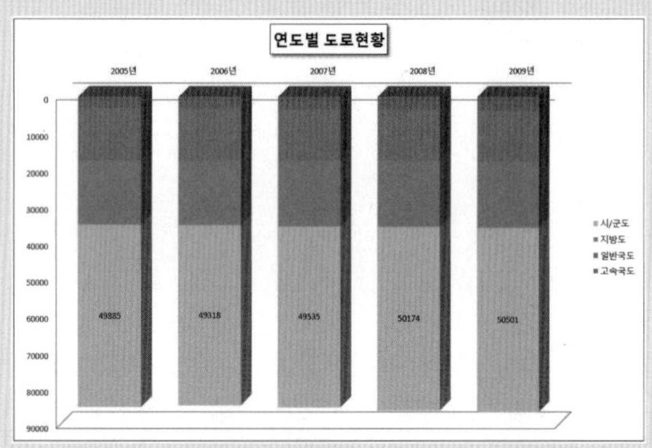

4. 다음의 조건으로 3차원 차트를 작성해 보자.

(1) 차트 종류는 '3차원 누적 가로 막대형', 차트 스타일은 '스타일 1'로 지정한다.
(2) 작성된 차트는 '차트 이동'으로 '새 시트(S)'에 삽입한다.
(3) 이동된 차트에 [차트 도구]-[디자인] 탭-[차트 레이아웃] 그룹에 있는 '레이아웃 1'을 적용한 후, 차트 제목은 '지하수 이용 현황'으로 입력, 테두리 색은 '실선, 회색-25%/배경2', 그림자는 미리 설정의 '바깥쪽, 오프셋 대각선 오른쪽 아래'를 지정한다.
(4) 기본 가로 축 옵션의 '값을 거꾸로'로 지정하고, 기본 가로 눈금선은 '없음'으로 지정한다. 그 외 실선을 그림의 차트를 보고 그대로 작성해 보자.
(5) 3차원 회전 차트 배율의 깊이(%)는 '50'으로 지정해 보자.
(6) 3차원 회전의 회전은 X:10°, Y:10°로 지정한다.
(7) '부산광역시' 계열의 데이터 레이블 값을 표시한다.

연습문제

(8) 범례는 그림의 차트와 같은 위치에 배치해 보자.

(9) 추가로 필요한 조건은 제시한 차트 결과를 보고 적절하게 지정한다.

	A	B	C	D	E	F
1		지하수 이용 현황				
2		지역	2006년	2007년	2008년	2009년
3		서울특별시	32052	28195	26191	24602
4		부산광역시	41523	38060	34915	34760
5		대구광역시	30469	27844	24101	24678
6		광주광역시	25470	25359	25083	25795

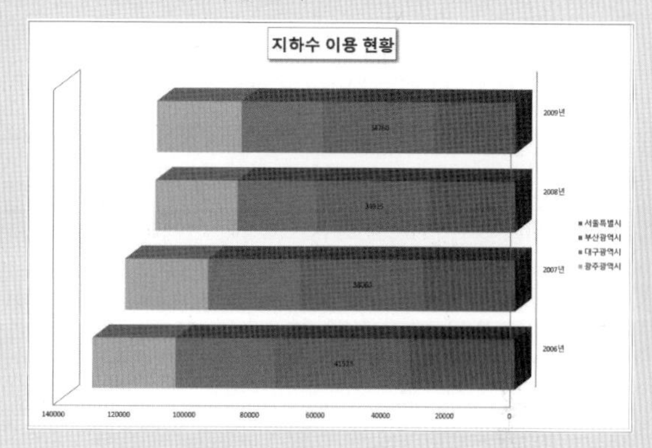

5. 다음의 조건을 참고해서 주어진 표와 3차원 차트를 작성해 보자.

(1) 셀 F5:F8 영역의 평균과 차를 계산한다.

① 반드시 AVERAGE, ROUNDDOWN 함수를 모두 이용하여 구한다.

② 반드시 아래 주어진 수식으로 구하고, 구한 값을 소수 셋째 자리에서 버림하여 소수 둘 째 자리까지 표시해 보자.

※ 평균과 차 = (‘종이류’의 ‘울산광역시’부터 ‘제주도’까지의 평균 - ‘종이류’의 각 지역의 값)

(2) 셀 G5:G8 영역의 비고를 구한다.

① 반드시 FIND, IF, ISERR, RANK.EQ, SUM 함 수를 모두 이용하여 구한다.

② 반드시 아래 주어진 조건에 따른 참과 거짓의 값으로 표시해 보자.

- 조건 : 각 지역의 문자열에 ‘광’을 포함하지 않는 경우
- 참 : ‘음식물류’를 기준으로 각 지역의 내림차순 순위
- 거짓 : 각 지역의 ‘음식물류’부터 ‘유리류’까지의 합계

(3) 차트를 작성해보자(차트는 반드시 지정 상태를 확인할 수 있어야 하고, 차트를 두 개 이상 작성하거나 그림, 외부개체로 입력 금지!).

① 붙여 넣은(A4셀부터) 자료 중 ‘평균과 차’와 ‘비고’를 제외한 자료를 이용하여 차트를 작성한다.

② 차트 종류는 ‘3차원 누적 세로 막대형’, 차트 스타일은 ‘스타일 1’로 지정한다.

③ 작성한 차트 이동위치는 ‘새 시트(S)’에 삽입한다.

④ 작성한 차트가 있는 시트명은 ‘ㅇㅇㅇ(본인의 이름)’으로 입력한다.

⑤ 차트 제목은 [차트도구]-[디자인]메뉴 [차트레이아웃] 그룹의 ‘레이아웃 1’의 ‘생활쓰레기 발생 현황’으로 입력하고, 테두리 색은 ‘실선, 회색-25%/배경2’, 그림자는 미리 설정의 ‘바깥쪽, 오프셋 대각선 오른쪽 아래’를 지정한다.

연습문제

⑥ 기본 세로 축 옵션의 '값을 거꾸로'로 지정하고, 기본 가로 눈금선은 '없음'으로 지정한다.

⑦ 데이터 계열 서식의 계열 옵션은 간격 깊이 200%, 간격 너비 80%로 지정한다.

⑧ '음식물류' 계열 중 '강원도'의 데이터 레이블 값이 나타나도록 지정한다.

⑨ 3차원 회전의 회전은 X:10°, Y:10°로 지정한다.

⑩ 차트 영역의 상단 오른쪽에 [차트형태]와 같이 텍스트 상자를 이용하여 '(단위:톤/일)'을 입력한다.

⑪ 범례가 차트의 우측 가운데에 나타나도록 지정한다.

⑫ 밑면 테두리는 실선 "회색-25%, 배경2"로 지정한다.

⑬ 세로축 눈금 표시는 숫자(소수 자리수 0)로 지정한다.

⑭ 추가로 필요한 조건은 제시한 차트 결과를 보고 적절하게 지정한다.

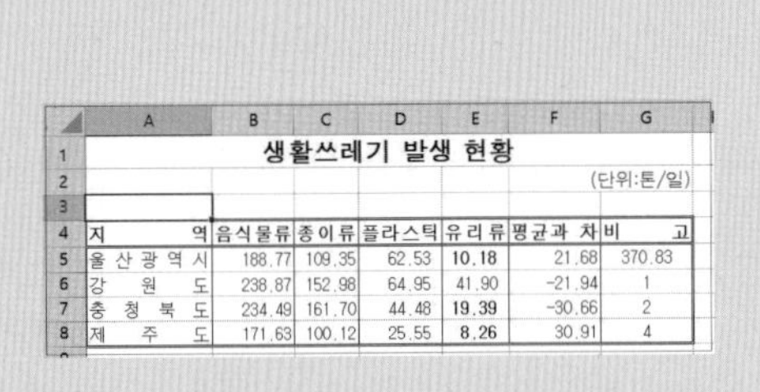

생활쓰레기 발생 현황

(단위:톤/일)

지역	음식물류	종이류	플라스틱	유리류	평균과 차	비고
울산광역시	188.77	109.35	62.53	10.18	21.68	370.83
강원도	238.87	152.98	64.95	41.90	-21.94	1
충청북도	234.49	161.70	44.48	19.39	-30.66	2
제주도	171.63	100.12	25.55	8.26	30.91	4

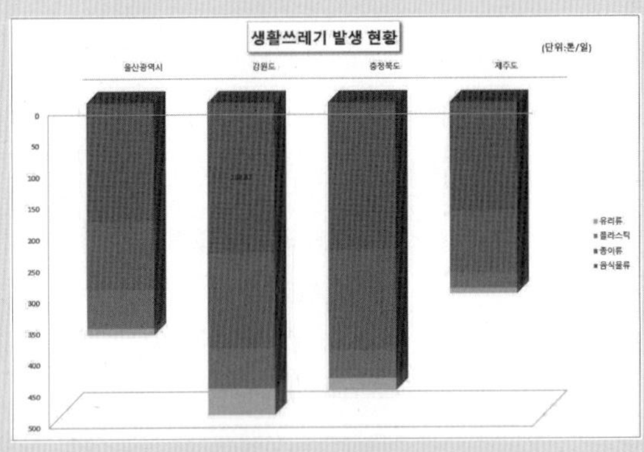

C H A P T E R

9

데이터 분석

9.1 정렬

요약

데이터 정렬은 데이터 분석에서 매우 중요한 역할을 한다. 이름 목록을 사전순서로 정렬하거나 색 또는 아이콘별로 행을 정렬할 수 있다. 이와 같이 데이터를 정렬하면 데이터를 빠르게 시각화하여 시인성 및 가독성을 높일 수 있다.

■ 오름차순 정렬

데이터의 종류가 텍스트의 경우 한글 자음의 ㄱ→ㅎ(사전순) 순서로 정렬한다. 숫자는 최소값에서 최대값 순으로 표시한다. 맨 앞이 기호, 숫자, 알파벳 등으로 시작하는 텍스트는 한글 텍스트보다 먼저 표시된다.

ICT비지니스 성적표

No	이름	학과	실기1	중간고사	실기2	기말고사	총점
1	이필순	간호학과	15	95	11	75	196
2	김대원	사회복지학부	16	84	19	85	204
3	강상규	태권도학과	19	65	20	82	186
4	김희순	간호학과	16	44	20	54	134
5	나누리	간호학과	17	24	19	83	143
6	마동권	태권도학과	12	67	19	74	172
7	한동준	경영학과	8	95	12	77	192
8	이판근	사회복지학부	12	67	13	42	134
9	유순식	태권도학과	5	93	20	90	208
10	윤동균	경영학과	15	84	19	99	217

⇨

ICT비지니스 성적표

이름	학과	실기1	중간고사	실기2	기말고사	총점
강상규	태권도학과	19	65	20	82	186
김대원	사회복지학부	16	84	19	85	204
김희순	간호학과	16	44	20	54	134
나누리	간호학과	17	24	19	83	143
마동권	태권도학과	12	67	19	74	172
유순식	태권도학과	5	93	20	90	208
윤동균	경영학과	15	84	19	99	217
이판근	사회복지학부	12	67	13	42	134
이필순	간호학과	15	95	11	75	196
한동준	경영학과	8	95	12	77	192

■ 셀 색 기준 정려

셀에 지정한 채우기 색 및 데이터의 글꼴 색 등 색을 기준으로 정렬을 할 수 있다.

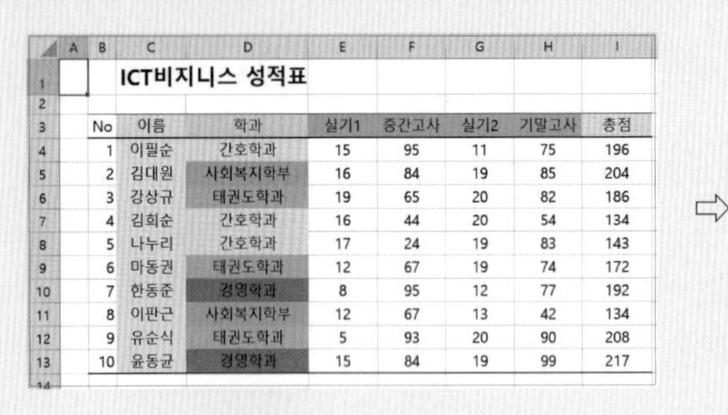

ICT비지니스 성적표

No	이름	학과	실기1	중간고사	실기2	기말고사	총점
1	이필순	간호학과	15	95	11	75	196
2	김대원	사회복지학부	16	84	19	85	204
3	강상규	태권도학과	19	65	20	82	186
4	김희순	간호학과	16	44	20	54	134
5	나누리	간호학과	17	24	19	83	143
6	마동권	태권도학과	12	67	19	74	172
7	한동준	경영학과	8	95	12	77	192
8	이판근	사회복지학부	12	67	13	42	134
9	유순식	태권도학과	5	93	20	90	208
10	윤동균	경영학과	15	84	19	99	217

⇨

ICT비지니스 성적표

No	이름	학과	실기1	중간고사	실기2	기말고사	총점
1	이필순	간호학과	15	95	11	75	196
4	김희순	간호학과	16	44	20	54	134
5	나누리	간호학과	17	24	19	83	143
3	강상규	태권도학과	19	65	20	82	186
6	마동권	태권도학과	12	67	19	74	172
9	유순식	태권도학과	5	93	20	90	208
2	김대원	사회복지학부	16	84	19	85	204
8	이판근	사회복지학부	12	67	13	42	134
7	한동준	경영학과	8	95	12	77	192
10	윤동균	경영학과	15	84	19	99	217

■ 다수의 정렬 기준

[정렬] 대화상자에서 다수의 정렬 기준의 우선 순서를 지정할 수 있다.

ICT비지니스 성적표

No	이름	학과	실기1	중간고사	실기2	기말고사	총점
1	이필순	간호학과	15	95	11	75	196
2	김대원	사회복지학부	16	84	19	85	204
3	강상규	태권도학과	19	65	20	82	186
4	김희순	간호학과	16	44	20	54	134
5	나누리	간호학과	17	24	19	83	143
6	마동권	태권도학과	12	67	19	74	172
7	한동준	경영학과	8	95	12	77	192
8	이판근	사회복지학부	12	67	13	42	134
9	유순식	태권도학과	5	93	20	90	208
10	윤동균	경영학과	15	84	19	99	217

⇨

ICT비지니스 성적표

No	이름	학과	실기1	중간고사	실기2	기말고사	총점
4	김희순	간호학과	16	44	20	54	134
5	나누리	간호학과	17	24	19	83	143
1	이필순	간호학과	15	95	11	75	196
10	윤동균	경영학과	15	84	19	99	217
7	한동준	경영학과	8	95	12	77	192
2	김대원	사회복지학부	16	84	19	85	204
8	이판근	사회복지학부	12	67	13	42	134
3	강상규	태권도학과	19	65	20	82	186
6	마동권	태권도학과	12	67	19	74	172
9	유순식	태권도학과	5	93	20	90	208

9.1.1 오름차순 정렬

오름차순으로 정렬하기 위해서는 기준이 되는 열의 임의의 셀을 선택하고, [데이터] 탭의 [정렬 및 필터] 그룹에 있는 "텍스트 오름차순 정렬" 단추 을 누른다. 데이터의 종류가 텍스트의 경우는 한글 자음의 ㄱ→ㅎ 순서로 정렬한다. 숫자는 최소값에서 최대값 순으로 표시한다. 맨 앞에 기호, 숫자, 알파벳 등이 오는 경우는 순서가 한글 텍스트보다 앞에 온다. 정렬 순서는 다음의 표와 같다.

데이터 종류	오름차순의 순서(내림차순은 오름차순의 역순)
숫자	작은 순서. 음수가 가장 빠르며, 0, 양수의 순서가 된다.
텍스트	알파벳은 A→Z의 순서, 한글은 ㄱ→ㅎ의 순서
날짜	이전→최근 순서
논리값	FALSE→TRUE의 순서
공백	공백 셀은 항상 목록의 맨 끝이 되지만, 첫 문자에 공백을 포함한 텍스트는 가장 먼저 정렬된다.

ICT비지니스 성적표

No	이름	학과	실기1	중간고사	실기2	기말고사	총점
1	이필순	간호학과	15	95	11	75	196
2	김대원	사회복지학부	16	84	19	85	204
3	강상규	태권도학과	19	65	20	82	186
4	김희순	간호학과	16	44	20	54	134
5	나누리	간호학과	17	24	19	83	143
6	마동권	태권도학과	12	67	19	74	172
7	한동준	경영학과	8	95	12	77	192
8	이판근	사회복지학부	12	67	13	42	134
9	유순식	태권도학과	5	93	20	90	208
10	윤동균	경영학과	15	84	19	99	217

⇨

ICT비지니스 성적표

No	이름	학과	실기1	중간고사	실기2	기말고사	총점
3	강상규	태권도학과	19	65	20	82	186
2	김대원	사회복지학부	16	84	19	85	204
4	김희순	간호학과	16	44	20	54	134
5	나누리	간호학과	17	24	19	83	143
6	마동권	태권도학과	12	67	19	74	172
9	유순식	태권도학과	5	93	20	90	208
10	윤동균	경영학과	15	84	19	99	217
8	이판근	사회복지학부	12	67	13	42	134
1	이필순	간호학과	15	95	11	75	196
7	한동준	경영학과	8	95	12	77	192

01 정렬할 열, "이름" 중에서 임의의 셀 C4를 누른다.

02 [데이터] 탭의 [정렬 및 필터] 그룹에 있는 "텍스트 오름차순 정렬" 단추 을 누른다.

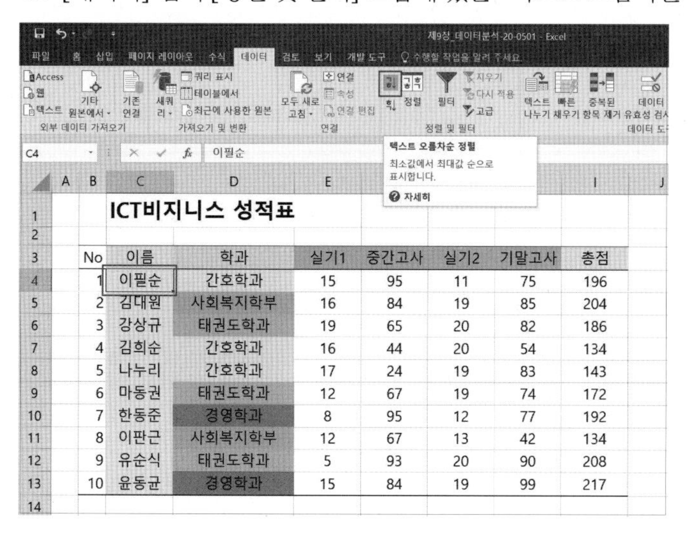

03 한글 자음의 ㄱ→ㅎ 순서로 정렬되었다.

ICT비지니스 성적표

No	이름	학과	실기1	중간고사	실기2	기말고사	총점
3	강상규	태권도학과	19	65	20	82	186
2	김대원	사회복지학부	16	84	19	85	204
4	김희순	간호학과	16	44	20	54	134
5	나누리	간호학과	17	24	19	83	143
6	마동권	태권도학과	12	67	19	74	172
9	유순식	태권도학과	5	93	20	90	208
10	윤동균	경영학과	15	84	19	99	217
8	이판근	사회복지학부	12	67	13	42	134
1	이필순	간호학과	15	95	11	75	196
7	한동준	경영학과	8	95	12	77	192

TIP 일련번호 지정을 통해 원래 상태로 돌아가는 법

표 데이터를 정렬하기 전에 "No" 혹은 "번호"와 같은 일련번호가 표시된 열을 표에 추가해 두면, 여러 가지 열을 기준으로 정렬해도 일련번호를 기준으로 오름차순 정렬하면 바로 정렬 순서를 원본 상태로 되돌릴 수 있다.

ICT비지니스 성적표

No	이름	학과	실기1	중간고사	실기2	기말고사	총점
3	강상규	태권도학과	19	65	20	82	186
2	김대원	사회복지학부	16	84	19	85	204
4	김희순	간호학과	16	44	20	54	134
5	나누리	간호학과	17	24	19	83	143
6	마동권	태권도학과	12	67	19	74	172
9	유순식	태권도학과	5	93	20	90	208
10	윤동균	경영학과	15	84	19	99	217
8	이판근	사회복지학부	12	67	13	42	134
1	이필순	간호학과	15	95	11	75	196
7	한동준	경영학과	8	95	12	77	192

9.1.2 셀 색 기준 정렬

셀에 지정한 채우기 색 및 데이터의 글꼴 색 등 색을 기준으로 정렬을 할 수 있다. 색으로 정렬하기는 [정렬] 대화상자의 "정렬 기준"을 "셀 색"으로 설정하고 "정렬"에 색을 지정해서 정렬하는 것이다.

ICT비지니스 성적표

No	이름	학과	실기1	중간고사	실기2	기말고사	총점
1	이필순	간호학과	15	95	11	75	196
2	김대원	사회복지학부	16	84	19	85	204
3	강상규	태권도학과	19	65	20	82	186
4	김희순	간호학과	16	44	20	54	134
5	나누리	간호학과	17	24	19	83	143
6	마동권	태권도학과	12	67	19	74	172
7	한동준	경영학과	8	95	12	77	192
8	이판근	사회복지학부	12	67	13	42	134
9	유순식	태권도학과	5	93	20	90	208
10	윤동균	경영학과	15	84	19	99	217

⇨

ICT비지니스 성적표

No	이름	학과	실기1	중간고사	실기2	기말고사	총점
1	이필순	간호학과	15	95	11	75	196
4	김희순	간호학과	16	44	20	54	134
5	나누리	간호학과	17	24	19	83	143
3	강상규	태권도학과	19	65	20	82	186
6	마동권	태권도학과	12	67	19	74	172
9	유순식	태권도학과	5	93	20	90	208
2	김대원	사회복지학부	16	84	19	85	204
8	이판근	사회복지학부	12	67	13	42	134
7	한동준	경영학과	8	95	12	77	192
10	윤동균	경영학과	15	84	19	99	217

01 사전에 색을 기준으로 정렬할 "학과" 열에서 임의 셀 D4를 누른다.

02 [데이터] 탭의 [정렬 및 필터] 그룹에 있는 "정렬" 단추 을 누르면 [정렬] 대화상자가 나타난다.

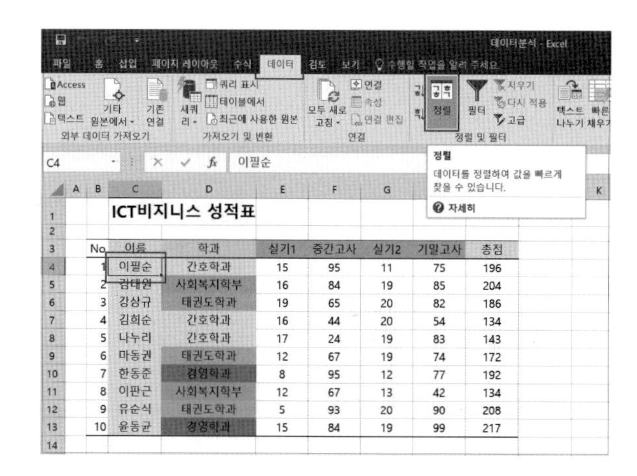

03 [정렬] 대화상자의 "정렬 기준"에서 다음과 같이 각 인수를 ☑ 단추를 눌러서 설정한다.

04 다음 "정렬 기준"을 설정하기 위해 "기준 복사" 단추를 누르면 직전에 설정한 "정렬 기준"과 동일한 조건이 다음 행에 표시된다.

	열	정렬 기준	정렬	
정렬 기준	학과	셀 색	녹색, 강조 6, 80% 더 밝게(간호학과 셀 색)	위에 표시

05 [정렬] 대화상자의 "기준 추가"와 위 03~04를 반복하며 다음과 같이 설정한 후, "확인"을 누른다. 실행 결과, 셀의 색이 정렬된다.

	열	정렬 기준	정렬	
정렬 기준	*학과*	*셀 색*	*녹색, 강조 6, 80% 더 밝게(간호학과 셀 색)*	*위에 표시*
정렬 기준	학과	셀 색	연한 파랑(사회복지학과 셀 색)	아래쪽에 표시
정렬 기준	학과	셀 색	파랑, 강조 5, 60% 더 밝게(경영학과 셀 색)	아래쪽에 표시

9.1.3 다수의 정렬 기준

다수의 열을 기준으로 정렬하기 위해서는 [정렬] 대화상자를 이용한다. 이 대화상자에서 지정하고 싶은 우선 순서로 열을 지정한다.

ICT비지니스 성적표

No	이름	학과	실기1	중간고사	실기2	기말고사	총점
1	이필순	간호학과	15	95	11	75	196
2	김대원	사회복지학부	16	84	19	85	204
3	강상규	태권도학과	19	65	20	82	186
4	김희순	간호학과	16	44	20	54	134
5	나누리	간호학과	17	24	19	83	143
6	마동권	태권도학과	12	67	19	74	172
7	한동준	경영학과	8	95	12	77	192
8	이판근	사회복지학부	12	67	13	42	134
9	유순식	태권도학과	5	93	20	90	208
10	윤동균	경영학과	15	84	19	99	217

⇨

ICT비지니스 성적표

No	이름	학과	실기1	중간고사	실기2	기말고사	총점
4	김희순	간호학과	16	44	20	54	134
5	나누리	간호학과	17	24	19	83	143
1	이필순	간호학과	15	95	11	75	196
10	윤동균	경영학과	15	84	19	99	217
7	한동준	경영학과	8	95	12	77	192
2	김대원	사회복지학부	16	84	19	85	204
8	이판근	사회복지학부	12	67	13	42	134
3	강상규	태권도학과	19	65	20	82	186
6	마동권	태권도학과	12	67	19	74	172
9	유순식	태권도학과	5	93	20	90	208

01 표 안의 임의의 셀을 누른다.

02 [데이터] 탭의 [정렬 및 필터] 그룹에 있는 "정렬" 단추 을 누르면 [정렬] 대화상자가 나타난다.

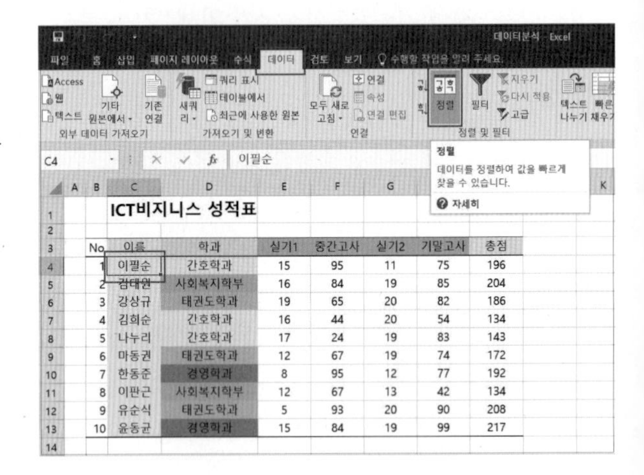

03 [정렬] 대화상자의 "정렬 기준"에서 다음과 같이 각 인수를 ☑ 단추를 눌러서 설정한다.

04 다음 "정렬 기준"을 설정하기 위해 "기준 추가" 단추를 누르면 직전에 설정한 "정렬 기준"과 동일한 조건이 다음 행에 표시된다.

	열	정렬 기준	정렬
정렬 기준	학과	값	오름차순

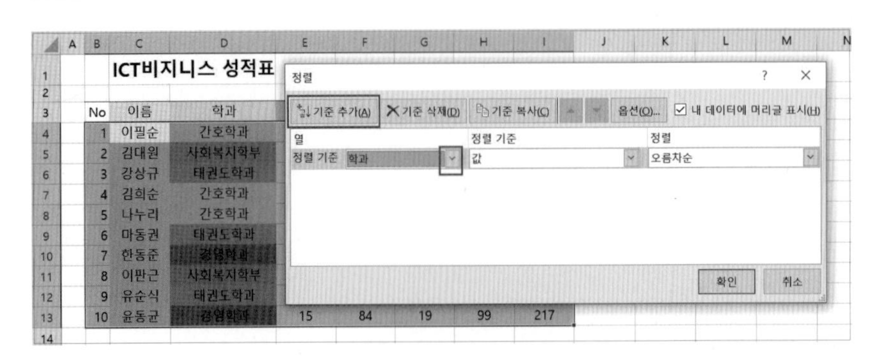

05 다음 “정렬 기준”도 다음과 같이 설정한 후, “확인”을 누른다. 실행 결과, 두 개의 정렬 기준으로 표 데이터가 정렬되었다.

	열	정렬 기준	정렬
정렬 기준	*학과*	*값*	*오름차순*
정렬 기준	이름	값	오름차순

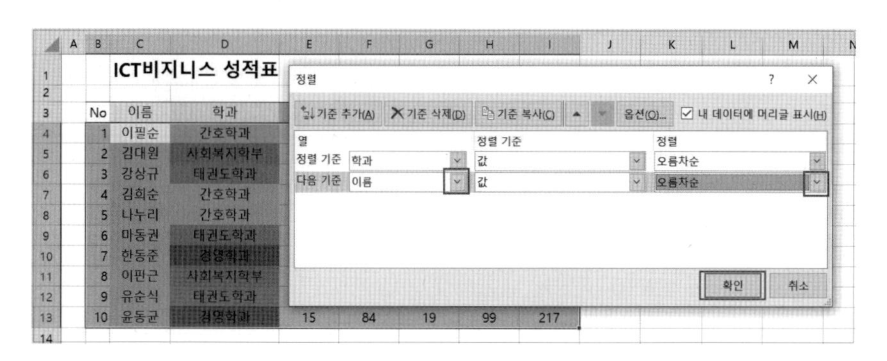

9.2 조건부 서식

요약

데이터의 추세 및 패턴을 쉽게 확인할 수 있도록 막대, 색, 아이콘을 이용해 중요한 값을 시각적으로 강조한다.

■ 순위(상위/하위) 규칙

지정한 셀 범위에서 지정한 상위 순위까지의 셀을 시각적으로 강조한다.

〈총점 상위 3위까지의 셀과 숫자에 색 표시〉

ICT비지니스 성적표

No	이름	학과	실기1	중간고사	실기2	기말고사	총점
1	이필순	간호학과	15	95	11	75	196
2	김대원	사회복지학부	16	84	19	85	204
3	강상규	태권도학과	19	65	20	82	186
4	김희순	간호학과	16	44	20	54	134
5	나누리	간호학과	17	24	19	83	143
6	마동권	태권도학과	12	67	19	74	172
7	한동준	경영학과	8	95	12	77	192
8	이판근	사회복지학부	12	67	13	42	134
9	유순식	태권도학과	5	93	20	90	208
10	윤동균	경영학과	15	84	19	99	217

■ 데이터 막대

색이 지정된 데이터 막대를 추가하여 셀의 값을 표시한다. 값이 클수록 막대가 길어진다.

ICT비지니스 성적표

No	이름	학과	실기1	중간고사	실기2	기말고사	총점
1	이필순	간호학과	15	95	11	75	196
2	김대원	사회복지학부	16	84	19	85	204
3	강상규	태권도학과	19	65	20	82	186
4	김희순	간호학과	16	44	20	54	134
5	나누리	간호학과	17	24	19	83	143
6	마동권	태권도학과	12	67	19	74	172
7	한동준	경영학과	8	95	12	77	192
8	이판근	사회복지학부	12	67	13	42	134
9	유순식	태권도학과	5	93	20	90	208
10	윤동균	경영학과	15	84	19	99	217

ICT비지니스 성적표

No	이름	학과	실기1	중간고사	실기2	기말고사	총점
1	이필순	간호학과	15	95	11	75	196
2	김대원	사회복지학부	16	84	19	85	204
3	강상규	태권도학과	19	65	20	82	186
4	김희순	간호학과	16	44	20	54	134
5	나누리	간호학과	17	24	19	83	143
6	마동권	태권도학과	12	67	19	74	172
7	한동준	경영학과	8	95	12	77	192
8	이판근	사회복지학부	12	67	13	42	134
9	유순식	태권도학과	5	93	20	90	208
10	윤동균	경영학과	15	84	19	99	217

■ 색조

지정한 범위에 그라데이션을 설정하면 값의 대소를 색으로 구별하게 된다.

ICT비지니스 성적표

No	이름	학과	실기1	중간고사	실기2	기말고사	총점
1	이필순	간호학과	15	95	11	75	196
2	김대원	사회복지학부	16	84	19	85	204
3	강상규	태권도학과	19	65	20	82	186
4	김희순	간호학과	16	44	20	54	134
5	나누리	간호학과	17	24	19	83	143
6	마동권	태권도학과	12	67	19	74	172
7	한동준	경영학과	8	95	12	77	192
8	이판근	사회복지학부	12	67	13	42	134
9	유순식	태권도학과	5	93	20	90	208
10	윤동균	경영학과	15	84	19	99	217

ICT비지니스 성적표

No	이름	학과	실기1	중간고사	실기2	기말고사	총점
1	이필순	간호학과	15	95	11	75	196
2	김대원	사회복지학부	16	84	19	85	204
3	강상규	태권도학과	19	65	20	82	186
4	김희순	간호학과	16.	44	20	54	134
5	나누리	간호학과	17	24	19	83	143
6	마동권	태권도학과	12	67	19	74	172
7	한동준	경영학과	8	95	12	77	192
8	이판근	사회복지학부	12	67	13	42	134
9	유순식	태권도학과	5	93	20	90	208
10	윤동균	경영학과	15	84	19	99	217

■ 새 서식 규칙의 설정

[새 서식 규칙] 대화상자를 이용해서 조건에 해당하는 값이나 결과를 표시하는 서식을 상세하게 설정할 수 있다.

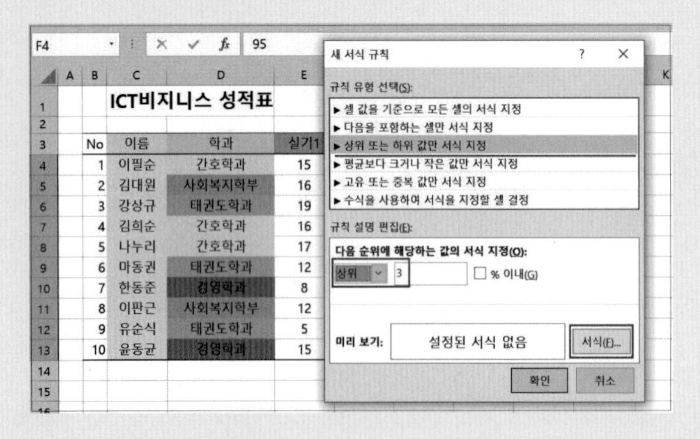

No	이름	학과	실기1
1	이필순	간호학과	15
2	김대원	사회복지학부	16
3	강상규	태권도학과	19
4	김희순	간호학과	16
5	나누리	간호학과	17
6	마동권	태권도학과	12
7	한동준	경영학과	8
8	이판근	사회복지학부	12
9	유순식	태권도학과	5
10	윤동균	경영학과	15

■ 조건부 서식에 수식 지정하기

조건부 서식에 수식을 지정하기 위해서는 [새 서식 규칙] 대화상자의 "규칙 유형 선택"에서 "수식을 사용한다.

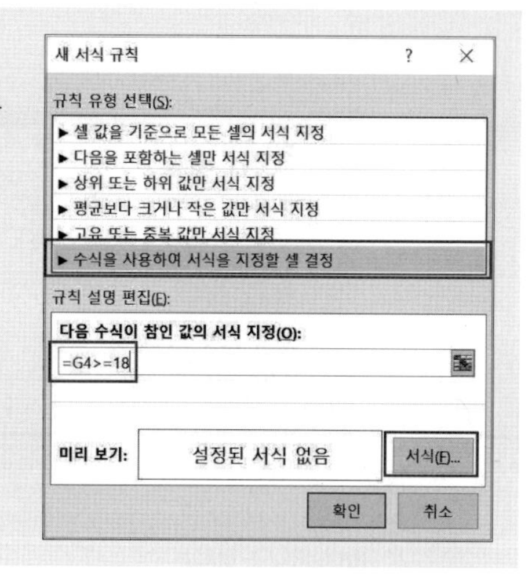

9.2.1 순위(상위/하위) 규칙

숫자의 순위를 조건부 서식에서 지정할 수 있다. 지정한 셀 범위에서 지정한 순위까지의 셀을 시각적으로 강조한다.

⏩ **조건** 총점의 상위 3위까지의 셀에 서식 "진한 녹색 텍스트가 있는 녹색 채우기"로 설정한다.

01 총점에 해당하는 모든 셀 범위를 드래그해서 선택한다.

02 [홈] 탭 - [스타일] 그룹의 "조건부 서식" 단추 을 누른다.

03 "상위/하위 규칙"에 마우스 포인터를 맞추고, 이어서 "상위 10개 항목"을 누르면 [상위 10개 항목] 대화상자가 나타난다.

04 대화상자에서 상위 순위에 "3"을 입력한다.

05 적용할 서식의 우측에 있는 드롭다운 단추 ☑ 을 눌러서 "진한 녹색 텍스트가 있는 녹색 채우기"를 선택한다.

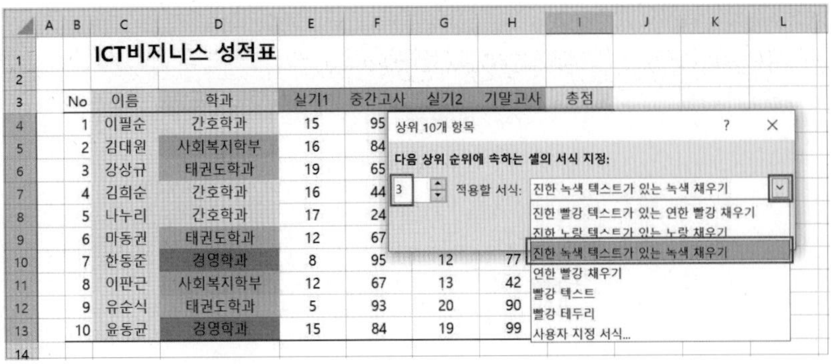

상위 10개 항목

다음 상위 순위에 속하는 셀의 서식 지정:

3 적용할 서식: 진한 녹색 텍스트가 있는 녹색 채우기

진한 빨강 텍스트가 있는 연한 빨강 채우기
진한 노랑 텍스트가 있는 노랑 채우기
진한 녹색 텍스트가 있는 녹색 채우기
연한 빨강 채우기
빨강 텍스트
빨강 테두리
사용자 지정 서식...

06 실행 결과, 총점 상위 3위까지의 셀과 숫자에 색이 표시된다.

ICT비지니스 성적표

No	이름	학과	실기1	중간고사	실기2	기말고사	총점
1	이필순	간호학과	15	95	11	75	196
2	김대원	사회복지학부	16	84	19	85	204
3	강상규	태권도학과	19	65	20	82	186
4	김희순	간호학과	16	44	20	54	134
5	나누리	간호학과	17	24	19	83	143
6	마동권	태권도학과	12	67	19	74	172
7	한동준	경영학과	8	95	12	77	192
8	이판근	사회복지학부	12	67	13	42	134
9	유순식	태권도학과	5	93	20	90	208
10	윤동균	경영학과	15	84	19	99	217

TIP 상위/하위 규칙

조건부 서식의 상위/하위 규칙에서는 상위/하위 10개 항목 혹은 10%, 평균 초과/미만의 6개 조건을 이용할 수 있다. 그 외의 조건과 사용자 정의는 기타 규칙([새 서식 규칙] 대화상자)을 선택해서 이용할 수 있다.

조건부 서식 · 표 서식 · 셀 스타일 · 삽입 · 삭제 · 서식 · 자동 합계 · 채우기 · 지우기

- 셀 강조 규칙(H)
- 상위/하위 규칙(T)
  - 상위 10개 항목(T)...
  - 상위 10%(P)...
  - 하위 10개 항목(B)...
  - 하위 10%(O)...
  - 평균 초과(A)...
  - 평균 미만(V)...
  - 기타 규칙(M)...
- 데이터 막대(D)
- 색조(S)
- 아이콘 집합(I)
- 새 규칙(N)...
- 규칙 지우기(C)
- 규칙 관리(R)...

9.2.2 데이터 막대

숫자의 크기를 막대의 길이로 표시하기 위해서는 "조건부 서식" 단추를 눌러서 목록에 있는 "데이터 막대"를 이용한다. 즉, 색이 지정된 데이터 막대를 추가하여 셀의 값을 표시한다. 값이 클수록 막대가 길어진다. 숫자 0을 최소값으로 인식한다.

⇨

01 기말고사 점수에 해당하는 셀 H4:H13을 마우스로 드래그해서 선택한다.

ICT비지니스 성적표

No	이름	학과	실기1	중간고사	실기2	기말고사	총점
1	이필순	간호학과	15	95	11	75	196
2	김대원	사회복지학부	16	84	19	85	204
3	강상규	태권도학과	19	65	20	82	186
4	김희순	간호학과	16	44	20	54	134
5	나누리	간호학과	17	24	19	83	143
6	마동권	태권도학과	12	67	19	74	172
7	한동준	경영학과	8	95	12	77	192
8	이판근	사회복지학부	12	67	13	42	134
9	유순식	태권도학과	5	93	20	90	208
10	윤동균	경영학과	15	84	19	99	217

02 [홈] 탭 - [스타일] 그룹의 "조건부 서식" 단추 을 누른다.

03 "데이터 막대"에 마우스 포인터를 맞추고, 이어서 "자주 데이터 막대"를 누르면 동시에 관련된 기말고사의 셀 범위도 "자주 데이터 막대"로 표시된다.

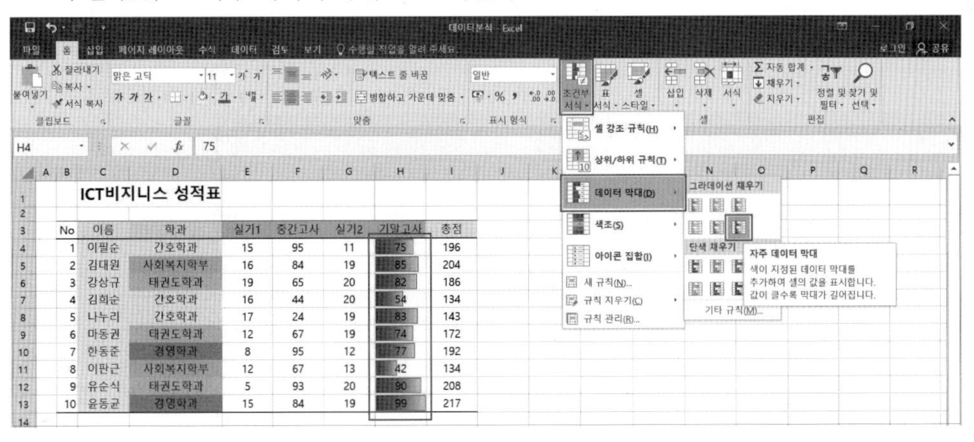

TIP 숫자 크기로 서식 규칙 설정하기

데이터 막대의 초기 설정은 0이 최소값이다. 이 때문에 지정한 범위의 숫자 데이터에 별로 차이가 없는 경우는 막대의 길이에 변화가 보이지 않는다. 이와 같은 경우, "기타 규칙"을 누르고 [새 서식 규칙] 대화상자에서 "최소값"의 종류를 "숫자"로 변경해서 숫자를 지정한다. 같은 방법으로 "최대값"을 지정할 수 있다.

9.2.3 색조

셀 막대에 단색 그라데이션을 지정한다. 이 색으로 셀 범위에서 각각 셀이 해당되는 위치를 나타낸다. 즉, 지정한 범위에 그라데이션을 설정하면 값의 대소를 색으로 구별하게 된다.

01 셀 범위 H4:H13을 마우스로 드래그해서 선택한다.

02 [홈] 탭 - [스타일] 그룹의 "조건부 서식" 단추 을 누른다.

03 "색조"에 마우스 포인터를 맞추고, 이어서 "녹색 – 흰색 - 빨강 색조"를 누르면 동시에 관련된 기말고사의 셀 범위도 "녹색 – 흰색 - 빨강 색조"로 표시된다.

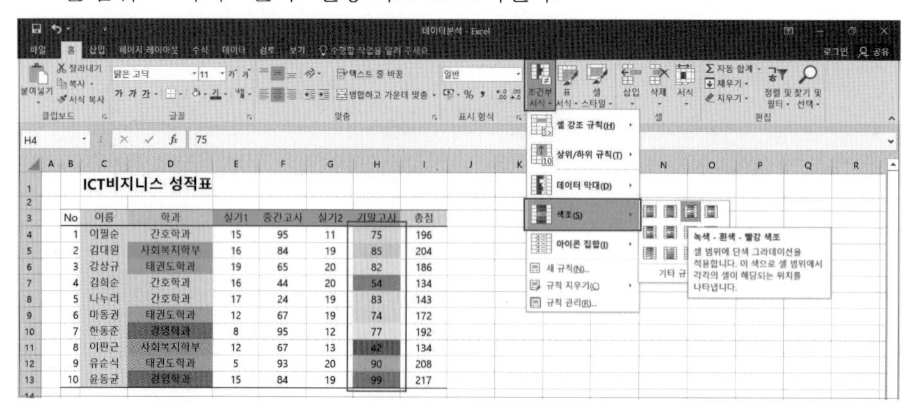

TIP 조건부 서식으로 색 구별

셀이나 데이터에 색을 설정할 때는 어떤 근거가 있는 경우가 대부분이다. 예를 들면, 어떤 기준보다 큰 값에 색을 설정해 두는 경우가 자주 있다. 해당하는 데이터를 스스로 찾아서 색을 지정하는 것은 다소 번거로운 작업이지만 조건부 서식을 이용하면 쉽게 셀이나 데이터에 색을 지정해서 눈에 띄게 할 수 있다.

9.2.4 새 서식 규칙

"조건부 서식" 단추 의 목록은 자주 사용하는 조건과 서식이 메뉴로부터 간단하게 선택할 수 있는 형식이다. 기타 서식의 형식을 이용하기 위해서는 [새 서식 규칙] 대화상자를 활용한다. 조건에 해당하는 값이나 결과를 표시하는 서식을 상세하게 설정할 수 있다.

조건 중간고사 상위 3위까지의 셀에 서식 "글꼴: 굵은 기울임꼴, 이중 실선, 빨강"으로 표시한다.

01 중간고사 점수의 셀 범위를 드래그해서 선택한다.

02 [홈] 탭 - [스타일] 그룹의 "조건부 서식" 단추 을 누르고 이어서 "새 규칙"을 누르면 [새 서식 규칙] 대화상자가 나타난다.

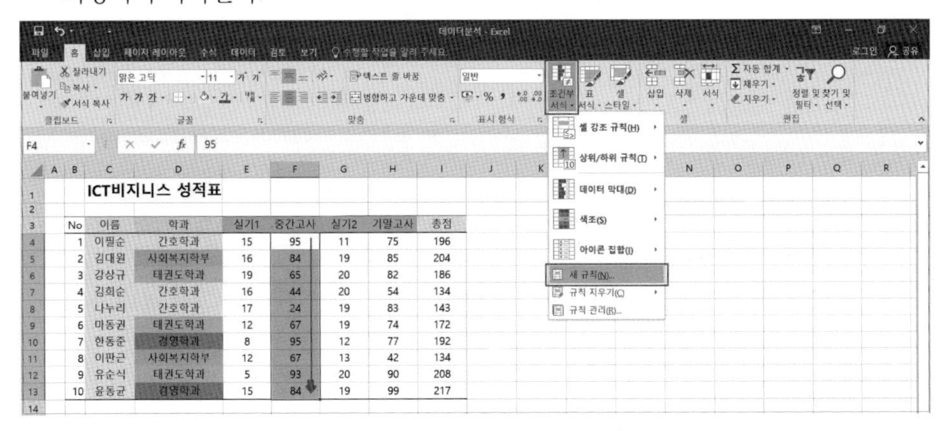

03 대화상자에서 "규칙 유형 선택: 상위 또는 하위 값만 서식 지정", "상위: 3"을 입력하고 "서식"을 누르면 [셀 서식] 대화상자가 나타난다.

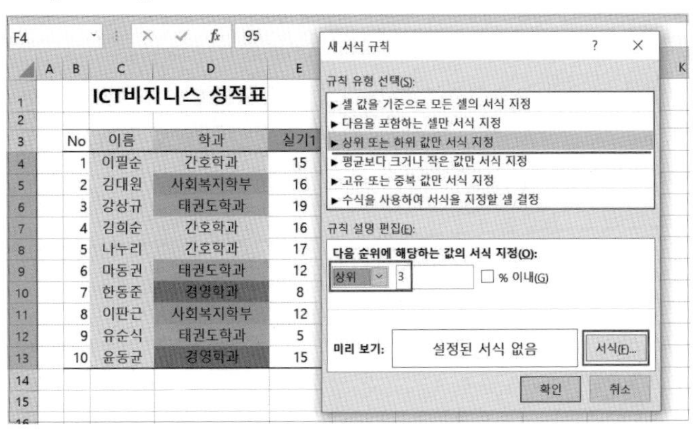

04 [글꼴]탭에서 "글꼴 스타일: 굵은 기울임꼴, 밑줄: 이중 실선, 색: 빨강"을 선택하고 "확인"을 누르면 다시 [새 규칙 서식] 대화상자로 돌아온다.

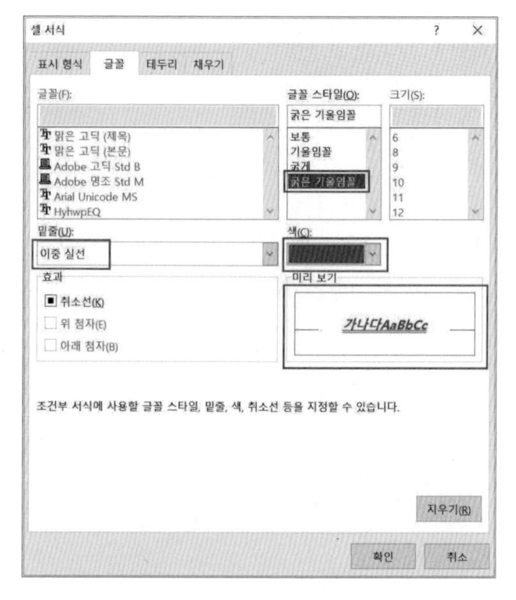

05 미리보기에서 원하는 스타일인지 체크하고 "확인"을 누른다.

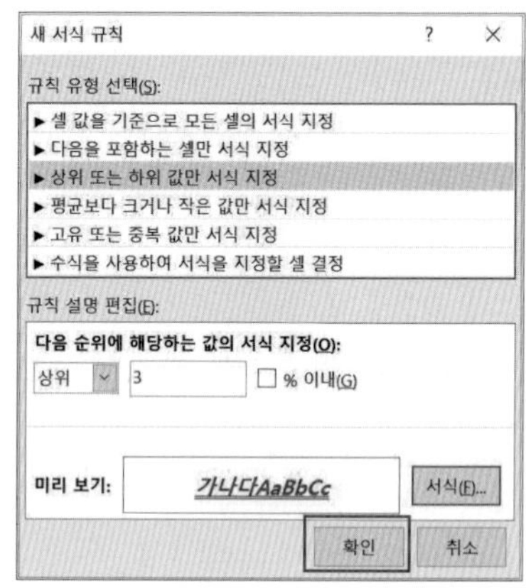

06 실행 결과, 중간점수가 상위 3위까지의 셀에 정해진 서식이 표시되어 있다.

ICT비지니스 성적표

No	이름	학과	실기1	중간고사	실기2	기말고사	총점
1	이필순	간호학과	15	95	11	75	196
2	김대원	사회복지학부	16	84	19	85	204
3	강상규	태권도학과	19	65	20	82	186
4	김희순	간호학과	16	44	20	54	134
5	나누리	간호학과	17	24	19	83	143
6	마동권	태권도학과	12	67	19	74	172
7	한동준	경영학과	8	95	12	77	192
8	이판근	사회복지학부	12	67	13	42	134
9	유순식	태권도학과	5	93	20	90	208
10	윤동균	경영학과	15	84	19	99	217

9.2.5 수식 지정하기

조건부 서식에 수식을 지정하기 위해서는 [새 서식 규칙] 대화상자의 "규칙 유형 선택"에서 "수식을 사용하여 서식을 지정할 셀 결정"을 선택한다. 그리고 서식 지정에 수식을 입력하고 그 조건을 만족할 경우의 [셀 서식] 대화상자에서 서식을 지정한다.

⏩ 조건 실기2가 18점 이상인 총점 셀에 셀 채우기 "녹색 강조 6, 60% 더 밝게"를 설정한다.

01 총점의 셀 범위를 드래그해서 선택한다.

02 [홈] 탭 - [스타일] 그룹의 "조건부 서식" 단추 을 누르고 이어서 "새 규칙"을 누르면 [새 서식 규칙] 대화상자가 나타난다.

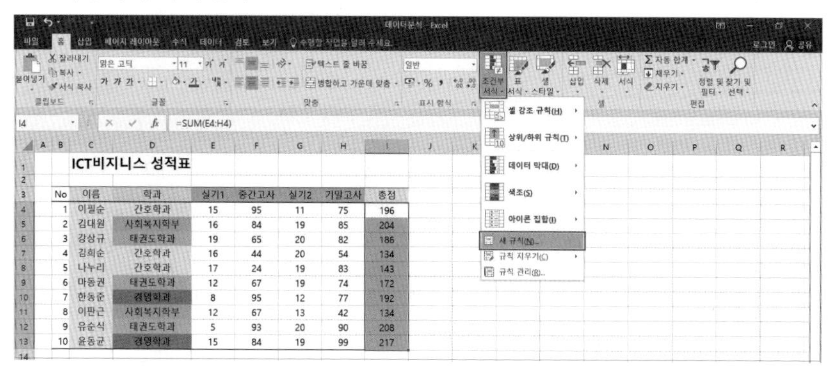

03 대화상자에서 "규칙 유형 선택: 수식을 사용하여 서식을 지정할 셀 결정", "서식 지정: =G4>=18"을 입력하고 "서식"을 누르면 [셀 서식] 대화상자가 나타난다.

04 [채우기]탭에서 "배경색: 녹색 강조 6, 60% 더 밝게"를 선택하고 "확인"을 누르면 다시 [새 규칙 서식] 대화상자로 되돌아온다.

05 미리보기에서 원하는 스타일인지 체크하고 "확인"을 누른다.

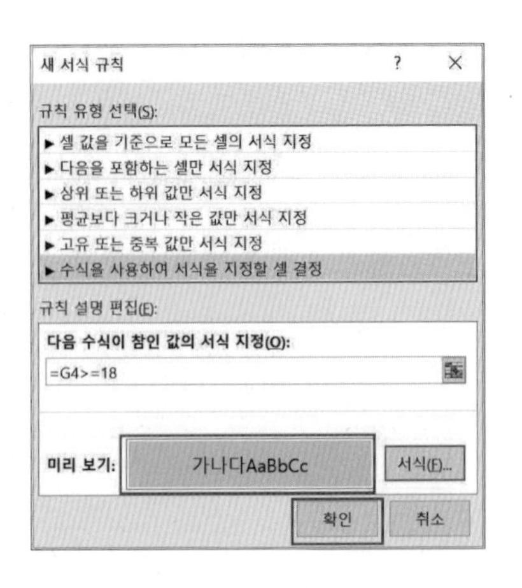

06 실기2의 셀 범위 G4:G13에서 각 셀이 18이상인지 여부를 판단, 조건이 참일 경우만 해당 총점 셀에 "녹색 강조 6, 60% 더 밝게"가 표시되었다.

ICT비지니스 성적표

No	이름	학과	실기1	중간고사	실기2	기말고사	총점
1	이필순	간호학과	15	95	11	75	196
2	김대원	사회복지학부	16	84	19	85	204
3	강상규	태권도학과	19	65	20	82	186
4	김희순	간호학과	16	44	20	54	134
5	나누리	간호학과	17	24	19	83	143
6	마동권	태권도학과	12	67	19	74	172
7	한동준	경영학과	8	95	12	77	192
8	이판근	사회복지학부	12	67	13	42	134
9	유순식	태권도학과	5	93	20	90	208
10	윤동균	경영학과	15	84	19	99	217

9.3 데이터 필터

요약

선택한 셀에 필터링을 설정한다. 그러면 열 머리글에 있는 화살표를 눌러서 데이터 범위를 좁힐 수 있다. 특정한 키워드를 지정해서 원하는 데이터를 추출할 수도 있다.

■ 필터 설정 및 해제

데이터 필터를 설정하기 위해서는 데이터 안의 임의의 셀을 선택해서 [데이터] 탭의 [정렬 및 필터]의 그룹에 있는 "필터" 단추 필터 을 누른다. 데이터 필터를 해제시키기 위해서는 필터 설정과 동일한 과정을 실행하면 된다.

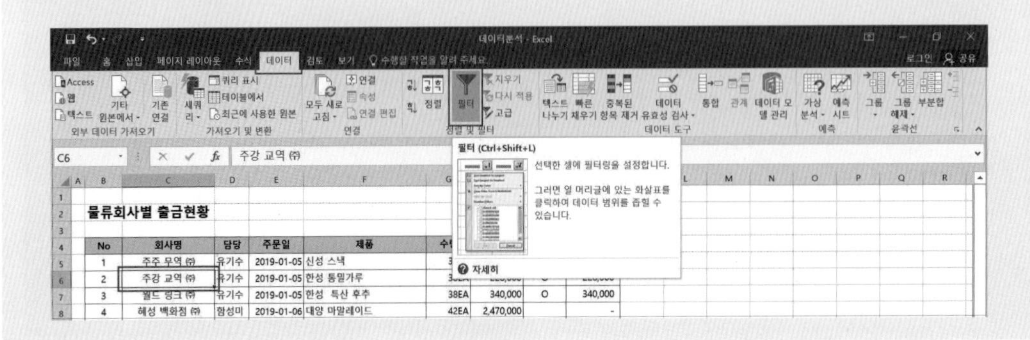

■ 데이터 추출

추출하고 싶은 데이터에 체크를 하면 데이터가 행 단위(레코드)로 추출된다.

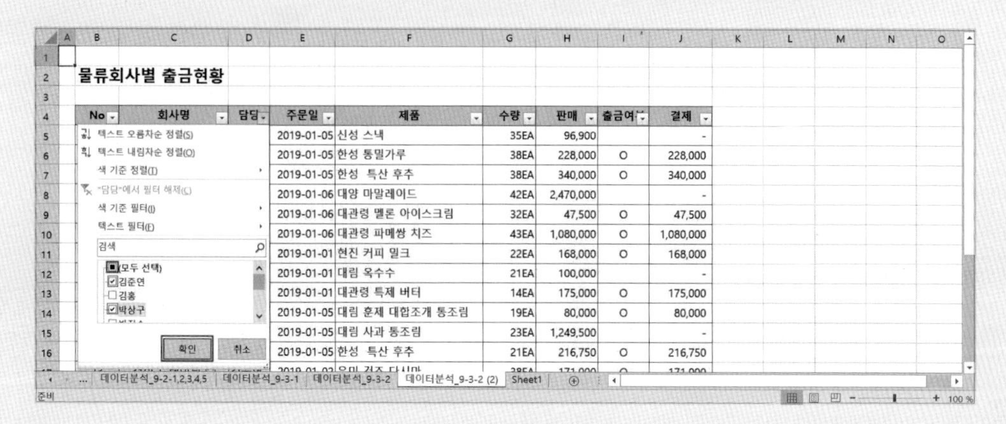

■ 키워드로 데이터 추출

열에 입력된 데이터의 종류가 많을 경우에 이용하면 쉽게 추출 후보의 범위를 축소시킬 수 있다.

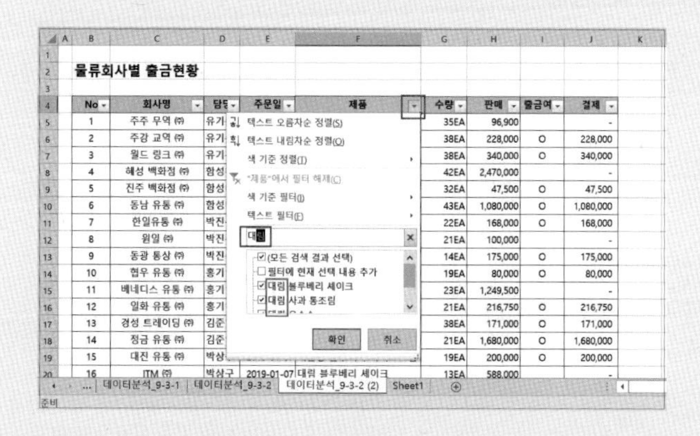

■ 두 개의 조건을 결합한 추출

[그리고] 혹은 [또는]으로 연결해서 두 개의 추출 조건을 동시에 설정할 수 있다.

⇨

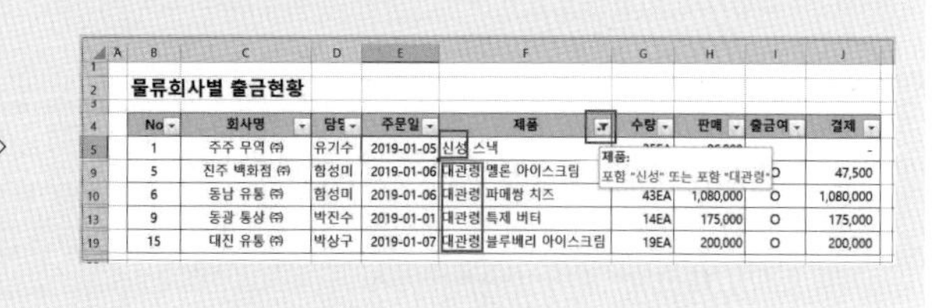

9.3.1 필터 설정 및 해제

데이터 필터를 설정하기 위해서는 데이터 안의 임의의 셀을 선택해서 [데이터] 탭의 [정렬 및 필터]의 그룹에 있는 "필터" 단추 을 누른다. 물론, [홈] 탭의 [편집] 그룹에 있는 "정렬 및 필터" 의 목록를 선택해도 같은 기능이다. 설정된 필터가 이용된 셀에는 필터 단추가 깔때기(funnel) 모형 으로 변경된다.

데이터 필터를 해제시키기 위해서는 필터 설정과 동일한 과정을 실행하면 된다.

(1) 필터 설정

01 데이터 안에서 임의의 셀 C6을 누른다.

02 [데이터] 탭 - [정렬 및 필터] 그룹 - "필터" 단추 을 누르면 데이터의 머리글 행의 각 셀 우측에 드롭다운 단추 가 표시된다.

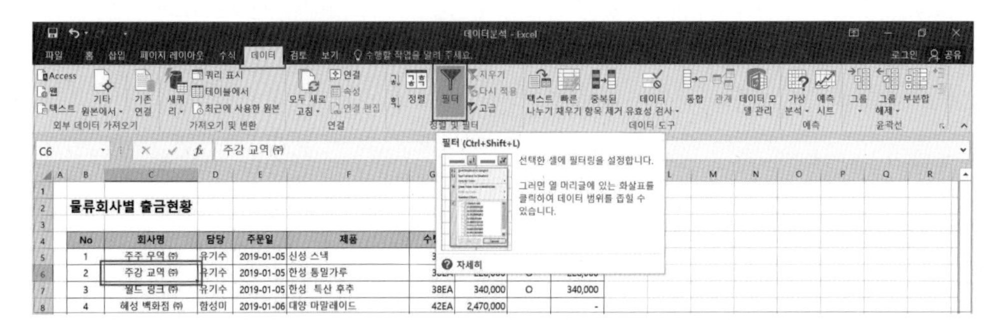

(2) 필터 해제

01 데이터 안에서 임의의 셀을 누른다.

02 [데이터] 탭 - [정렬 및 필터] 그룹 - "필터" 단추 을 누르면 데이터의 머리글 행의 각 셀 우측에 드롭다운 단추 가 없어진다.

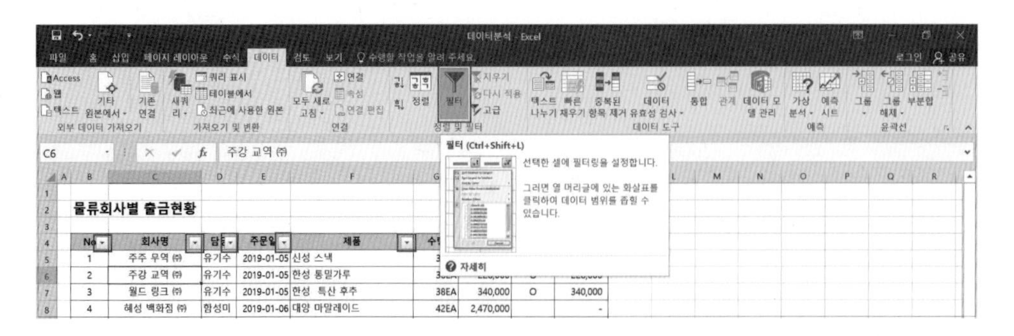

03 실행결과, 필터 설정하기 이전의 원본 데이터 스타일로 되돌아와 있다.

물류회사별 출금현황

No	회사명	담당	주문일	제품	수량	판매	출금여부	결제
1	주주 무역 ㈜	유기수	2019-01-05	신성 스낵	35EA	96,900		-
2	주강 교역 ㈜	유기수	2019-01-05	한성 통밀가루	38EA	228,000	O	228,000
3	월드 링크 ㈜	유기수	2019-01-05	한성 특산 후추	38EA	340,000	O	340,000
4	혜성 백화점 ㈜	함성미	2019-01-06	대양 마말레이드	42EA	2,470,000		-
5	진주 백화점 ㈜	함성미	2019-01-06	대관령 멜론 아이스크림	32EA	47,500	O	47,500
6	동남 유통 ㈜	함성미	2019-01-06	대관령 파메쌍 치즈	43EA	1,080,000	O	1,080,000

TIP 필터 자동 설정

[삽입] 탭의 "표 만들기" 혹은 [홈] 탭의 "표 서식"에 있는 "표 스타일" 변환을 이용하면 열 머리글의 우측에서 필터 단추가 표시되고 자동으로 필터가 설정된다.

9.3.2 데이터 추출

표의 열(필드) 머리글에 표시된 필터 단추를 누르면 그 열에 입력된 데이터가 일괄 표시된다. 처음에는 모두 표시되어 있기 때문에 "ㅁ(모두 선택)"을 일단 해제한다. 이어서 추출하고 싶은 데이터에 체크를 하면 데이터가 행 단위(레코드)로 추출된다.

조건 담당이 김준연 혹은 박상구인 데이터를 추출한다.

01 필드 머리글 중에서 "담당"의 필터 단추를 누른다.

02 "모두 선택"을 눌러서 모든 목록의 체크를 해제한다.

03 "김준연"과 "박상구"를 눌러서 체크를 하고 "확인"을 누른다.

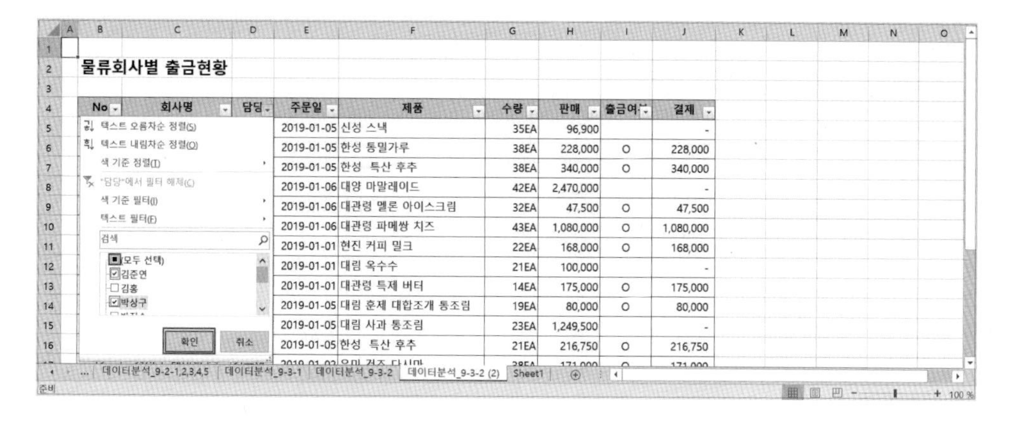

04 실행 결과, "김준연"과 "박상구"의 데이터가 추출되었다. 그 이외의 데이터는 삭제된 것이 아니라 숨겨져서 보이지 않는 것이다.

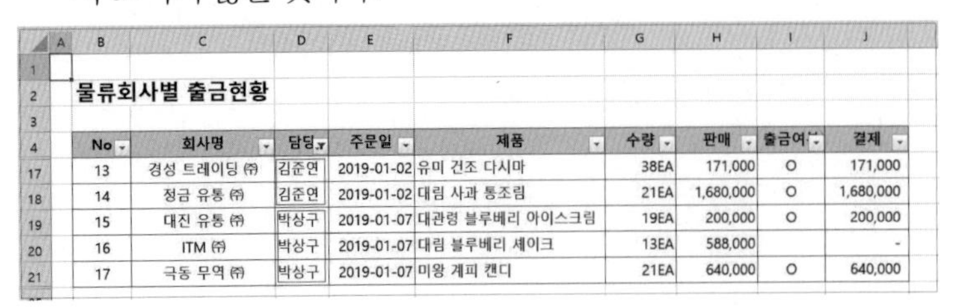

물류회사별 출금현황

No	회사명	담당	주문일	제품	수량	판매	출금여부	결제
13	경성 트레이딩 ㈜	김준연	2019-01-02	유미 건조 다시마	38EA	171,000	O	171,000
14	정금 유통 ㈜	김준연	2019-01-02	대림 사과 통조림	21EA	1,680,000	O	1,680,000
15	대진 유통 ㈜	박상구	2019-01-07	대관령 블루베리 아이스크림	19EA	200,000	O	200,000
16	ITM ㈜	박상구	2019-01-07	대림 블루베리 셰이크	13EA	588,000		-
17	극동 무역 ㈜	박상구	2019-01-07	미왕 계피 캔디	21EA	640,000	O	640,000

TIP 추출 결과의 표 스타일 유지

셀 서식 등을 이용한 일반적인 표에서 데이터를 추출하면 불필요한 행이 표시되지 않게 되기 때문에 데이터에 붙여진 줄무늬 색의 균형이 깨지게 된다. 한편, 표 스타일 혹은 표 서식으로 작성된 표에서 데이터를 추출하면 표 스타일이 적절하게 변경되어 항상 줄무늬 색의 균형이 유지된 상태로 추출된다.

9.3.3 키워드 데이터 추출

필터 단추의 목록으로 "검색"에 키워드를 입력해서 검색하면, 입력한 키워드를 포함한 데이터가 추출 후보로 표시된다. 열에 입력된 데이터의 종류가 많을 경우에 이용하면 쉽게 추출 후보의 범위를 축소시킬 수 있다.

01 "제품"의 드롭다운 단추 ▾를 누른다.

02 키워드 "대림"을 입력하면 키워드를 포함한 열 데이터가 추출된 후보들이 표시된다.

03 "확인"을 누른다.

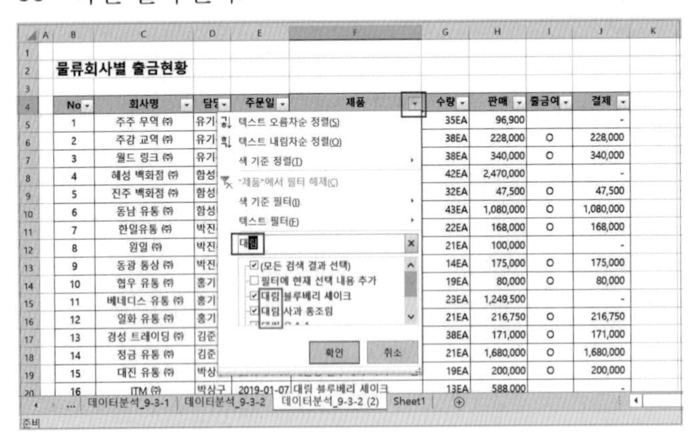

04 키워드 "대림"을 포함된 데이터가 추출된다.

물류회사별 출금현황

No	회사명	담당	주문일	제품	수량	판매	출금여부	결제
8	원일 ㈜	박진수	2019-01-01	대림 옥수수				-
10	협우 유통 ㈜	홍기영	2019-01-05	대림 훈제 대합조개 통조림				
11	베네디스 유통 ㈜	홍기영	2019-01-05	대림 사과 통조림	23EA	1,249,500		-
14	정금 유통 ㈜	김준연	2019-01-02	대림 사과 통조림	21EA	1,680,000	O	1,680,000
16	ITM ㈜	박상구	2019-01-07	대림 블루베리 셰이크	13EA	588,000		-

제품:
= "대림 블루베리 셰이크, 대림 사과 통조림, 대림 옥수수, 대림 훈제 대합조개 통조림"

9.3.4 순위 지정 추출

숫자가 입력된 열에서 필터 단추를 누르면 "숫자 필터"를 이용할 수 있다. "숫자 필터" 메뉴에 표시된 목록으로부터 "상위 10"을 선택하면 지정한 순위로 상위 또는 하위의 데이터를 추출할 수 있다. 그러나 추출은 크기순으로 표시되지는 않는다.

조건 결재 기준으로 상위 7위까지의 데이터를 표시한다.

물류회사별 출금현황

No	회사명	담당	주문일	제품	수량	판매	출금여	결재
1	주주 무역 ㈜	유기수	2019-01-05	신성 스낵	35EA	96,900		-
2	주강 교역 ㈜	유기수	2019-01-05	한성 통밀가루	38EA	228,000	O	228,000
3	월드 링크 ㈜	유기수	2019-01-05	한성 특산 후추	38EA	340,000	O	340,000
4	혜성 백화점 ㈜	함성미	2019-01-06	대양 마말레이드	42EA	2,470,000		-
5	진주 백화점 ㈜	함성미	2019-01-06	대관령 멜론 아이스크림	32EA	47,500	O	47,500
6	동남 유통 ㈜	함성미	2019-01-06	대관령 파메쌍 치즈	43EA	1,080,000	O	1,080,000
7	한일유통 ㈜	박진수	2019-01-01	현진 커피 밀크	22EA	168,000	O	168,000
8	원일 ㈜	박진수	2019-01-01	대림 옥수수	21EA	100,000		-
9	동광 통상 ㈜	박진수	2019-01-01	대관령 특제 버터	14EA	175,000	O	175,000
10	협우 유통 ㈜	홍기영	2019-01-05	대림 훈제 대합조개 통조림	19EA	80,000	O	80,000
11	베네디스 유통 ㈜	홍기영	2019-01-05	대림 사과 통조림	23EA	1,249,500		-
12	일화 유통 ㈜	홍기영	2019-01-05	한성 특산 후추	21EA	216,750	O	216,750
13	경성 트레이딩 ㈜	김준연	2019-01-02	유미 건조 다시마	38EA	171,000	O	171,000
14	정금 유통 ㈜	김준연	2019-01-02	대림 사과 통조림	21EA	1,680,000	O	1,680,000
15	대진 유통 ㈜	박상구	2019-01-07	대관령 블루베리 아이스크림	19EA	200,000	O	200,000
16	ITM ㈜	박상구	2019-01-07	대림 블루베리 셰이크	13EA	588,000		-

데이터분석_9-3-1 | 데이터분석_9-3-2,3,4 | 데이터분석_9-3-2 (2) | Sheet1

준비

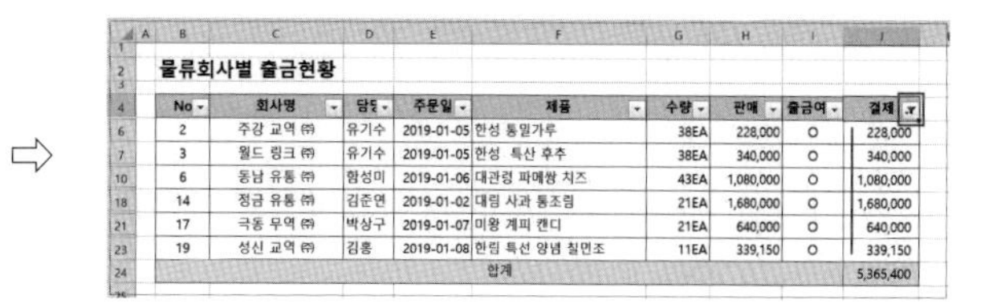

물류회사별 출금현황

No	회사명	담당	주문일	제품	수량	판매	출금여	결재
2	주강 교역 ㈜	유기수	2019-01-05	한성 통밀가루	38EA	228,000	O	228,000
3	월드 링크 ㈜	유기수	2019-01-05	한성 특산 후추	38EA	340,000	O	340,000
6	동남 유통 ㈜	함성미	2019-01-06	대관령 파메쌍 치즈	43EA	1,080,000	O	1,080,000
14	정금 유통 ㈜	김준연	2019-01-02	대림 사과 통조림	21EA	1,680,000	O	1,680,000
17	극동 무역 ㈜	박상구	2019-01-07	미왕 계피 캔디	21EA	640,000	O	640,000
19	성신 교역 ㈜	김홍	2019-01-08	한림 특선 양념 칠면조	11EA	339,150	O	339,150
				합계				5,365,400

01 "결재"의 필터 단추를 누른다.

02 "숫자 필터"의 "상위 10"을 누르면 [상위 10 자동 필터] 대화상자가 표시된다.

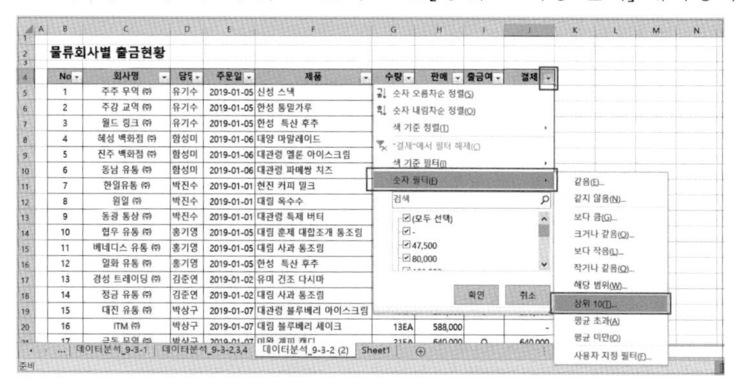

03 표시 영역에서 "상위, 7, 항목"을 선택하고 "확인"을 누른다.

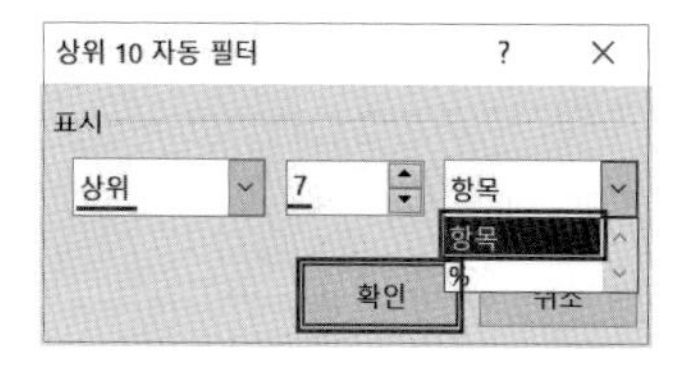

04 실행 결과, 상위 7위까지의 데이터가 표시된다.

물류회사별 출금현황

No	회사명	담당	주문일	제품	수량	판매	출금여부	결재
2	주강 교역 ㈜	유기수	2019-01-05	한성 통밀가루	38EA	228,000	O	228,000
3	월드 링크 ㈜	유기수	2019-01-05	한성 특산 후추	38EA	340,000	O	340,000
6	동남 유통 ㈜	함성미	2019-01-06	대관령 파메쌍 치즈	43EA	1,080,000	O	1,080,000
14	정금 유통 ㈜	김준연	2019-01-02	대림 사과 통조림	21EA	1,680,000	O	1,680,000
17	극동 무역 ㈜	박상구	2019-01-07	미왕 계피 캔디	21EA	640,000	O	640,000
19	성신 교역 ㈜	김홍	2019-01-08	한림 특선 양념 칠면조	11EA	339,150	O	339,150
				합계				5,365,400

TIP 백분율(%) 추출

[상위 10 자동 필터] 대화상자에서는 "상위 또는 하위에서 몇 위 이내"라는 조건을 지정한다. 그러나 추출 조건에서 "항목" 대신에 "%"로 지정하면 전체에서 상위 몇 퍼센트(%)로 데이터가 표시된다.

9.3.5 두 조건의 결합 추출

[사용자 지정 자동 필터] 대화상자에서는 한 개의 열에 대해서, [그리고] 혹은 [또는]으로 연결해서 두 개의 추출 조건을 동시에 설정할 수 있다. 예를 들면, [또는]을 선택하면 지정한 두 개의 추출 조건 중에서 어느 한 쪽이라도 만족하는 데이터가 추출된다.

조건 제품에서 "신성" 또는 "대관령"의 텍스트가 포함된 데이터를 표시한다.

⇨

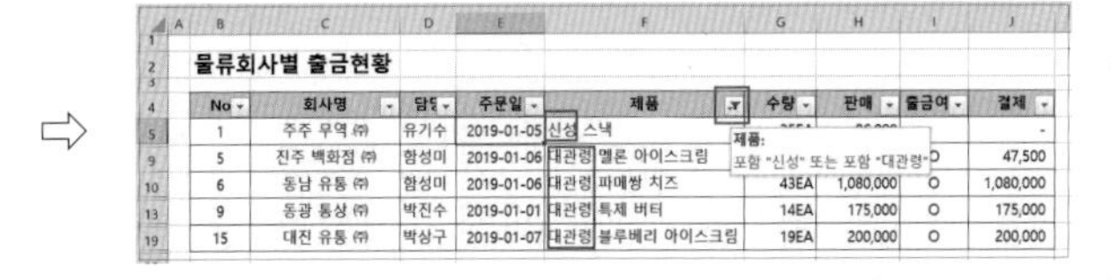

01 머리글 "제품"의 드롭다운 단추 ▾을 누른다.

02 "텍스트 필터"에 마우스 포인터를 맞추고 "사용자 지정 필터"를 누르면 [사용자 지정 자동 필터] 대화상자가 표시된다.

물류회사별 출금현황

No	회사명	담당	주문일	제품	수량	판매	출금여	결제
1	주주 무역 ㈜	유기			35EA	96,900		-
2	주강 교역 ㈜	유기			38EA	228,000	O	228,000
3	월드 링크 ㈜	유기			38EA	340,000	O	340,000
4	혜성 백화점 ㈜	함성			42EA	2,470,000		-
5	진주 백화점 ㈜	함성			32EA	47,500	O	47,500
6	동남 유통 ㈜	함성						1,080,000
7	한일유통 ㈜	박진						168,000
8	원일 ㈜	박진						-
9	동광 통상 ㈜	박진						175,000
10	협우 유통 ㈜	홍기						80,000
11	베네디스 유통 ㈜	홍기						-
12	일화 유통 ㈜	홍기						216,750
13	경성 트레이딩 ㈜	김준						171,000
14	정금 유통 ㈜	김준						1,680,000
15	대진 유통 ㈜	박상			19EA	200,000	O	200,000
16	ITM ㈜	박상구	2019-01-07	대림 블루베리 셰이크	13EA	588,000		-

텍스트 오름차순 정렬(S)
텍스트 내림차순 정렬(O)
색 기준 정렬(T)
"제품"에서 필터 해제(C)
색 기준 필터(I)
텍스트 필터(F)
검색
(모두 선택)
대관령 멜론 아이스크림
대관령 블루베리 아이스크림
대관령 특제 버터
확인 취소

같음(E)...
같지 않음(N)...
시작 문자(I)...
끝 문자(T)...
포함(A)...
포함하지 않음(D)...
사용자 지정 필터(F)...

... 데이터분석_9-3-1 | 데이터분석_9-3-2,3,4 | 데이터분석_9-3-2 (2) | Sheet1

준비

03 제품 영역에서 조건의 우측 단추 ☑을 눌러서 "포함"을 선택하고 "신성"이라 입력한다.

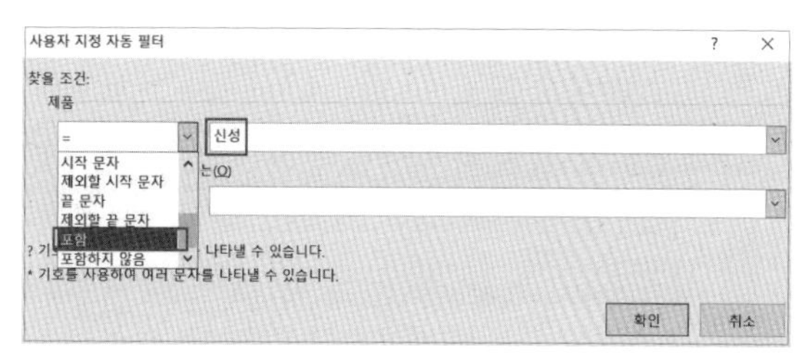

04 "또는"의 앞을 체크한 후, 03과 같은 조작으로 "포함"선택, "대관령"을 입력하고 "확인"을 누른다.

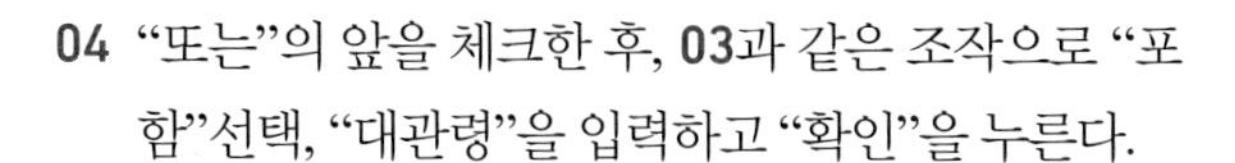

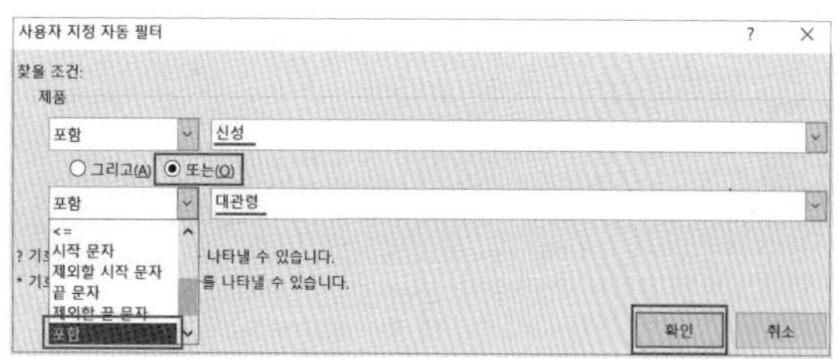

05 실행 결과, 제품 중에 신성 또는 대관령이 포함된 데이터가 추출된다.

물류회사별 출금현황

No	회사명	담당	주문일	제품	수량	판매	출금여	결제
1	주주 무역 ㈜	유기수	2019-01-05	신성 스낵	[illegible]	[illegible]		-
5	진주 백화점 ㈜	함성미	2019-01-06	대관령 멜론 아이스크림	[illegible]	[illegible]	O	47,500
6	동남 유통 ㈜	함성미	2019-01-06	대관령 파메쌍 치즈	43EA	1,080,000	O	1,080,000
9	동광 통상 ㈜	박진수	2019-01-01	대관령 특제 버터	14EA	175,000	O	175,000
15	대진 유통 ㈜	박상구	2019-01-07	대관령 블루베리 아이스크림	19EA	200,000	O	200,000

제품:
포함 "신성" 또는 포함 "대관령"

TIP 한 개의 열만 필터 해제

필터를 적용하면 필터 단추의 모양이 [필터 아이콘]으로 바뀐다. 이 때 간단하게 한 개의 열만 필터 해제를 하려면 해당 열의 머리글 우측의 단추를 [필터 아이콘] 눌러서 '"OOO"에서 해제'를 누르면 된다.

9.4 고급 필터

요약

고급 필터는 복잡한 조건으로 필터링할 수 있는 옵션이다. 이 필터를 사용하면 하나의 열에 셋 이상의 조건을 붙이는 것 이외에 다수의 조건을 여러 가지로 결합해서 데이터를 추출할 수 있으며, 이것을 사용하기 전에 별도의 표에 "조건 범위"의 데이터를 입력해야 한다.

■ 고급 필터의 조건표 작성

■ 고급 필터 설정

목록 범위 안의 임의의 셀을 선택해서 "고급" 단추 고급을 누르면 [고급 필터] 대화상자가 표시된다.

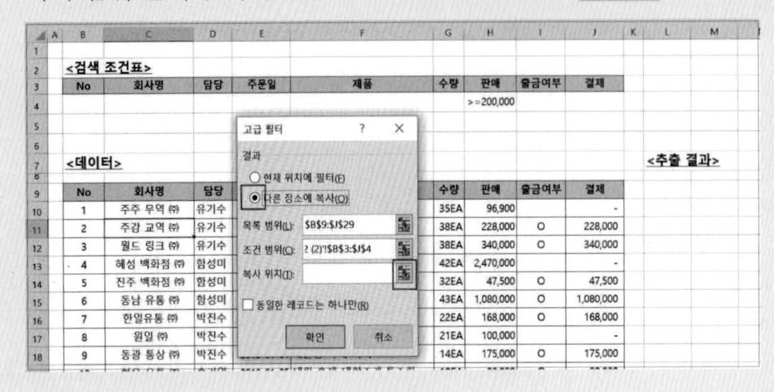

■ 고급 필터의 결과를 데이터 안에 추출

고급 필터의 결과를 별도의 표에 표시하지 않고 원본의 목록 범위에 표시하기 위해서는 [고급 필터] 대화상자의 "결과"에서 "현재 위치에 필터"를 선택한다.

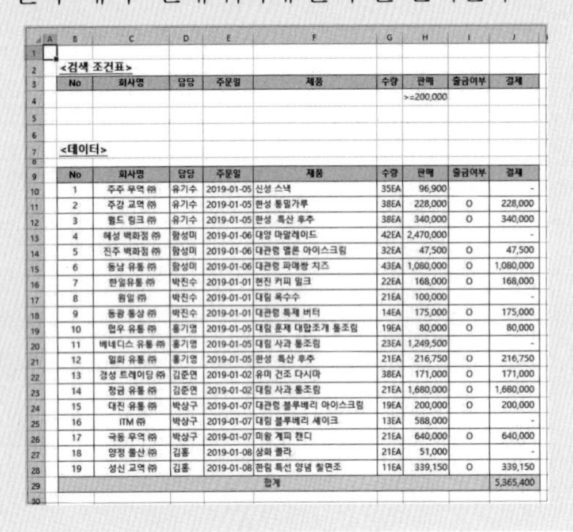

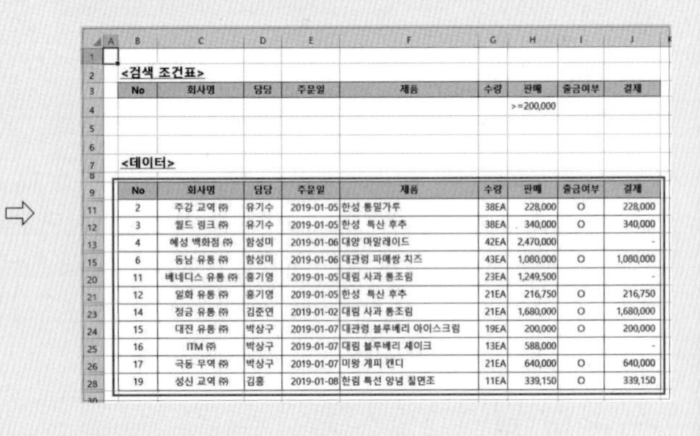

9.4.1 조건 범위 입력

(1) 조건 범위표의 작성

고급 필터를 이용하기 위해서는 먼저 이용하기 위한 준비부터 시작한다. 구체적으로는 추출 조건을 입력하기 위한 표를 만들어서 "조건 범위"에 해당하는 셀 범위를 작성한다.

"조건 범위"는 "목록 범위"의 위에 작성한다. "목록 범위"의 아래는 데이터를 추가할 때에 방해가 되고 데이터의 좌우는 조건에 맞지 않는 데이터와 함께 숨겨져 버리기 때문이다. 또한 "조건 범위"에는 데이터의 열 머리글과 같이 열 머리글을 작성한다.

01 "목록 범위"의 위에 빈 행을 삽입해서 "조건 범위"를 입력할 정도의 행을 비워둔다. 여기서는 8개의 행을 비워둔다.

02 "목록 범위"의 머리글을 셀 B3에 복사해서 붙인다. 이때 복사 옵션 목록에서 "원본 서식 유지"을 선택한다.

(2) 조건 범위 입력

추출 조건은 검색 "조건 범위"의 열 머리글의 바로 아래에 입력한다. "~이상 ~미만"과 같이 하나의 열 머리글에 다수의 조건을 설정하고 싶을 때는 필요한 만큼 동일한 열 머리글을 준비해서 조건을 추가해도 된다. 상세한 추출 조건의 입력 방법에 대해서는 아래의 예시를 참조하기 바란다.

01 셀 H4에 ">=200,000"라고 입력하면 "판매"가 200,000 이상이라는 조건 지정이 된다.

조건	설명	예시
AND 조건	다수의 열의 같은 행에 조건을 설정한다. 다른 행에 입력하면 OR 조건이 된다.	회사명 / 제품 주주 / 스낵 회사명이 주주이고 제품이 스낵
OR 조건	같은 열의 다른 행에 조건을 설정한다. 두 개의 조건을 붙이는 경우는 2행으로 지정한다.	회사명 주주 동남 회사명이 주주 또는 동남
다른 열에서 OR 조건	다수의 열에 OR 조건을 입력하기 위해서는 각 열의 다른 행에 추출 조건을 입력한다. 같은 행에 입력하면 AND 조건이 된다.	회사명 / 담당 주주 / / 박진수 회사명이 주주 또는 담당이 박진수
비교 연산자 조건	숫자 혹은 날짜의 열에서 범위 조건을 지정하고 싶을 때는 ">" 혹은 "<" 등의 비교 연산자를 사용한다.	담당 / 주문일 / 수량 유기수 / >=2019-01-02 / >=14 담당이 유기수, 주문일이 29년1월2일이후, 수량 14개 이상
와일드카드 조건	문자의 애매모호한 검색에 사용하는 기호이다. "*"은 0문자 이상의 임의의 문자, "?"는 1문자를 문자 대신에 대용한다.	회사명 *유통(주) 회사명이 "~유통(주)"
같은 열에서 AND 조건	같은 열에서 AND 조건을 지정하고 싶을 경우, 지정하고 싶은 열과 같은 열 머리글의 바로 아래의 행에 조건을 입력한다.	수량 / 수량 >=14 / <=32 수량이 14 이상 32 미만

9.4.2 고급 필터 설정

목록 범위 안의 임의의 셀을 선택해서 “고급” 단추 고급을 누르면 [고급 필터] 대화상자가 표시된다. 이때, “목록 범위”에 데이터 범위가 입력이 완료된 상태로 표시된다. 필요에 따라서 “복사 위치”를 지정하면 고급 필터의 결과를 다른 셀에 표시할 수 있다.

조건 판매가 200,000원 이상인 데이터를 추출한다.

01 먼저, 셀 H4에 고급 필터의 “조건 범위”에 해당하는 “>=200,000”을 입력한다. “목록 범위” B9:J29 중에 임의의 셀 C11을 선택한 후, [데이터] 탭 - [정렬 및 필터] 그룹 - “고급” 고급을 누르면 [고급 필터] 대화상자가 표시된다.

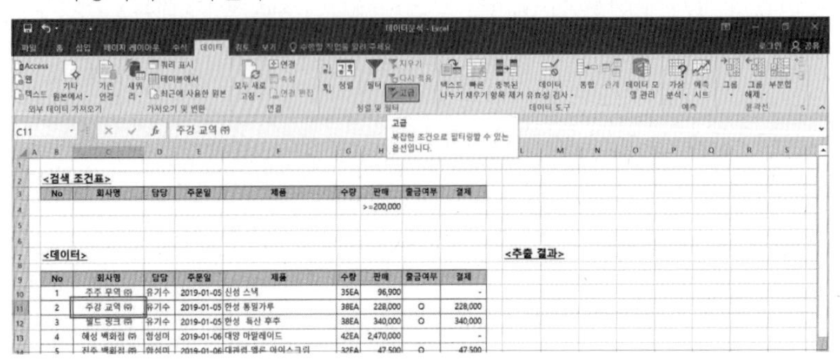

02 “목록 범위”가 올바르게 입력되어 있는지 확인하고 “조건 범위”를 선택하기 위해 우측 단추 을 누른다.

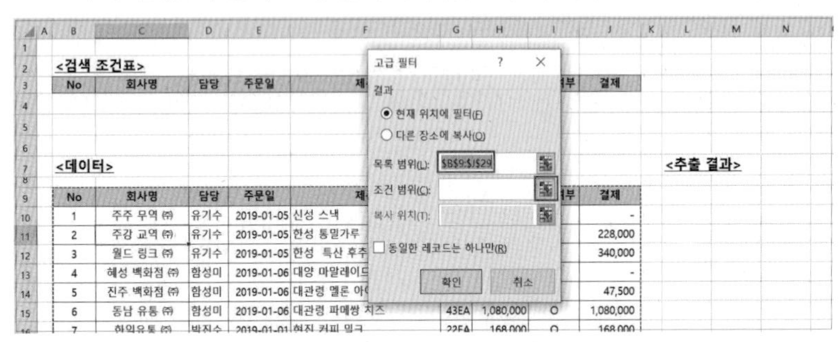

03 “조건 범위”로 셀 범위 B3:J4를 드래그해서 선택하고 우측 단추 을 누른다.

04 "다른 장소 복사"의 앞을 체크하고 "복사 위치"의 우측 단추 을 누른다.

05 복사 위치인 셀 L9를 선택하고 우측 단추 을 누른다.

06 [고급 필터]의 "확인"을 누른다.

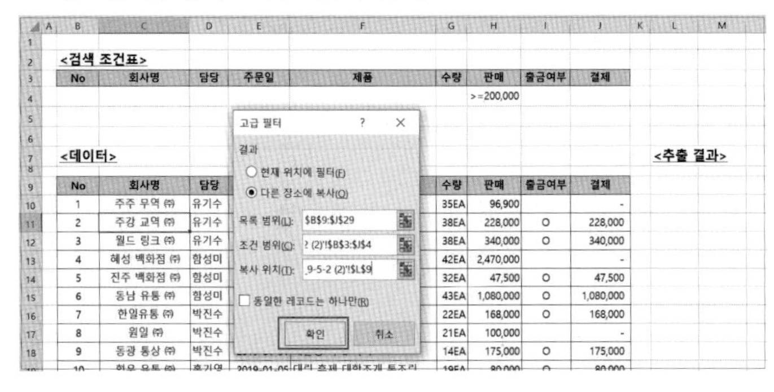

07 실행 결과, 셀 범위 L9:T11에 고급 필터의 결과가 표시된다.

<추출 결과>

No	회사명	담당	주문일	제품	수량	판매	출금여부	결제
2	주강 교역 ㈜	유기수	2019-01-05	한성 통밀가루	38EA	228,000	O	228,000
3	월드 링크 ㈜	유기수	2019-01-05	한성 특산 후추	38EA	340,000	O	340,000
4	혜성 백화점 ㈜	함성미	2019-01-06	대양 마말레이드	42EA	2,470,000		-
6	동남 유통 ㈜	함성미	2019-01-06	대관령 파메쌍 치즈	43EA	1,080,000	O	1,080,000
11	베네디스 유통 ㈜	홍기영	2019-01-05	대림 사과 통조림	23EA	1,249,500		-
12	일화 유통 ㈜	홍기영	2019-01-05	한성 특산 후추	21EA	216,750	O	216,750
14	정금 유통 ㈜	김준연	2019-01-02	대림 사과 통조림	21EA	1,680,000	O	1,680,000
15	대진 유통 ㈜	박상구	2019-01-07	대관령 블루베리 아이스크림	19EA	200,000	O	200,000
16	ITM ㈜	박상구	2019-01-07	대림 블루베리 셰이크	13EA	588,000		-
17	극동 무역 ㈜	박상구	2019-01-07	미왕 계피 캔디	21EA	640,000	O	640,000
19	성신 교역 ㈜	김홍	2019-01-08	한림 특선 양념 칠면조	11EA	339,150	O	339,150

9.4.3 고급 필터 결과 추출

고급 필터의 결과를 별도의 표에 표시하지 않고 원본의 목록 범위에 표시하기 위해서는 [고급 필터] 대화상자의 "결과"에서 "현재 위치에 필터"를 선택한다. 이 때, "복사 위치"는 설정할 수 없게 되어 목록 범위에 고급 필터의 결과가 표시된다.

01 목록 범위 B9:J29 중에 임의의 셀 C11을 선택한 후, [데이터] 탭 - [정렬 및 필터] 그룹 - "고급" 고급을 누르면 [고급 필터] 대화상자가 표시된다.

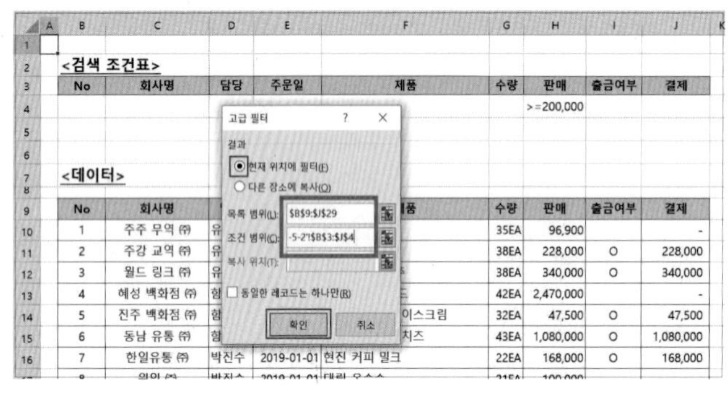

02 대화상자 안에서 "현재 위치에 필터"를 누르고 "목록 범위"는 올바른지 확인, 셀 H4에 조건이 입력되어 있으면 "조건 범위"로 B3:J4를 입력한다. 끝으로 "확인"을 누른다.

03 실행 결과, 목록 범위에 고급 필터의 결과가 표시된다.

> **TIP** 고급 필터의 결과 해제
>
> 고급 필터의 결과를 해제하기 위해서는 [데이터] 탭의 [정렬 및 필터] 그룹에 있는 "지우기" 지우기 단추를 누르면 필터의 결과가 해제되고 데이터가 원본 데이터의 상태로 돌아간다.

9.5 부분합과 예측

요약

표에서 특정한 열 머리글이 포함된 열 데이터 셀 범위(데이터 필드)에 필터링을 설정하면, 그 열 머리글에 있는 드롭다운 단추를 눌러서 데이터 범위를 좁힐 수 있다. 특정한 키워드를 지정해서 원하는 데이터를 추출할 수도 있다.

■ 부분합을 위한 데이터 정렬

부분합을 수행하기 전에 부분합의 목적에 맞게 데이터를 정렬한다.

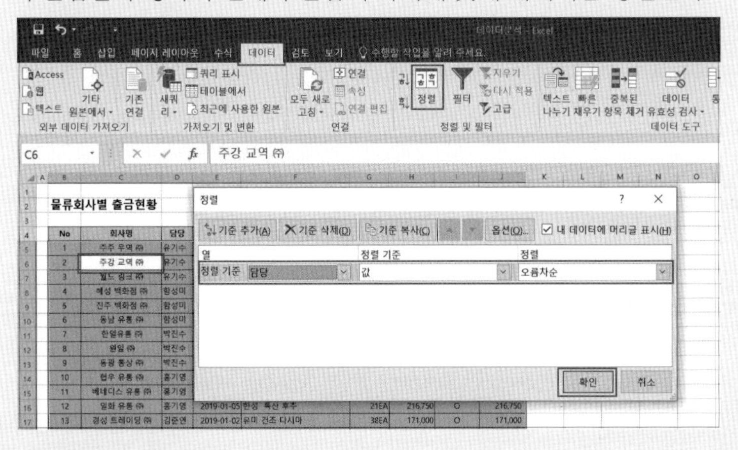

■ 부분합 실행

부분합을 실행하기 위해서 [부분합] 대화상자에서 이미 데이터 정렬이 완료된 열("그룹화할 항목")을 기준으로 "사용할 함수"와 계산 항목들을 지정한다.

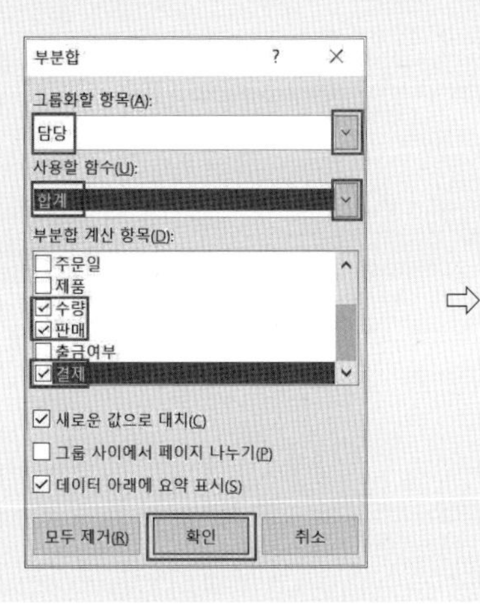

9.5.1 데이터 정렬

반드시 부분합을 수행하기 전에 데이터를 정렬한다. 정렬로 그룹화할 열을 모를 경우는 부분합의 목적을 미리 정리해 볼 필요가 있다. 예를 들면, 담당자 별로 수량과 판매를 집계할 경우, "담당"의 열로 정렬하면 된다.

조건 담당자를 오름차순으로 정렬한다.

01 데이터 안에서 임의의 셀 C6을 선택한 후, [데이터] 탭의 [정렬 및 필터] 그룹에 있는 "정렬" 단추를 누르면 [정렬] 대화상자가 나타난다.

02 대화상자에 "정렬 기준: 담당, 정렬 기준: 값, 정렬: 오름차순"을 선택하고 "확인"을 누른다.

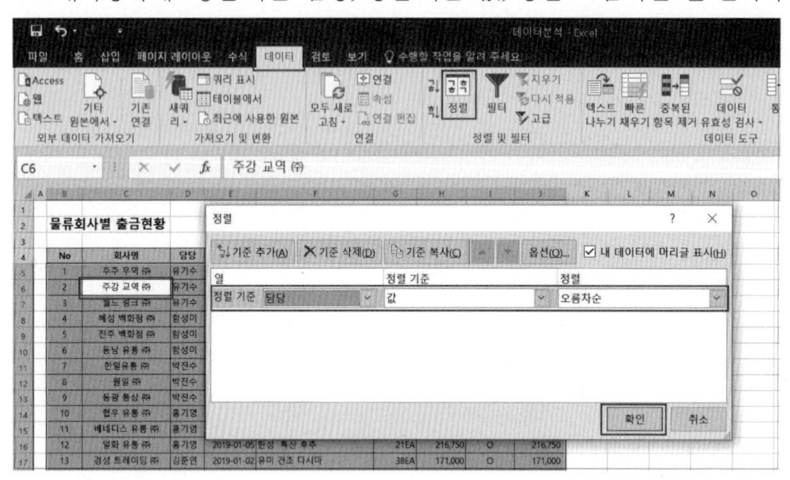

03 실행 결과, 담당자를 오름차순으로 하는 데이터가 표시된다. "No" 열의 번호가 바뀐 것을 보면 순서가 변화된 것을 확인할 수 있다.

물류회사별 출금현황

No	회사명	담당	주문일	제품	수량	판매	출금여부	결제
13	경성 트레이딩 ㈜	김준연	2019-01-02	유미 건조 다시마	38EA	171,000	O	171,000
14	정금 유통 ㈜	김준연	2019-01-02	대림 사과 통조림	21EA	1,680,000	O	1,680,000
18	양정 물산 ㈜	김홍	2019-01-08	삼화 콜라	21EA	51,000		-
19	성신 교역 ㈜	김홍	2019-01-08	한림 특선 양념 칠면조	11EA	339,150	O	339,150
15	대진 유통 ㈜	박상구	2019-01-07	대관령 블루베리 아이스크림	19EA	200,000	O	200,000
16	ITM ㈜	박상구	2019-01-07	대림 블루베리 셰이크	13EA	588,000		-
17	극동 무역 ㈜	박상구	2019-01-07	미왕 계피 캔디	21EA	640,000	O	640,000
7	한일유통 ㈜	박진수	2019-01-01	현진 커피 밀크	22EA	168,000	O	168,000
8	원일 ㈜	박진수	2019-01-01	대림 옥수수	21EA	100,000		-
9	동광 통상 ㈜	박진수	2019-01-01	대관령 특제 버터	14EA	175,000	O	175,000
1	주주 무역 ㈜	유기수	2019-01-05	신성 스낵	35EA	96,900		-
2	주강 교역 ㈜	유기수	2019-01-05	한성 통밀가루	38EA	228,000	O	228,000
3	월드 링크 ㈜	유기수	2019-01-05	한성 특산 후추	38EA	340,000	O	340,000
4	혜성 백화점 ㈜	함성미	2019-01-06	대양 마말레이드	42EA	2,470,000		-
5	진주 백화점 ㈜	함성미	2019-01-06	대관령 멜론 아이스크림	32EA	47,500	O	47,500
6	동남 유통 ㈜	함성미	2019-01-06	대관령 파메쌍 치즈	43EA	1,080,000	O	1,080,000
10	협우 유통 ㈜	홍기영	2019-01-05	대림 훈제 대합조개 통조림	19EA	80,000	O	80,000
11	베네디스 유통 ㈜	홍기영	2019-01-05	대림 사과 통조림	23EA	1,249,500		-
12	일화 유통 ㈜	홍기영	2019-01-05	한성 특산 후추	21EA	216,750	O	216,750

9.5.2 부분합 실행

부분합을 실행하기 위해서는, 정렬이 된 데이터의 임의의 셀을 누르고 [데이터] 탭의 [윤곽선] 그룹에 있는 "부분합" 단추 부분합 을 누른다. [부분합] 대화상자에서는 이미 데이터 정렬이 완료된 열을 기준으로 "사용할 함수"를 지정한다.

조건 담당자를 기준으로 정렬을 수행한 데이터를 이용해서 담당자 별로 수량, 판매 그리고 결재의 합계를 표시한다.

01 "담당"을 "오름차순"으로 정렬한 후, 데이터의 임의의 셀 F5를 선택한다.

02 [데이터] 탭 - [윤곽선] 그룹 - "부분합" 부분합 을 누르면 [부분합] 대화상자가 나타난다.

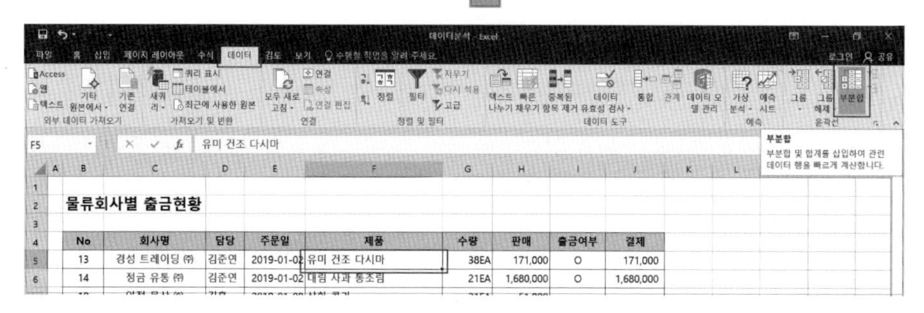

03 대화상자에서 선택 단추 ∨과 체크 박스 □을 적절하게 이용해서 "그룹화할 항목: 담당, 사용할 함수: 합계, 부분합 계산 항목: 수량/판매/결제"으로 입력한다. 그리고 "확인"을 누른다.

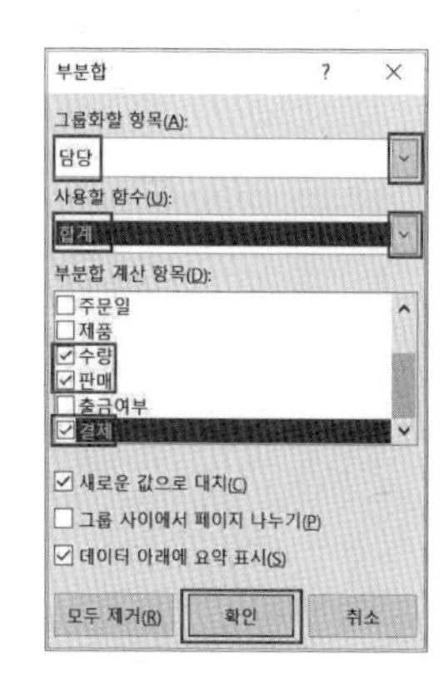

04 담당자 별로 요약 행이 데이터의 아래에 삽입된다. 삽입된 행에는 수량, 판매 그리고 결제의 합계가 표시된다.

물류회사별 출금현황

No	회사명	담당	주문일	제품	수량	판매	출금여부	결제
13	경성 트레이딩 ㈜	김준연	2019-01-02	유미 건조 다시마	38EA	171,000	O	171,000
14	청금 유통 ㈜	김준연	2019-01-02	대림 사과 통조림	21EA	1,680,000	O	1,680,000
		김준연 요약			59EA	1,851,000		1,851,000
18	양정 물산 ㈜	김홍	2019-01-08	삼화 콜라	21EA	51,000		-
19	성신 교역 ㈜	김홍	2019-01-08	한림 특선 양념 칠면조	11EA	339,150	O	339,150
		김홍 요약			32EA	390,150		339,150
15	대진 유통 ㈜	박상구	2019-01-07	대관령 블루베리 아이스크림	19EA	200,000	O	200,000
16	ITM ㈜	박상구	2019-01-07	대림 블루베리 세이크	13EA	588,000		-
17	극동 무역 ㈜	박상구	2019-01-07	미왕 게피 캔디	21EA	640,000	O	640,000
		박상구 요약			53EA	1,428,000		840,000

05 [1] 을 누르면 총합계만 표시된다.

물류회사별 출금현황

No	회사명	담당	주문일	제품	수량	판매	출금여부	결제
		총합계			492EA	9,920,800		5,365,400

06 [2] 을 누르면 소계에 해당하는 담당자별 요약이 표시된다.

물류회사별 출금현황

No	회사명	담당	주문일	제품	수량	판매	출금여부	결제
		김준연 요약			59EA	1,851,000		1,851,000
		김홍 요약			32EA	390,150		339,150
		박상구 요약			53EA	1,428,000		840,000
		박진수 요약			57EA	443,000		343,000
		유기수 요약			111EA	664,900		568,000
		함성미 요약			117EA	3,597,500		1,127,500
		홍기영 요약			63EA	1,546,250		296,750
		총합계			492EA	9,920,800		5,365,400

07 [3] 을 누르면 모든 데이터가 표시된다.

물류회사별 출금현황

No	회사명	담당	주문일	제품	수량	판매	출금여부	결제
13	경성 트레이딩 ㈜	김준연	2019-01-02	유미 건조 다시마	38EA	171,000	O	171,000
14	정금 유통 ㈜	김준연	2019-01-02	대림 사과 통조림	21EA	1,680,000	O	1,680,000
		김준연 요약			59EA	1,851,000		1,851,000
18	양정 물산 ㈜	김홍	2019-01-08	삼화 콜라	21EA	51,000		-
19	성신 교역 ㈜	김홍	2019-01-08	한림 특선 양념 칠면조	11EA	339,150	O	339,150
		김홍 요약			32EA	390,150		339,150
15	대진 유통 ㈜	박상구	2019-01-07	대관령 블루베리 아이스크림	19EA	200,000	O	200,000
16	ITM ㈜	박상구	2019-01-07	대림 블루베리 셰이크	13EA	588,000		-
17	극동 무역 ㈜	박상구	2019-01-07	미왕 계피 캔디	21EA	640,000	O	640,000
		박상구 요약			53EA	1,428,000		840,000
7	한일유통 ㈜	박진수	2019-01-01	현진 커피 밀크	22EA	168,000	O	168,000
8	원일 ㈜	박진수	2019-01-01	대림 옥수수	21EA	100,000		-
9	동광 통상 ㈜	박진수	2019-01-01	대관령 특제 버터	14EA	175,000	O	175,000
		박진수 요약			57EA	443,000		343,000
1	주주 무역 ㈜	유기수	2019-01-05	신성 스낵	35EA	96,900		-
2	주강 교역 ㈜	유기수	2019-01-05	한성 통밀가루	38EA	228,000	O	228,000
3	월드 링크 ㈜	유기수	2019-01-05	한성 특산 후추	38EA	340,000	O	340,000
		유기수 요약			111EA	664,900		568,000
4	혜성 백화점 ㈜	함성미	2019-01-06	대양 마말레이드	42EA	2,470,000		-
5	진주 백화점 ㈜	함성미	2019-01-06	대관령 멜론 아이스크림	32EA	47,500	O	47,500
6	동남 유통 ㈜	함성미	2019-01-06	대관령 파메쌍 치즈	43EA	1,080,000	O	1,080,000
		함성미 요약			117EA	3,597,500		1,127,500
10	협우 유통 ㈜	홍기영	2019-01-05	대림 훈제 대합조개 통조림	19EA	80,000	O	80,000
11	베네디스 유통 ㈜	홍기영	2019-01-05	대림 사과 통조림	23EA	1,249,500		-
12	일화 유통 ㈜	홍기영	2019-01-05	한성 특산 후추	21EA	216,750	O	216,750
		홍기영 요약			63EA	1,546,250		296,750
		총합계			492EA	9,920,800		5,365,400

TIP 부분합 해제

요약을 해제하기 위해서는 [부분합] 대화상자의 "모두 제거" 단추를 누른다. "모두 제거" 단추를 누르면 소계에 해당하는 요약이 모두 삭제되고 원본 데이터로 되돌아간다.

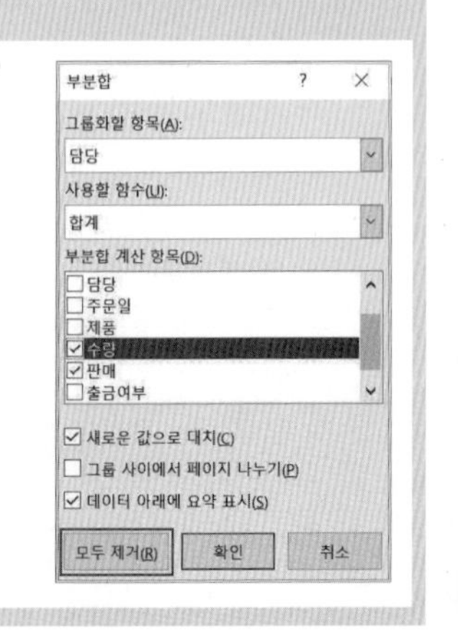

9.5.3 데이터 예측

예측 시트는 과거의 시계열 데이터를 근거로 추후 데이터의 경향을 예측하는데 이용된다. 예측 시트 기능을 사용하면 새로운 시트에 원본 데이터와 예측값, 그리고 데이터의 추이를 나타내는 차트가 만들어진다.

(1) 예측 시트 만들기

예측 시트는 데이터 추세를 예측하여 새 워크시트를 만드는 것으로 날짜, 시간 등의 시계열을 나타내는 숫자 데이터와 시계열에 대응하는 숫자 데이터로 만들어진다. 시간이나 날짜가 "7시", "5월" 등의 문자로 입력되어 있는 경우는 "7", "5" 등의 숫자로 변경한 후에 작성한다.

조건 2019년 매월 매출 실적을 가지고 2020-03-01까지의 매출 예측값을 구한다.

01 예측하고 싶은 셀 범위 B4:B16과 D4:D16을 드래그해서 선택한다.

02 [데이터] 탭 - [예측] 그룹 - "예측 시트" 단추 를 누르면 [예측 워크시트 만들기] 대화상자가 나타난다.

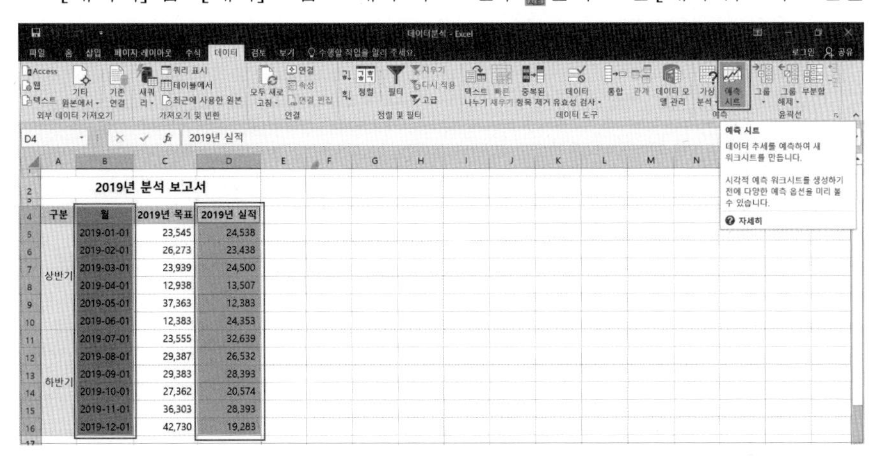

03 "예측 종료" 기간의 날짜를 설정하는 단추 를 눌러서 "2020-03-01"로 설정하고 "만들기"를 누른다.

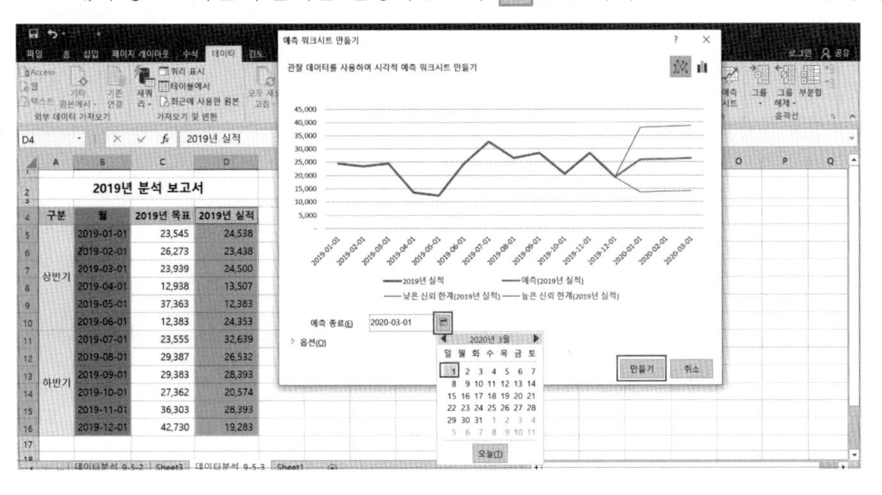

04 새로운 워크시트에 원본 데이터와 예측값이 들어있는 표와 꺾은선형 차트가 만들어진다. 예측값은 굵은 오렌지색 선, 예측값의 높은 신뢰 한계와 낮은 신뢰 한계는 얇은 오렌지색 선으로 표시되어 있다.

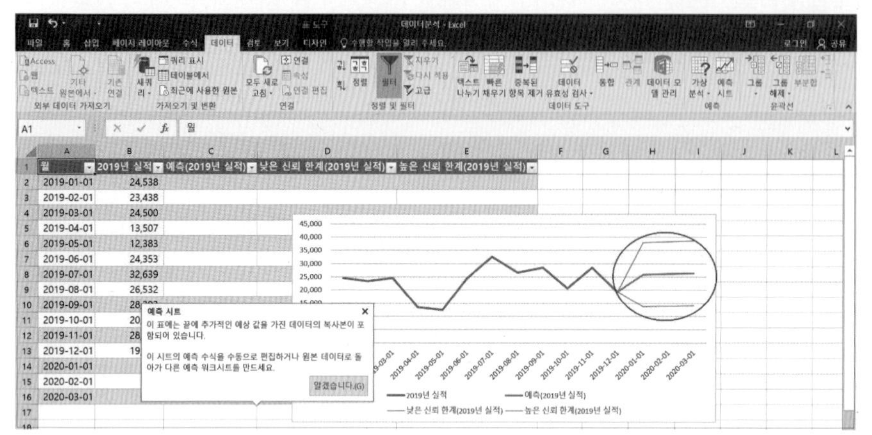

05 "옵션"을 눌러서 필요한 항목을 선택하거나 값을 구체적으로 설정하면 그에 따라 변경된 차트를 미리 보기로 확인할 수 있다. 여기서는 "신뢰 구간" 해제, "계절성 - 수동으로 설정" 7로 지정했다. 만일 차트에 "옵션"이 보이지 않을 경우는 데이터 안에 액티브 셀을 두고 [데이터 탭 - [예측] 그룹 - "예측 시트" 단추를 누른다.

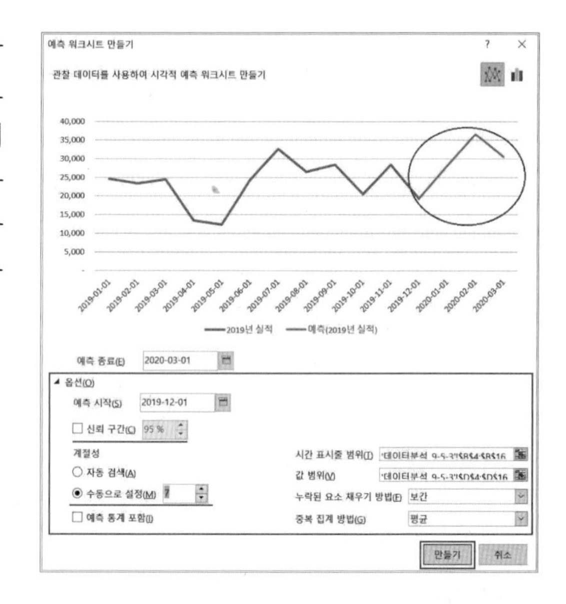

TIP 예측 차트 변경

[예측 워크시트 만들기] 대화상자의 오른편 위쪽에 있는 "세로 막대형 차트 만들기" 단추를 누르면 예측 시트에 세로 막대형 차트가 표시된다.

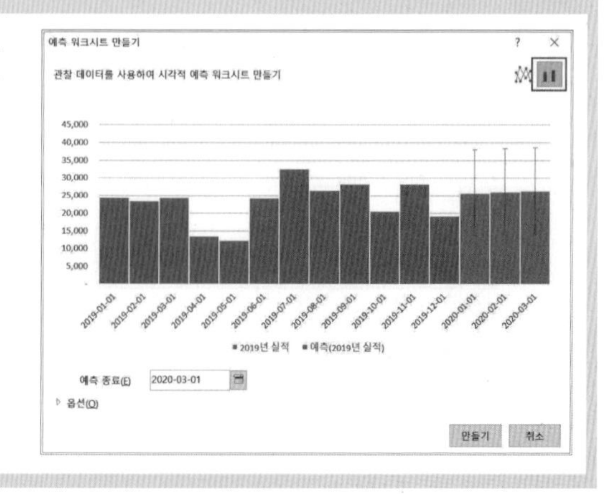

연습문제

1. ▷▷ **조건** "학과; 오름차순, 이름; 내림차순"을 이용해서 데이터를 정렬해 보자.

성적 정리

이름	학과	실기1	중간고사	실기2	기말고사	총점	학점
이진혁	경영학과	13	55	10	50	128	C
박민희	사회학과	15	50	20	80	165	B
최재원	경영학과	17	65	15	75	172	A
이희지	컴퓨터공학과	12	30	15	45	102	C
유지현	사회학과	15	50	20	80	165	B
박재영	컴퓨터공학과	17	65	15	75	172	A
이선애	경영학과	12	30	15	45	102	C
성은주	컴퓨터공학과	10	35	10	30	85	D
임지민	사회학과	0	80	0	80	160	B
장동현	사학과	19	70	10	40	139	B

⇨

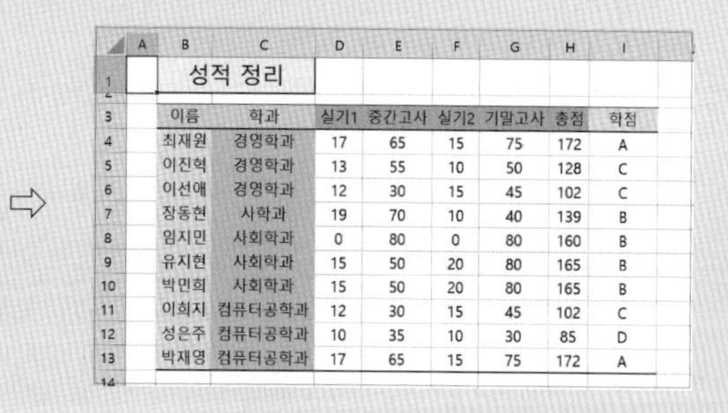

성적 정리

이름	학과	실기1	중간고사	실기2	기말고사	총점	학점
최재원	경영학과	17	65	15	75	172	A
이진혁	경영학과	13	55	10	50	128	C
이선애	경영학과	12	30	15	45	102	C
장동현	사학과	19	70	10	40	139	B
임지민	사회학과	0	80	0	80	160	B
유지현	사회학과	15	50	20	80	165	B
박민희	사회학과	15	50	20	80	165	B
이희지	컴퓨터공학과	12	30	15	45	102	C
성은주	컴퓨터공학과	10	35	10	30	85	D
박재영	컴퓨터공학과	17	65	15	75	172	A

2. 자동 필터를 적용한 후, 학점이 A와 B인 데이터를 추출해 보자.

성적 정리

이름	학과	실기1	중간고사	실기2	기말고사	총점	학점
이진혁	경영학과	13	55	10	50	128	C
박민희	사회학과	15	50	20	80	165	B
최재원	경영학과	17	65	15	75	172	A
이희지	컴퓨터공학과	12	30	15	45	102	C
유지현	사회학과	15	50	20	80	165	B
박재영	컴퓨터공학과	17	65	15	75	172	A
이선애	경영학과	12	30	15	45	102	C
성은주	컴퓨터공학과	10	35	10	30	85	D
임지민	사회학과	0	80	0	80	160	B
장동현	사학과	19	70	10	40	139	B

⇨

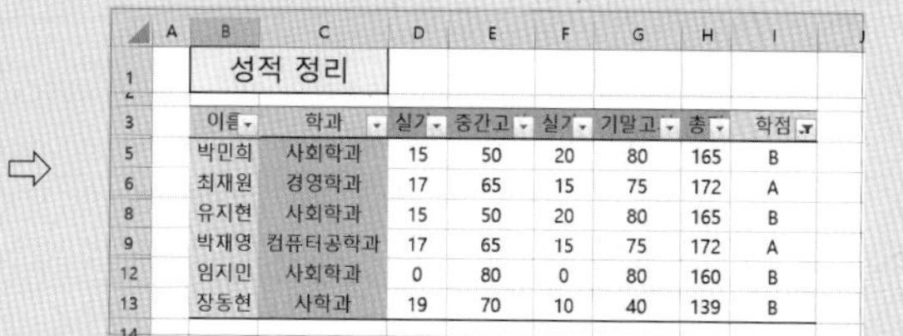

성적 정리

이름	학과	실기	중간고	실기	기말고	총	학점
박민희	사회학과	15	50	20	80	165	B
최재원	경영학과	17	65	15	75	172	A
유지현	사회학과	15	50	20	80	165	B
박재영	컴퓨터공학과	17	65	15	75	172	A
임지민	사회학과	0	80	0	80	160	B
장동현	사학과	19	70	10	40	139	B

3. 필터 조건인 셀 G3:H5를 이용한 고급필터를 적용한 결과를 구해보자.

지원자 학력

번호	성별	지역	학력
1	남	서울	고졸
2	남	경기	중졸
3	여	강원	고졸
4	여	충청	초졸
5	남	경상	중졸
6	여	전라	고졸
7	여	경기	초졸
8	남	서울	대졸
9	여	강원	중졸
10	남	충청	고졸

성별	학력
남	
	고졸

⇨

지원자 학력

번호	성별	지역	학력
1	남	서울	고졸
2	남	경기	중졸
3	여	강원	고졸
4	여	충청	초졸
5	남	경상	중졸
6	여	전라	고졸
7	여	경기	초졸
8	남	서울	대졸
9	여	강원	중졸
10	남	충청	고졸

성별	학력
남	
	고졸

번호	성별	지역	학력
1	남	서울	고졸
2	남	경기	중졸
3	여	강원	고졸
5	남	경상	중졸
6	여	전라	고졸
8	남	서울	대졸
10	남	충청	고졸

연습문제

4. 다음의 조건부 서식을 이용해 편집해 보자.

① 2019년 실적은 "색조: 녹색-노랑-빨강 색조", 월별 증감은 "데이터 막대: 그라데이션 채우기(녹색 데이터 막대)", 달성율은 "아이콘 집합: 방향(삼각형 3개)"를 적용해 보자.

② [조건부 서식]-[규칙 관리]를 누른다. [조건부 서식 규칙 관리자] 대화상자에서 "서식 규칙 표시: 현재 워크시트"를 선택하고 두 번째 "데이터 막대" 규칙을 선택 한 후 "규칙 편집"을 누른다.

③ [서식 규칙 편집] 대화상자에서 "막대만 표시"를 선택하고 "확인"을 누른다.

④ [조건부 서식 규칙 관리자] 대화상자에서 "아이콘 집합"을 선택하고 "규칙 편집"을 누른다.

⑤ 아이콘 "▲"을 선택, 종류는 숫자로 선택하고 값에 1.1을 입력한다.

⑥ 아이콘 "▬"을 선택, 종류는 숫자로 선택하고 값에 1을 입력한다.

⑦ 아이콘 ▼은 "셀 아이콘 없음"을 선택한 후, "확인"을 누른다.

⑧ [조건부 서식 규칙 관리자] 대화상자에서 "확인"을 눌러서 서식을 지정한다.

2019년 분석 보고서

부서	월	2019년 목표	2019년 실적	월별 증감	달성율
상반기	1월	23,545	24,538	0	96%
	2월	26,273	23,438	-1,100	112%
	3월	23,939	24,500	1,062	98%
	4월	12,938	13,507	-10,993	96%
	5월	37,363	12,383	-1,124	302%
	6월	12,383	24,353	11,970	51%
하반기	7월	23,555	32,639	8,286	72%
	8월	29,387	26,532	-6,107	111%
	9월	29,383	28,393	1,861	103%
	10월	27,362	20,574	-7,819	133%
	11월	36,303	28,393	7,819	128%
	12월	42,730	19,283	-9,110	222%

2019년 분석 보고서

부서	월	2019년 목표	2019년 실적	월별 증감	달성율
상반기	1월	23,545	24,538		96%
	2월	26,273	23,438		▲ 112%
	3월	23,939	24,500		98%
	4월	12,938	13,507		96%
	5월	37,363	12,383		▲ 302%
	6월	12,383	24,353		51%
하반기	7월	23,555	32,639		72%
	8월	29,387	26,532		▲ 111%
	9월	29,383	28,393		▬ 103%
	10월	27,362	20,574		▲ 133%
	11월	36,303	28,393		▲ 128%
	12월	42,730	19,283		▲ 222%

5. 다음의 조건을 만족하는 부분합을 만들어 보자.

- 정렬 기준; ①학과: 오름차순, ②이름: 내림차순
- 그룹화할 항목; 학과
- 사용할 함수; 평균
- 부분합 계산 항목; 중간고사, 기말고사, 총점

2019년도 성적 정리

학과	이름	실기1	중간고사	실기2	기말고사	총점
사회학과	김현영	19	70	10	40	139
사회체육학과	박미영	12	30	15	45	102
과학교육학과	박재영	17	65	15	75	172
사회체육학과	성은주	10	35	10	30	85
화학공학과	유기정	0	80	0	80	160
경영학과	이선애	12	30	15	45	102
사회학과	이준호	15	50	20	80	165
경영학과	이진혁	13	55	10	50	128
화학공학과	이희지	12	30	15	45	102
화학공학과	임지민	0	80	0	80	160
사회학과	장동민	15	50	20	80	165
과학교육학과	최재원	17	65	15	75	172
사회체육학과	최지현	10	35	10	30	85
사회학과	탁재훈	15	50	20	80	165

2019년도 성적 정리

학과	이름	실기1	중간고사	실기2	기말고사	총점
경영학과	이진혁	13	55	10	50	128
경영학과	이선애	12	30	15	45	102
경영학과 평균			42.5		47.5	115
과학교육학과	최재원	17	65	15	75	172
과학교육학과	박재영	17	65	15	75	172
과학교육학과 평균			65		75	172
사회체육학과	최지현	10	35	10	30	85
사회체육학과	성은주	10	35	10	30	85
사회체육학과	박미영	12	30	15	45	102
사회체육학과 평균			33.33333		35	90.7
사회학과	탁재훈	15	50	20	80	165
사회학과	장동민	15	50	20	80	165
사회학과	이준호	15	50	20	80	165
사회학과	김현영	19	70	10	40	139
사회학과 평균			55		70	159
화학공학과	임지민	0	80	0	80	160
화학공학과	유기정	0	80	0	80	160
화학공학과 평균			80		80	160
화학공학과	이희지	12	30	15	45	102
화학공학과 평균			30		45	102
전체 평균			51.78571		59.64286	136

연습문제

6. 다음의 조건들을 만족하는 [데이터] 탭 – [예측] 그룹 – "가상 분석"의 목표값과 시나리오를 작성해 보자.

(1) 목표값 찾기를 이용하여 표(A1~E6셀)의 계절평균의 합계가 16,000이 되도록 가을의 음식물류 값을 구한다.

- 식 셀 : E6(계절평균 합계)
- 찾는 값 : 16,000
- 값을 바꿀 셀 : B4(가을 음식물류)

(2) 표(H1~M7셀)를 이용하여 종이차지율의 평균(M7)을 위한 시나리오를 작성한다.

① 시나리오 이름 : 유형1, 유형2

② 변경 셀 : L2, L3, L4, L5, L6셀

변경 값	유형1 변경값	유형2 변경값
L2	7,000	6,900
L3	1,300	1,290
L4	400	390
L5	1,780	1,770
L6	2,770	2,760

③ 보고서 종류 : 시나리오 요약

<데이터>

	A	B	C	D	E
1	계절	음식물류	종이류	플라스틱	합계
2	봄	8,295.6	5,373.3	2,505.2	16,174.1
3	여름	8,173.0	5,354.2	2,432.1	15,959.3
4	가을	9,456.0	5,085.9	2,373.3	16,915.2
5	겨울	8,118.2	5,422.7	2,493.6	16,034.5
6	계절평균	8,510.7	5,309.0	2,451.1	16,270.8

	H	I	J	K	L	M
1	종류	봄	여름	가을	겨울	평균
2	종이류	5,922.1	5,518.0	5,958.4	7,022.1	6,105.2
3	플라스틱류	1,233.3	1,348.4	1,189.1	1,300.8	1,267.9
4	섬유류	315.8	250.2	226.2	402.7	298.7
5	금속류	2,875.3	3,347.5	2,218.2	1,789.5	2,557.6
6	유리류	2,238.4	2,287.9	2,114.2	2,775.0	2,353.9
7	종이차지율	47.06%	43.27%	50.90%	52.84%	48.52%

<목표값 결과>

	A	B	C	D	E
1	계절	음식물류	종이류	플라스틱	합계
2	봄	8,295.6	5,373.3	2,505.2	16,174.1
3	여름	8,173.0	5,354.2	2,432.1	15,959.3
4	가을	8,372.9	5,085.9	2,373.3	15,832.1
5	겨울	8,118.2	5,422.7	2,493.6	16,034.5
6	계절평균	8,239.9	5,309.0	2,451.1	16,000.0

	H	I	J	K	L	M
1	종류	봄	여름	가을	겨울	평균
2	종이류	5,922.1	5,518.0	5,958.4	7,022.1	6,105.2
3	플라스틱류	1,233.3	1,348.4	1,189.1	1,300.8	1,267.9
4	섬유류	315.8	250.2	226.2	402.7	298.7
5	금속류	2,875.3	3,347.5	2,218.2	1,789.5	2,557.6
6	유리류	2,238.4	2,287.9	2,114.2	2,775.0	2,353.9
7	종이차지율	47.06%	43.27%	50.90%	52.84%	48.52%

<시나리오 요약 보고서>

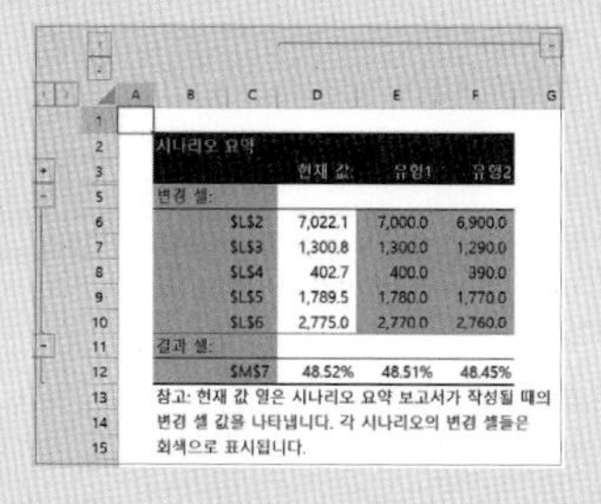

시나리오 요약

	현재 값:	유형1	유형2
변경 셀:			
$L$2	7,022.1	7,000.0	6,900.0
$L$3	1,300.8	1,300.0	1,290.0
$L$4	402.7	400.0	390.0
$L$5	1,789.5	1,780.0	1,770.0
$L$6	2,775.0	2,770.0	2,760.0
결과 셀:			
$M$7	48.52%	48.51%	48.45%

참고: 현재 값 열은 시나리오 요약 보고서가 작성될 때의 변경 셀 값을 나타냅니다. 각 시나리오의 변경 셀들은 회색으로 표시됩니다.

C H A P T E R

10

피벗 테이블

10.1 피벗 테이블 만들기

요약

피벗 테이블은 복잡한 데이터를 피벗 테이블에 쉽게 정렬하고 요약할 수 있다.

■ 빈 피벗 테이블

피벗 테이블은 맨 처음에는 빈 상태이다. 필드(열 머리글)를 추가하면 데이터가 집계된다.

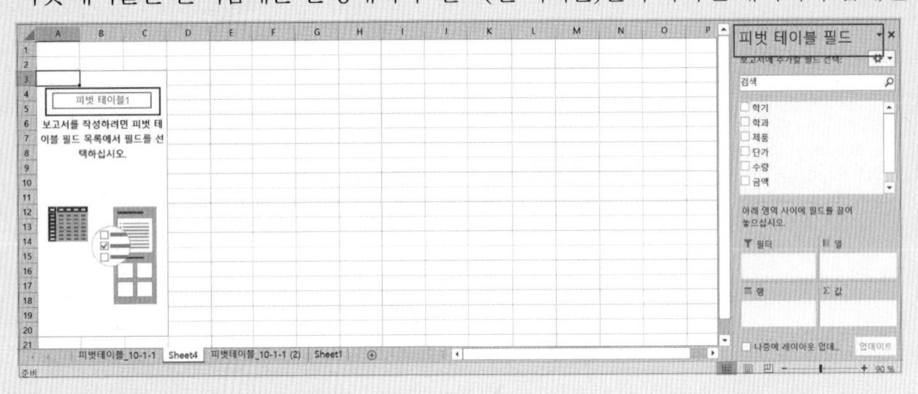

■ 피벗 테이블 필드 설정

"피벗 테이블 필드" 작업창은 "필드 목록, 필터 영역, 행 영역, 열 영역, 값"으로 구성되어 있다.

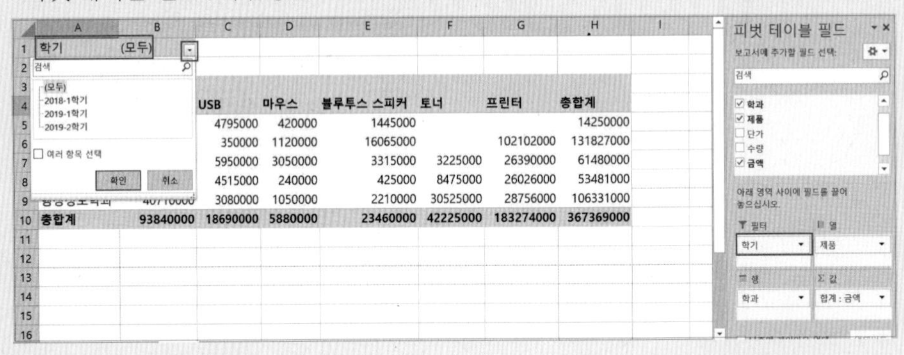

10.1.1 빈 피벗 테이블

피벗 테이블은 원본 표의 데이터를 선택해서 만든다. 그 데이터 범위가 자동으로 선택되기 때문에 범위의 적합 여부를 확인하고 피벗 테이블을 만들 워크시트의 위치를 지정한다. 만들어진 피벗 테이블은 맨 처음에는 빈 상태이다. 필드(열 머리글)를 추가하면 데이터가 집계된다.

피벗 테이블에 들어갈 데이터를 만들 때는 다음을 주의할 필요가 있다.

- 첫 행에 열 머리글이 들어간다.
- 데이터의 범위 안에 공백 행 또는 공백 열이 없어야 한다.
- 합계나 총합계의 행과 열이 없어야 한다. 있을 경우는 삭제한다.

01 해당 표의 임의의 셀 B3을 선택한 후, [삽입] 탭의 [표] 그룹에 있는 “피벗 테이블” 단추 을 누르면 [피벗 테이블 만들기] 대화상자가 나타난다.

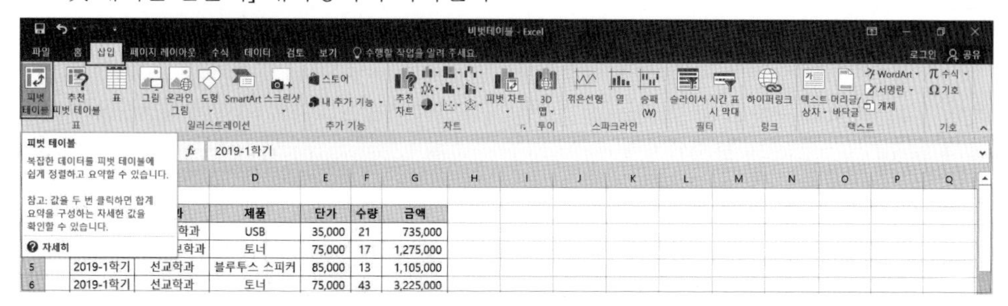

02 대화상자에 자동 선택된 “표/범위; $B$2:$G$66”의 범위가 올바른지 확인한다. 만일 범위가 다르면 을 누른 후, 마우스의 드래그를 통해서 올바른 셀 영역을 선택한다.

03 피벗 테이블을 넣을 위치 “새 워크시트”의 앞에 있는 단추 “○”를 눌러서 선택한다.

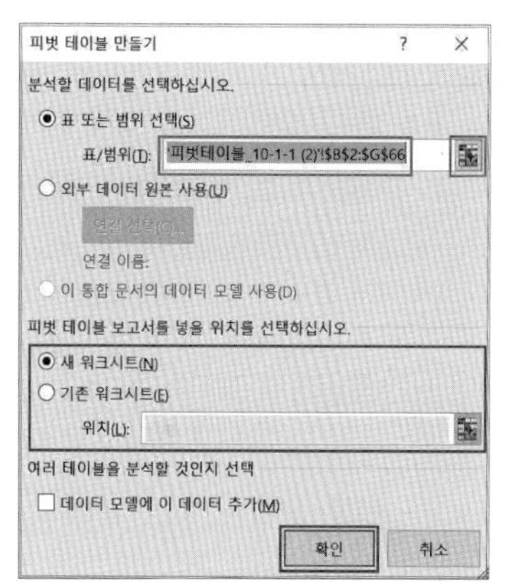

04 화면 오른쪽에 [피벗 테이블 필드] 작업창이 표시된다. 이것이 피벗 테이블의 시작 단계에 해당한다.

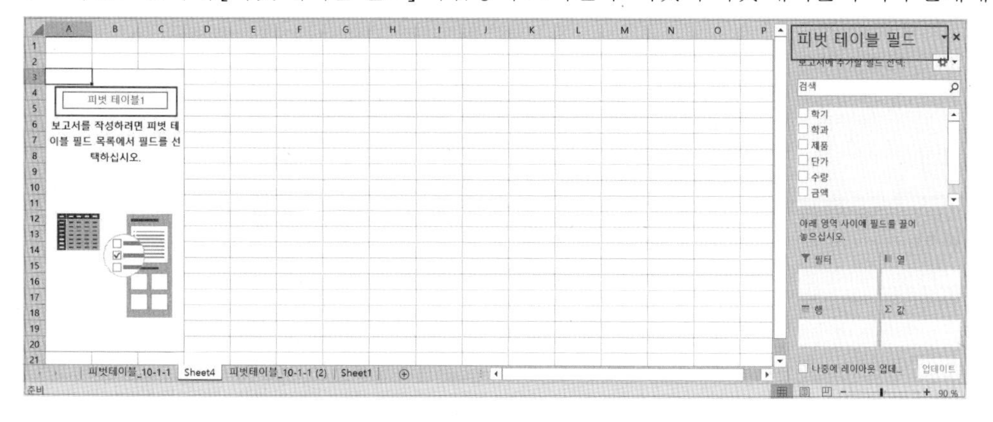

10.1.2 피벗 테이블 필드 설정

"피벗 테이블 필드" 작업창에는 "필드 목록, 필터 영역, 행 영역, 열 영역, 값"으로 구성되어 있다. 각 영역의 설정은 다음과 같다.

(1) 피벗 테이블의 열 혹은 행을 배치하고 열 머리글을 결정한다.; 먼저, "필드 목록" 영역에 표시되어 있는 필드를 선택한 후, "행" 영역이나 "열" 영역으로 드래그한다. 필드를 드래그하면 바로 피벗 테이블에 반영되므로 배치된 열 머리글을 확인할 수 있다.

(2) 피벗 테이블에서 집계하고 싶은 항목을 결정한다.; "필드 목록" 영역에 표시된 필드를 "값" 영역에 드래그한다. 숫자 데이터의 필드 외에도 텍스트 데이터의 필드도 배치할 수 있다. 만일, 필드를 잘못 추가했을 때는 그 필드를 삭제하고 필드를 다시 추가한다.

(3) 필터 영역에 필드를 추가하기 위해서는 설정한 필드의 항목별로 피벗 테이블의 전환이 가능하다.; 필드의 항목별로 집계 결과를 확인하고 싶을 때 이용한다.

01 미리 작성된 빈 피벗 테이블을 만든 후, "행" 영역에 "학과" 필드를 추가하기 위해서는 "학과"를 "행" 영역으로 드래그 한다. 행 영역에 "학과" 필드가 배치된 것이 확인된다.

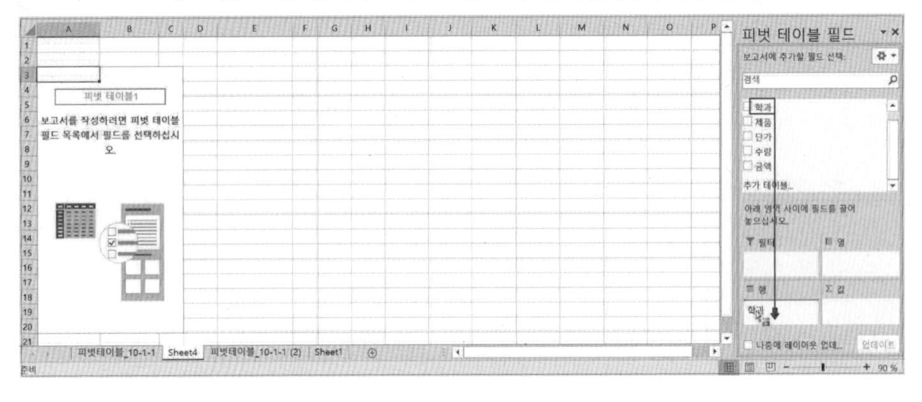

02 "열" 영역에 "제품" 필드를 추가하기 위해서는 "제품"을 "열" 영역으로 드래그 한다. 열 영역에 "제품" 필드가 배치되었다.

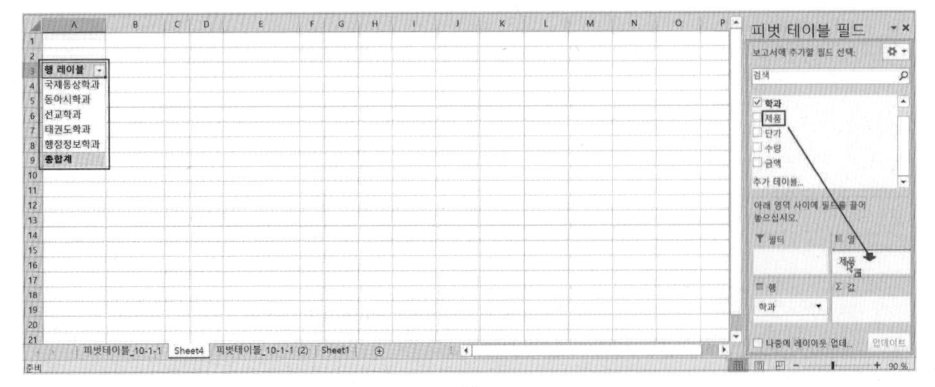

⇩

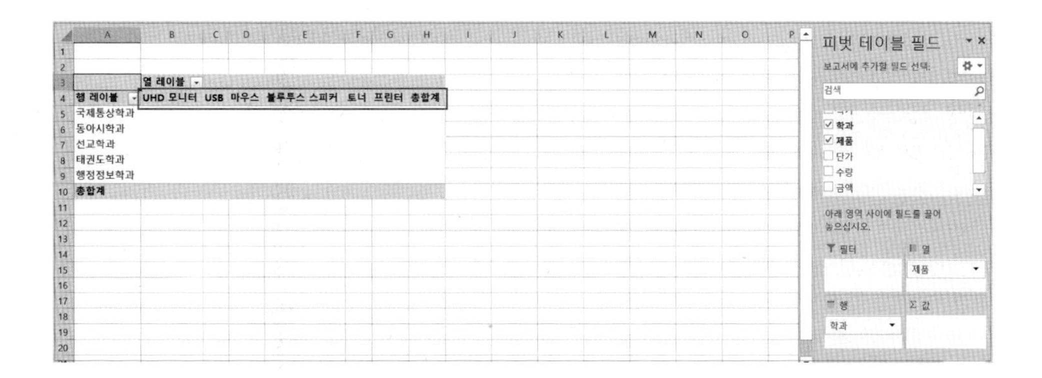

03 "값" 영역에 "금액" 필드를 추가하기 위해서는 "금액"을 "값" 영역으로 드래그한다. 실행결과, 값 영역에 "금액" 필드가 배치되었고 최종 집계 결과가 표시되었다.

04 "필터" 영역에 "학기" 필드를 추가하기 위해서는 "학기"를 "필터" 영역으로 드래그한다.

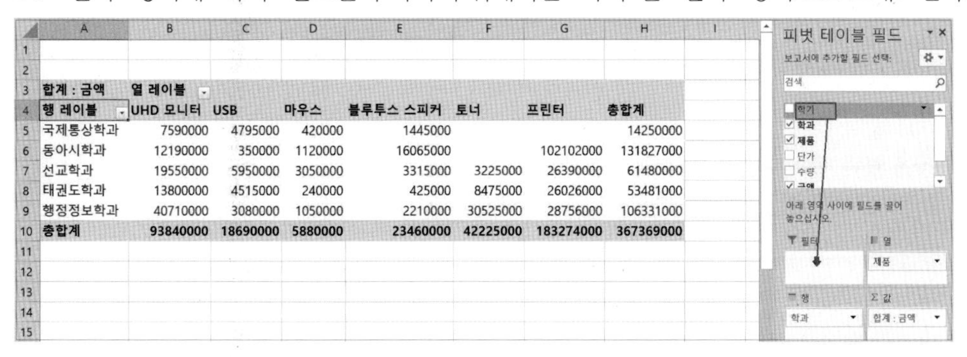

05 필터 영역에 "학기" 필드가 배치되었다. 셀 B1에 있는 드롭다운 단추 ▾를 누르면 항목을 선택할 수 있다. 이후, 항목의 설정과 해제를 설정할 수 있다.

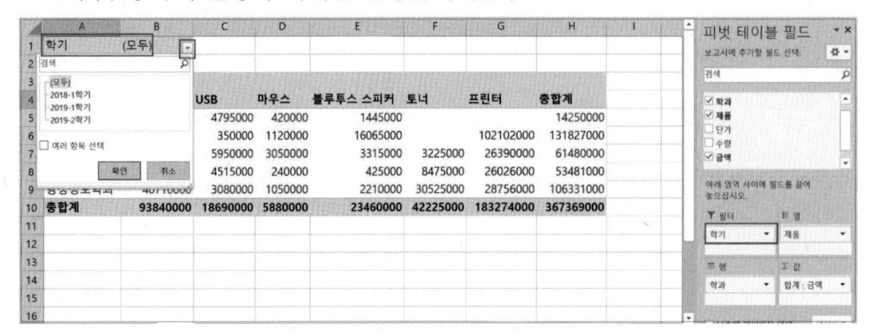

10.1.3 총합계 표시 설정

피벗 테이블을 만들면 행이나 열의 총 합계가 표시된다. 행이나 열의 집계는 [피벗 테이블 도구] - [디자인] 탭의 [레이아웃] 그룹에서 언제든지 설정과 해제를 변경할 수 있다.

01 피벗 테이블 안을 누른다.

02 [피벗 테이블 도구] - [디자인] 탭의 [레이아웃] 그룹에 있는 "총합계" 단추 을 누른 후, "행의 총합계만 설정"을 누른다.

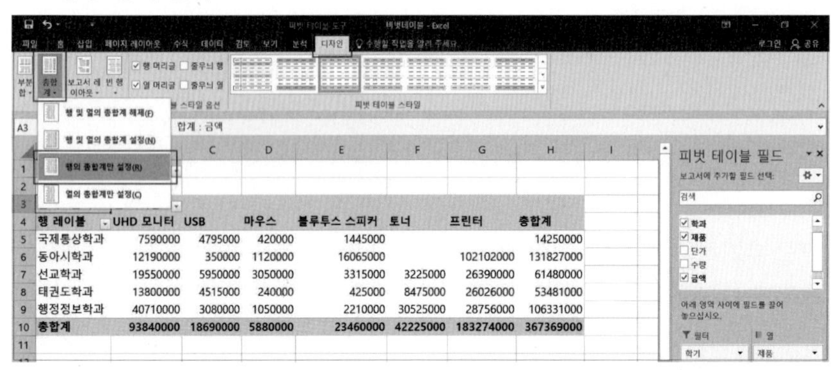

03 실행 결과, 10행에 있던 "총합계"가 해제되었다.

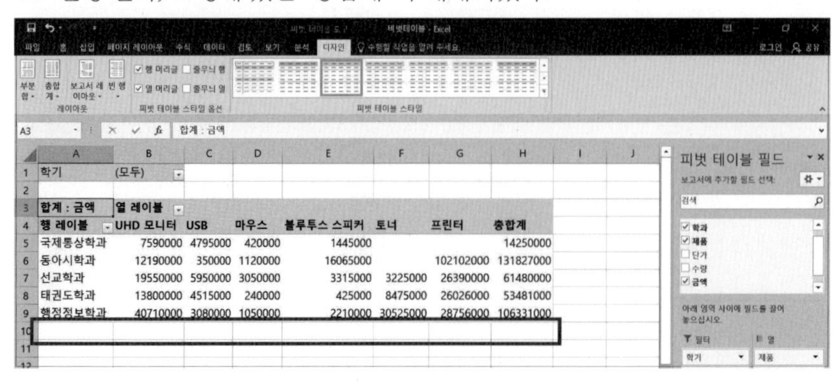

TIP 피벗 테이블의 새로 고침

원본 데이터가 변경되어 새로 피벗 테이블에 반영시키고 싶을 경우에는 피벗 테이블을 새로 고침해야 한다. 또, 원본 데이터 표에 새로운 데이터를 추가한 경우에는 데이터 범위의 새로 고침이 필요하다. 이때는 [피벗 테이블 도구] - [분석] 탭의 [데이터] 그룹에 있는 "새로 고침" 단추를 누르면 된다.

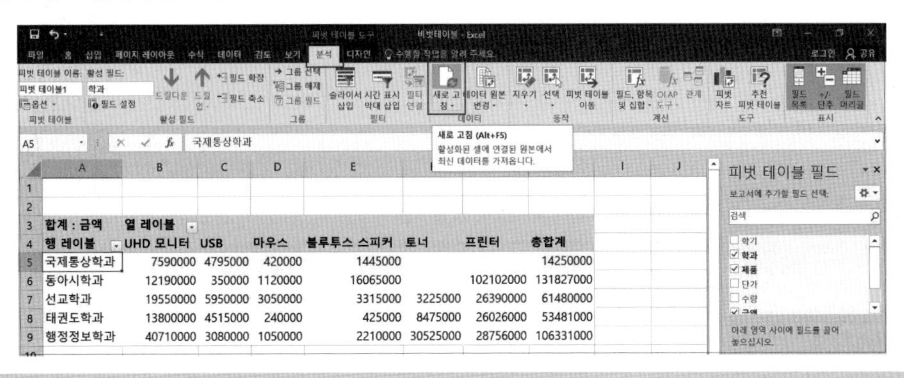

10.2 데이터 표시 바꾸기

요약

슬라이서를 사용해서 데이터를 한 번에 알아볼 수 있도록 필터링이 가능하다.

■ 슬라이서 활용

슬라이서를 사용하면 피벗 테이블의 데이터의 범위를 점점 좁혀갈 수 있다.

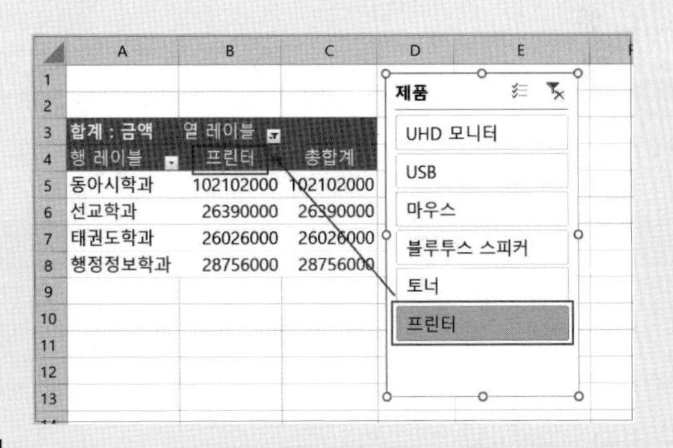

■ 보고서 필터 필드와 행/열 레이블의 항목 표시

보고서 필터 필드와 행/열 레이블을 이용하면 각각의 드롭다운 ▾ 목록에서 항목의 범위를 축소할 수 있고 항목별로 집계된 피벗 테이블을 표시할 수 있다.

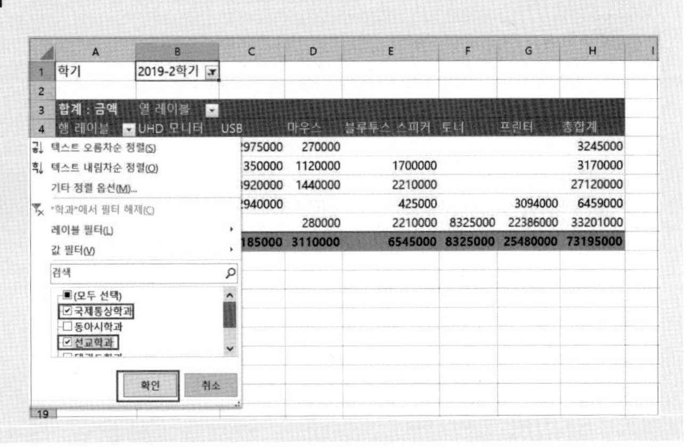

10.2.1 슬라이서 활용

슬라이서를 사용하면 피벗 테이블의 데이터 범위를 점점 좁혀갈 수 있다. 슬라이서에는 지정한 필드의 항목 목록이 가로형 막대 단추로 표시되어 있다. 목록으로부터 항목명을 누르면 그 항목으로 범위를 축소한 피벗 테이블로 갱신된다. 선택한 항목에는 색이 붙여지기 때문에 필드 안의 어느 항목으로 축소되어 있는지를 간단하게 확인할 수 있다.

01 표 안에 액티브 셀 B4를 선택하고, [피벗 테이블 도구] - [분석] 탭 - [필터] 그룹에 있는 "슬라이서 삽입" 단추 을 누르면 [슬라이서 삽입] 대화상자가 나타난다.

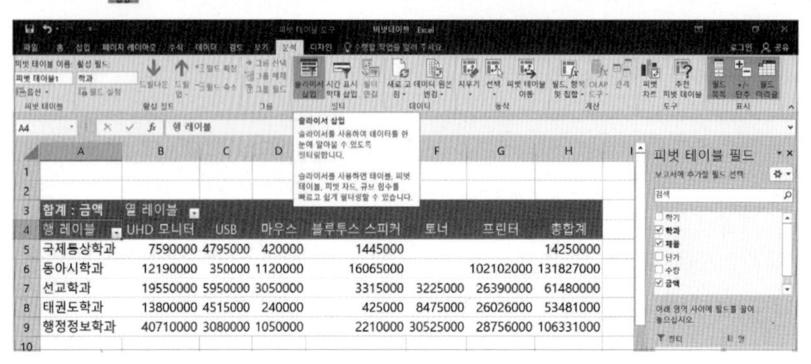

02 설정하고 싶은 필드명, "제품"을 눌러서 선택 표시 ∨를 붙이고 "확인"을 누르면 [제품] 대화상자가 나타난다.

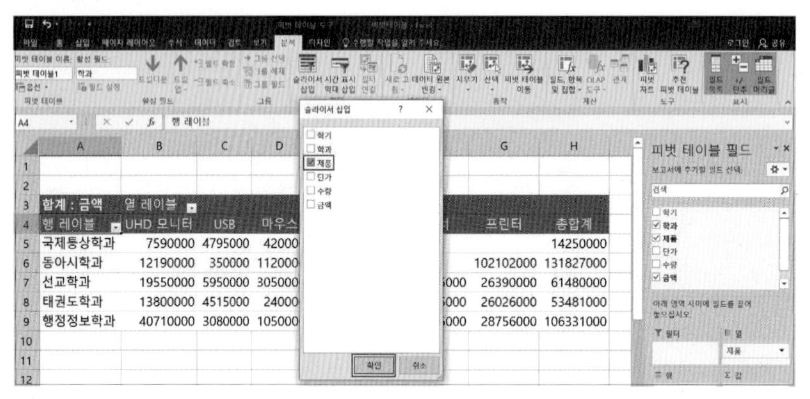

03 표시하고 싶은 슬라이서 항목, "프린터"를 누르면 선택한 "제품" 목록의 피벗 테이블로 변경된다.

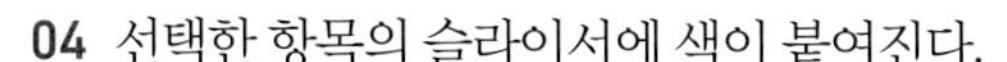

04 선택한 항목의 슬라이서에 색이 붙여진다.

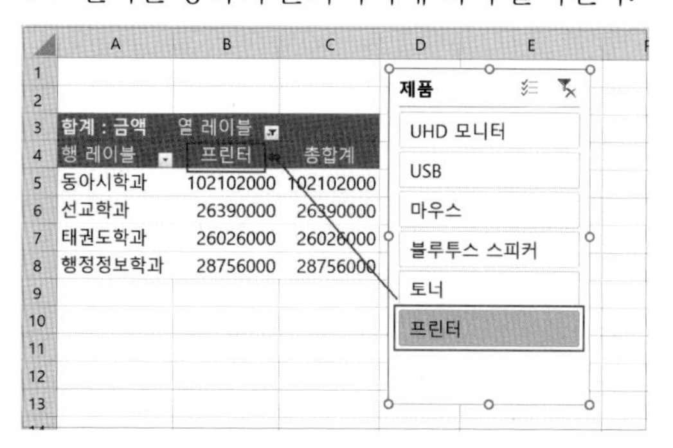

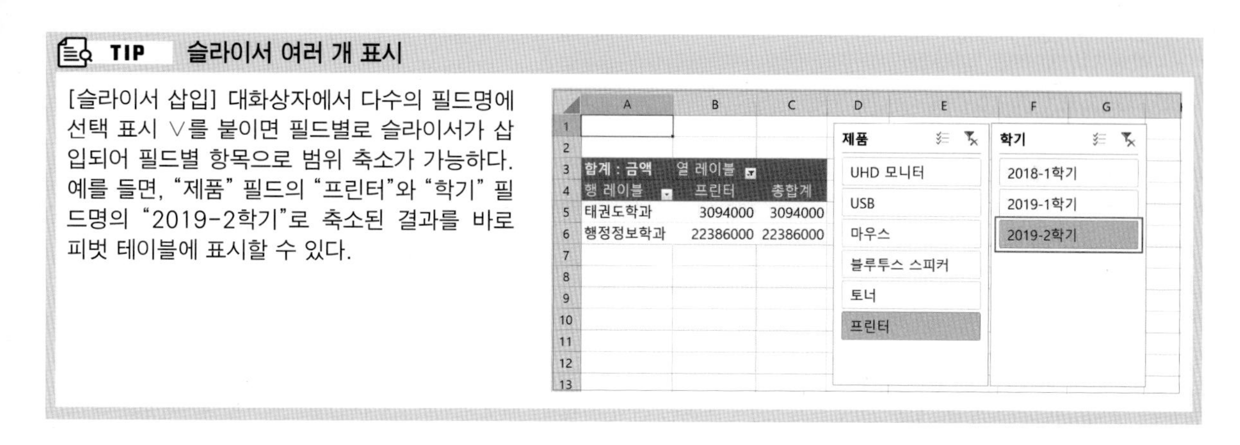

TIP 슬라이서 여러 개 표시

[슬라이서 삽입] 대화상자에서 다수의 필드명에 선택 표시 ∨를 붙이면 필드별로 슬라이서가 삽입되어 필드별 항목으로 범위 축소가 가능하다. 예를 들면, "제품" 필드의 "프린터"와 "학기" 필드명의 "2019-2학기"로 축소된 결과를 바로 피벗 테이블에 표시할 수 있다.

10.2.2 보고서 필터 항목 표시

보고서 필터 필드와 행/열 레이블을 이용하면 각각의 드롭다운 ▾ 목록에서 항목의 범위를 축소할 수 있어 항목별로 집계된 피벗 테이블을 표시할 수 있다.

조건 보고서 필터 "학기" 필드로부터 "2019-2학기"를 표시한다. 아울러 행 레이블에는 "국제통상학과, 선교학과", 열 레이블에는 "USB, 마우스" 항목을 표시한다.

01 보고서 필터 필드의 단추 ▾을 누른 후, 목록에서 "2019-2학기"를 선택하고 "확인"을 누른다.

02 “2019-2학기”의 데이터만 표시된다.

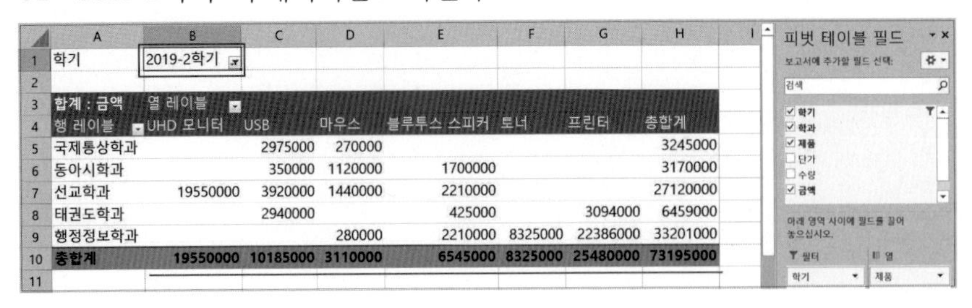

학기	2019-2학기					
합계 : 금액	열 레이블					
행 레이블	UHD 모니터	USB	마우스	블루투스 스피커	토너	프린터	총합계
국제통상학과		2975000	270000				3245000
동아시아학과		350000	1120000	1700000			3170000
선교학과	19550000	3920000	1440000	2210000			27120000
태권도학과		2940000		425000		3094000	6459000
행정정보학과			280000	2210000	8325000	22386000	33201000
총합계	19550000	10185000	3110000	6545000	8325000	25480000	73195000

03 행 레이블의 단추 ▾를 누른 후, “모든 선택”을 눌러서 체크 표시된 모든 목록을 해제한다.

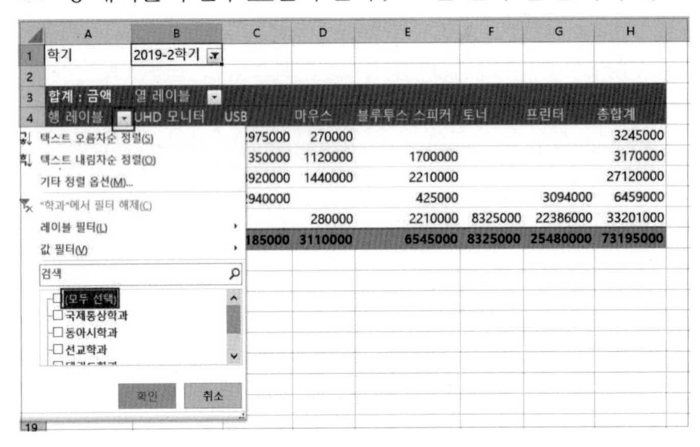

04 행 레이블의 목록에서 “국제통상학과, 선교학과”만을 체크하고 “확인”을 누른다.

05 행 레이블에 위에서 선택한 2개 항목의 데이터가 표시된다.

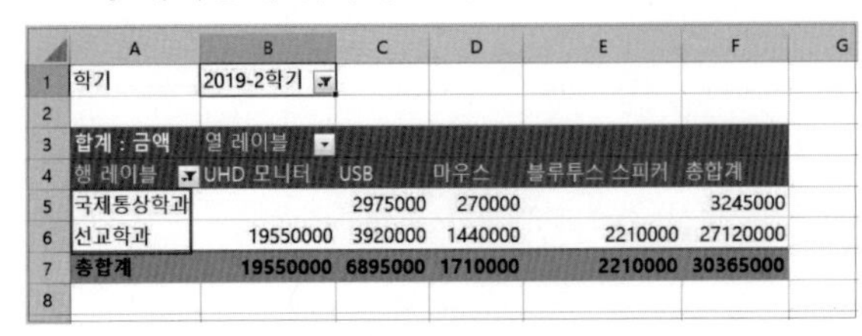

학기	2019-2학기				
합계 : 금액	열 레이블				
행 레이블	UHD 모니터	USB	마우스	블루투스 스피커	총합계
국제통상학과		2975000	270000		3245000
선교학과	19550000	3920000	1440000	2210000	27120000
총합계	19550000	6895000	1710000	2210000	30365000

06 열 레이블의 목록에서 "USB, 마우스"만을 체크하고 "확인"을 누른다.

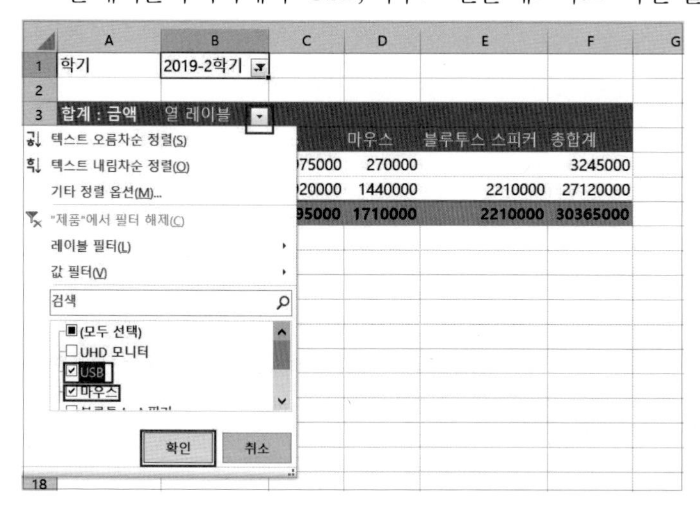

07 열 레이블에 위에서 선택한 2개 항목의 데이터가 표시된다. 최종적으로 아래와 같은 항목들만의 데이터들이 표시된다.

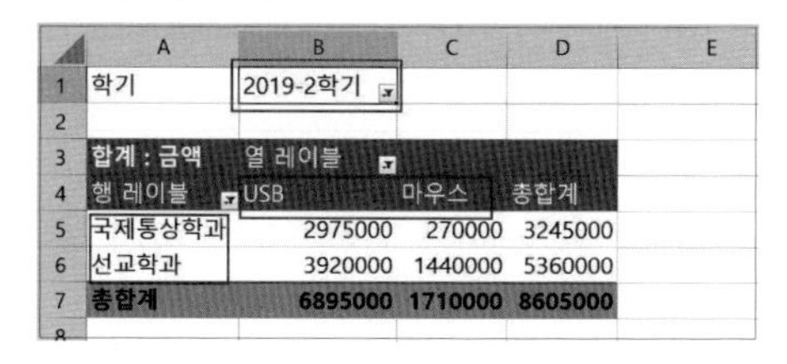

학기	2019-2학기		
합계 : 금액	열 레이블		
행 레이블	USB	마우스	총합계
국제통상학과	2975000	270000	3245000
선교학과	3920000	1440000	5360000
총합계	6895000	1710000	8605000

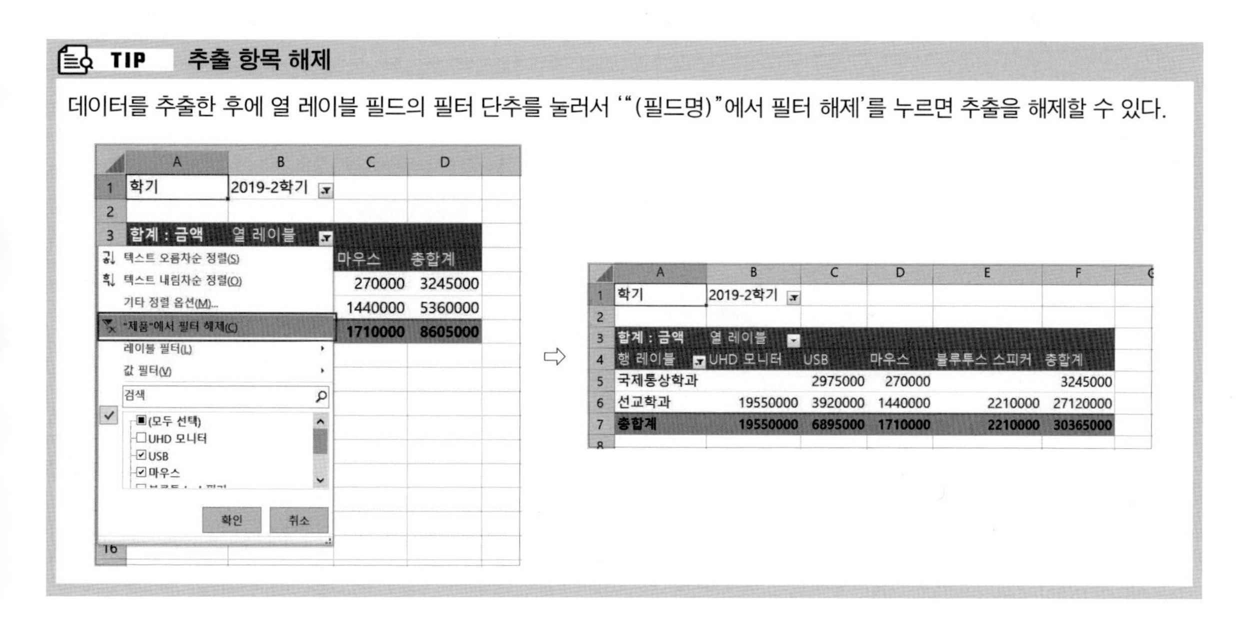

TIP 추출 항목 해제

데이터를 추출한 후에 열 레이블 필드의 필터 단추를 눌러서 '"(필드명)"에서 필터 해제'를 누르면 추출을 해제할 수 있다.

학기	2019-2학기				
합계 : 금액	열 레이블				
행 레이블	UHD 모니터	USB	마우스	블루투스 스피커	총합계
국제통상학과		2975000	270000		3245000
선교학과	19550000	3920000	1440000	2210000	27120000
총합계	19550000	6895000	1710000	2210000	30365000

10.3 피벗 차트

요약

피벗 차트는 피벗 테이블의 데이터를 차트화한 것이다. 피벗 테이블과 피벗 차트는 연동되어 있기 때문에 피벗 테이블을 변경하면 그에 따라 피벗 차트도 변경된다. 또한, 피벗 차트의 필드는 피벗 테이블처럼 드래그하여 레이아웃을 변경할 수 있다.

■ 데이터로부터 직접 만들기

워크시트에 입력된 데이터 범위를 지정해서 피벗 차트를 직접 만들 수 있다.

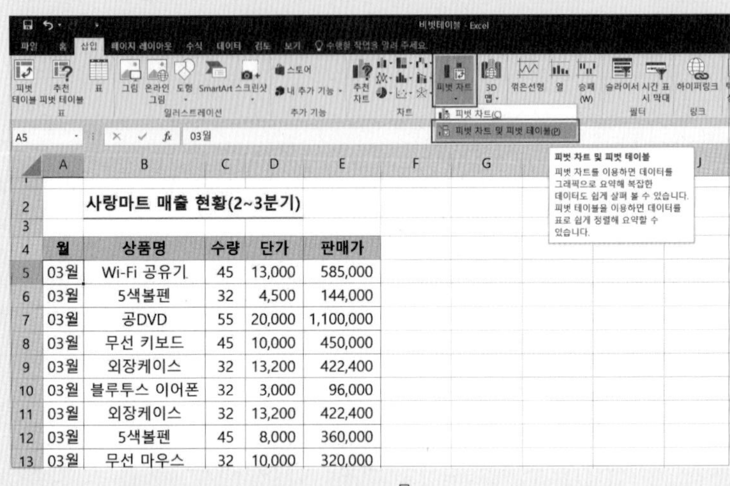

⇩

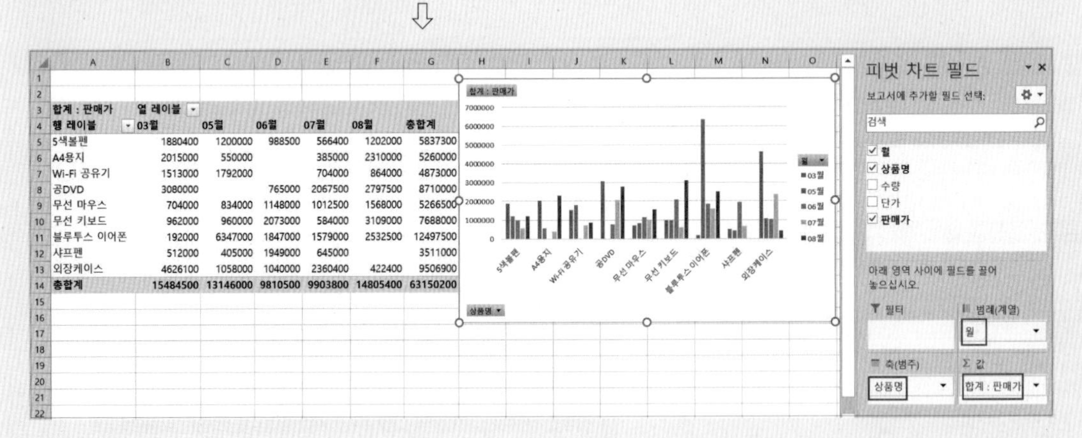

■ 피벗 테이블로부터 피벗 차트 만들기

만들어진 피벗 테이블로부터 피벗 차트를 만들기 위해서는 피벗 테이블 안의 셀을 선택하고 [피벗 테이블 도구] - [분석] 탭의 [도구] 그룹에 있는 "피벗 차트" 단추를 누른다.

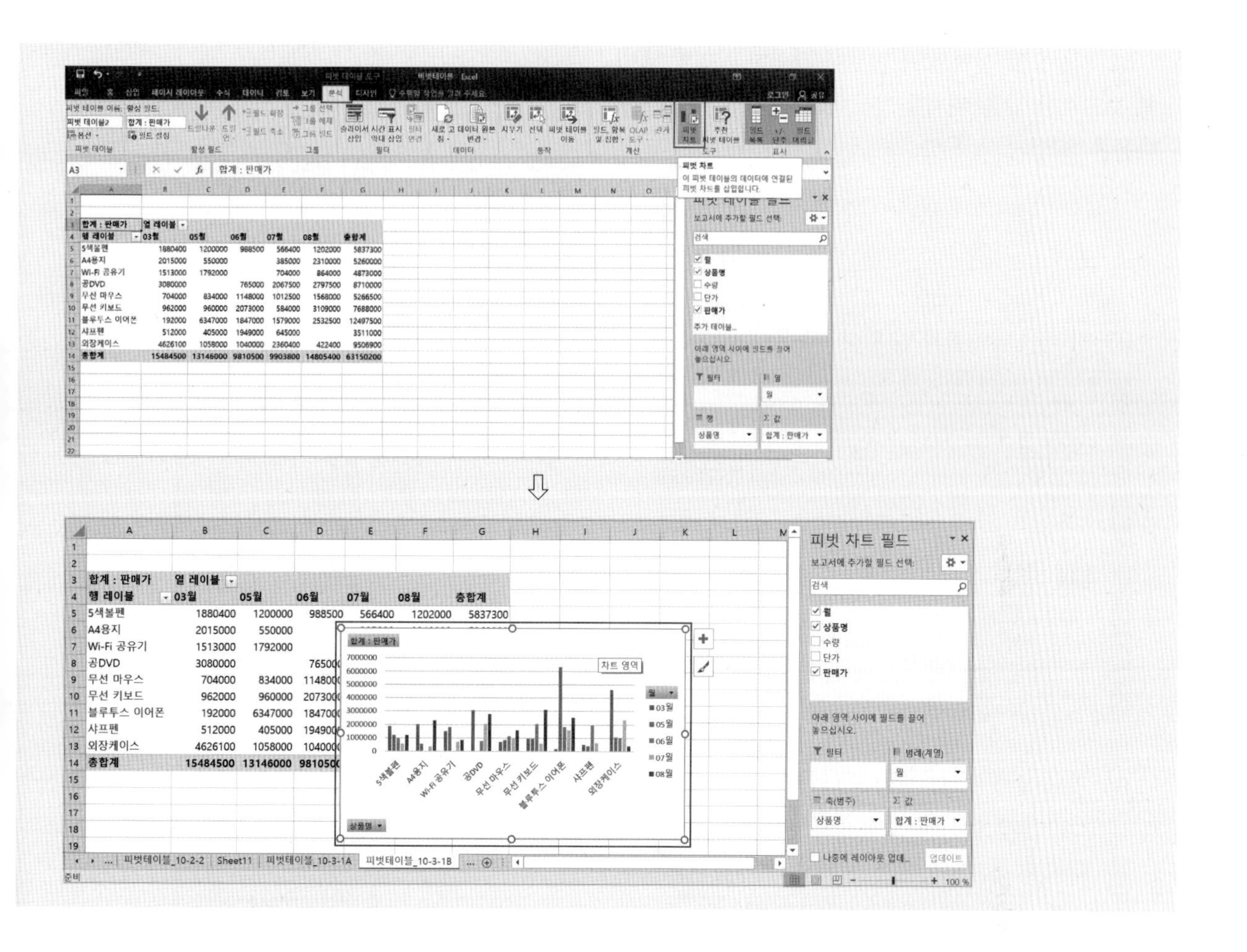

10.3.1 피벗 차트 만들기

(1) 데이터로부터 직접 만들기

워크시트에 입력된 데이터 범위를 지정해서 피벗 차트를 직접 만들 수 있다. 피벗 차트를 이용하면 데이터를 그래픽으로 요약해 복잡한 데이터도 쉽게 살펴볼 수 있다. 피벗 테이블을 이용하면 데이터를 표로 쉽게 정렬해 요약할 수 있다. 이 방법에서는 피벗 테이블과 피벗 차트를 동시에 작성할 수 있다.

01 표 안에 액티브 셀 A5를 선택하고, [삽입] 탭 - [차트] 그룹 - "피벗 차트" 단추를 누른다. 이어서 "피벗 차트 및 피벗 테이블"을 누르면 [피벗 테이블 만들기] 대화상자가 나타난다.

사랑마트 매출 현황(2~3분기)

월	상품명	수량	단가	판매가
03월	Wi-Fi 공유기	45	13,000	585,000
03월	5색볼펜	32	4,500	144,000
03월	공DVD	55	20,000	1,100,000
03월	무선 키보드	45	10,000	450,000
03월	외장케이스	32	13,200	422,400
03월	블루투스 이어폰	32	3,000	96,000
03월	외장케이스	32	13,200	422,400
03월	5색볼펜	45	8,000	360,000
03월	무선 마우스	32	10,000	320,000

02 자동으로 선택된 표/범위를 확인하고 피벗 테이블 보고서를 넣을 위치를 "새 워크시트"로 설정한다. 다음은 "확인"을 누른다.

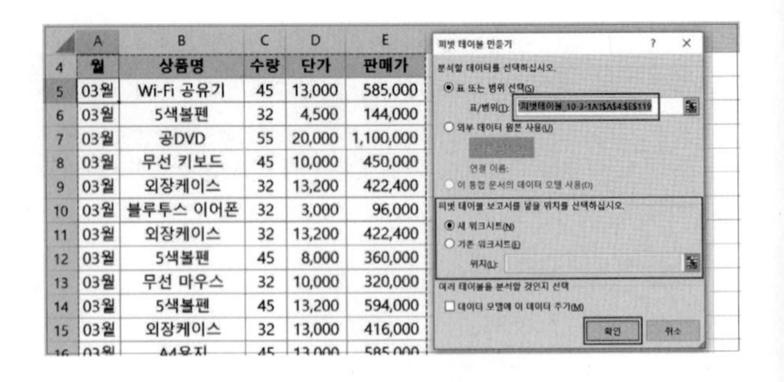

	월	상품명	수량	단가	판매가
5	03월	Wi-Fi 공유기	45	13,000	585,000
6	03월	5색볼펜	32	4,500	144,000
7	03월	공DVD	55	20,000	1,100,000
8	03월	무선 키보드	45	10,000	450,000
9	03월	외장케이스	32	13,200	422,400
10	03월	블루투스 이어폰	32	3,000	96,000
11	03월	외장케이스	32	13,200	422,400
12	03월	5색볼펜	45	8,000	360,000
13	03월	무선 마우스	32	10,000	320,000
14	03월	5색볼펜	45	13,200	594,000
15	03월	외장케이스	32	13,000	416,000

03 빈 피벗 테이블과 빈 피벗 차트가 만들어진다.

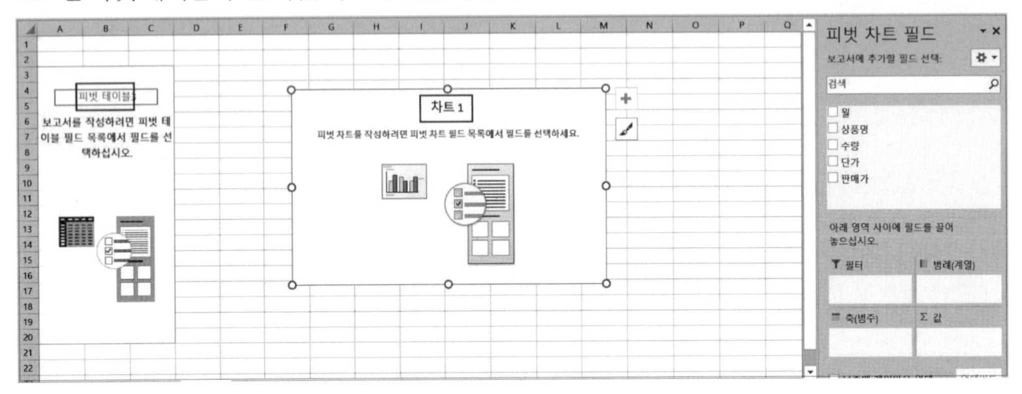

04 필드 목록 영역으로부터 "범례(계열): 월, 축(범주): 상품명, 합계: 판매가"가 되도록 설정을 한다. 필드를 추가한 후, 차트를 보기 좋은 위치로 이동시킨다.

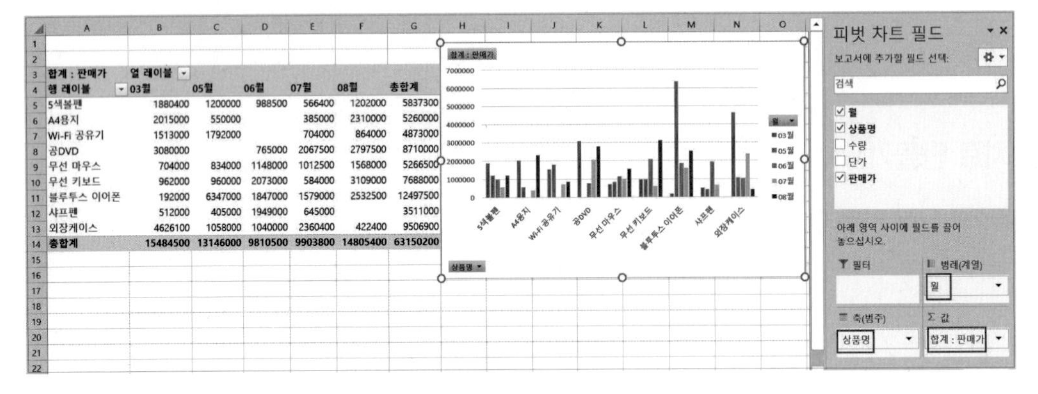

합계 : 판매가	열 레이블					
행 레이블	03월	05월	06월	07월	08월	총합계
5색볼펜	1880400	1200000	988500	566400	1202000	5837300
A4용지	2015000	550000		385000	2310000	5260000
Wi-Fi 공유기	1513000	1792000		704000	864000	4873000
공DVD	3080000		765000	2067500	2797500	8710000
무선 마우스	704000	834000	1148000	1012500	1568000	5266500
무선 키보드	962000	960000	2073000	584000	3109000	7688000
블루투스 이어폰	192000	6347000	1847000	1579000	2532500	12497500
샤프펜	512000	405000	1949000	645000		3511000
외장케이스	4626100	1058000	1040000	2360400	422400	9506900
총합계	15484500	13146000	9810500	9903800	14805400	63150200

(2) 피벗 테이블로부터 피벗 차트 만들기

만들어진 피벗 테이블로부터 피벗 차트를 만들기 위해서는 피벗 테이블 안의 셀을 선택하고 [피벗 테이블 도구] - [분석] 탭의 [도구] 그룹에 있는 "피벗 차트" 단추를 누른다.

01 사전에 만들어진 피벗 테이블 안에 액티브 셀 A3를 누른다. 다음은 [피벗 테이블 도구] - [분석] 탭의 [도구] 그룹에 있는 "피벗 차트" 단추를 누르면 [차트 삽입] 대화상자가 나타난다.

합계 : 판매가	열 레이블					
행 레이블	03월	05월	06월	07월	08월	총합계
5색볼펜	1880400	1200000	988500	566400	1202000	5837300
A4용지	2015000	550000		385000	2310000	5260000
Wi-Fi 공유기	1513000	1792000		704000	864000	4873000
공DVD	3080000		765000	2067500	2797500	8710000
무선 마우스	704000	834000	1148000	1012500	1568000	5266500
무선 키보드	962000	960000	2073000	584000	3109000	7688000
블루투스 이어폰	192000	6347000	1847000	1579000	2532500	12497500
샤프펜	512000	405000	1949000	645000		3511000
외장케이스	4626100	1058000	1040000	2360400	422400	9506900
총합계	15484500	13146000	9810500	9903800	14805400	63150200

02 차트의 종류 중에서 묶은 세로 막대형을 선택하고 "확인"을 누른다.

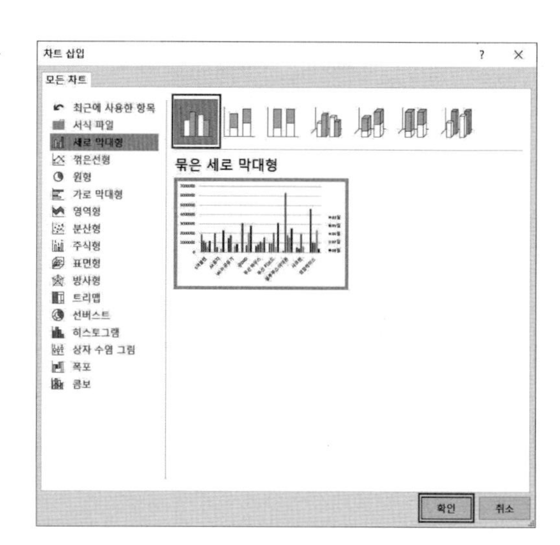

03 실행 결과, 피벗 차트가 만들어졌다.

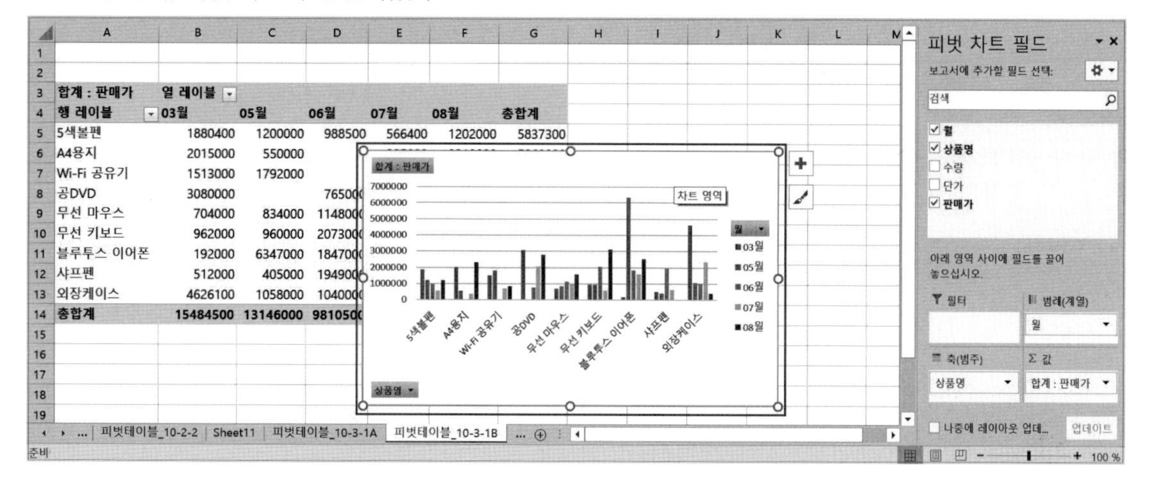

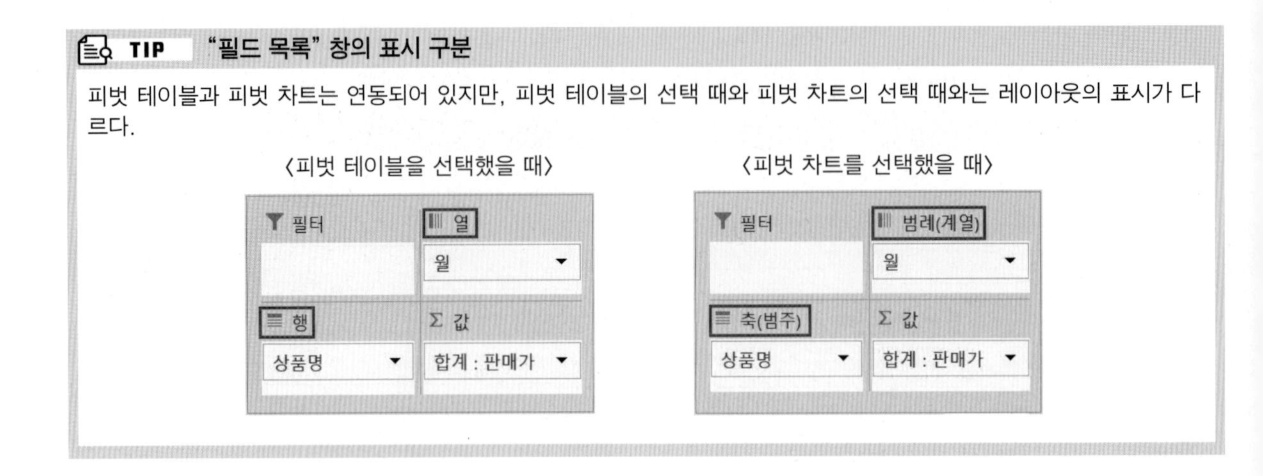

TIP "필드 목록" 창의 표시 구분

피벗 테이블과 피벗 차트는 연동되어 있지만, 피벗 테이블의 선택 때와 피벗 차트의 선택 때와는 레이아웃의 표시가 다르다.

10.3.2 필드 추가

피벗 차트에 필드를 추가하면 축(범주) 혹은 범례(계열)의 항목이 그룹화된다. 이것은 일반적인 엑셀의 차트 기능은 아니다. 여기서는 사전에 피벗 차트를 차트 시트에 이동해 둔다. 차트 시트로 이동하기 위해서는 [피벗 차트 도구] - [디자인] 탭의 [위치] 그룹에 있는 "차트 이동" 단추를 눌러서 이동한다.

01 미리 필드를 추가한 피벗 차트를 만들어서 그 차트를 선택한다.

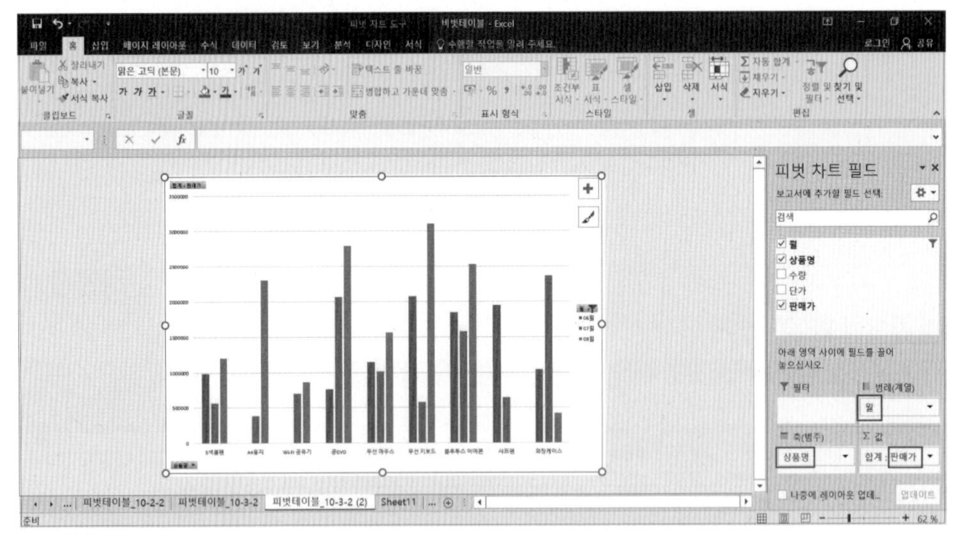

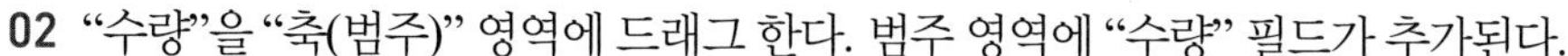

02 "수량"을 "축(범주)" 영역에 드래그 한다. 범주 영역에 "수량" 필드가 추가된다.

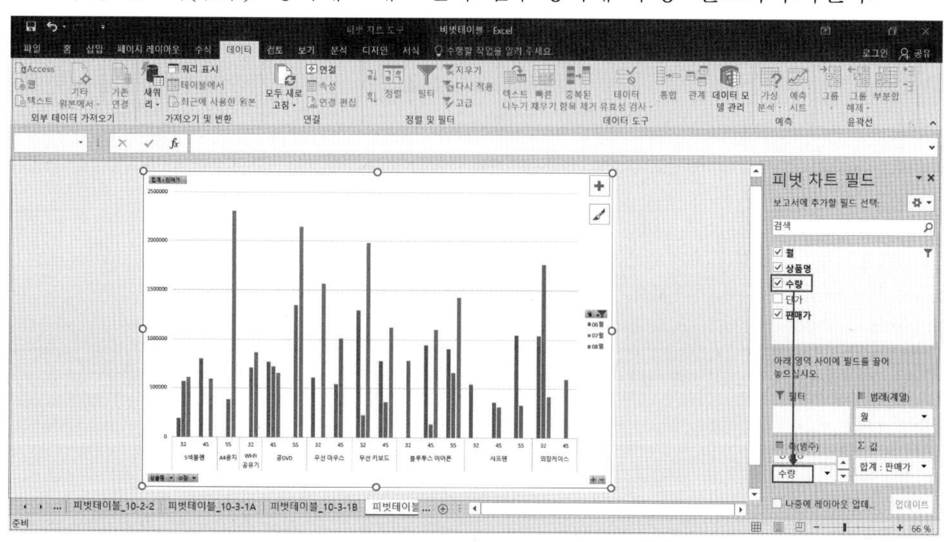

TIP 축(범주) 혹은 범례(계열)의 목록 설정

차트의 축(범주) 혹은 범례(계열)에 표시된 항목을 조정하기 위해서는 피벗 차트 안의 범례(계열)의 필드 단추 ▼을 누르고, 표시하고 싶은 항목만 체크 표시를 붙인다. 예를 들면, 피벗 차트의 오른쪽 중간에 있는 필드 "월"의 단추를 누르고, 원하는 항목을 선택 및 입력할 수 있다.

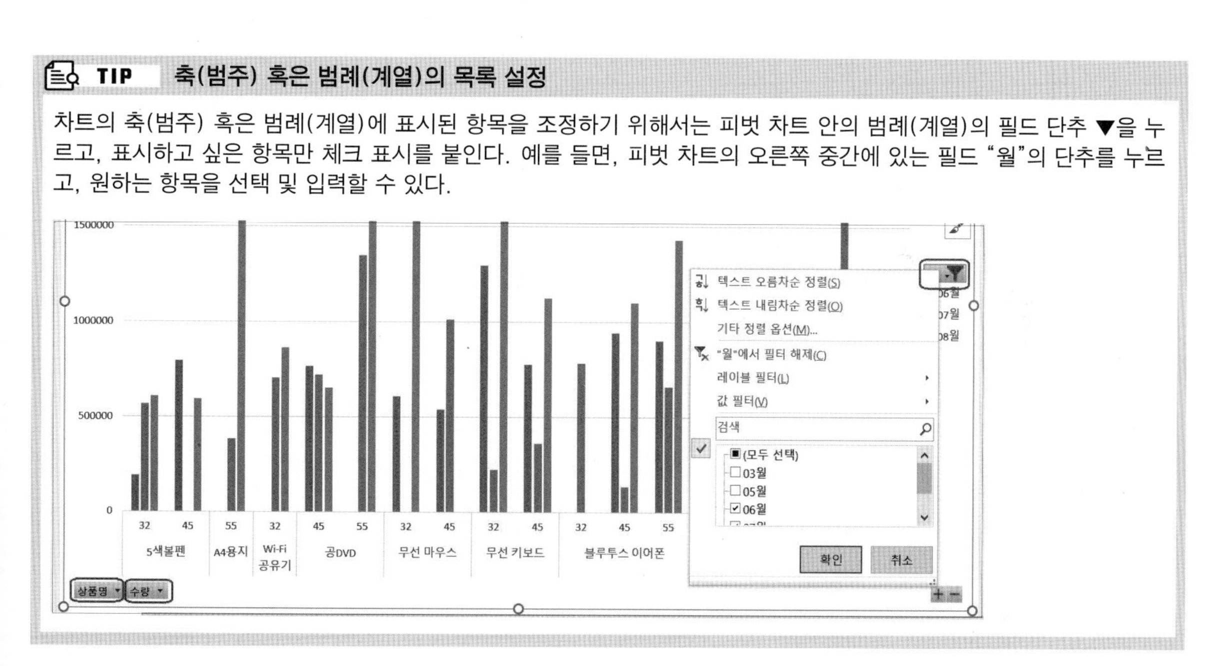

10.3.3 필드 이동 및 삭제

필드를 별도의 영역으로 이동하면 위치에 따라서 차트의 표시 내용이 변경되기 때문에 다양한 측면에서 데이터를 분석할 수 있다. 필드의 이동 시에는 마우스 포인터의 모양이 변하기 때문에 주의가 필요하다.

한편, 불필요한 필드를 삭제하기 위해서는 해당 필드를 레이아웃 세션의 밖으로 드래그한다. 이때 마우스 포인터의 모양은 "✗"로 변한다.

01 미리 필드를 추가한 피벗 차트를 만들고 그 차트를 선택한다.

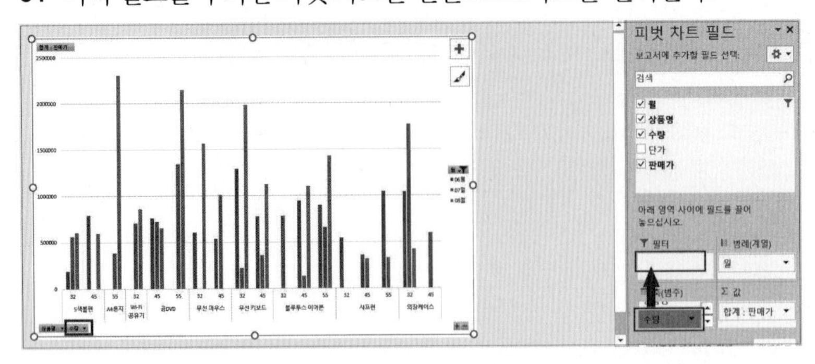

02 이동하고 싶은 "수량" 필드를 "필터" 영역으로 드래그해서 이동하면, 왼쪽 아래에 있던 "수량" 필터가 왼쪽 위로 이동한다.

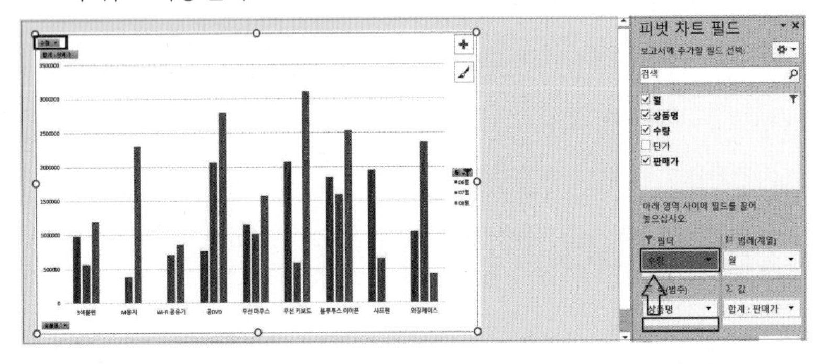

03 삭제하고 싶은 범례(계열) 영역의 "월" 필드를 그 영역의 레이아웃 세션 밖으로 드래그해서 삭제한다.

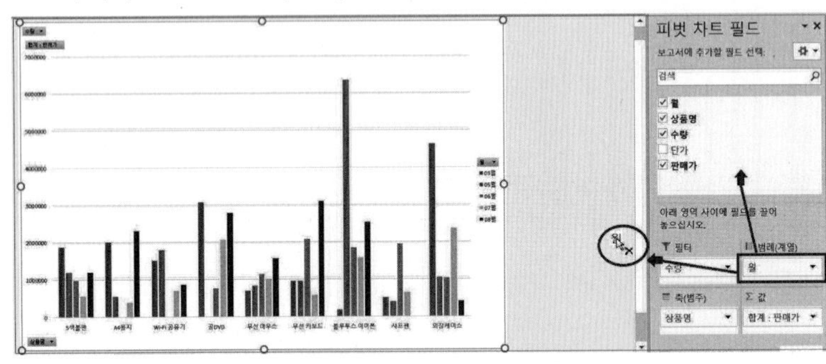

04 피벗 차트의 범례(계열)의 "월" 필드가 삭제되었다.

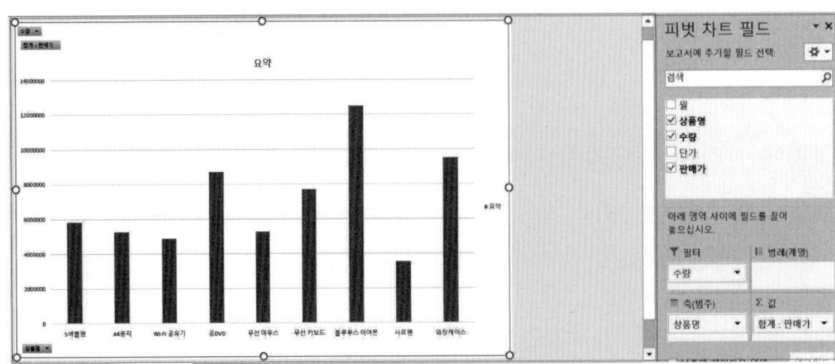

10.4 값 필드 설정

요약

레이아웃 섹션의 Σ값 영역에 숫자 데이터의 필드를 추가하면 자동으로 계산 유형이 결정된다. 이 계산 유형은 얼마든지 변경이 가능하다. 또한 필드를 추가하면 다수의 계산 유형를 표시할 수 있다.

■ 값 영역 필드 추가

Σ값 영역에는 다수의 필드를 배치할 수 있다.

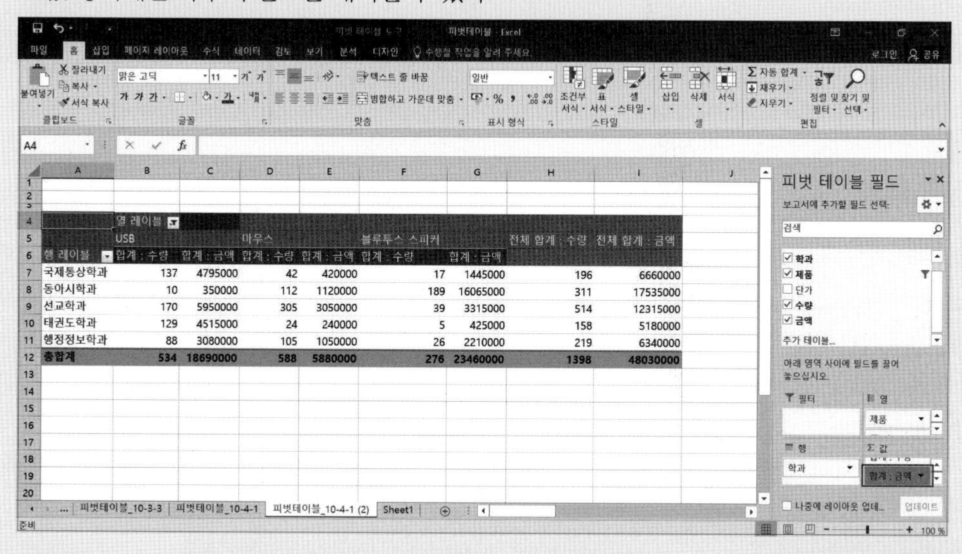

행 레이블	USB 합계 : 수량	USB 합계 : 금액	마우스 합계 : 수량	마우스 합계 : 금액	블루투스 스피커 합계 : 수량	블루투스 스피커 합계 : 금액	전체 합계 : 수량	전체 합계 : 금액
국제통상학과	137	4795000	42	420000	17	1445000	196	6660000
동아시학과	10	350000	112	1120000	189	16065000	311	17535000
선교학과	170	5950000	305	3050000	39	3315000	514	12315000
태권도학과	129	4515000	24	240000	5	425000	158	5180000
행정정보학과	88	3080000	105	1050000	26	2210000	219	6340000
총합계	534	18690000	588	5880000	276	23460000	1398	48030000

■ 값 요약 기준

필요에 따라서 Σ값 필드의 요약 기준을 변경할 수 있다.

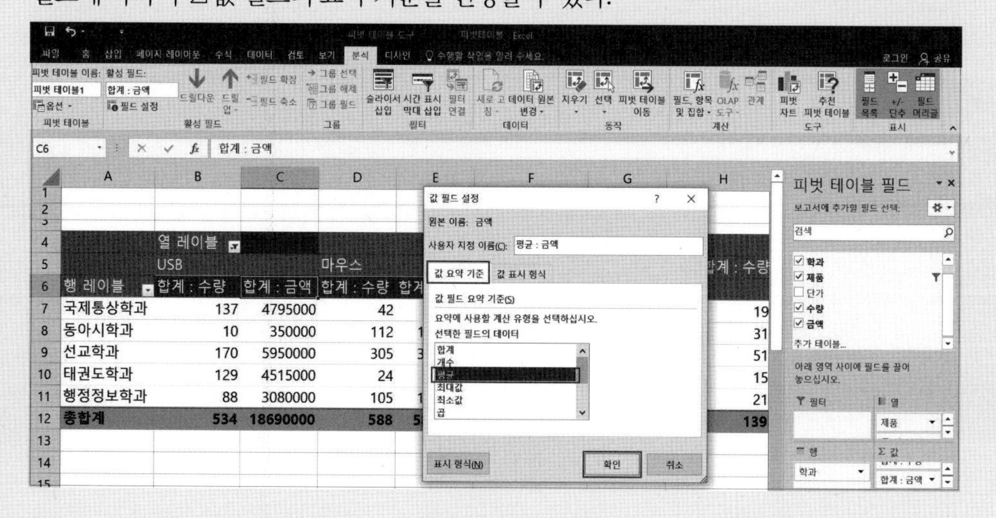

■ 값 표시 형식

값 표시 형식은 값 요약 기준으로 지정한 계산 결과를 보다 구체적으로 지정하는 것이다.

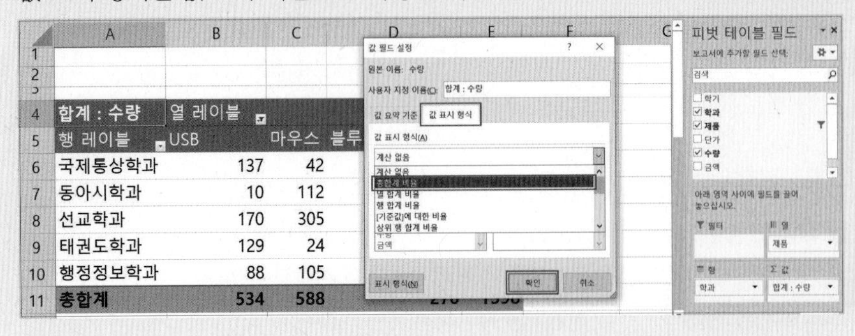

10.4.1 값 영역 필드 추가

Σ값 영역에는 다수의 필드를 배치할 수 있다. 동일한 필드의 데이터로 다른 계산을 하고 싶을 때에는 동일한 필드를 두 번째 필드로 추가한다. 계산 방법은 이후에 변경한다. 여기서는 값 영역에 두 번째의 필드로, 첫 번째 "수량"과 다른 "금액"을 추가한다.

⏩ **조건** 값 영역에 두 번째의 필드 "금액"을 추가한다.

01 "금액" 필드를 값 영역으로 드래그한다.

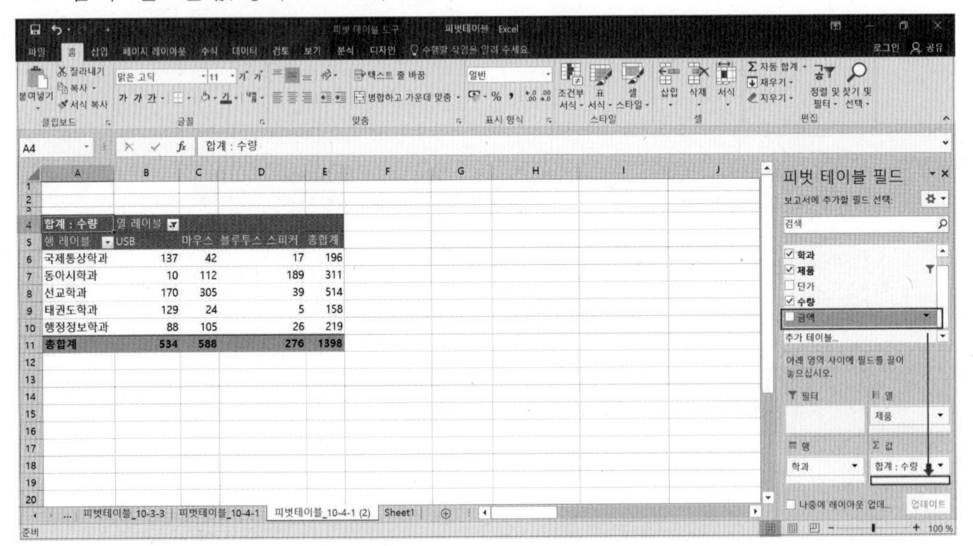

02 값 영역에 기존 "수량"에 "금액"의 필드가 추가되었다. 필요하면 추가한 필드의 요약 기준을 변경할 수 있다.

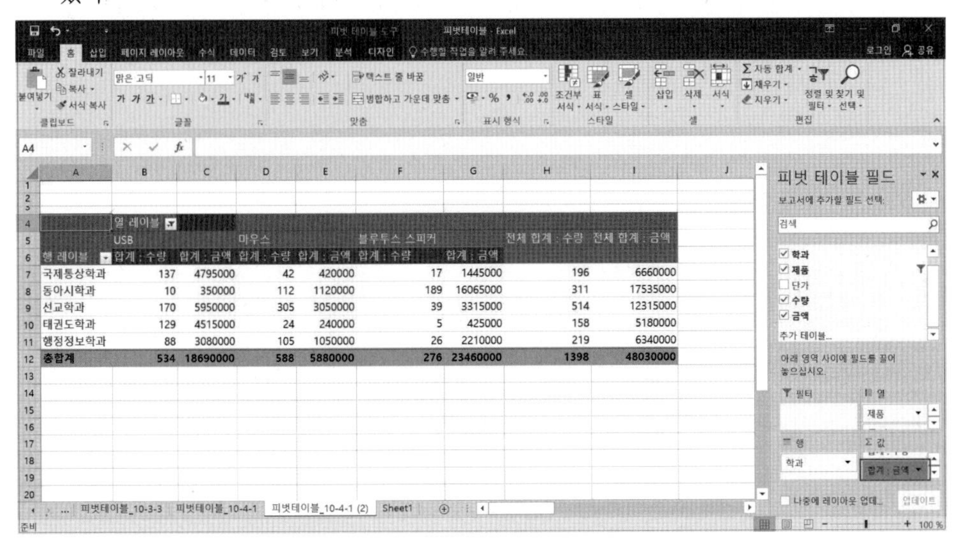

10.4.2 값 요약 기준

필요에 따라서 Σ값 영역의 값 요약 기준을 변경할 수 있다. 즉, 요약에 사용할 계산 유형을 변경할 수 있다.

▷ 조건 값 영역에 배치한 두 번째 필드 "금액"의 요약에 사용할 계산 유형을 합계에서 평균으로 변경한다.

01 피벗 테이블에서 필드 "금액"에 해당하는 임의의 셀 C6을 선택한 후, [피벗 데이터 도구] - [분석] 탭 - [활성 필드]의 "필드 설정" 단추 필드 설정 을 누르면 [값 필드 설정] 대화상자가 나타난다.

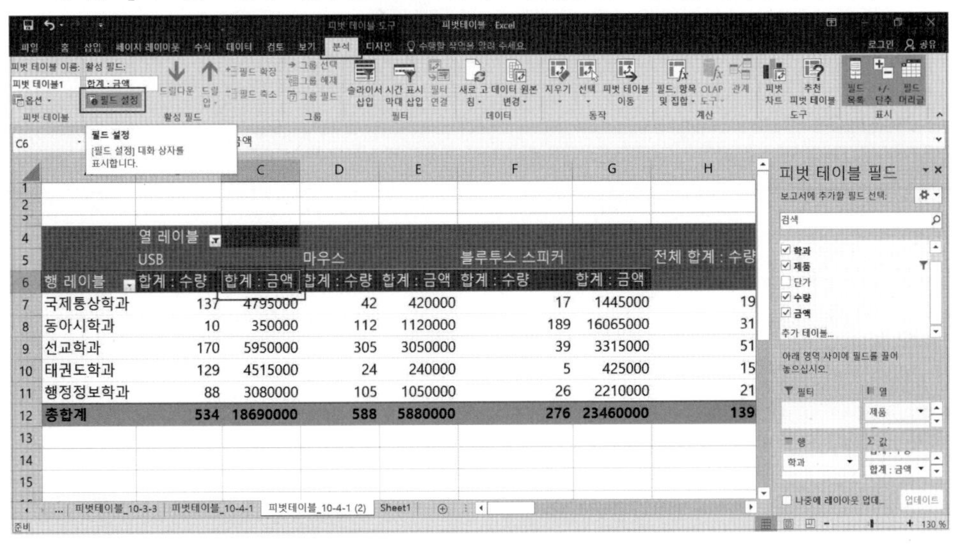

02 대화상자의 “값 요약 기준” 탭의 계산 유형 “평균”을 선택하고 “확인”을 누른다.

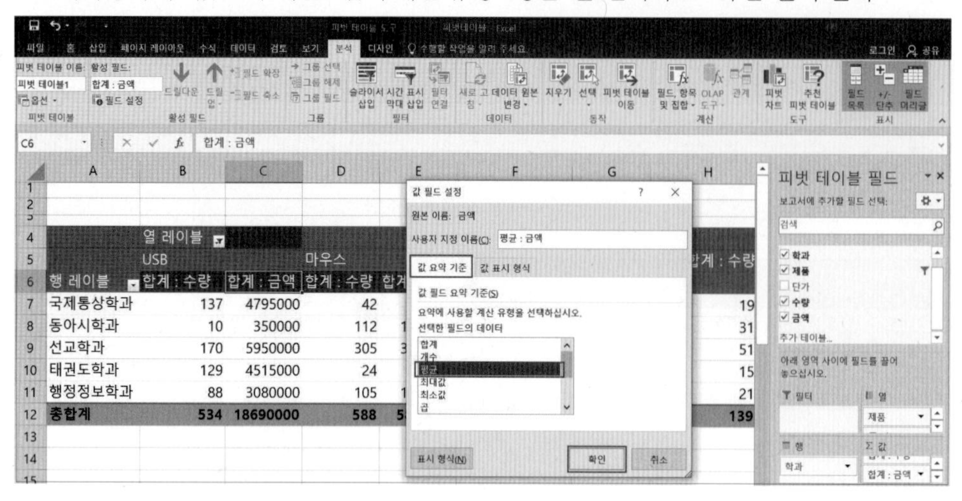

03 “금액” 필드의 계산 유형이 합계에서 평균으로 표시된다.

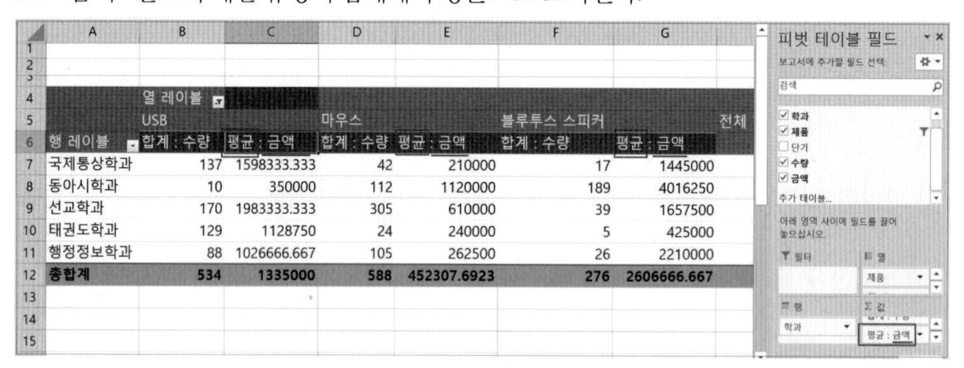

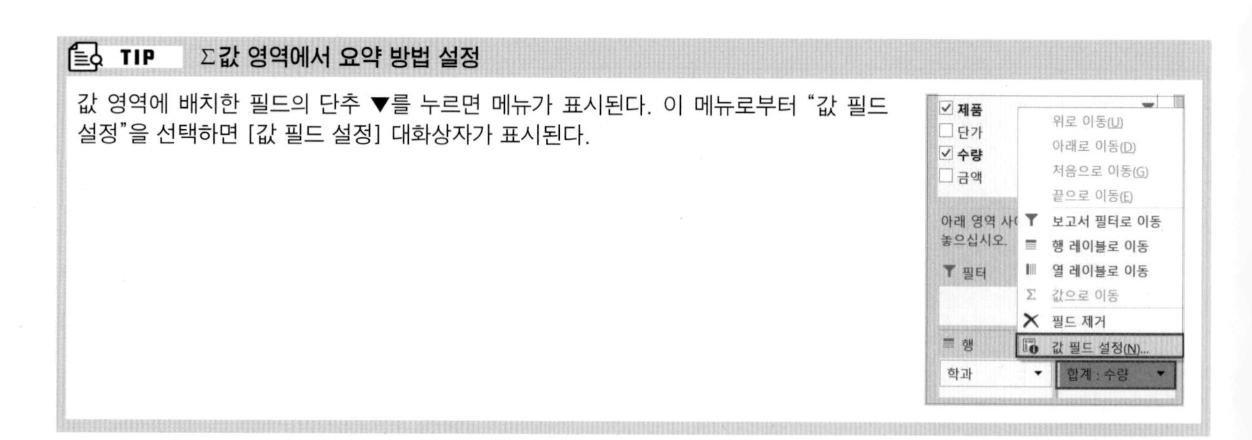

TIP Σ값 영역에서 요약 방법 설정

값 영역에 배치한 필드의 단추 ▼를 누르면 메뉴가 표시된다. 이 메뉴로부터 “값 필드 설정”을 선택하면 [값 필드 설정] 대화상자가 표시된다.

10.4.3 값 표시 형식

값 표시 형식은 값 요약 기준으로 지정한 계산 결과를 보다 구체적으로 지정하는 것이다. 예를 들면, 계산에 사용할 계산 유형을 "합계"로 지정하면 단순히 데이터를 더해서 표시할 뿐이지만 "값 표시 형식"의 지정에 의해 합계의 값을 비율의 표시로 변경할 수 있다. 여기서는 "값 표시 형식"을 "총 합계 비율"로 지정한다.

01 피벗 테이블에서 필드 "금액"에 해당하는 임의의 셀 A4를 선택한 후, [피벗 데이터 도구] - [분석] 탭 - [활성 필드]의 "필드 설정" 단추 필드 설정을 누르면 [값 필드 설정] 대화상자가 나타난다.

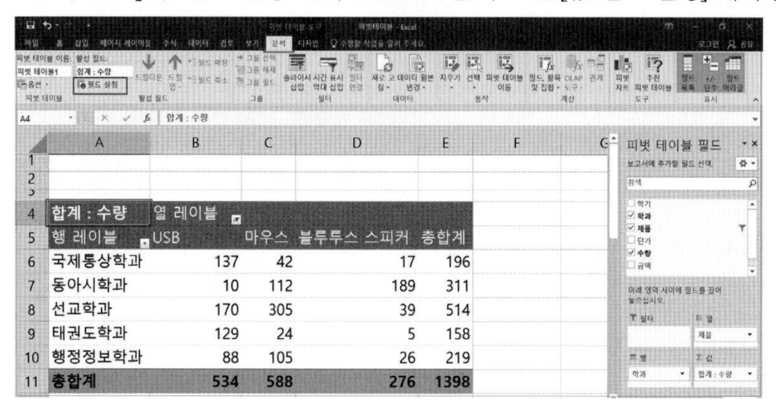

02 대화상자의 "값 표시 형식" 탭에 있는 드롭다운 단추 을 이용해서 "총 합계 비율"을 선택하고 "확인"을 누른다.

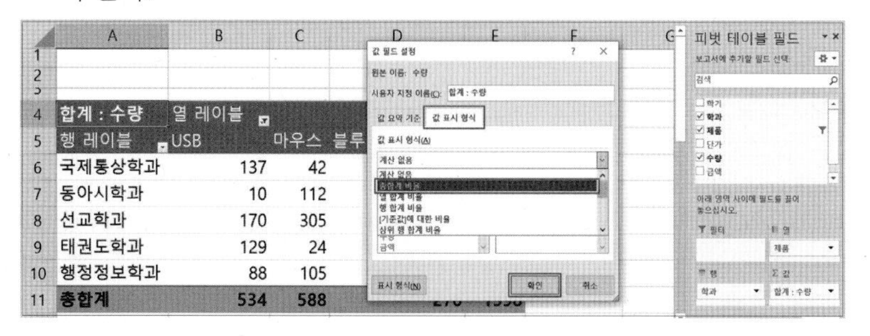

03 실행 결과, 테이블의 모든 숫자가 백분율로 표시가 변경되었다.

합계 : 수량	열 레이블			
행 레이블	USB	마우스	블루투스 스피커	총합계
국제통상학과	9.80%	3.00%	1.22%	14.02%
동아시학과	0.72%	8.01%	13.52%	22.25%
선교학과	12.16%	21.82%	2.79%	36.77%
태권도학과	9.23%	1.72%	0.36%	11.30%
행정정보학과	6.29%	7.51%	1.86%	15.67%
총합계	**38.20%**	**42.06%**	**19.74%**	**100.00%**

TIP 피벗 테이블의 숫자 표시 형식 변경

피벗 테이블에 있는 숫자 데이터의 표시 형식을 적절하게 변경해서 데이터의 시인성을 높일 수 있다. 우선, [값 필드 설정] 대화상자의 왼쪽 아래에 있는 "표시 형식"을 누르면 [셀 서식] 대화상자가 표시된다. 다음은 그 대화상자에서 표시 형식을 일반에서 숫자로 변경하면 된다.

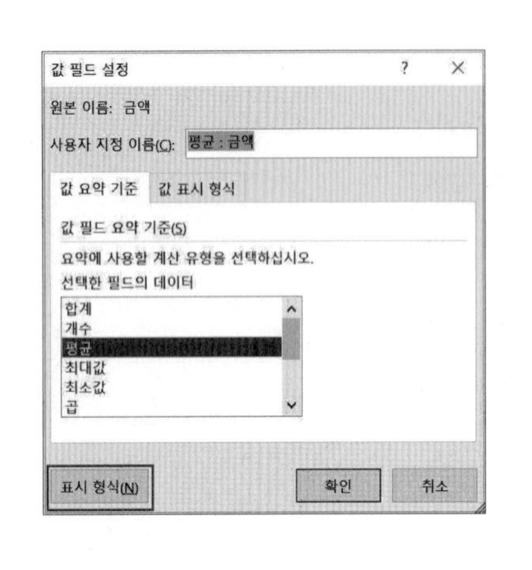

⇨

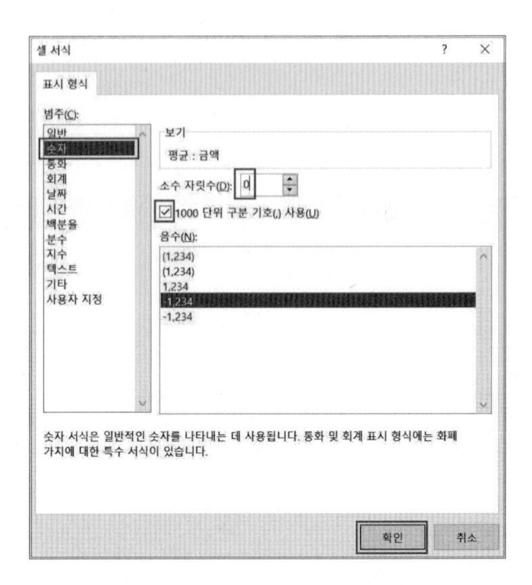

예시)

〈금액의 숫자의 표시 형식; "일반"〉

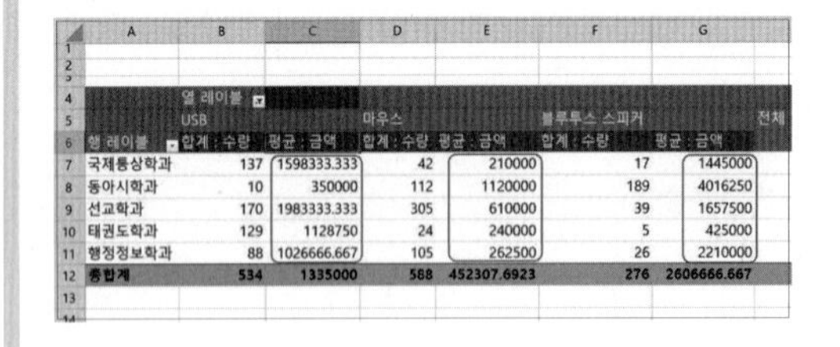

	A	B	C	D	E	F	G
4		열 레이블					
5		USB		마우스		블루투스 스피커	
6	행 레이블	합계 : 수량	평균 : 금액	합계 : 수량	평균 : 금액	합계 : 수량	평균 : 금액
7	국제통상학과	137	1598333.333	42	210000	17	1445000
8	동아시학과	10	350000	112	1120000	189	4016250
9	선교학과	170	1983333.333	305	610000	39	1657500
10	태권도학과	129	1128750	24	240000	5	425000
11	행정정보학과	88	1026666.667	105	262500	26	2210000
12	총합계	534	1335000	588	452307.6923	276	2606666.667

(5행 G열 오른쪽: 전체)

⇨

표시 형식 변경; "일반"→"숫자"

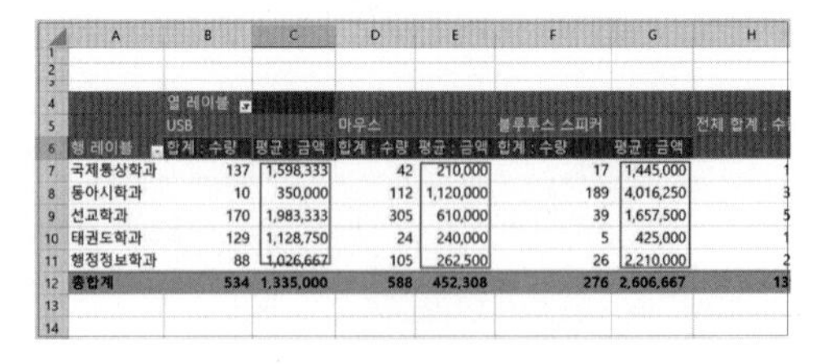

	A	B	C	D	E	F	G	H
4		열 레이블						
5		USB		마우스		블루투스 스피커		전체 합계 : 수
6	행 레이블	합계 : 수량	평균 : 금액	합계 : 수량	평균 : 금액	합계 : 수량	평균 : 금액	
7	국제통상학과	137	1,598,333	42	210,000	17	1,445,000	1
8	동아시학과	10	350,000	112	1,120,000	189	4,016,250	3
9	선교학과	170	1,983,333	305	610,000	39	1,657,500	5
10	태권도학과	129	1,128,750	24	240,000	5	425,000	1
11	행정정보학과	88	1,026,667	105	262,500	26	2,210,000	2
12	총합계	534	1,335,000	588	452,308	276	2,606,667	13

연습문제

1. 다음 조건들을 만족하는 피벗 테이블(아래 오른쪽 그림)을 작성해 보자. 이때 금액의 표시 형식은 아래의 오른쪽 이미지와 동일하게 지정한다.

- 피벗 테이블 보고서 넣을 위치; 새 워크시트
- 피벗 테이블 필드 선택
  - -열 레이블; 제품
  - -행 레이블; 학과
  - -값; 금액(평균), 표시형식 "숫자: 1,000단위 구분 기호 사용, 소수 자리수 0"
- 열 레이블 필터 항목 리스트; 복사용지, 잉크 충전
- 시트명; 학과별-복사잉크-피벗

	A	B	C	D	E	F	G
1		학과별 PC용품 구매 현황					
2		날짜	학과	제품	단가	수량	금액
3		2019-1학기	경영학과	복사용지	20,000	21	420,000
4		2019-1학기	물리학과	잉크충전	40,000	17	680,000
5		2019-1학기	화학공학과	무선 키보드	75,000	13	975,000
6		2019-1학기	화학공학과	잉크충전	40,000	43	1,720,000
7		2019-1학기	경영학과	복사용지	20,000	24	480,000
8		2019-1학기	건축공학과	마우스	10,000	15	150,000
9		2019-1학기	경영학과	프린터	150,000	26	3,900,000
10		2019-1학기	화학공학과	복사용지	20,000	29	580,000
11		2019-1학기	물리학과	복사용지	20,000	31	620,000
12		2019-1학기	생물학과	프린터	150,000	22	3,300,000
13		2019-1학기	건축공학과	LCD 모니터	230,000	23	5,290,000

⇨

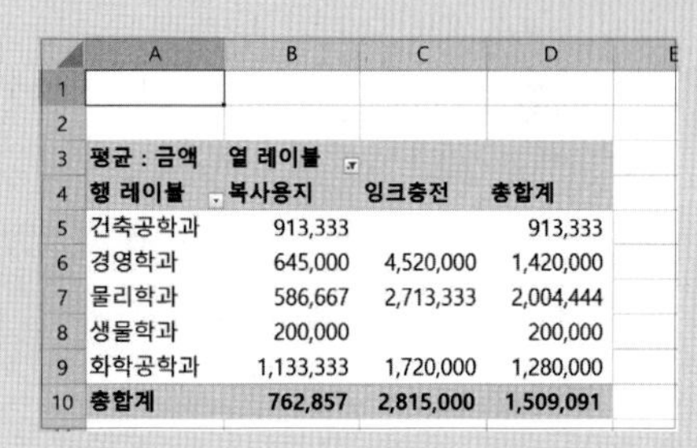

	A	B	C	D
1				
2				
3	평균 : 금액	열 레이블		
4	행 레이블	복사용지	잉크충전	총합계
5	건축공학과	913,333		913,333
6	경영학과	645,000	4,520,000	1,420,000
7	물리학과	586,667	2,713,333	2,004,444
8	생물학과	200,000		200,000
9	화학공학과	1,133,333	1,720,000	1,280,000
10	총합계	762,857	2,815,000	1,509,091

2. 다음의 조건을 만족하는 피벗 차트(아래 오른쪽 그림)를 작성해 보자.

- 피벗 테이블 보고서 넣을 위치; 새 워크시트
- 보고서에 추가할 필드
  - - 필터; 월
  - - 축(범주); 상품명
  - - 값; 판매가(합계)
- 차트 영역 채우기; 그림 또는 질감 채우기
- 3차원 회전; X 0° , Y 20°
- 원근감; 15°
- 계열 옵션-쪼개진 원형; 20%
- 시트명; 학과별-PC용품-피벗차트

연습문제

	A	B	C	D	E
1	월별 PC용품 구매 현황				
2	월	상품명	수량	단가	판매가
3	05월	USB	50	16,000	800,000
4	05월	키보드	40	20,000	800,000
5	05월	스피커	50	3,000	150,000
6	05월	마우스	40	12,000	480,000
7	05월	무선랜	40	19,000	760,000
8	05월	키보드	40	10,000	400,000
9	05월	공CD	50	9,000	450,000
10	05월	스피커	55	29,000	1,595,000
11	05월	외장케이스	40	15,000	600,000
12	05월	스피커	50	25,000	1,250,000
13	05월	스피커	55	25,000	1,375,000
14	05월	스피커	40	21,000	840,000
15	05월	스피커	55	19,000	1,045,000

⇨

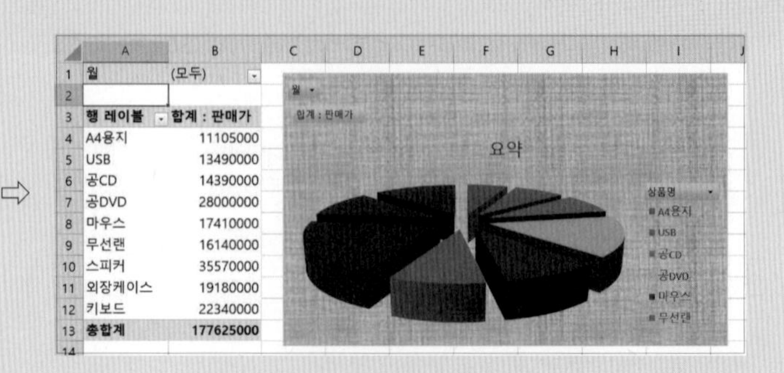

	A	B
1	월	(모두)
2		
3	행 레이블	합계 : 판매가
4	A4용지	11105000
5	USB	13490000
6	공CD	14390000
7	공DVD	28000000
8	마우스	17410000
9	무선랜	16140000
10	스피커	35570000
11	외장케이스	19180000
12	키보드	22340000
13	총합계	177625000

3. 다음 조건들을 만족하는 피벗 테이블(아래 오른쪽 그림)을 작성해 보자.

- 피벗 테이블 보고서 넣을 위치; 새 워크시트
- 피벗 테이블 필드 선택
  - 행 레이블; 항목, Σ 값
  - 값; 2018년(합계), 2019년(합계)
- 시트명; 예비비-피벗

	A	B	C	D
1	예비비 현황			
2	지역	항목	2018년	2019년
3	서울	특별/광역시도	7,933	8,234
4	경기	시도	6,833	7,240
5	경남	시도	4,820	4,850
6	경북	군도	3,804	3,807
7	경남	군도	3,435	3,434
8	전남	군도	3,376	3,384
9	경북	지방도	3,010	3,009
10	강원	군도	3,004	3,022
11	경북	시도	2,708	2,767
12	강원	시도	2,720	2,766
13	경기	지방도	2,734	2,687
14	부산	특별/광역시도	2,655	2,681
15	충북	군도	2,420	2,421
16	충남	군도	2,406	2,420
17	경남	지방도	2,374	2,390
18	전남	시도	2,216	2,309

⇨

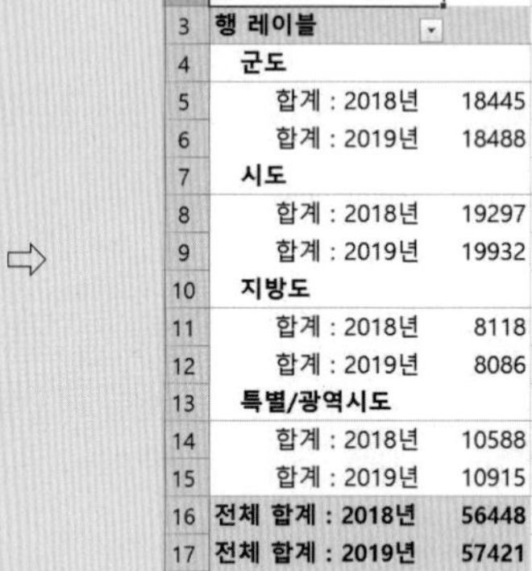

	A	B
2		
3	행 레이블	
4	군도	
5	합계 : 2018년	18445
6	합계 : 2019년	18488
7	시도	
8	합계 : 2018년	19297
9	합계 : 2019년	19932
10	지방도	
11	합계 : 2018년	8118
12	합계 : 2019년	8086
13	특별/광역시도	
14	합계 : 2018년	10588
15	합계 : 2019년	10915
16	전체 합계 : 2018년	56448
17	전체 합계 : 2019년	57421

연습문제

4. 다음의 조건을 만족하는 피벗 차트를 작성해 보자.

- 피벗 테이블 보고서 넣을 위치; 새 워크시트
- 보고서에 추가할 필드
  -필터; 거래일자
  -범례(계열); 제품명
  -축(범주); 거래처명
  -값; 수량(합계)
- 열 레이블 필터 항목 리스트; 디지털카메라, 캠코더
- 시트명; 거래처-디카캠코더-피벗차트

거래처별 판매현황

거래일자	거래처명	제품명	수량	단가	공급가액	부가세	합계
06-01-02	거명전자	PDP TV	10	1,830,000	18,300,000	1,830,000	20,130,000
06-01-05	나라전자	PMP	15	369,000	5,535,000	553,500	6,088,500
06-01-12	나라전자	MP3	20	95,000	1,900,000	190,000	2,090,000
06-01-15	거명전자	캠코더	25	856,000	21,400,000	2,140,000	23,540,000
06-01-20	다원전자	PMP	15	369,000	5,535,000	553,500	6,088,500
06-01-25	한국전자	DMB	10	139,000	1,390,000	139,000	1,529,000
06-01-26	다원전자	PDP TV	11	1,830,000	20,130,000	2,013,000	22,143,000
06-02-03	한국전자	PMP	30	369,000	11,070,000	1,107,000	12,177,000
06-02-06	거명전자	디지털카메라	25	265,000	6,625,000	662,500	7,287,500
06-02-12	나라전자	MP3	45	95,000	4,275,000	427,500	4,702,500

⇩

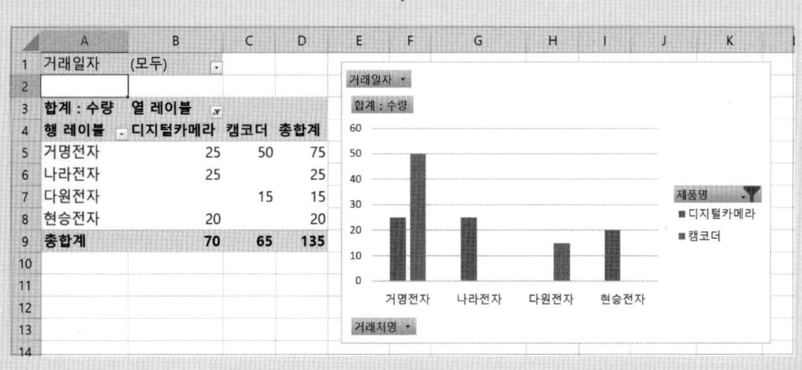

거래일자 (모두)

합계 : 수량	열 레이블		
행 레이블	디지털카메라	캠코더	총합계
거명전자	25	50	75
나라전자	25		25
다원전자		15	15
현승전자	20		20
총합계	70	65	135